HOMENAJE
A
JULIO CORTÁZAR

EDITOR

HELMY F. GIACOMAN

HOMENAJE
A
JULIO CORTÁZAR

Variaciones interpretativas en torno a su obra

ÍNDICE

Prefacio

Helmy F. Glacoman

Un grupo de críticos de la nueva narrativa hispanoamericana nos hemos reunido en este tomo para rendir destacado homenaje a Julio Cortázar. Nuestro autor es uno de esos humanistas que nos presenta una constante reflección del quehacer literario y una extraordinaria identificación entre su condición humana y su condición de escritor. «Sólo hay una belleza que todavía puede darme acceso a una realidad absoluta y satisfactoria..., aquella que es un fin y no un medio, y que lo es porque su creador ha identificado en sí mismo su sentido de la condición humana con su sentido de la condición de artista.» Esta afirmación no puede ser gratuita y es exclusiva de su autor y obra. Al mismo tiempo, comprobamos que esa es la condición ontológica de Cortázar, quien tiende, además, a los sistemas abiertos, a las encrucijadas dialécticas, a las antinomias, a todo aquello que signifique una búsqueda, una verdad vitalmente sentida a lo largo de su obra. Pero no se crea que esa respuesta, ese reencuentro ansiado, se da gratuitamente. Ese asedio a la naturaleza del hombre y de las cosas se debe ver como el cumplimiento de una serie de mandalas, para poder llegar, después de una agónica peregrinación, a esa respuesta que nos justifica esa incógnita que es el vivir.

Con el fin de poder lograr esa búsqueda de un modo certero se arma de un lenguaje que acabe «con las formas coaguladas» y que vaya todavía más allá, «poniendo en duda la posibilidad de que este lenguaje esté todavía en contacto con lo que pretende mentar», ya que «no se trata de sustituir la sintaxis por la escritura automática o cualquier otro truco al uso», como nos ha dicho Morelli en *Rayuela*. Al mismo tiempo, nuestro autor recurre al «lector-cómplice», a una especie de ejecutante de una partitura cuyos símbolos, claves y silencios tiene que saber compenetrar. Todo ello en la reestructuración de una cosmovisión fragmentaria de la realidad. Todo ese mundo cortazariano está sumergido en el humor y en la firme creencia en el azar que rige toda relación entre las leyes de causalidad y de lo absurdo de la casualidad.

A los autores aquí representados y al material escrito por ellos en libros y revistas, a aquellos que cooperaron con monografías inéditas, a los directores de revistas, a todos, quisiera hacer patente mi agradecimiento por haber hecho posible la realización de este tomo.

Quisiera indicar las fuentes originales de donde hemos obtenido los estudios que integran este tomo. El estudio de José Lezama Lima se publicó en la revista *Casa de las Américas,* julio-agosto (1968): 51-62; el de Marcelo Alberto Villanueva, en *Estudios Literarios e Interdisciplinarios de la Universidad Nacional de la Plata,* 1968; el de Fernando Alegría, en *Revista Iberoamericana* 69: 459-472; el de John G. Copeland, en la *Revista Iberoamericana* 33: 85-104; el de Ángela Dellepiane, en la revista *Nueva Narrativa Hispanoamericana,* enero de 1971; los de Malva E. Filer, en su libro *Los Mundos de Julio Cortázar,* New York, Las Americas Pub. Co., 1971; el de Osvaldo López Chuhurra, en *Cuadernos Hispanoamericanos* 71: 5-30; el de José Blanco Amor, en *Cuadernos Americanos* 160: 213-237; el de Antonio Pagés Larraya, en *Cuadernos Hispanoamericanos* 231: 694-703; el de Alfred J. Mac Adam, en el libro *La Novela Iberoamericana Contemporánea;* el de Richard F. Allen tiene la misma fuente; el de Marta Morello-Frosch, en la *Revista Iberoamericana* 34: 323-330; el de Joan Hartmann, en la *Revista Iberoamericana* 69: 539-549; el de Martha Paley de Francescato, en *Cuadernos Americanos;* el de Manuel Durán, en la *Revista Iberoamericana;* y los de Roberto Hozven y Luis Bocaz, en *Atenea.*

Cortázar
y el comienzo de la otra novela

José Lezama Lima

Desde la época de los *imbroglios* y laberintos gracianescos, había una grotesca e irreparable escisión entre lo dicho y lo que se quiso decir, entre el aliento insuflado en la palabra y su configuración en la visibilidad. El ícaro verbal terminaba en los perplejos de cera. Engendraba ya primorosas y pavorosas equivocaciones en el *manierismo, una palabra de dos cortes y un significar a dos luces.* Eran maneras de divertirse, de recorrer el laberinto vegetal, pasar la ruedecilla de Hermes por delante de las casas con grotescas caras de monstruos, de gigantes etruscos o la trompa del elefante enroscándose en un centurión. Un argentino en Europa, en la misma unidad temporal, revisa los laberintos de sus juegos de infante, y un porteño musicaliza los laberintos de *Bomarzo,* en la Italia barroca del siglo XVII. En la historia de los laberintos, se igualan *Rayuela* y *Bomarzo,* los dos se nutren del inagotable *paideuma* infantil.

En el laberinto se presenta una infinita, indetenible antropofanía. Destino propuesto por los dioses, por la fatalidad, al asumirlo el hombre, se iguala con aquéllos. Es el anillo y es el centro, el árbol morada y el minoano recinto sagrado. Los deslizamientos del pulpo minoano aseguran la irradiación del centro laberíntico. Los triángulos se liberan de su triangularidad y comienzan a vibrar. Problemas de triángulos rectángulos que son resueltos en el tendido de las redes de los pescadores mediterráneos. Sabe que en la lucha contra el pulpo hay que cortarle la cabeza, como sabe que el toro avanza desde el centro del laberinto. El *omphalos,* o centro umbilical, se convierte en morada de los dioses, ya como irradiación germinativa o centro del laberinto. El rombo al girar en la noche brama como un toro. Se oculta, pero congrega. En el laberinto todo signo se convierte en

palabra, en verbo ordenancista. Es un espacio ideal, que no depende
de adición o de crecimiento, tampoco de reconocimiento espacial o
detención temporal. Será siempre punto coincidente entre Oriente y
Occidente, Ofir o la remota Samos, la Orplid o la Incunnábula.
Tiene que ser también un espacio hialino, todas nuestras vértebras
se apoyan en el punto volante que recorre todo el laberinto, que lo
abre y lo cierra. Es un reto de lo oscuro, pero lo penetramos por las
instantáneas progresiones de la luz. Los maestros orientales encuentran esa unidad esencial expresada en la gráfica frase, *en un instante
recorría todas las mansiones.*

Rayuela puede ser el crujir de la distancia en el punto ausente,
la semejanza y la indistinción frente al suceso, pero prefiere bailar
rotando en el tambor que rueda como las manecillas del reloj. Pasarse
las manos por los ojos, o los ojos por las manos, para precisar el semi-
encandilamiento. Infinitas compuertas, sucesivos crujidos, como el
ordenamiento arenoso de la piel de la cebra. Sus círculos, sus variantes y reencuentros de páginas, surgen de esas infinitas defensas sici-
lianas, dándole su intransferible relieve a las figuras que terminan
por coincidir, después hablar, después soplarse. Cortázar señala, a su
manera, esas compuertas donde convergen orientalismos, bromas megá-
ricas, eleatismos: *vacío original, primer vacío, segundo vacío, el vasto
vacío, el extensísimo vacío, el seco vacío, el vacío generoso, el vacío
delicioso, el vacío atado, la noche, la noche suspendida, la noche flu-
yente, la noche gimiente, la hija del sueño tranquilo, la alborada, el
día permanente, el día brillante, y por último el espacio.* Las posibilidades en la infinitud y la combinatoria finita. No solamente las
alteraciones y saltos de página, sino momentos enteros intercambiables, por ejemplo, muerte de Rocamadour con una atigrada gama de
variantes, ya con noche extendida, con vacío generoso, y luego el
espacio fijador, como la distancia intercala el árbol. Como un anfi-
teatro cubierto por capas de arena. Después soplar, aparecen los dos
conversadores pellizcándose y dando traspiés.

Por todas partes, la caminata de lo ya transcurrido y de lo que
se va a configurar, caminando hacia un presente que ofrece el cafetín,
el cuarto de una noche, el portal en la noche que llueve, donde se
detienen los que quieren que les echemos el guante. Ejército de hormigas que han polarizado el tiempo y que están en el total asalto de
la casa en la granja. Precisamos los ruidos de nuestro reloj y les
damos un *tempo.* Les hemos otorgado un ritmo para que sean momentáneamente visibles. Los distribuimos, cuando marchan en su
totalidad, con inmensos zapatones, nos destruyen.

Cortázar nos hace visible cómo dos personajes sin conocerse pueden contrapuntear una novela. Después se conocen y se niegan a formar parte de la novela. Lo anterior o su coincidencia, que es lo que
desconocemos siempre, forma la prueba de las verdaderas novelas.

Su desconocimiento anterior mantiene avivadas aquellas coincidencias en París o en las clínicas de Montevideo. Eso le da naturaleza a sus invocaciones a la Fata Morgana; pero percibimos de inmediato que la Maga no es Nadja. La Maga está traída por un hilo sonambúlico de profecía, en los dominios de lo invisible es un perro que sigue a su amo. La Maga nace de un anterior desconocido, no puede estar traída porque ella va sola hacia la muerte. Nadie la puede ayudar a morir.

Rayuela ha sabido destruir un espacio para construir un espacio, decapitar el tiempo para que el tiempo salga con otra cabeza. Es una novela muy americana que no depende de un espacio tiempo americano. París o Montevideo, la hora de la salida del concierto o la hora del amanecer, giran, ruedan y aseguran la igual concurrencia del azar. Evapora la tierra un espacio americano que no depende de una ubicación cruzada de estacas en nuestro continente. Por lo estelar desciende una cantidad que es lo temporal, océano final donde todo concurre a una cita.

Ésa es la prueba que yo llamo de Bayaceto. Cuando el genio de Racine, absolutamente francés, sitúa sus personajes en Constantinopla y en la época de Solimán, todo sigue inalterablemente francés del gran siglo. De igual manera, una corriente muy poderosa despierta en las novelas, cuando en un sitio señalado por dos líneas cruzadas, van entrando yugoslavos, chinos y uruguayos, pero polarizados por la Maga y Oliveira, la resultante es una lucidez y una somnolencia totalmente argentinas. Tiene algo de la Persia del siglo XVIII, o de la Bagdad de Harum Al Rachid, es, desde luego, una liberación del *aquí,* pero entran y salen hombres, se muere al amanecer, hay hambre. Apuntalada por el *jazz,* creciendo como un árbol, cada casa de noche tiene su espacio y su tiempo, las hermanas que la habitan están metamorfoseadas en perras.

A esa prueba de Bayaceto, Cortázar añade otra: la galería eleática. Hace visibles situaciones históricas de concurrencias o tangencias. La memoria se puebla de galerías inexistentes. Es el sombrero de Arnolfini sobre la repisa o la cama matrimonial. Van llegando de la Región de las nieves perpetuas los acurrucados nocturnos, en *La cocina,* de Velázquez. Personajes que descienden del cuadro y cogen el elevador. Cómo lo que es escultura se precipita en la vida y cómo ésta se agazapa como una bestia de interminable lomo para la caricia. Al lado de la galería aporética, la librería délfica soñada por Gracián. Cada libro por inexplicable, imprescindible. Julio Verne al lado de Roussel. Todo lo pensado puede ser imaginado. Toda *imago* deja huella. Hacer de tres no un cuarto sonido, sino un astro, decía un abate que tenía su gabinete de alquimia al lado de su celdilla de penitente. Encontrar los necesarios textos como alimento terrestre de lo único que podemos digerir, que cada cual necesita transformar para crecer. Todas esas lecturas semejantes al encuentro con la prostituta de Avignon llamada Jean Blanc (1477-1514), son, como evoca Cortázar en esa mezcla de lo lúdico y lo terrible que es una de sus constantes más reiteradas, vivencias desprendidas de un cuadro de Masaccio.

Él ha comparado esos encuentros con el latigazo de triple carambola —y, de hecho, Cannefax, cuando fue campeón del mundo en tres bandas, demostraba las veces que la esfera de marfil impulsada por el taco, se burla de las leyes del movimiento, la esfera avanza ya con dos bandas, retrocede después, uniendo el movimiento progresivo de rotación y el retroceso de traslación— o la jugada del alfil, desalojando la diagonal de la fuerza, centrando la tensión del tablero. Lo que precipita una salida, como la llamada conciencia vertebral de los peces y aves, todos hacia un punto o desplazándose en escuadra. Rezagos de la antigua parábola del halcón, una oscuridad rodeante y un punto en la lejanía que hay que picotear. La luz que se entreabre en una fulguración y la parábola animista que logra el paralelismo oscuridad cuerpo e intuición relámpago de las cetreras.

El paralelismo se logra cabalmente en el laberinto. «La madre decía que Delia había jugado con arañas cuando chiquita», dice Cortázar en su cuento «Circe», precursora de la Maga. Parece situar siempre los peldaños entre dos mundos que no son categoriales, como creación y crítica, técnica y poesía, sino los más opuestos que vienen a emparejarse. «Y las mariposas venían a su pelo», dice en el mismo cuento. Es el peldaño posible, el *nexus,* el que establece el laberinto. La fulguración de ese *nexus* ha logrado no tan sólo el emparejamiento, sino otra nueva posibilidad. El laberinto parece que nos espera, es el otro mundo que se logra entre un activo, jugar con las arañas, y algo que viene hacia nosotros, como las mariposas que vienen a descansar en su pelambre, con respecto a lo cual somos como el sueño, como la evaporación de los vegetales. Realizamos un acto sobre un punto, pero esto engendra otro acto punto sobre nosotros. Descubrimos y somos descubiertos. Calva que brilla y un brillo sobre la calva, en el transcurso de largos corredores y nos sentimos progresivamente intranquilos. Williams, el asesino de la obra de De Quincey, atrapado, decidió suicidarse y fue enterrado en el centro de un *quadrivium,* donde confluían cuatro caminos. Así, su laberinto logra su centro en la muerte.

Ese laberinto interroga desde los peldaños trazados entre crear y pensar. «Sólo Dios puede crear», nos dice una inquietante afirmación cartesiana, «el hombre sólo puede pensar, pero todo lo que Dios ha creado, el hombre lo puede pensar». El demiurgo ve el laberinto desde la creación, el hombre lo ve desde el pensamiento. Es decir, el hombre puede cuadrar la bestia, la muerte, por los cruzados corredores cretenses. Una bola de cordel en un barandal mediterráneo se iguala con un caracol gaditano. La *imago* toma el cordel como una columna vertebral y comienza a lanzarle mazapanes chinos por el buzón clavicular.

Cuando Cortázar acude al laberinto numeral, paraleliza la extensión de lo relatado con el pensamiento poseído por igual furia. Por eso su afirmación nostálgica de que Oliveira y no Morelli es el que debía escribir. Pero su laberinto no es un entretenimiento del domingo matinal o de la ringlera nocturna. Es, en primer lugar, una escala de Jacob, una densa corriente onírica entre lo telúrico y lo estelar; luego, es un dictado del *logos okulos,* el móvil en la distancia y lo que se ve críticamente de ese recorrido. Una distancia entre cielo y tierra, recorrida y acariciada por el simbolismo de la progresión numeral, como una infinita arborescencia derivada de la rayuela infantil, a cuyos laberintos, nostálgicamente, no remite la imponente *Rayuela* de su madurez.

Ese laberinto se deja recorrer por un idioma ancestral, donde están los balbuceos del jefe de la tribu y un esperanto, un idioma universal de claves y raíces, que se reduce del primero por una decantación analítica. En el idioma ancestral hay una interposición, la acumulación de lo inmediato verbal, detrás de las palabras de comunicación se esconden o se entreabren otras que pesan tanto como su otra manifestación externa. Secuestrados latidos, contracciones, crujimientos, que respiran secretamente detrás de una extendida y visible masa verbal. El otro idioma, un esperanto universal, aquella ensalada filológica del último Joyce, que coloca detrás de lo inmediato verbal una infinita escenografía, un dilatado concentrismo que procede por dilatadas irradiaciones. El idioma ancestral tiende a solemnizar la expresión, a entiesarla por escayolada o cartoné de abuelidad. El otro idioma, la ensaladilla, tiende a ironizar, a presentar irreconocibles y sucesivos derivados como los cañutos de un anteojo. Entre ambos idiomas se tiende un laberinto donde los énfasis y las carcajadas, los juramentos y los manotazos, se entrelazan en núcleos y en la infinidad de pliegues arenosos. Cortázar, con un pulso demoníaco extraordinariamente rico, rige esas derivadas conversaciones con los dos idiomas, entre el jefe de la tribu y el almirante náufrago. Un idioma traza su laberinto sobre el otro, el del acarreo ancestral y el del desglose analítico, pareciendo citar la frase de Malcolm Lowry, de que tanto gusta Cortázar: «¿Cómo convencerá el asesinado a su asesino de que no ha de aparecérsele?»

En busca de estas tangencias entre dos niveles o densidades, Cortázar pasa del laberinto cretense o de conceptos, en busca de salida y de *omphalos* (centro), a la mandala o salida encontrada por la proyección de la *imago,* una forma oriental de lograr que la imagen o doble gravite, que adquiera un resplandor o se libere totalmente del cuerpo que la evapora invisiblemente. «Por su parte», dice Cor-

tázar, «*las rayuelas,* como casi todos los juegos infantiles, son ceremonias que tienen un remoto origen místico y religioso. Ahora están
desacralizadas, por supuesto, pero conservan en el fondo algo de su
antiguo valor sagrado». Lo que antaño fue sacralizado entronca con
ese idioma ancestral: en Cortázar todo parece partir de ese punto,
o después de un largo periplo volver a ese punto. Su *eironeia,* su
burla destemplada o su grotesco, pueden desacralizar cualquier situación o diálogo, pero queda siempre como un latido en la distancia
ceñida por la visión. Habrá siempre que escoger entre la muerte, el
circo y el manicomio, y la novela de Cortázar es como un arca donde
esas tres palabras anillan y sueltan sus metamorfosis. La Maga se
transfigura en la muerte de su hijo y luego ella misma desaparece
por la muerte. Los dos *clochards* detrás de los bastiones pican en su
plumaje amoroso, y en la contemplación el efecto es circense. La enajenación actúa en parte como anorexis, como forma de reconocimiento
liberada de la *ratio,* como si lo inconexo o la nexitud al azar proyec-
tase más luz que las cadenas causales.

En la niñez el columpio comunica irrealidad, desprendimiento,
levitación, pero al aconsejarlo Hegel también para la madurez enajenada, le sitúa gravitación en el contraste, realidad, ahí adquiere vér-
tigos y su representación fija se derrumba. Buscar el péndulo com-
pensatorio. Aceptación de la irrealidad para convertirla en realidad,
en un paralelismo de contracción y dilatación aceptado como ritmo
en el taoísmo. Hegel cita el caso curativo de enajenación en un paciente que se creía muerto. Se le puso a su lado alguien que desde
la razón estaba dispuesto a jugar con la muerte. Su mortalidad, en su
artificio razonante, acaeció hace tiempo, pero invita a conversar, a
pasear, a comer, al irreal enajenado muerto reciente. Y así esa irrealidad inmovilizada se va paralelizando con la otra realidad disfrazada,
así comienza el presunto muerto enajenado a conversar, a pasear, a
comer. Siente cómo la vida fluye por encima de su muerte y se **va**
desprendiendo de la mortaja de la realidad enajenada, de nuevo la
vieja fabulación de los granos de maíz creciendo en el recinto de las
calaveras.

El laberinto es un proyecto de lo difícil y renuente, para el barroco peinar ha de tomarse en la acepción de deslaberintizar. El trazado del laberinto es una rebeldía para el itinerario fácil o el lenguaje
cansado. Hay que vencer la bestia, la muerte, la salida por anticipado.
Es un símbolo de que el hombre tiene que atacar con toda su *ratio*
y toda su *pathos,* con la razón agudizada y violentísima, con una pasión de fuego repartido, como la calidad del vino justificada por su
equitativo reparto muscular, el cosquilleo con ojos de lince.

Hay en el laberinto una forma de defensa, aprovechable tregua
de la espera. Ejercicio de combate dentro del combate. Relata Plu-
tarco, en el *Teseo,* que a la salida del laberinto comenzaban las dan-

zas, con *enlaces y desenlaces,* como si en su secreto estuviese no tan sólo el centro, sino la fuerza expansiva o centrífuga, «quitándole madera cansada y entretejiendo madera nueva».

En medio de esos laberintos, Cortázar nos ha otorgado el hilo de *La vuelta al día en ochenta mundos.* Hay allí «Noches en los ministerios de Europa», que puntea sus pasos por la calle que atraviesa toda la ciudad. Primera sorpresa: conocimiento nocturno de los ministerios; es decir, la vuelta del paño. Inutilizado en el trajín del día, el ministerio desaparece, se borra, pero de noche cobra su «boca de sombra, su entrada de báratro». Viene a encontrar la mayor efectividad de las cosas, la mejor sonrisa de la llave, la mayor resistencia de la sombra dialogante con el espejo, triple salto de las columnas para convertir los techos en mallas cóncavas.

Todo se remite a un pasillo, a un corredor, momentánea salida de ese bullir nocturno. Lenguaje de los ascensores, de las escaleras rodantes, que Cortázar persigue e interpreta, situándose en esa zona de entrecruzamientos donde lo bajo y lo alto, el ascenso y el descenso, lo cóncavo y convexo, forman parte de la misma esfera, atento tan sólo a un continuo, a una tonadilla que es la urdimbre de las cosas y que totalmente nos deconocen.

La entrada por lo que antes se llamaba en las iglesias *la puerta de los gatos,* donde el guardián sin apenas mirarnos, ¿de dónde nos conoce?, nos deja pasar. Allí Cortázar encuentra un fichero en blanco y se despide dibujando laberintos. Esas páginas magníficas escritas con un miedo sencillo esclarecen, en lo posible, sus vueltas al día y al sabor anticipado de la muerte.

Al salir a ese pasillo, los rostros, el rostro, están como marcados por cicatrices o por una palidez irrepetible. Ese rostro nos ha mirado con escandalosa fijeza y la muerte ha acudido. Un rostro para un rostro. *No sé dónde subió el hombre del sobretodo y el sombrero negro,* dice Cortázar, pero lo cierto es que va en el mismo ómnibus y que está a nuestro lado. *En ningún momento miró a nadie. ¿Para qué?,* si es la mirada del otro que va naciendo dentro de nosotros, en una inundación que se fija al nivel de la flecha en el árbol. Es un espacio que se llena de una sustancia invisible y desconocida. De pronto, se hace visible y se da a conocer. Sigue siendo el Mal, un espíritu indetenible, que puede adquirir un rostro, pero sigue inundando el vacío, que así comienza a latir, cruzándose el rostro con la solapa. Es la presencia del Mal cósmico, el gamo para las orejas y la serpiente se desanilla en el sueño y avanza. Es lo inaudible que agita su campana por debajo del mar. Lo relacionable, lo que va a llegar, nos da la mano, pero jamás le podremos ver el rostro.

Encontrarse a la Maga, en la excepción o comprobación de la costumbre, «convencido de que un encuentro casual era lo menos casual en nuestras vidas», lo otro pertenece, según Cortázar, a otra familia, a la que aprieta desde abajo el tubo de dentífrico. Esa manera se reitera como un constante de acierto a lo largo de sus páginas, las vacilaciones de un encuentro, tienen casi siempre un preludio táctil, una presencia en lo insignificante que coincide con las monumentales justificaciones del reloj, pero que desprende a su lado una presunta escala en la infinitud, casi otra novela, pues la sustancia presionada por la parte inferior del dentífrico, salta para lograr la otra serie de las excepciones, la nueva especie que se logra. En esa nueva serie, según Cortázar, aparecen ya lo *insignificante, lo inostentoso, lo perecido*. Él le llama a eso besar el tiempo, y nosotros lo hacemos gráfico con el emperador chino que mientras desfilan las bandas militares, acaricia una pieza de jade extremadamente pulimentada; a medida que sus dedos recorren lo semejante, la igualdad de la superficie, su *imago* tripula el búfalo del oeste. «Ya para entonces», dice Cortázar, «me había dado cuenta que buscar era mi signo, emblema de los que salen de noche sin propósito fijo, razón de los matadores de brújula». La brújula del tiempo, tan amada por los diseñadores del laberinto, es la que orienta esos pasos nocturnos, pues lo onírico es el único imán posible de esa brújula.

Nadja es trascendentalista, hegeliana. Contesta sonambúlica: soy el alma errante. Se acerca como si no quisiera ver, así la precisa Breton, imprecisándola. Cortázar considera a la Maga una concreción de nebulosa que trae lo vital y lo vitalista en una comunicativa canción de Schumann. Vive en la perennidad del día y disfruta de una acumulación en la profecía. Regocíjate en el día, se dice en el Libro, porque en él todas las cosas fueron hechas. Gregorovius no la puede descifrar, pretende que tenga ideas generales. Oliveira la capta a través de detalles que estremecen su estopa profética. Esos detalles proliferan, retumban, se entrecruzan. Cuando habla de su violación, el hecho está tan alejado en las últimas celdillas, que no se precisa si es un susto o una ironía. Es el anticuerpo de las categorías kantianas. Vive en la realidad, pero sus desplazamientos son toda la novela; vive en la negación de un mundo conceptual, por eso permanece viva y abierta. La novela se extingue cuando ella desaparece, después aparecen situaciones figurativas, desconfianzas, incesantes autointerrogaciones de Morelli, mirando cauteloso a las palabras, queriendo establecer infinitas y relativas comunicaciones. La Maga era el único apoyo inquebrantable. Su limitación era una síntesis temporal, una acumulación reminiscente, el enlace infinito. «Llevarse de la mano a la Maga, llevársela bajo la lluvia como si fuera el humo del cigarrillo, algo que es parte de uno, bajo la lluvia.» Es la confirmación de que la Maga es la que guarda una más profunda relación con todo el Club de la Serpiente. Hace mejor análogo, pesca y se deja pescar, su profundidad está en su continuo cósmico. Hay en ella como un larvado sentido de santidad. Hay que fijarse en su transpiración, el cuerpo evaporando, y en su respiración asimilando el cuadrado de aire.

Oliveira no buscará como los suicidas el centro del cuadrado. Su diálogo es su jarrito de mate y ahí piensa encontrar el centro de su laberinto. «Es», dice, «el punto exacto en que debería pararme para que todo se ordenara en su justa perspectiva». Pero tiene que seguir siempre buscando el centro por el contorno, en los desenlaces del *jazz,* en sus viajes en que reitera sus vueltas porteñas, en la casa de la enajenación, en las variantes del rostro de la Maga. La contemplación del cielo silencioso de los taoístas para arrancar o desprender la palabra, llega al mundo parmenidio de la unidad prescindiendo de la *ratio.* Los siete relámpagos para nuestras siete intuiciones. En una situación desesperada hablan la Maga y Oliveira. «También hay ríos metafísicos, Horacio. Vos te vas a tirar a uno de esos ríos. —A lo mejor, dijo Oliveira, eso es el Tao.»

La Maga ha ido a París para aprender música y encuentra Tao. Oliveira cree que va a encontrarse autodestrucción y encuentra Tao. El camino del sin sentido creador funciona en los dos poderosamente.

En realidad la novela es el azar coincidente en el Club de la serpiente. Mientras cada uno de ellos ofrece un desgarramiento que casi lo destruye, forman un coro de destilada unidad. Unidad coral y total dispersión de la persona. Es, desde luego, un coro unitivo alejandrino. Una avalancha grecorromana —mitologías, fábulas, aposentos tabúes— cubre como una lava al sujeto que se despereza y quiere comenzar. La música los enlaza y les presta un ritmo traslaticio en plena atemporalidad, pues se sabe que a cualquier rincón que lleguen entreabrirán el mismo estilo de deslizamiento vital, acorralados por el *jazz,* por la pausa de triste violencia, que dejan los ritmos sincopados. La rimbotiana sacralización del desorden los ha llevado a la excepcionalidad a oscuras y ya desean un orden como un ceremonial. Quieren comenzar, inaugurar playas, hogueras. Acariciar el bigote del tigre en la voluptuosidad. Unidad que sacralice su orden y desorden, no en burdas antítesis. Toda síntesis, cuando es legítima, engendra una simetría traslaticia. Viven para su desesperación en una síntesis hegeliana, no en la unidad de Platón o de Plotino.

La raíz sumular de la novela necesita esa unidad coral. La Maga, Babs, Gregorovius, Etiemble, Oliveira, forman la evaporación constante que se ordena y desordena en la extensión de la masa harinosa. Luego ofrecen episodios, situaciones, para una visibilidad irónica. A veces, me causa la impresión de una Corte de los Milagros convertida en una inmensa escenografía. Un primer plano vacío, y luego, infinitos murmullos, entreoídos, voces que retroceden para que el gesto no los guíe o interprete. Cuando Oliveira reemplaza a la Maga

por Talita, tiene que ascender en un andamio y descender en la casa
de la enajenación. El episodio o entrecruzamiento ha perdido su
carnalidad sombrosa, están condenados a trasladarse incesantemente
con el rostro vuelto y apretándose las manos, ya las manos crispadas
son la obsesión más reiterada en la última etapa de Kafka. Por eso,
esta novela americana ha dependido de la manera de la poesía, de su
ascendente análogo y de la imagen como resistencia de un cuerpo
total, de su asombroso centro de absorción, tragaluz, estómago de
ballena, de sus incesantes mutaciones en el centro de la fuerza del
espejo invisible, pues sólo la poesía logra destruir la antítesis realidad
e irrealidad, formando una esperada médula del saúco. Metáfora como
realidad que arranca e incorpora irrealidad de la imagen en el nuevo
cuerpo de la novela. Estamos ya muy alejados de aquel tratamiento
goethiano de situar lo habitual como misterioso, para que lo misterioso llegue a ser lo cotidiano. Aquel imponente morfólogo de la cultura veía la columna vertebral como una causalidad autógena, ya hoy
sabemos que es un relámpago.

Rayuela se desenvuelve en un eléctrico y eleático concentrismo.
Ya vimos a la salida del laberinto enlaces y desenlaces, canciones de
boga y sumergimientos de Osiris. Oliveira se detiene en una calleja
y siente «cómo cualquier esquina de cualquier ciudad era la ilustra-
ción perfecta de lo que estaba pensando y casi le evitaba el trabajo».
Sus secuencias tienen que concluir en las arenas, no puede terminar,
terminar sería encallar, un rasponazo, dañar tal vez el fondo. Su concentrismo está en el oído que dilata, en el ojo que extiende, en los
brazos prolongados en la infinitud. Sabe que algo o alguien está detrás
del bastión que interrumpe la continuidad de los sentidos. Algo se
restituye, se reconstruye, se reconoce en nuestro existir con total
independencia de nuestro ámbito. Cada hombre irrumpe o interrumpe un continuo, pero hay un fondo de identidad que es un azar que
se vuelve casual, una absurdidad que el hombre tiene que asimilar
para no ser el irreconocible sobreviviente de una especie extinta.
No le interesa a Cortázar prolongarse en distintos planos, sino la
candela que esclarece momentáneamente el sótano. Sabe que no podemos ir más allá de la conciencia vertebral que es también un relámpago.

Cortázar nos ha indicado las destrezas para penetrar en sus laberintos numerales, pues Rayuela ofrece en sí misma sus agrupamien-
tos o archipiélagos electromagnéticos. Sucesivos remolinos con ritmos
traslaticios logran sus vértices en la rotación. Un café o un accidente
callejero forman cadeneta con el jazz entrelazando las conversaciones
del Club de la Serpiente. Meditando Oliveira sobre su desemejanza
con la Maga, se despierta el interrogante metafísico de la otredad,
surgido de una trágica situación final, como las impulsiones gatunas
del jazz, que no es tigre, tampoco perro. Una cita de Crevel aclara

las relaciones entre Oliveira y la Maga. Oliveira está convencido de que no podrá escapar de un orden falso, como la Maga parece inclinarse más al caos que a Tao, mientras la Maga lo sigue viendo a él ahogado en ríos metafísicos. La razón se le ha convertido en una interrogante en la infinitud y su caos se agua en un destino que se va aclarando. Porta su inscripción fatal, que Cortázar subraya con una lucidez aterradora: *condenado a ser absuelto.* En la sucesión de sus días no aparecen misteriosos textos interpolados, su condena, signo de los tiempos que corren, en su libertad. Su arbitrio no tiene *fatum.*

Oliveira cree ya en ese momento que debe repasar a Spinoza, pero surge un accidente. Un escritor viejo ha sido arrollado, así surge el paralelismo antitético lectura y suceso. El laberinto de Cortázar se va profundizando, el ser en el ser y paralelizando la aparición de la excepción en la causalidad. Una cita de Platón o de Spinoza se paralelizan con un terremoto. Tanto Swendenborg, un profeta, como Goethe, un morfólogo, han predicho terremotos con escandalosa precisión. Para el hombre contemporáneo lo otro, trágica búsqueda de un *delicado contacto, maravilloso ajuste con el mundo,* absurdidad causal que engendra una tregua o sindéresis con el otro. La similación de esa absurdidad primordial coloca al hombre en la atemporalidad.

El café y la esquina, metamorfoseados en tertulia casera o en temporal dolmen orquestable, se abren como goteantes gárgolas en la *Rayuela.* Oliveira está en una esquina y de pronto la trueca en categoría metafísica, en fuente de conocimiento. Ya subrayamos en Cortázar la esquina como fuente de esclarecimiento pensante. El mundo vibrátil de las callejas se paraliza con el tendón del caballo, con la boca buzón. Los chinos colocaban pulpos en jarras cristalinas para segregar vinagre. Una impresionante metáfora une en esta novela lo respirante con la irrefracción. Qué gusto leer en este grandote porteño: *la boca como una guinda violentamente bermellón se dilató hasta tomar la forma de una barca egipcia.* En esa frase aparece de cuerpo entero la anillada e invisible prolongación de sus pedúnculos aprehensivos. Los acordeones porteños: la boca como una guinda. El cronista de Indias, el primer americano, el que anota: violentamente bermellón se dilató. Ahora, Cortázar entra de noche, en una de sus más memorables evocaciones, sin que el portero le pida la contraseña, por los nocturnos ministerios europeos, camina y mira de frente «la forma de una barca egipcia». Cercanía y lejanía, los acordeones y la barca egipcia, bordonean por igual como insectos todo su cristal reminiscente. Es esa sucesiva raíz profunda, porteño, americano, universal, lo que le permite a Cortázar traducir como San Jerónimo e invencionar desde la *Rayuela* saltada por el infante al ajedrez nominalista del rey del país lluvioso. Sólo lo absurdo podrá vencer la otredad, ya que en la actualidad los derivados causales se igualan lo mismo con el acto que con el germen, la potencialidad desencadenante ha perdido su fuente nutricia, la adecuación causal, raíz de la *physis,* ha ido destruyendo al hombre. El cuerpo derecho y el izquierdo, que en la cultura china se interrogan, enloquecen o reposan, se han convertido entre nosotros en una simetría aparencial. Ya en el mundo antiguo, en el estoicismo y el sincretismo alejandrino, la *ataraxia* estoica fue abriendo paso a la absurdidad. A las exigencias de una nueva fe, a la total delicadeza de una nueva caridad, a la imponente exigencia de la fe en la resurrección, se aunaba la omnicomprensión poética como totalidad de la creencia. «Sólo viviendo absurdamente se podrá romper alguna vez este absurdo infinito», nos dice Cortázar. Ha señalado con patética lucidez que la absurdidad ha comenzado, pero que la otredad subsiste. A sus lectores les es fácil encontrar la ironía más que la crueldad del concierto de Berthe Trépat, pero hay algo más profundo que Cortázar ha encontrado y derivado en esa grotesca coincidencia. Por la frustración que deriva Oliveira de ese encuentro, siente que el grotesco no se ha convertido en absurdidad. Él hubiera querido, como manifiesta, una absurdidad más prolongada, beber una copa con ella y su esposa en la medianoche. Completar el grotesco, al quitarse los zapatos para que las medias perdieran su humedad; pero Oliveira es un precursor que todavía no se ha convencido de que no podrá saber jamás lo que es una plenitud. Cortázar no sólo ha tomado la visibilidad de dos personas que representan segregaciones metafóricas, la coincidencia entre el rimbotiano *yo soy otro* y el existencialismo de *el infierno son los demás,* coincidiendo en un grotesco infernal, en una pareja que penetra en un café y lanza al unísono el buche de agua de su frustración. Después de haber hecho retroceder las categorías kantianas, la otredad, adquirir cierta nitidez en sus relaciones con la Maga, llega el momento de la frustración y lo configura en una forma muy porteña: «Te falló, pibe, qué le voy a hacer.» Y si eso no fuera suficiente, rubrica intraspasable: «Dejemos las cosas así, hay que ir a dormir.» Después del trazado de uno de sus laberintos, ríos y ríos metafísicos, Cortázar sabe como pocos que no podrá anclar en los finales joycistas del sí, sí y de la mujer que abre su vientre en el primer día, pues Oliveira tendrá que ir al sueño, nueva temporalidad y nueva realidad, y volver a esclarecer su relación con la Maga, pero ya al final sus palabras tienen la resonancia de un conjuro para saludar a la luna sobre las colinas. «Yo estoy vacío», dice Oliveira en la *Rayuela,* «una libertad enorme para soñar y andar por ahí, todos los juguetes rotos, ningún problema. Dame fuego». Fuego, desde luego, para encender el cigarrillo, que ya está cerca de sus postreras humaredas y habrá que recomenzar. Oliveira se dirige a visitar a Morelli en el hospital. Estaban hechos para la amistad, los dos han sufrido un largo laberinto de autodestrucción, pero, por la más frecuente de las paradojas, el *fatum* que los poseyó a los dos, se esclarece en una sola dirección. Cortázar los diversifica, a cada uno su destrucción por separado, pues sabe que la coincidencia de los dos sería el final de la novela. Oliveira puede avanzar hasta el final, siquiera sea en una suma infinita de cigarrillos; pero el perplejo metafísico de Morelli se hace marmóreo. «En el fondo sabía que no se puede ir más allá porque no lo hay.» Su obstinación es trágica, pues el laberinto concéntrico del muro se le hace fatalidad: ¿tendrá fe en la otredad asaltante del muro? Por eso sueña en dinamitar el lenguaje como primer impedimento. Cuando ya el absurdo sea la identidad, la unanimidad, convertido en religiosidad, en creencia coral. Es decir, sacralización, desacralización, y una nueva impulsión sagrada en el hombre, que vaya desde el lenguaje a la tierra prometida.

Oliveira sabe que está ya imposibilitado para escribir, pero tiene una intuición muy eficaz cuando después de la desaparición de la Maga, comienza a buscar por los bastiones donde merodea la *clocharde* Emmanuele. Al evocar a la Gran Madre, Cortázar logra darnos no tan sólo la plenitud de su configuración, sino el esclarecimiento de lo que persigue. Ese momento se logra con una sencillez impresionante; «se oía el glu glu del vino y el resoplido, tan natural», dice Cortázar, «que todo fuese así absolutamente anverso y reverso, el signo contrario como posible forma de sobrevivencia», y una *h* maliciosa y apocalíptica, infantil y comenzante, cae sobre su apellido, sobre la ebriedad y la astucia. Cansancio de la escritura y la nueva tierra prometida por la rayuela. Comienza a oír Kubla Kahn, como un imán de la lejanía, y enciende otro pitillo.

No se han subrayado las páginas decisivamente excepcionales de *Rayuela,* del descenso de Oliveira a la heladera de los muertos, que señalan una nueva marca en la novelística americana. Los símbolos están encontrados con una terrible precisión. El viejo, cuya locura consiste en acariciar una paloma, ha ascendido de las profundidades —el sótano de la clínica en cuyo refrigerio se guardan los muertos—. Reaparece Oliveira tomando a Talita por la Maga, evocando la rayuela, temblando de miedo por el pasillo. Así, como estaba convencido ya de sufrir la terrible condena, ahora en la heladera infernal, precisa que no hay ninguna Eurídice que rescatar. Se tomará una cerveza. Del Club de la Serpiente a un circo, del circo a una casa de enajenación, de allí al sitio donde un loco con una paloma conversa con una muerta. Oliveira ha descendido a los infiernos y reaparece después saliendo por la última casilla de la rayuela, por el centro del mandala, donde realidad e irrealidad forman la nueva urdimbre. Al descender Ulises a los infiernos, la madre casi le ordena que regrese inmediatamente hacia la luz, Oliveira asciende también de su infierno dueño ya del sentido creador, o para usar sus símbolos, lo que está debajo de los párpados forma con lo que está arriba de los párpados una nueva visión, la que Oliveira necesita para rescatar de nuevo a la Maga. Por todas partes aparece en *Rayuela* un nuevo sentido para una nueva absurdidad, pues esos nuevos sentidos traerán la nueva sacralización del hombre; es decir, la antropofanía o el hombre dueño ya del centro de su laberinto.

De ese descenso a los infiernos, le quedará cierto rejuego plutónico, como lanzar las chispas de sus cigarrillos sobre los cuadrados de la rayuela. Así acompaña al tiempo en plena orgía de atemporalidad. Después, en la casa de la enajenación, es cuando se van ofreciendo situaciones liberadas ya de todo paralelismo, de toda antítesis, de todo mundo categorial y causalista. Oliveira logra situarse en una perspectiva donde la Maga sigue viviendo, donde se ha logrado liberarse de la mortalidad. Y esa antropofanía que nos brinda tendrá que empezar por ahí, donde el existir no sea, según la expresión de Valéry, una enfermedad en la pureza del no ser. Las peripecias en la búsqueda de la Maga son de lo más profundo en el reverso de la novela. Ellas comienzan, si es que esto se puede precisar, después del descenso a la heladera infernal por Oliveira. Su autodestrucción adquiere otro ritmo, ya no es simplemente traslaticio, sino penetrante como un clavo que logra unificar a la Maga con Talita. Ambas están oyendo, para usar la imagen de Cortázar, *un chorrito de agua,* el sonido del agua unifica las imágenes, la imagen del cuerpo y el cuerpo de la imagen coinciden en la unidad del espejo. La imagen en el río y la imagen en el espejo, el espejo reemplazando al río, pero seguimos como fantasmas errantes tras la unidad de la imagen.

La novela medita sobre la novela, al final las palabras son vivencias, porque las palabras y las vivencias están insufladas de una trágica comicidad. El lector salta sobre el autor, nuevo hombre de Zoar, y forman un nuevo centauro. El lector, castigado y favorecido por dos dioses a la vez, se queda ciego, pero se le otorga la visión profética. El lector está convencido, según la frase de Cortázar, de que *la novela es un coagulante de vivencias, catalizadora de nociones confusas y mal entendidas,* porque el autor está convencido de que *sólo vale la materia en gestación,* y el lector de nuevo, como dentro de un poliedro de cuarzo, adquiere la diversidad de la refracción y la obstinación de un punto errante. Así, la antropofanía que nos propone Cortázar, presupone que el hombre es creado incesantemente, que es creador incensatemente. Existir y no existir forman en el hombre una cómica unicidad. Una palabra humea al lado de una palabra que no fue dicha, el cuerpo marcha al lado de un cuerpo inexistente, miramos y dentro de la visión un muro se derrumba, un punto que se levanta en lo alto de la agujeta del surtidor es la carpa estelar que se pliega. Por todas partes la unidad profunda entre la semilla de la mandrágora y la boca de los muertos.

Propio ámbito desconocido, lenguaje ancestral, galería aporética, librería délfica, centro del laberinto, espacio ideal, espacio hialino, son la misma temeridad que nos hace y nos agobia. Médula de saúco, espejo de la médula, identidad universal. Mira por un extremo del anteojo y la novela es sorprendida por una plenitud. Mozart, de nueve años en Londres, estudia con él, William Beckford, de cinco años, quien a esa edad escribe un aria que años más tarde será incluida por Mozart en *Las bodas de Fígaro*. Mira por el otro extremo del anteojo y es ahora una plenitud sorprendida por una novela: guerreros tártaros atravesando un desierto, beben en las venas rotas de los caballos para no morirse de sed. Reconocimiento en una lentísima fulguración, técnica puntillista en seguir la vida de los muertos. Muertos hijo e hija de familias siberianas, contraen matrimonio los dos garzones muertos. Pintan en papeles a los invitados, a los jinetes con sus corceles, vestuario, monedas y sillas. Queman esos papeles y el acta matrimonial con firmas evidentes, para que lleguen al otro mundo y constituyan un matrimonio con todas las formalidades legales. Los padres de los infantes muertos y casados, comienzan a vivir como parientes. Coinciden con los egipcios: una revolución social para conseguir la igualdad de derechos en la muerte, para que el que fue alcabalero en vida, lo siga siendo en la muerte. Un dato tenaz en la locura de Hölderlin: desde un espejo el señor Scardanelli le sacaba la lengua. Intuir como continuo central de la novela a la serpiente absorbente, llamada lampalagua, que traga un aire como de imán y atrae lo lejano y monstruoso a la instantaneidad de su sueño transmutativo.

El salto hacia adelante o la razón de la sinrazón

Marcelo Alberto Villanueva

Monografía realizada en el curso de Introducción a la Literatura.
Profesor titular, doctor Raúl H. Castagnino.
Ayudante de Trabajos Prácticos, profesora Emilse Gersósimo.

> Este escritor busca; es decir, persigue. Quiere po-
> seer en un vasto ademán que, agotado el impulso, lo
> devolverá otra vez a la indigencia, de nuevo a la ne-
> cesidad.
>
> JORGE MUSTO

> En tanto no haya hombres nuevos,
> no habrá lugar para lo nuevo.
>
> PIET MONDRIAN

PRESENTACIONES

Presentación de «Rayuela»

Rayuela, la séptima publicación de Julio Cortázar, vio la luz en el mes de julio de 1963 con 5.000 ejemplares en la primera edición, y tiene hasta el presente cinco ediciones. Desde aquella primera publicación, *Rayuela* ha sido considerada de manera especial.

La crítica extranjera destacó en varias oportunidades su importancia. El *Times Literary Supplement,* de Londres, ha saludado a *Rayuela* como «Cortázar's Masterpiece. This is the first great novel of Spanish America»[1]. El crítico norteamericano C. D. Bryan, en *The New*

---

[1] Fuentes, Carlos. «Rayuela: la novela como caja de Pandora». (En *Mundo Nuevo,* IX. París, Imp. Moderne Gelbard, 1967, p. 67).

Republic dijo: *Rayuela* es «the most powerful encyclopedia of emotions and visions to emerge from the postwar generation of international writers» [2]. *Commentary,* en octubre de 1965, expresó: «Hopscotch in great mesire succeeds: it is the Latin American equivalent of books like *The wings of the dove* and *Tender is the night*» [3].

Entre las voces de la crítica argentina, Ana María Barrenechea expresó: «Cortázar ha escrito la gran novela que esperábamos de él, la que anunciaba *El perseguidor*» [4]. Y Norma Desinano, relacionando *Rayuela* con las demás obras del autor, acota: «*Rayuela* no sólo es la más importante de las dos novelas, sino que también constituye por sí misma un hito dentro de ese conjunto» [5]. Y fue Rosa Boldori quien resumió y amplió ambos juicios así: «*Rayuela,* vasto fresco que exhibe toda la problemática de su mundo literario y coloca definitivamente su nombre entre los grandes maestros del género novelístico» [6].

Asimismo *Rayuela* ha escalado posiciones en concursos, estudios y conferencias, nacionales y extranjeras. En el año 1964, en Salzburgo, el Coloquio de Editores estuvo a punto de atribuirle el Premio Internacional, a pesar de que lo perdió en la votación final frente a *Los frutos de oro,* de Nathalie Sarraute. Dos meses después, en el jurado de los premios Kennedy de la Argentina, *Rayuela* se destaca en el mismo plano que *Bomarzo,* de Manuel Mujica Láinez. Y no hace sino unos meses, para ser más precisos: en agosto de 1967, que la segunda reunión del XIII Congreso de Literatura Iberoamericana, realizado en Caracas, el señor Richard Allen, de la Universidad de Houston, presentó su estudio sobre *Temas y técnicas del taller de Julio Cortázar* [7].

Así, argentinos y extranjeros, críticos o simplemente amigos, se sienten obligados a emitir su opinión sobre esta ya famosa novela. *Rayuela* es saludada de manera exitosa por aquellos que aman el quehacer literario y que respetan y admiran a quienes saben hacer de ese quehacer un arte, como es el caso de Julio Cortázar; un arte novedoso, osado, diferente, que justifica las palabras de Enrique Anderson Imbert: «Con todo, sólo un escritor talentoso y original

    [2] *Loc. cit.*
    [3] Fuentes, Carlos. «A demanding novel». (En: *Commentary,* XLII, Pantheon books, 1966, p. 142).
    [4] Barrenechea, Ana María. «Rayuela, una búsqueda a partir de cero». (En: *Sur,* núm. 288, Buenos Aires, Ed. López, 1964, p. 69).
    [5] Desinano, Norma. «Julio Cortázar: *Todos los fuegos el fuego*». (En: *Setecientos monos,* n.° 7, Rosario, 1966, p. 19.)
    [6] Boldori, Rosa. «Cortázar, una novelística nueva». (En: *Setecientos monos,* número 7, Rosario, 1965, p. 21).
    [7] Allen, Richard. *Temas y técnicas del taller de Julio Cortázar.* Caracas, University of Houston, 1967.

podía haberse atrevido a *Rayuela;* talento, originalidad, patentes en los relámpagos de poesía que de vez en cuando se ramifican por ese tenebroso cielo» [8].

Presentación de Julio Cortázar

Cortázar tiene por habituales residencias en Francia una casita de tipo angosto y alto, que mira hacia la plaza de General Beuret o Barrio Quince de París, y una granja cerca de Saignon, en el mismo país. Pasan, él y su esposa Aurora, la mitad del año en estas residencias, mientras Cortázar aprovecha el tiempo para comenzar o terminar sus escritos. El resto del año ambos trabajan como traductores independientes de la UNESCO, «tratando de conservar la pureza del idioma español».

Gustan salir a caminar por las calles de París, a la búsqueda de lo insólito, o de frecuentar los museos de provincia, las literaturas secundarias, los callejones perdidos. Rechazan casi toda introducción en la vida privada. Una frase significativa de Cortázar es: «Sigo creyendo que no ser nadie en una ciudad que lo es todo vale mucho más que la fórmula contraria» [9]. Desdeña a quienes se le acercan para pedirle ayuda respecto a una entrevista o congreso. No ocurre así con quienes no llevan tales propósitos, pues a ellos Cortázar y su esposa atienden de una manera cordial y hospitalaria.

De este original bruselense, hombre de cultura ecléctica, multilateral, es preciso aportar siquiera algunos datos de su vida, ya que ellos, especialmente su pasada estadía en la Argentina, y su actual en Francia, están en el trasfondo mismo de *Rayuela.*

Nació un 26 de agosto a las tres de la tarde en el año 1914. Aunque sus padres eran argentinos, sus antepasados fueron europeos. Cuando Julio tenía cuatro años, la familia afincó en Banfield. Desde ese entonces la Argentina ha sido uno de los influjos geográficos constantes en su vida, ya que siempre existe en él esa tensión interior entre la patria física y su peregrinar espiritual.

Cuando el tiempo pasa y Cortázar trasciende la cultura nacional, el problema original cobra dimensiones mayores, dimensiones que llegarán a muchos de sus escritos y, especialmente, al que aquí nos ocupa.

Cortázar se expatria espiritualmente de la Argentina por medio de la literatura, luego también físicamente, a los treinta y siete años, para recalar en París. Tarde ya, demasiado tarde como para que rompiera

---

[8] Anderson Imbert, Enrique. *Historia de la literatura hispanoamericana.* México, Fondo de Cultura Económica, 1966, p. 382.
[9] Vargas Llosa, Mario. «Cuestionario: Julio Cortázar». (En: *Expreso,* Lima, 1965).

definitivamente vínculos con su país, y, más aún, para eludir la crítica de aquellos que, olvidando que Julio Cortázar se fue a París porque en la Argentina no encontró lugar, comenzaran a reprocharle tal decisión. Pero aquella beca de literatura del gobierno francés [10] posibilitó el éxodo de Cortázar a París en 1951; un París que representa a Europa como hito ineludible de su vida. Ya a los dieciocho años Cortázar con un grupo de amigos había intentado lo que culminó en un fracaso: ir a Europa en un barco de carga.

Los escritos suyos precisan algo más estos datos. Se inicia en las letras por el año 1941 con un librito de sonetos, aunque ya desde los ocho años había demostrado inclinación por la literatura [11]. Luego el silencio que precede a *Los reyes* (1949). En 1951 aparece *Bestiario*, recopilación de cuentos. Después la línea de publicaciones sigue de manera ininterrumpida: *Final del juego* (1956), *Las armas secretas* (1959), *Los premios* (1960), *Historias de cronopios y de famas* (1962) y, por fin, en 1963, *Rayuela* [12]. Dos libros suyos han sido publicados últimamente: *Todos los fuegos el fuego* (1966) y en 1967, *La vuelta al día en ochenta mundos* [13]. Cabe destacar que en casi todos sus escritos anteriores a *Rayuela* se encuentran elementos existentes en ésta, elementos que sólo se mencionan aquí por la extensión que demandaría la tarea de analizarlos.

Dos o tres detalles más, aparentemente sin importancia, cierran el breve resumen que aquí se quiere trazar de la vida de Julio Cortázar.

El primero de ellos es la lealtad para con sus ideas y principios personales. En los años 1944-45 participó en la lucha contra el peronismo; al ganar éste las elecciones prefirió renunciar a las cátedras [14]. Esto le costó la tranquilidad económica, el viajar desesperadamente en busca de trabajo hasta encontrarlo en la Cámara Argentina del Libro, y el posterior encierro en su pequeño departamento de Lavalle y Reconquista, donde nadie le visitara, excepto Aurora y unos pocos amigos. Aprovechó este tiempo para escribir un voluminoso libro de seiscientas páginas sobre Keats y una novela: *El examen,* donde hacía

---

[10] La oportunidad llega en noviembre de 1951 en que Julio Cortázar gana una beca de Literatura del Gobierno francés y puede embarcarse hacia París.

[11] Los recuerdos de Julio Cortázar en este sentido se remontan a aquellos momentos en que, subido a un sauce en el fondo de su casa, comenzó a escribir los primeros capítulos de su primera novela. Su madre, al leerlos luego, sospecha de un plagio y se lo insinúa, lo que le produce «una de las peores humillaciones que he padecido», según consta en *Primera Plana*. (Buenos Aires, 1964, página 39).

[12] Julio Cortázar ha publicado hasta el presente sólo dos novelas: *Los premios* y *Rayuela.*

[13] Estas dos publicaciones son posteriores a *Rayuela.*

[14] Cortázar, Julio. Citado por Luis Harss en *Los nuestros*. Buenos Aires, Sudamericana, 66, p. 262.

una descripción de Buenos Aires en pleno estado de descomposición
social y política.
   El segundo rasgo es su interés por la lectura. Comenzó tal tarea
de manera intensiva en el campo, donde tuvo que viajar al terminar
los estudios secundarios y luego de un fracasado intento de prose-
guirlos en la Facultad de Filosofía y Letras, donde había ingresado,
ya que en su hogar la madre y los suyos necesitaban de su aporte
económico. Dice él de esos días: «Me pasaba el día en mi habitación
del hotel o de la pensión donde vivía, leyendo y estudiando» [15].
Aquel Cortázar no dista mucho del que hoy tiene cincuenta y tres
años y que a pesar de su edad y sus conocimientos se renueva constantemente. Cortázar actualmente se enriquece, se corrige, extiende
sus fronteras. Es entusiasta, hambriento de hallazgos literarios y filosóficos. No cede, no se inclina ni ante los honores ni ante la pereza.
Así responde, quizá sin conocerlas, a las célebres palabras de Einstein
«la única manera de escapar a la corrupción personal del elogio consiste en seguir trabajando. Uno se siente tentado a detenerse y pres-
tarle oídos. Lo único que se debe hacer es volverle la espalda y
continuar trabajando. Trabajo. No hay otra cosa» [16]. Por esto es que
el autor de *La ciudad y los perros* le califica de «un escritor vivo» [17].
   Un tercer y último detalle: su inagotable admiración por la autenticidad. Tanto es así que escribe con posterioridad a la publicación
de *Adán Buenosayres* una defensa de dicha novela, declarando la
estima que le merecía la autenticidad y anhelos literarios de Leopoldo
Marechal, el seguidor de aquel dictador a quien Cortázar no pudo
tolerar. Las propias palabras de Julio Cortázar al respecto son: «Fui,
creo, el único antiperonista que publicó un elogio entusiasta de *Adán
Buenosayres*» [18].
   Estos temas de la tensión geográfica espiritual, de la maduración
de sus obras, los detalles de su firmeza de ideas, su profundo amor
por el estudio, y su sincero respeto por todo aquello que respira
veracidad, son factores generosamente descubiertos por varios de sus
críticos. Detalles todos ellos existentes en el trasfondo de *Rayuela*,
y más especialmente en la idea clave que desarrolla: el salto hacia
adelante o la razón de la sinrazón.

---

[15] *Ibid.*, p. 263.
[16] Einstein, Alberto. Citado por D. K. C. MacDonald en *Faraday, Maxvell y
Kelvin*. Buenos Aires, 1966, p. 90.
[17] Vargas Llosa, Mario. *Loc. cit.*
[18] Martínez, Tomás Eloy. «La Argentina que despierta lejos». (En: *Primera
Plana*, CIII, Buenos Aires, 1964).

Presentación del título de esta monografía

Es innegable que, desde *Rayuela,* Cortázar, el autor de cosas nuevas, trata un tema nuevo. A este tema, al cual Peltzer identifica como la «huida al vacío» [19], hemos preferido identificar aquí como «el salto hacia adelante» [20], designación tomada del propio Julio Cortázar; o «la razón de la sinrazón» [21], tomada de Luis H. Harss.

Cortázar en la entrevista con Luis Harss expresó: «Un libro significativo tiene que aportar cosas nuevas, apoyarse en eso que 'está en el aire' para dar un salto hacia adelante» [22]. Por su parte, el autor de *Los nuestros* agrega:

> Lo cierto es que a lo largo de su aventura sangrienta y fundamental [se refiere a Horacio Oliveira], desmintiéndose sediciosamente a cada paso, se ha empecinado en subvertir categorías lógicas y esquemas racionales, en bracear contra todos los molinos del sufragio universal, perdiendo pie hasta desembocar en una última razón de la sinrazón quijotesca que es a la vez un pantano y un trampolín [23].

Que estos títulos, que nos interesan no tanto en sus orígenes como en su contenido, son la expresión de una búsqueda es indudable. Porque *Rayuela* es fundamentalmente eso: una búsqueda total y completa de aquella verdad que da sentido y razón de ser a cada ser humano y al Universo en el que éste está... o no se la da. Una búsqueda en lucha contra todo aquello que se le resiste; que sea tal que vaya en ella el compromiso de nuestra misma existencia como seres humanos. No son por ello casuales las primeras palabras del capítulo primero, sino que introducen al lector en el centro mismo de esta búsqueda: «¿Encontraría a la Maga?» [24].

Horacio formula así una pregunta que hace tiempo pertenece a Julio Cortázar. Ya en una conferencia realizada en el año 1962, en La Habana, Cortázar expresó sus inquietudes al respecto:

> En mi caso, la sospecha de otro orden más secreto y menos comunicable, y el fecundo descubrimiento de Alfred Jarry, para quien el verdadero estudio de la realidad no residía en las leyes, sino en las excepciones a esas leyes, han sido algunos de los principios orientadores de mi *búsqueda personal* [25] de una literatura al margen de todo realismo demasiado ingenuo [26].

[19] Peltzer, Federico. *La novela y el cuento.* Corrientes, Ed. Yeyujhú, 1966.
[20] Cortázar, Julio. Citado por Luis Harss en *op. cit.,* p. 298.
[21] Harss, Luis. *Los nuestros.* Buenos Aires. Ed. Sudamericana, 1966, p. 280.
[22] Harss, Luis. *Loc. cit.*
[23] Harss, Luis. *Loc. cit.*
[24] Cortázar, Julio. *Rayuela.* Buenos Aires, Ed. Sudamericana, 1967, p. 15.
[25] El subrayado es mío.
[26] Cortázar, Julio. Citado por Juan Carlos Ghiano en «*Rayuela,* una ambición antinovelística». (En: *La Nación,* Buenos Aires, 20 de octubre de 1963).

El mismo autor en una carta privada fechada el 2 de octubre de 1967, varios años después de escribir *Rayuela,* dice:

> A mí también me parece que, con mayor o menor fortuna, desde *Los reyes* en adelante mi único tema (tema seguido de múltiples variaciones, como en Beethoven) ha sido el misterio ontológico, el destino del hombre que no puede ser indagado ni propuesto sin la simultánea pregunta por su esencia [27].

Y esto confirma la permanencia del tema de la búsqueda en el autor de *Rayuela.*

Por otra parte, si siguiéramos analizando en la línea del pasado con respecto a *Rayuela,* encontraríamos en muchas de sus obras antecedentes para ella. Dice María Isabel de Gregorio:

> Quien ha seguido la trayectoria de su producción no puede menos que encontrar para *Rayuela* antecedentes en algunos de sus cuentos. Muchos críticos han señalado a *El perseguidor,* cuento que integra la colección de *Las armas secretas,* como el más representativo de ellos. Es posible que así sea. Muchas características comunes pueden señalarse, entre las que cabe destacar temática y técnica. Pero lo más cierto me parece que sus cuentos y novelas integran una totalidad: su mundo novelístico. Creo que toda su producción previa iba preparando el mundo alucinante y lúcido a la vez de *Rayuela* [28].

El mismo Cortázar en el prólogo de *Final del juego* dice:

> que nada puede dejarse atrás, como etapa cumplida y superada porque: ... en cualquier página futura puede estar esperándonos una nueva página pasada, como si algo hubiera quedado por decir del ciclo que creíamos anterior [29].

Su búsqueda personal, su tema fundamental; todo eso se define y encuentra su lugar en *Rayuela.*

Sí, es evidente que Julio Cortázar no ha hallado el título para esta novela casualmente. El juego que entretiene a los niños encierra hoy desde esta obra un misterio y un significado. Por ello es que nos preguntamos: ¿Cuál es ese misterio? ¿Cuáles las características que definen y determinan esta búsqueda que es *Rayuela?* Nuestro propósito es indagarlo a través de los mismos elementos que esta obra de Julio Cortázar brinda.

---

[27] Cortázar, Julio. En carta a Néstor García Canclini (Viena, 2 de octubre de 1967).

[28] Gregorio, María Isabel de. «Rayuela». (En: *Boletín de Literaturas Hispánicas,* VI. Santa Fe, Imp. Univ. Nac. del Lit., 1966, p. 43).

[29] Cortázar, Julio. Citado por María Isabel de Gregorio. *Loc. cit.*

LOS SÍMBOLOS DE *RAYUELA*

De los símbolos en general

La palabra símbolo es de origen griego [30]; significó en su origen «el signo de reconocimiento, formado por las dos mitades de un objeto roto que se juntan» [31].

Pero esta acepción original del término fue confundiéndose con el correr del tiempo, reclamando hoy para sí varias acepciones. Por ello, Clifford de Geertz introduce el tema de los símbolos con estas palabras:

> This is no easy task, for, rather like «culture», «symbol» has been used to refer to a great variety of things, often a number of them at the same time [32].

Por ello, Nicola Abagnano, en su *Diccionario de Filosofía,* distingue dos interpretaciones de la palabra símbolo: en primer lugar lo identifica con signo, ya que éste es el significado en que el término se usa preferentemente en el lenguaje común. En segundo lugar lo caracteriza, siempre siguiendo el pensamiento de diferentes autores, como una especie particular de signo. Involucra Abagnano en esta segunda clasificación las interpretaciones de Peirce, Dewey, Morris y otros. La diferencia de éstos va desde Dewey, que lo ve como un signo más bien arbitrario y convencional, hasta Morris, que lo considera como un signo que sustituye a otro en la guía de un comportamiento.

En este ensayo aceptamos el punto de vista de Stephens Spinks, que, en relación a las acepciones presentadas por Abagnano, representaría una tercera posición, la que puede delimitarse así:

> Los símbolos, como la imaginería arquetípica, son inconscientes e instintivos por su origen, no pueden ser inventados conscientemente y debe distinguírselos de los signos racionalmente compuestos [33].

Hacia una definición aún más detallada y concreta de esta tercera posición tiende y se afianza Paul Tillich.

---

[30] Del griego σύμβολον =señal, indicio que permite reconocer.

[31] Lalande, André. *Vocabulario técnico y crítico de la Filosofía.* Buenos Aires, El Ateneo, 1967, p. 940.

[32] Geertz Clifford. (En: *Anthropological approaches to the study of religio.* Edimburgo, Michael Banton, 1965, p. 5).

[33] Spinks, Stephens. *Introducción a la Psicología de la Religión.* Buenos Aires, Ed. Paidós, 1965, p. 97.

Aporte de Paul Tillich

El teólogo protestante Paul Tillich, conocido como el «pensador del límite» [34], desarrolló en varias oportunidades significativas pensamientos sobre el significado de los símbolos en el lenguaje humano. Una primera aproximación a su exposición es la diferencia que establece entre símbolo y signo, que ayuda a una mayor comprensión de aquellos símbolos que se encuentran en *Rayuela*.

Un signo, para Tillich, representa algo al igual que el símbolo; pero, a diferencia de éste, lo representa siempre directamente. Por ejemplo, el signo SO_4H_2 designa el ácido sulfúrico y solamente el ácido sulfúrico; \$ señala el dinero y nada más que él; % se refiere únicamente al porcentaje. El símbolo, por su parte, también señala, pero lo hace de una manera menos directa y más amplia, dando así más lugar al lector para expresar él mismo lo que el símbolo expresa.

Butler, notable educador religioso de quien se ha tomado esta cita [35], explica el símbolo aludiendo a aquella parte de la Biblia donde se dice que el reino de los cielos es como un grano de mostaza. Un prosélito de cualquier fe religiosa que no sea la cristiana podría decir que para él el grano de mostaza simboliza una cosa muy diferente que el reino de los cielos, y nadie tendría argumentos válidos para refutar tal posición.

Por otra parte, y siguiendo el pensamiento de Tillich, el signo no tiene nada de relación con lo que señala, mientras que el símbolo sí. Por ejemplo, H_2O, agua, no participa de la calidad y carácter de lo que simboliza; en cambio, puede establecerse una serie de igualdades entre el símbolo y aquello que simboliza, tal como en el ejemplo dado del grano de mostaza y el reino de los cielos. En este sentido, el símbolo da más lugar a la imaginación, al ingenio, mientras que el signo remite con preferencia a la razón humana. Se presiente —al admitir este sentido— la razón de la preferencia de Cortázar por símbolos en lugar de signos.

Pero el aporte más significativo del citado pensador protestante está en expresar que el uso de símbolos por parte del ser humano le abre niveles de la realidad, los cuales de otra manera le están cerrados. El símbolo, en este sentido, hace ver algo que no se pudo distinguir antes de ninguna manera. Y aquí está, dice Butler, el genio del artista. Hacer objetivable para el lector por medio del símbolo esos niveles. Cortázar, es necesario confesarlo, demuestra en este aspecto ser un artista pródigo en cualidades como tal.

[34] Porteus, Alvin C. *Prophetics Voices in contemporary Theology*. New York, Abingdon Press, 1966, p. 97.
[35] Butler, Donald J. *Religious Education*. New York and Evanston, Harper and Row pubblishc, 1967, pp. 141-145.

La importancia de los símbolos en Cortázar

No es *Rayuela* la primer obra de Cortázar donde aparecen los símbolos, pues ya en publicaciones anteriores ha hecho uso de ellos. Es a través del interesante análisis que el profesor García Canclini desarrolla en relación a *Los premios,* obra claramente impregnada de sentido simbólico, que nuestra búsqueda comienza. El citado autor presenta el tema definiendo a Persio como alguien que

> ... más que buscador es un oráculo, pues revela la significación trascendente de la comedia jugada en los diálogos. Su sabiduría se expresa mediante símbolos: el de los ferrocarriles, el de la guitarra y el de la tercera mano [36].

Esta visión general es completada por García Canclini en los enfoques parciales. En lo que respecta al símbolo de los ferrocarriles expresa que Persio:

> ... tiene esperanzas de «abarcar lo cósmico en una síntesis total». Sería preciso ver simultáneamente lo que ven los cuatro mil millones de ojos de la raza humana, construir un mapa de lo viviente. Para ensayarlo, se entretiene con la *Guía oficial dos caminhos de ferro de Portugal,* traza los itinerarios de todos los trenes que recorren el territorio a una misma hora, seguro de producir un diagrama que sea más que la suma de los recorridos, que revele el destino último de sus ocupantes [37].

Y con referencia a la guitarra y la tercera mano:

> La guitarra permanece como símbolo inaccesible, que no se deja atrapar ni llegando a la popa: siempre remite a algo que está más allá. Al evocarle, Persio habla de «la guitarra que era de Picasso, que era de Apollinaire».
>
> El último símbolo alude a una tercera mano que serviría para asir el tiempo y darle vuelta, para acariciar la noche, abofetear las clasificaciones y arribar a la verdad que disimulan, «la verdad que espera el nacimiento del hombre para entrar en la alegría». Esa mano que no tenemos simboliza la trascendencia a la que no llegamos [38].

De este excelente análisis García Canclini ha de concluir que, para Cortázar:

> La realidad no se deja explicar plenamente. El hombre sólo cuenta con los símbolos —el ferrocarril, la guitarra y la tercera mano—, torpes ana-

---

[36] García Canclini, Néstor. *Cortázar: una antropología poética.* Buenos Aires, Nova, 1968.
[37] Citado por García Canclini. *Loc. cit.*
[38] Citado por García Canclini: *Ibid.,* 20.

logías, pero únicas esperanzas de que el caos no sea el caos, sino la distorsión de una forma que se nos escapa. ¿Habrá una cifra que mágicamente resuma la esencia de lo real? Quizás lo único capaz de dar sentido a nuestro viaje sea el acceso a ese «punto central donde cada elemento discordante puede llegar a ser visto como un rayo de la rueda» [39].

También cabe citar una crítica sobre el mismo libro, en su traducción inglesa, debida a Emile Capouya, quien a propósito del concepto simbólico sobre la lotería expone: «and can stand as a fit symbol for the changes and chances of this fleeting world» [40]. Y ya en *Bestiario,* para retroceder más en las obras de Cortázar, la casa tomada, el tigre que circula incansablemente y el ómnibus que lleva a Clara, simbolizan, bajo distintos aspectos, que la realidad no es simple, que todo tiene un reverso, hasta la tierra, aunque sólo podamos verla fugazmente en otros cuerpos celestes.

Los símbolos más importantes de «Rayuela»

Osvaldo López Chuhurra estima que «la novela de Cortázar apela al símbolo desde el principio» [41]. Por otra parte, Richard Allen en su citada conferencia afirmó que «en su técnica revolucionaria, Cortázar prefiere la estructura en torno a un motivo que con frecuencia se convierte en un símbolo» [42].

En una mirada general a *Rayuela* se distinguen seis símbolos que hablan de ese salto hacia adelante que Oliveira pretende realizar: la rayuela misma; los puentes, del cual el tablón del capítulo 41 es sólo una variante; los ríos metafísicos, el ojo de la carpa de circo, el laberinto y el fondo negro del montacargas.

La rayuela se menciona varias veces, sea en la calle, en el hospital o en el monologar del propio pensamiento, como se da por segunda vez cuando Oliveira está pensando en sus relaciones con la Maga, y las ve como una vertiginosa rayuela. Cabe también destacar que aparece en todas ellas en relación con Oliveira y la Maga, o con sus dobles: Traveler y Talita. Esta rayuela simboliza aquí el juego que es esa búsqueda, el aspecto lúdico que en ella hay y lo ejemplifica con los personajes principales de la novela, los que más «juegan».

En un pasaje de *Rayuela,* que corresponde al capítulo 39, se encuentra un ejemplo donde se destaca con toda claridad la importancia de lo lúdico:

[39] García Canclini, Néstor. *Loc. cit.*

[40] Capouya, Emile. «Passenger list for limbo». (En: *Saturday Review,* 3 de abril de 1965, p. 29).

[41] López Chuhurra, Osvaldo. «Sobre Julio Cortázar». (En: *Cuadernos Hispanoamericanos,* Madrid, Ed. Mundo Hispánico, 1967, p. 23).

[42] Allen, Richard. *Loc. cit.*

Antes de desembarcar en la mamá patria, Oliveira había decidido que todo lo pasado no era pasado y que solamente una falacia mental como tantas otras podía permitir el fácil expediente de imaginar el futuro abonado por los juegos ya jugados [43].

Otro símbolo, usado con cierta frecuencia, son los puentes. El autor de *La región más transparente* dice al respecto:

Novela de puentes entre lo perdido y lo recuperable, *Rayuela* se inicia bajo los arcos del Sena y culmina sobre unos raquíticos tablones que unen las ventanas de una pensión en Buenos Aires [44].

Si la rayuela simboliza la búsqueda en su aspecto lúdico, los puentes simbolizan la esperanza peligrosa que existe en ese juego donde uno puede equivocarse. La seguridad de que así como hay una parte del puente con *apariencia de seguridad* de este lado, el lado en que nosotros nos hallamos, hay en la otra punta del puente una *realidad de seguridad* [45]. Todo confirma las palabras de Emir Rodríguez Monegal: «es un rostro hondamente marcado por el conflicto y la crisis, pero también marcado por la esperanza» [46].

Los mismos raquíticos tablones indican que allí, en el medio, hay inseguridad, peligro. El episodio del tablón, en el capítulo 41, es el más valioso entre los que hablan de los puentes. Otro pasaje de *Rayuela* aclara que estos tablones forman un puente: «ni que vaya a buscar un tablón en la antecocina para fabricar un puente» [47]. Y el propio Cortázar, en su entrevista con Luis Harss, aclara con toda precisión lo que venimos diciendo:

El detalle del tablón recuerda la primera imagen del libro: la Maga en un puente —que se extiende sobre un elemento sagrado: el agua— en París. Los puentes y los tablones son símbolos del paso «de una dimensión a otra» [48].

Le siguen los ríos metafísicos. Aquí Cortázar ha incluido un elemento de profundo valor mítico y especialmente simbólico: el agua. Ya en los mitos de Sumeria se encuentra la idea del diluvio universal como aquel en que se reitera que la diosa de las aguas fue primordialmente el origen de toda realidad. También la Biblia afirma que antes de la creación de los animales y las plantas ya «el Espíritu

[43] Cortázar, Julio. *Op cit.*, 266.
[44] Fuentes, Carlos. «*Rayuela*: la novela como caja de Pandora». (En: *Mundo Nuevo,* IX. París, Imp. Moderne Gelbard, 1967, p. 68).
[45] El subrayado es mío.
[46] Rodríguez Monegal, Emir. «La nueva novela». (En: *Life,* 1965, p. 62).
[47] Cortázar, Julio, *Op. cit.,* p. 281.
[48] Cortázar, Julio. Citado por Luis Harss. (En: *Op. cit.,* p. 295).

de Dios se movía sobre la faz de las aguas» [49]. Entre los antiguos pobladores de México, Tláloc y su compañera Chalchiuhcueye eran, respectivamente, el dios y la diosa de las aguas, los más antiguos de todos los dioses. Las leyendas medievales, como la fuente de Juvencia y las hijas del Rhin, respondieron al mismo sentir. Y es Goethe mismo, el que en el *Fausto* exclama: «¡Todo ha surgido del agua! ¡Todo se conserva por el agua!» [50].

Cortázar, con suma habilidad, ha incluido este elemento simbólico y mítico en *Rayuela.* En el capítulo 21 se lee:

> Hay ríos metafísicos, ella los nada como esa golondrina los está nadando en el aire, girando alucinada en torno al campanario, dejándose caer para levantarse mejor con el impulso. Yo describo y defino y deseo esos ríos, ella los nada [51].

Una explicación muy bien lograda de lo que estos ríos significan se encuentra en el libro inédito ya citado: *Cortázar: una interpretación antropológica,* donde se aclara:

> ... se salvarán los que aprendan a reconciliar la inteligencia con la intuición, el inconformismo con la ternura, la crítica con la ingenuidad. Oliveira con la Maga. Aunque la palabra reconciliar puede atraer malos entendidos: la coexistencia pacífica, el acuerdo de caballeros. No se trata de ignorar las dificultades, sino de aceptar la tensión y vivirla creadoramente [52].

En conclusión, los ríos metafísicos simbolizan el camino de esa búsqueda a la cual *Rayuela* nos invita, y, en el pasaje comentado, Oliveira representa una manera de enfrentarlos y la Maga otra. Conciliando los dos se encuentra el camino de la búsqueda correcta.

El laberinto es otro símbolo que usa Cortázar, que no se cansa de usar Cortázar. Jorge Luis Borges ha expresado en una oportunidad: «Ya estoy harto de los laberintos y de los espejos y de los tigres y de todo eso. Sobre todo cuando lo usan otros» [53]. Pero el autor de *Rayuela* ha adoptado una actitud en su tarea de escritor y persiste en ella: la del uso misterioso y atrayente de los laberintos.

Los reyes es la obra donde Cortázar introduce este elemento, que no abandonó hasta el presente. Que no abandonó desde aquel momento en que, siendo aún un niño, lo hizo parte vital de su experiencia personal. Él mismo dice:

---

[49] La Biblia, traducción de C. de Reina y C. de Valera. Buenos Aires, Soc. Bibl. en América Latina, p. 5.
[50] Goethe, J. W. Citado por Rodolfo Puigrós. (En: *Los orígenes de la Filosofía.* Buenos Aires, Ed. Jorge Álvarez, 1966).
[51] Cortázar, Julio. *Op. cit.,* p. 116.
[52] García Canclini, Néstor. *Op. cit.,* p. 29.
[53] Borges, Jorge Luis. «Harto de los laberintos». (En: *Mundo Nuevo,* XVIII. París, Imp. Moderne Gelbard, 1967, p. 25).

... desde niño todo lo que tuviera relación con el laberinto me resultaba fascinador..., de pequeño fabricaba laberintos en el jardín de mi casa...; cuando yo iba solo, iba saltando. Es sabido que los niños gustan de imponerse ciertos rituales: saltar con un pie, con los dos pies... Mi laberinto era un camino que yo tenía perfectamente trazado, y que consistía principalmente en cruzar de una vereda a otra a lo largo del camino. En ciertas piedras que me gustaban yo daba el salto y caía sobre esa piedra. Si por casualidad no podía hacerlo o me fallaba el salto tenía la sensación de que algo andaba mal, de que no había cumplido con el ritual [54].

El capítulo 110 de *Rayuela,* que describe brevemente un sueño, expresa con mayor precisión aún la importancia del laberinto en la búsqueda. El mencionado capítulo se asemeja a uno de esos trozos de escritos que Julio Cortázar posee en su casa del Barrio Quince de París. Allí, frente a su escritorio, colgados como mariposas, hay toda una «antología de lo insólito cotidiano» [55]: postales, recortes de diario, avisos publicitarios y varias cosas más. Este artículo, que es uno de los pasajes más significativos de *Rayuela,* expresa:

> El sueño estaba compuesto como una torre formada por capas sin fin que se alzaran y se perdieran en el infinito, o bajaran en círculos perdiéndose en las entrañas de la tierra. Cuando me arrastró en sus ondas la espiral comenzó, y esa espiral era un laberinto. No había ni techo ni fondo, ni paredes ni regreso. Pero había temas que se repetían con exactitud [56].

Y se llega entonces a la conclusión de que el acceso a este núcleo, a este centro de la búsqueda, no es directo; hay, por el contrario, que atravesar un laberíntico sendero que implica, entre otras cosas, el riesgo de extravío.

En el capítulo 43 de *Rayuela* aparece, en el escenario también simbólico de Oliveira en el circo, el ojo de la carpa de circo, «el orificio en lo más alto de la carpa roja, ese escape hacia un quizá contacto, ese centro, ese ojo como un puente del suelo al espacio liberado» [57]. La comparación con el centro trae a colación una parte del artículo ya citado: *Rayuela, una búsqueda a partir de cero,* en donde la autora especifica que Oliveira no sabe lo que hay más allá del salto, y esto es justamente lo que simboliza el ojo de la carpa de circo:

> Sin embargo, Horacio Oliveira se caracteriza por ser un buscador cuya lucidez no le permite ocultarse que el mandala, el camino, el puente, pue-

[54] Harss, Luis. *Op. cit.,* p. 265.
[55] Vargas Llosa, Mario. *Loc. cit.*
[56] Cortázar, Julio. *Op. cit.,* p. 534.
[57] Cortázar, Julio. *Ibid.,* p. 310.

den desembocar en un pozo sin fondo, la ventana puede abrirse al vacío, y el centro ser un hueco que nos sorba definitivamente. Lo sabe y persiste contra toda desesperanza porque ha jurado no pactar [58].

El último de los seis símbolos mencionados es el fondo negro del montacargas. Este símbolo, radicalmente paradójico, representa un descenso al infierno. Este descenso, que es llevado a cabo por el mismo Oliveira, se logra a través de un aparente acto de amor: el beso a Talita.

Algunas aclaraciones nos ayudan a entender esta aparente paradoja: «el problema está en multiplicar las artes combinatorias, en conseguir nuevas aperturas» [59]. «Ha buscado (Cortázar) siempre en la paradoja el verdadero acorde» [60].

García Canclini acota con toda precisión que:

> En este caso es aún más significativo, porque Oliveira besa a Talita —mejor besa en ella a la Maga— y accede entonces al cielo de la rayuela. Cuando terminan, conscientes de haber ingresado en una zona vedada, Talita se lo cuenta a Traveler y Horacio se encierra en su habitación armando una extraña defensa con piolines, rulemanes y palanganas. Quien ha alcanzado una experiencia suprema no puede seguir viviendo como cualquier otro, se trastorna y establece una relación nueva con las cosas [61].

Así es como se llega al final mismo de la novela con el fondo negro del montacargas, rico y novedoso símbolo usado por Cortázar, que señala especialmente el precio, lo costoso, de este salto hacia adelante.

La relación entre los símbolos

Ha de notarse, finalmente, que la relación existente entre la rayuela y los otros símbolos de la novela de Cortázar no es fortuita. Al menos para el caso de la rayuela, puesto que las diferentes teorías existentes sobre el origen y desarrollo de este juego le atribuyen relación con el laberinto, con el agua y con los centros.

Sebeok y Brewster, quienes aportaron los primeros estudios sobre el juego de la rayuela, han expresado que hay «una conexión entre el diagrama de la rayuela y el laberinto» [62] a la vez que han sugerido

---

[58] Barrenechea, Ana María. *Op. cit.,* p. 72.
[59] Cortázar, Julio. Citado por Luis Harss. (En: *Op. cit.,* p. 299).
[60] Cortázar, Julio. Citado por Luis Harss. (En: *Op. cit.,* p. 255).
[61] García Canclini, Néstor. *Op. cit.*
[62] Sebeck y Brewster. Citados por Eduardo Menéndez. (En: «Aproximaciones al estudio de un juego: la Rayuela», de *Separata de Cuadernos del Inst. Nac. de Antrop.* Buenos Aires, 1963, p. 152).

que el avance de un compartimiento a otro es una representación del progreso del alma.

Rodrigo Caro, por su parte, piensa que el juego existía antes del cristianismo, y por ello cree que la expresión actual del mismo derivaría de formas muy antiguas, más precisamente relacionadas con los mitos del laberinto. Es Hernández de Soto quien completa estos pensamientos en la relación que él encuentra entre la rayuela española, llamada rambla, y el esquema laberíntico. Además, la tradición laberíntica es subrayada por las dificultades inherentes al juego. Como bien lo nota Eduardo Menéndez, se encuentra en los itinerarios, de los cuales hay ejemplos en nuestro país como los de las rayuelas llamadas gambeta y caracol; o en los impedimentos del juego como el llevar el tejo en la frente, o en el dedo índice, o el más común de empujar el tejo con la punta del pie mientras se avanza a pie cojo.

Es otro tipo de rayuela la que nos ayuda a considerar la relación de este juego con el centro. En efecto, hay una rayuela hindú en que se representa un ascenso a la montaña y la posterior inmersión en el agua. Como es sabido, la montaña es un lugar sagrado, identificado con lo celeste, y considerado representación arquetípica del centro del mundo. La peregrinación hacia ella implica, por tanto, una aproximación al cielo, a lo sagrado, tal como lo destaca con claridad Mircea Eliade; a la vez que enfatiza que el camino hacia el agua presenta caracteres sagrados porque «implica una serie de consagraciones y pruebas» [63].

Pero, independientemente de este tipo de relaciones, se encuentran características comunes en los símbolos usados por Cortázar en *Rayuela,* las cuales nos ayudan a completar la visión que de esta búsqueda que nos concierne representan los símbolos. Entre las más importantes se destacan: todos estos símbolos nacen de algún lugar que es conocido o seguro, todos se dirigen a un lugar desconocido o difícil de alcanzar, en la mayoría se destaca la zona intermedia que es insegura o está suspendida en el vacío, y por último se acepta en todos ellos el aspecto lúdico.

Y hasta aquí con los símbolos, como enunciado previo. Volveremos sobre ellos, a medida de su aparición literaria en *Rayuela.*

LOS PERSONAJES DE *RAYUELA*

De un curso sobre la novela y el cuento, dictado por el doctor Federico Peltzer, extraemos los cuatro factores a considerar en este capítulo. Ellos son, por orden de desarrollo, los siguientes: el mundo abierto de los personajes de *Rayuela,* la situación como instalada en

---

[63] Eliade, Mircea. Citado por Eduardo Menéndez. (En: *Ibid.,* p. 154).

los personajes, la posición de los personajes de *Rayuela* y, por último, superación de figuras o constelaciones de personajes.

El mundo abierto de los personajes de «Rayuela»

Las teorías de Morelli, personaje creado en los capítulos prescindibles de *Rayuela,* son las que en realidad pone en práctica Cortázar por medio de este libro.

Una parte de esas teorías se refiere al hecho decidido de terminar con la novela tradicional de orbe hermético, pues *Rayuela* proclama un orbe abierto que no encierra al lector, no lo substrae del resto de la realidad, sino que lo deja tal cual es. Ya no es el problema aquí quitar al lector del mundo para «apueblarlo» en la novela, sino dejarlo donde está, y desde allí hacer posible su participación en la ficción. Por eso Cortázar no es antinovelesco como se le llama, pero sí antenovelístico, porque quiere terminar con la novela de orbe cerrado, no con la novela en sí. Dice Peltzer:

> ... nosotros no vemos que unas situaciones estén encadenadas con otras. Pasa algo en París; luego viene Oliveira a Buenos Aires. Lo que pasa en Buenos Aires parece no tener relación con lo que pasa en París; y en la última parte hay directamente una intercalación de episodios de uno y otro plano. Y nosotros nos preguntamos qué sentido tiene esto; no podemos comprender esta trama, porque no se desenvuelve como se desenvuelven todas las novelas. Sin embargo, cuando terminamos el libro y lo cerramos, nos damos cuenta de que hemos vivido un mundo, el mundo de esos seres, sólo que era un mundo abierto [64].

El más grande mérito de esta novela es que en ella están encarnados los grandes problemas del hombre contemporáneo. El hombre contemporáneo es en esencia un hombre que busca. Y este hombre que busca es el que nos interesa aquí. Así, este tipo de novela es la que se coloca en la mejor tradición novelística, porque

> ... es la que instaura con Cervantes, la que al abrir la novela a la vida la incluye en su totalidad: los hombres con sus acciones y pasiones, con sus problemas y sus imaginaciones, y también los productos de lo que imaginan, la literatura y el arte, sin embargo, el análisis, la pasión o la burla sobre ese mundo de hechos y de objetos mágicos que su actividad creadora ha producido [65].

---

[64] Peltzer, Federico. *Loc. cit.*
[65] Barrenechea, Ana María. *Op. cit.,* p. 69.

La situación como instalada en los personajes

En un pasaje de *Rayuela* se lee:

> La novela que nos interesa no es la que va colocando los personajes
> en la situación, sino la que instala la situación en los personajes. Con lo
> cual éstos dejan de ser personajes para volverse personas. Hay como una
> extrapolación mediante la cual ellos saltan hacia nosotros, o nosotros
> hacia ellos. El K. de Kafka se llama como su lector o al revés. Y a esto
> debía agregarse una nota bastante confusa, donde Morelli tramaba un
> episodio en el que dejaría en blanco el nombre de los personajes, para
> que en cada caso esa supuesta abstracción se resolviera obligadamente en
> una atribución hipotética [66].

Esto influye en el aspecto temporal dentro de la estructura de la
novela, los personajes no pasan a través de acontecimientos, sino que
viven hacia adentro sus propios problemas. Se opera así consecuente
ruptura del tiempo cronológico. No hay un encadenamiento lineal,
sino saltos y retrocesos. Por ejemplo, el retroceso al pasado que nos
describen las páginas 113 en adelante. O el vivir de los personajes
en dos situaciones, como Oliveira en la página 409.

El fluir de la conciencia funde la barrera entre lo que constituye
el mundo exterior y lo que forma el interior; quedan de esta manera
expuestos los problemas más íntimos y, entonces, al aflorar los mecanismos síquicos, se afirma la individualidad, se llega a la conclusión
de que el hombre está solo. Y se incursiona en el tema de la soledad
que, al tratar a Oliveira, el personaje principal, surgirá en toda su
expresión. Dice María Isabel de Gregorio:

> En *Rayuela* la acción no existe. Está dentro de los personajes... El
> viaje es hacia adentro y el propósito representar al hombre, a la socie-
> dad, al país en un intento total [67].

Frente a la pregunta, que ahora surge naturalmente: ¿cuál es el
mundo representado?, se contesta: la trayectoria angustiosa de un
hombre desubicado, su infructuosa búsqueda de un punto de arraigo
a través de dos sociedades igualmente corruptas. La trama pierde
importancia, la novela que nos interesa es la que coloca la situación
en los personajes. Por esto es que Peltzer, en lugar de llamarles personajes, les llama personas.

---

[66] Cortázar, Julio. *Op. cit.*, p. 543.
[67] Gregorio, María Isabel de. *Op. cit.*, p. 48.

La posición de los personajes de «Rayuela»

Dice Alfred Mac Adam:

Los personajes de *Rayuela* como los de *Los premios* se dividen en principales y menores, pero la importancia de los primeros no depende de cómo reaccionan a las circunstancias que se relatan en la obra, sino por su valor ante Horacio Oliveira..., los personajes principales de *Rayuela* nunca dejan de ser personajes novelescos. Son importantes sólo porque el protagonista se ve a sí mismo en ellos o porque le recuerdan a la Maga, el catalizador de su vida..., las figuras menores en ambas obras representan determinados papeles sociales o intelectuales y tienen, en muchos casos, un fin humorístico derivado de su lenguaje, una parodia del habla de la profesión o clase socio-económica del personaje [68].

Dos tipos de personajes es la conclusión de Mac Adam: principales y secundarios. Todo ello por su relación, de una u otra manera, con Horacio Oliveira, el argentino expatriado. Los personajes principales surgen inmediatamente para el conocedor de *Rayuela:* Horacio Oliveira y la Maga. Luego Traveler, Talita y Morelli, el personaje creado en los capítulos prescindibles. Entre los secundarios se encuentran: todos los socios del Club de la Serpiente, Emmanuele, Berte Trephat, Rocamadour, en «el lado de allá», y Gekrepten, Don Crespo, la señora de Gutusso y otros en «el lado de acá».

Horacio Oliveira, primera y tercera persona del relato, porteño típico [69], es el protagonista de *Rayuela* que se caracteriza por buscar, por buscar de una determinada manera que desvirtúa las búsquedas solemnes y ordenadas. El capítulo primero se inicia con aquella pregunta casi irremplazable del personaje-narrador Oliveira: «¿Encontraría a la Maga?» [70]. Y él mismo relata acerca de aquel internarse en un montón de basura donde

...yo aprovechaba para pensar en cosas inútiles, método que había empezado a practicar años atrás en un hospital y que cada vez me parecía más fecundo y necesario. Con un enorme esfuerzo, reuniendo imágenes auxiliares, pensando en olores y caras, conseguía extraer de la nada un par de zapatos marrones que había usado en Olavarría en 1940. Tenían tan sólo tacos de goma, suelas muy finas, y cuando llovía me entraba el agua hasta el alma. Con ese par de zapatos en la mano del recuerdo, el resto venía solo: la cara de doña Manuela, por ejemplo, o el poeta Ernesto Morroni. Pero los rechazaba porque el juego consistía en recobrar tan sólo lo insignificante, lo inostentoso, lo perecido [71].

---

[68] Mac Adam, Alfred J. «Cortázar novelista». (En: *Mundo Nuevo*, XVIII. París, Imp. Moderne Gelbard, 1967, pp. 41-42).

[69] Cortázar, Julio. *Op. cit.,* p. 18.

[70] Cortázar, Julio. *Ibid.,* p. 15.

[71] Cortázar, Julio. *Ibid.,* p. 19.

Y un poco más adelante este narrador-personaje se presenta a sí mismo como un filósofo, porque Horacio Oliveira es un pensador profundo, un filósofo, que se encuentra en plena elaboración de su sistema filosófico:

> Ya para entonces me había dado cuenta de que buscar era mi signo, emblema de los que salen de noche sin propósito fijo, razón de los matadores de brújulas. Con la Maga hablábamos de patafísica hasta cansarnos, porque a ella también le ocurría (y nuestro encuentro era eso, y tantas cosas oscuras como el fósforo) caer de continuo en las excepciones, verse metida en casillas que no eran las de la gente, y esto sin despreciar a nadie, sin creernos Maldorores en liquidación ni Melmoths privilegiadamente errantes [72].

Y así Oliveira no cesa de indagar, en esa búsqueda que es todo un desafío a las académicas y solemnes.

> Prefiere que su vida fluctúe entre Vivaldi y una clocharde antes que desarrollarla linealmente sobre lo clasificado por la costumbre..., ocupa así su tiempo con líos monstruosos que abarcan amantes, amigos, acreedores y funcionarios, y en los pocos ratos libres hace de su libertad un uso que asombra a los demás y que acaba siempre en pequeñas catástrofes irrisorias [73].

Esa búsqueda implica en primer lugar libertad, la cual es casi una obsesión para él: libertad del hermano, que aún le envía dinero; libertad de la familia, de Gekrepten, de la Facultad de Filosofía y Letras, de la Argentina, del Club de la Serpiente, de la Maga, de París. De Talita, a la que besa en el fondo negro del montacargas no por amor, sino por una experiencia inaudita más. Porque:

> Oliveira teme al amor. Puede hacer malabarismos metafísicos sobre la realidad inaprehensible, la soledad de cada uno, la rayuela que, si se pierde pie, conduce a la casilla del infierno o de la muerte. Todo es, para él, menos peligroso que el amor. Hombre-niño, escapa de la entrega como si la mujer-amor pudiera devorarlo... Toma el contorno de una mujer, su apariencia para poder dejarla en cualquier momento y volver a su mundo. Un mundo donde no hallará a la Maga [74].

Esa libertad, más que un medio, es un fin; un fin que le hace vivir el amor, la experiencia más íntima al ser humano en el universo, sólo como un instrumento, como un medio más de su búsqueda.

---

[72] Cortázar, Julio. *Ibid.*, p. 20.
[73] García Canclini, Néstor. *Op. cit.*, p. 26.
[74] Peltzer, Federico. «Alejandra y la Maga». (En: *La Gaceta,* Tucumán, 3 de septiembre de 1967).

Horacio Oliveira identifica así la exigencia básica de la vida auténtica con la soledad, la separación de los demás para ubicarse en lo propio. Y es el momento en que esa libertad se convierte en un absurdo.

Hay tres lugares en *Rayuela* que ejemplifican de manera concisa el papel que el absurdo juega en Horacio Oliveira: el encuentro con la pianista Berte Trepath, la compañía de la *clocharde* y el hecho de haberse acostado con otro hombre, tal como lo confiesa a la Maga.

En el primer caso, que se encuentra en el capítulo 23, donde ya Horacio se ha separado de la Maga, esa ansia de absurdo le impulsa a entrar en el concierto porque le causaba gracia el nombre de la pianista. Allí presencia el recital de una malograda pianista y pésima compositora, que llevaba «zapatos tan de hombre que ninguna falda podía disimularlos» [75]; escucha el concierto; es testigo de que los presentes, uno por uno, se retiran del concierto; aplaude realmente divertido cuando sólo quedaban unas pocas personas; acompaña a la pianista hasta su casa, sintiéndose como un vómito [76] bajo la lluvia, y huye al fin, calumniado de vicioso y otros adjetivos no menos despectivos, ahogados en gritos inaudibles.

Por otra parte, el capítulo 36 brinda generosamente otro ejemplo de lo absurdo resumido en unas pocas imágenes significativas: aquella en que Emmanuele, canturreando una canción, está tirada en el piso del camión celular boca abajo, mientras Horacio piensa en Heráclito enterrado en los excrementos a la vez que pone sus pies sobre las nalgas de ella.

En el capítulo 4 esta pasión por lo absurdo se muestra sin restricciones en el diálogo entre la Maga y Oliveira:

—¿Se tiró un lance con vos la negrita?
—Por supuesto. Pero lo mismo nos hicimos amigas, le regalé mi rouge y ella medio un librito de un tal Retef, no... esperá, Retif...
—Ya entiendo, ya. ¿De verdad no te acostaste con ella? Debe ser curioso para una mujer como vos.
—¿Vos te acostaste con un hombre, Horacio?
—Claro. La experiencia, entendés [77].

La experiencia, sí, pero no lo que normalmente se entiende por experiencia, sino la experiencia de lo absurdo.

Este absurdo lo vive subjetivamente Horacio en la dualidad de procurar por un lado una comprensión racional del mundo y al mismo tiempo tratar inútilmente de negar la razón porque la ve como un estorbo. Pero, para Horacio, lo racional es imprescindible, aunque

[75] Cortázar, Julio. *Op. cit.*, p. 126.
[76] Cortázar, Julio. *Ibid.*, p. 141.
[77] Cortázar, Julio. *Ibid.*, p. 39.

lo lleve a alejarse de los demás y lo conduzca al absurdo y a lo irracional. Otra vez la tensión, la paradoja, el *ars combinatoria*.

¿Es Horacio el propio Cortázar? Cortázar mismo dijo una vez: «No me parece que Persio sea un portavoz de mis ideas, aunque de alguna manera puede serlo...» [78], queriendo expresar con ello que el personaje central de una novela que él crea, en este caso Persio de *Los premios,* no es totalmente él. Pero nada niega que lo sea parcialmente. Lo mismo ocurre con Oliveira, y el mismo Cortázar vuelve a manifestarlo, en una carta privada dirigida al profesor García Canclini:

> De alguna manera soy también un lector entre los muchos que leerán su ensayo, alguien lo bastante maduro y objetivo como para inclinarse sobre ese Cortázar del que se habla, sin el gesto del que se asoma al espejo a ver cómo está su imagen en ese momento o con esa luz. En casos así me parezco bastante a Oliveira [79].

El final de Oliveira, en el capítulo 56, que es el final de la novela tradicional, es realmente ambiguo. Aquí, por razones de desarrollo, se deja para otro capítulo.

La contrafigura de Horacio, la otra mitad que falta para completar el todo, se da en la Maga. La Maga es la mujer que él elige, con posibilidad de poder abandonarla en cualquier momento; ser humano que formaba cuerpo con la duración, el continuo de la vida. A ella le resulta más natural ser que pensar, responder espontáneamente a las infinitas llamadas del mundo que la rodea. Es una existencia integrada en la vida, mientras Oliveira resulta una vida que pretende integrar la existencia. La Maga simboliza quizá en última instancia lo que él quisiera ser y ver [80].

Peltzer destaca la importancia de la Maga para la literatura novelística en nuestro país:

> La novelística argentina no abunda en personajes femeninos perdurables. Después de algún intento romántico, con las inevitables idealizaciones («Amalia»), es la nuestra una novela de criaturas masculinas, con alguna que otra excepción (tal vez aquella «Balbina», de Lynch, o ciertas lejanas heroínas de Mallea). Dos novelas del último tiempo ofrecen, en cambio, ricos caracteres femeninos: Alejandra, la protagonista de *Sobre héroes y tumbas;* la Maga, uno de los personajes de *Rayuela.* Hay en ellas una supervivencia, más allá del libro, que es el mejor signo de validez. Aunque justo es reconocer que, si en parte son lo que son,

---

[78] Harss, Luis. *Op. cit.,* p. 277.
[79] Cortázar, Julio. (En: Carta a Néstor García Canclini, *op. cit.).*
[80] Dice María Isabel de Gregorio: «Pero encontraba *algo* en la Maga, porque la Maga inocente de cultura representaba lo logrado, aquello intuitivamente logrado». *Op. cit.,* p. 49.

debemos situarlas al lado de otros personajes, esta vez masculinos (Martín en el libro de Sábato, Oliveira en el de Cortázar) que, en buena parte, determinan sus pasos [81].

Esta Maga, que también se llama Lucía [82], según se confirma en las páginas 84, 110 y 160 de *Rayuela,* es una mujer valiente que vive con Oliveira en París, que no ha rechazado tener el hijo en un momento dado y luego criarlo y menos aún presenciar que toda esa lucha fue casi vana al verlo morir y, sumado a esto, aceptar la separación de Oliveira. De todas estas múltiples facetas de su personalidad que *Rayuela* nos entrega deducimos que la Maga es intuición, afecto, instinto y también la conciencia de ese instinto. Una mujer que acepta realidades humanas y no les huye como Oliveira.

Porque entre Oliveira y la Maga, el autor ha querido expresar un contraste notable. En la página 25 el mismo Oliveira establece la diferencia:

> Me había llevado muy poco comprender que a la Maga no había que plantearle la realidad en términos metódicos, el elogio del desorden la hubiera escandalizado tanto como su denuncia. Para ella no había desorden, lo supe en el mismo momento en que descubrí el contenido de su bolso (era un café de la rue Reaumur, llovía y empezábamos a desearnos), mientras que yo lo aceptaba y lo favorecía después de haberlo identificado [83].

Frente a la libertad, el aceptar compromisos; frente a lo intelectual, lo intuitivo, lo afectivo; frente a la soledad inhumana, la pasión humana. Este contraste no es incidental ni forzado, sino que surge en el curso mismo de la novela. Es semejante, aunque en otra dimensión de elecciones, a la pareja Traveler-Talita.

Traveler, el doble de Oliveira, sorprende con su nombre debido a que significa, literalmente, el viajante. Y sorprende porque Traveler ha viajado muy poco: sólo cruzó a Montevideo y una vez a Asunción del Paraguay. En este sentido se entiende que Fuentes está equivocado al decir que nunca pasó el Río de la Plata.

La semejanza suya con Oliveira es tan apreciable que términos como hermano son comunes entre ellos, y aún Oliveira llama a Traveler su *doppelgänger*. Pero es evidente que hay en Traveler una diferencia significativa con Oliveira: aquél se ha comprometido con la vida. Es también un intelectual, un inconformista magnífico, un filósofo a su manera, pero ha aceptado compromisos y los mantiene.

---

[81] Peltzer, Federico. «Alejandra y la Maga». (En: *La Gaceta,* Tucumán, 3 de septiembre de 1967).

[82] Ghiano en *La Nación,* octubre de 1963, pregunta: «¿La uruguayita Lucía del tango?».

[83] Cortázar, Julio. *Op. cit.,* p. 25.

Rescata su amistad con Horacio mientras éste la deteriora; realiza la parte positiva de su existencia especialmente en la comunicación para consigo mismo y para con los demás, mientras Horacio la negativa.

Oliveira llama a Traveler su *doppelgänger,* pero al correr de la acción se verifica que el verdadero *doppelgänger* es él mismo. Y es Traveler mismo quien lo confirma en el capítulo que describe el encierro de Horacio Oliveira:

> El verdadero *doppelgänger* sos vos, porque estás como desencarnado, sos una voluntad en forma de veleta, ahí arriba. Quiero esto, quiero aquello, quiero el norte y el sur y todo al mismo tiempo, quiero a la Maga, quiero a Talita, y entonces el señor se va a visitar la morgue y le planta un beso a la mujer de su mejor amigo. Todo porque se le mezclan las realidades y los recuerdos de una manera sumamente no-euclidiana [84].

Pero Horacio insiste en conservar su posición, y corrobora así la opinión de Traveler. Quiere encerrarse, quiere quedarse solo. Oliveira acota una frase, profunda en dimensión espiritual, tanto que elude todo comentario: «sos grande, hermano» [85], y hay actitudes loables en Traveler, como aquella en que «Traveler lo miraba y Oliveira vio que se le llenaban los ojos de lágrimas» [86]; o: «Déjenlo tranquilo —mandó—. Va a estar bien dentro de un rato» [87]. Y más adelante: «Métele la falleba —dijo Traveler—, no les tengo mucha confianza» [88].

Talita, el doble de la Maga, es aquella mujer que por momentos está entre Traveler y Oliveira, aunque no al final, por supuesto. En un diálogo mantenido entre Talita y Horacio se expresa justamente esa idea:

> —Qué querés —dijo Talita—. Yo creo que Manú tiene razón.
> —Claro que tiene —dijo Oliveira—. Pero lo mismo es idiota, y vos lo sabés de sobra.
> —De sobra no. Lo sé, o mejor lo supe cuando estaba a caballo en el tablón. Ustedes sí lo saben de sobra, yo estoy en el medio como esa parte de la balanza que nunca sé cómo se llama [89].

Resumiendo este juego de dobles, diremos que Oliveira y la Maga constituyen la pareja original del relato. Con ellos se inicia, al decir de Chuhurra, un «argumento poliangular», porque cada uno de los personajes que van apareciendo desprenden desde su lugar una cantidad necesaria de energía para mantener viva esta imagen

[84] Cortázar, Julio. *Ibid.,* p. 394.
[85] Cortázar, Julio. *Ibid.,* p. 400.
[86] Cortázar, Julio. *Ibid., p.* 401.
[87] Cortázar, Julio. *Ibid.,* p. 402.
[88] Cortázar, Julio. *Loc. cit.*
[89] Cortázar, Julio. *Ibid.,* p. 311.

de la existencia [90]. Traveler des-oculta a Oliveira, y Talita refleja a la Maga. El juego dual, la relación de los términos semejantes, hace que cada una de las cuatro existencias se sienta comprometida con la otra. Aun la Maga que está en París sirve de unión y desunión entre los otros vértices de esta magnífica figura novelesca. Sin su presencia sería imposible trazar la figura, y veremos oportunamente lo que esto significa. Talita es *una,* ella misma; y es *dos,* ella y la Maga. Oliveira y Traveler son *dos* que van modelando la imagen de *uno.*

Y queda por último Morelli, el personaje que Julio Cortázar crea en los capítulos prescindibles para expresar con toda seguridad algunas de sus propias ideas; hablando en su nombre cuando propone que la novela no debería ser escrita, sino des-escrita, formar un lenguaje, una contraconvención.

Con Morelli se cierra la lista de los personajes principales, que son los que nos interesan en esta búsqueda que Cortázar propone; y se completa así una figura. Los integrantes masculinos de esta figura son presentados por *The New Republic* de esta manera:

> Horacio, Traveler, and Cortázar are four different men; and yet, each bears a progressive relationship to the other. Traveler is what Horacio would have been, had Horacio not left Argentina. Horacio is what Morelli would have been had Morelli succumbed to the joy of the search for the sake of searching, the search without direction, the «destroyer of compasses», and Morelli is what Cortázar might have become, had no Cortázar written Hopscotch —a theorist, a cataloguer of customs, an acumulator of chippings, notebooks and incomplete novels. The relationship between Cortázar and Morelli is the most tenous since one blurs into the other. And yet he is there for he has accomplished what the older author, Morelli, merely proposes [91].

Y corresponde a Rosa Boldori la reflexión que destaca la interacción existente entre todos los personajes principales de *Rayuela:*

> En *Rayuela* se desarrolla e intensifica lo que estaba en germen en *Los premios*. El personaje marginado pasa a asumir un rol protagónico y las restantes figuras no constituyen sino sus desdoblamientos, irradiaciones y proyecciones. Traveler es la contraparte de Horacio; Morelli, su *alter ego* literario; la Maga, su personalidad complementaria. Todos son, en última instancia, desdoblamientos del propio autor. *Rayuela* es un largo monólogo de Cortázar [92].

---

[90] Chuhurra, Osvaldo. *Op. cit.,* p. 24.
[91] *The New Republic:* April, 23, 1966.
[92] Boldori, Rosa. «Cortázar: una novelística nueva». (En: *Op. cit.,* p. 23).

Superacción de «figuras» o «constelaciones de personajes»

La última mirada a los personajes de *Rayuela* quizá sea la más difícil, justamente porque Cortázar mismo no es consciente totalmente de lo que busca en este sentido.

Parte de la idea del doble, la cual es una constante en la obra de Cortázar. Las dos variantes fundamentales, que Harss ha acertado en precisar, de estos dobles se dan cuando toma forma onírica y cuando es base para una meditación sobre la inmortalidad [93]. Pero en todas ellas se hace uso de una idea muy querida por Cortázar.

> Très jeune, j'ai été hauté par l'idée du double. J'en étais parfaitement conscient, puis, en lisant «Aurelia», j'ai été comme frappé d'un coup de foudre [94].

A la vez, el tema es vivido por Cortázar, aunque, como él mismo lo dice, una sola vez experimentó el desdoblamiento de sí mismo.

> Je ne me suis réellement dédoublé qu'une fois. Il n'y a pas longtemps de cela. C'était rue de Rennes. J'étais en train de marcher lorsque j'ai nettement senti que je marchais à coté de moi-même. Il s'était produit comme une déchirure en moi, par laquelle je m'étais échappé. Cela n'a pas duré très longtemps, mais je m'en souviens comme de la plus intolerable douleur de ma vie. Sans doute est-ce arrivé parce que j'étais très fatigué. En tout cas, je ne l'avais pas cherché [95].

Mas lo verdaderamente valioso para el tema de la búsqueda es que esta idea del doble conduce a la de figura. Pues dice Cortázar

> ... las figuras serían en cierto modo la culminación del tema del doble, en la medida en que se demostraría o se trataría de demostrar una concatenación, una relación entre diferentes elementos que vista desde un criterio lógico, es inconcebible [96].

¿Qué es, en definitiva, la figura? El autor de *Rayuela* responde: «Es el sentimiento —que muchos tenemos, sin duda, pero que yo sufro de una manera intensa— de que aparte de nuestros destinos individuales somos parte de figuras que desconocemos» [97].

Dos maneras de ejemplificar esto encuentra Cortázar, una que le pertenece y otra que toma de Jean Cocteau. En la suya explica

---

[93] Harss, Luis. *Op. cit.*, p. 292.

[94] «Julio Cortázar et Monteforte Toledo, les deux tendances de la litterature iberoamericaine». (En: *Arts,* París, 29 ouat, 1963, p. 2).

[95] *Loc. cit.*

[96] Harrs, Luis. *Loc. cit.*

[97] Harss, Luis. *Op. cit.*, p. 278.

que uno puede estar quizá formando parte de una estructura que se «continúa a doscientos metros de aquí» [98]. El otro ejemplo es de Cocteau y es felicísimo. Recuerda éste que las estrellas individuales que forman una constelación no tienen idea de que cumplen tal función; pero nosotros, los seres humanos, somos perfectamente conscientes de la existencia de tales constelaciones.

Todas estas nociones se vierten en la narración de Cortázar. El autor de *Rayuela* quiere dar sentido, acción, vida a su novela para que ya no exista mera interacción de individuos, sino superación de figuras, abandono de lo particular por lo general. Para las muchas dudas que puedan acudir frente al significado de estas figuras las propias palabras de Cortázar constituyen un aliciente: «ya sé que no es fácil explicar esto, pero a medida que vivo siento cada vez más extensamente esa noción de figura» [99]. Tras todo esto hay, para él, leyes que escapan a lo individual. Esas figuras son una ruptura de lo individual; y aquí ya es imposible negar la profunda influencia teológico-religiosa oriental en Cortázar.

No hay entonces para Cortázar lo que Guy Michaud llama «sintaxis de personajes» [100]. Se han roto una vez más los esquemas de la novela tradicional, se ha preferido optar otra vez por los de la novela moderna. Y en esta ruptura hay también una expresión de la búsqueda, del salto más allá. Una expresión que todavía no se entiende, en la medida en que el propio Cortázar lo ignora, pero que se dibuja en la sugestión de no buscar en la propia individualidad, sino en esas constelaciones de las cuales los seres humanos formamos parte.

LAS DIVISIONES DE *RAYUELA*

Rayuela se divide en dos partes: una que comprende hasta el capítulo 56 y otra que abarca hasta el final del libro y que el autor ha intitulado «capítulos prescindibles». La primera parte, que se subdivide en dos secciones: «del lado de allá» y «del lado de acá», puede leerse sin interrupciones desde el capítulo primero hasta el capítulo 56. Según Cortázar, «el lector prescindirá sin remordimientos de lo que sigue» [101]. La segunda lectura se indica por un «tablero de dirección» y ofrece al lector la posibilidad de leer la novela completa de la siguiente manera: 73-1-2-116-3-84 y así sucesivamente hasta el final. Brinda entonces la segunda lectura la posibilidad de leer el libro como si se estuviera saltando sobre una rayuela.

---

[98] *Loc. cit.*
[99] Harss, Luis. *Op. cit.*, p. 289.
[100] Guy Michaud. Citado por Raúl H. Castagnino. (En: *El análisis literario*, Buenos Aires, Ed. Nova, 1965, p. 126).
[101] Cortázar, Julio. *Op. cit.*, p. 7.

Los «capítulos prescindibles»

Todo esto de una novela que va hasta el capítulo 56 y de otra que comprende todo el libro, pero que debe leerse en forma salteada, es otro engaño más de los habituales en Cortázar. Ellos son usados para distraer al lector o, lo que sería más correcto, para activar al lector, para destruir al «lector hembra» y crear una nueva clase de lectores. Los «capítulos prescindibles» son útiles para aquellos que leen buscando, no para quienes simplemente leen.

Aníbal Ford se ubica en esta perspectiva cuando comenta:

> Literatura activa que trata de mover al lector, que trata de ser una terapia contra cualquier estancamiento, en caso complejo y personal de lo que Vargas Llosa definió inteligentemente en su artículo sobre la literatura como «una insurrección permanente» [102].

Y el mismo Morelli lo aclara en Rayuela:

> Provocar, asumir un texto desaliñado, desanudado, incongruente, minuciosamente antinovelístico (aunque no antinovelesco). Sin vedarse los grandes efectos del género cuando la situación lo requiera, pero recordando el consejo gidiano, «ne jamais profiter de l'élan acquis». Como todas las criaturas de elección del occidente, la novela se contenta con un orden cerrado. Resueltamente en contra, buscar también aquí la apertura y para eso cortar de raíz toda construcción sistemática de caracteres y situaciones. Método: la ironía, la autocrítica incesante, la incongruencia, la imaginación al servicio de nadie [103].

Así es como detrás de una prescindible y secundaria elección en lo referente al método de lectura se encuentra que

> La renovación técnica no obedece en Rayuela a una búsqueda de originalidad, sino que tiene un propósito agresivo con respecto al lector de novelas. Yo creo que un escritor que merezca este nombre debe hacer todo lo que esté a su alcance para favorecer una «mutación» del lector, luchar contra la pasividad del asimilador de novelas y cuentos, contra esa tendencia a preferir productos premasticados. La renovación formal de la novela —para emplear sus términos— debe apuntar a la creación de un lector tan activo y batallador como el novelista mismo, de un lector que le haga frente cuando sea necesario, que colabore en la tarea de estar cada vez más tremendamente vivo y descontento y maravillado y de cara al sol [104].

---

[102] Ford, Aníbal. De Marcha (Montevideo, 4 de mayo de 1966), p. 30; reproducido en Mundo Nuevo, I (París, Imp. Gelbard, 1966).

[103] Cortázar, Julio. Op. cit., p. 452.

[104] Cortázar, Julio: «Sobre las técnicas, el compromiso y el porvenir de la novela». (En: El escarabajo de oro, Buenos Aires, noviembre de 1965).

El mismo Cortázar, para concretar un ejemplo, expresará luego por escrito al profesor García Canclini: «Esta vez sí, esta vez encontró a Cortázar, en toda la extensión de la palabra encontrar; me refiero al contenido de su magnífico ensayo» [105].

Las mismas divisiones del libro confirman y completan lo dicho hasta aquí. Si se lee la novela en la primera de las dos maneras indicadas, se notará que la trama se desarrolla de acuerdo con la lógica temporal de la novela tradicional. Tal actitud lleva al lector a un fin que en el sentido espacial es cierto, aunque no lo sea en el intelectual. Al llegar al final de la novela, Oliveira, según las palabras de Alfred Mac Adam, «deja la resolución verbal suspendida entre posibilidades sólo conjeturables» [106].

Pero la segunda manera de leer la novela es diferente. Los llamados «capítulos prescindibles» se transforman necesaria y felizmente en imprescindibles. Concretan la apertura del sistema que hasta entonces se había adecuado a la novela tradicional permaneciendo fiel al molde cerrado.

Todo esto no tiene sino un fin: sorprender al lector, burlarle; y al burlarle, activarle, animarle a participar de una búsqueda que supone y es novela moderna. Fin que conlleva la implicación de la obra como independiente en cierta medida del artista.

Esta elección de una lectura completa de *Rayuela* es la aceptación a participar de la búsqueda en que Cortázar está empeñado y a la cual nos invita. Quien lee sólo la primera parte de *Rayuela*, lee la novela tradicional, una novela tradicional que es sinónimo de aquel tipo de vida que no tiene el menor interés de analizarse a sí misma. Quien lee la novela completa participa de la búsqueda y, en la medida en que se entrega a la narración, del salto hacia adelante.

Ahora bien, ¿por qué esos «capítulos prescindibles» se presentan caóticamente reunidos por Cortázar? ¿Por qué esos artículos de periódicos, diarios, máximas, pensamientos, diálogos aislados, reunidos aparentemente sin orden alguno? En el número dedicado a Cortázar, del *Boletín de Literaturas Hispánicas,* se encuentra la siguiente respuesta que creemos acertada:

> Porque así vemos las cosas, así vivimos, sin apuntarnos a un devenir perfectamente ordenado, donde las cosas van uniéndose unas a otras para ensamblar o no entre ellas. Mientras tanto, entre dos sucesos que sí tienen relación, desde el punto de vista del encadenamiento lógico, nos ocurren muchas otras cosas, leemos, hablamos con alguna persona, nos interesa un suelto del periódico, quedan grabadas palabras de algún libro o simplemente nuestra mente divaga. Y así nos la da Cortázar [107].

---

[105] Cortázar, Julio: a García Canclini. *Loc. cit.*
[106] Mac Adam, Alfred J. *Loc. cit.*
[107] Gregorio, María Isabel de. *Op. cit.,* p. 45.

El «lado de acá» y el «lado de allá»

Otra división importante hay en *Rayuela,* tan importante que es la clave por excelencia para interpretar el salto hacia adelante, *Rayuela* y Cortázar mismo: es la clave del desarraigo. La realidad de vivir en dos mundos, pero de no estar en ninguno; la experiencia de palpar dos mundos que se buscan, pero que nunca coinciden totalmente. La tarea literaria de recordar a Buenos Aires y Argentina, pero nunca llevar hasta el final decisivo esos recuerdos.

El «lado de más allá», que es París, que es el Norte, uno de los polos de la búsqueda. Se abre esta primera parte con un epígrafe de Jacques Vaché a André Breton, uno de los fundadores de la escuela surrealista. El epígrafe dice: «nada mata tanto a un hombre como verse obligado a representar su país». Oliveira es justamente eso. Un argentino que vive en París, un argentino afrancesado como lo presenta a través de uno de los personajes de su novela. Oliveira es el porteño que, como todos los porteños, no quiere darse, no quiere brindarse.

Todo esto no es casualidad. Hay una razón. Porque si se le han hecho reproches a Cortázar, el más fuerte ha sido el de irse a París. Dice él mismo:

> ... me acuerdo de que cuando estaba por venirme a París, un joven poeta, que es ahora un crítico y ensayista muy conocido en la Argentina, aludió amargamente a mi partida y me acusó de algo que se parecía mucho a la traición. Pienso que todos los libros que he escrito en Francia constituyen un profundo mentís para esa persona, puesto que mis lectores me consideran un escritor argentino, incluso muy argentino. De modo que la frase de Vaché tiene para mí un valor irónico con respecto a esa argentinidad tan proclamada de la boca para afuera [108].

También los que realizan el reproche se olvidan, como bien destaca Peltzer, que si Cortázar se fue de la Argentina es porque en ella no encontró lugar. Cortázar aprovecha así para lanzar, en medio de una ficción y de una teoría literaria, una defensa personal en la que se dice a gritos que el problema no está en adaptarse a un país, sino al universo en que vivimos.

Vargas Llosa, en una entrevista que realizó a Cortázar, le hizo esta pregunta: «¿Qué significa París para usted?»; y la respuesta de Cortázar fue:

> Durante muchos años garantizó para mí la libertad que sólo da ese anonimato que tanto desespera a quienes se creen importantes en su país.

---

[108] Harss, Luis. *Op. cit.,* pp. 290-291.

Sigo creyendo que no ser nadie en una ciudad que lo es todo vale mucho más que la fórmula contraria [109].

Cortázar se siente otro cuando vuelve a la Argentina, y por eso sólo ha hecho cuatro viajes desde que se fue definitivamente a París. El último de ellos data de 1962. Dice que cuando viene a la Argentina le embarga «como un fantasma entre los vivos, o como un vivo entre los fantasmas, lo que es todavía peor» [110]. La última vez que advirtió marcadamente su inexistencia en Buenos Aires fue cuando una tarde de 1961 había llegado temprano a la confitería Jockey Club para verse con el pintor Kasuya Sakai y de repente cruzó la acera y se acercó a la librería Galatea. En ese momento un grupo de ocho a diez chicas que salían de sus clases en la Facultad de Filosofía y Letras, y que llevaban dos de sus libros: *Bestiario* y *Las armas secretas,* se reían y hablaban sueltamente de ese Cortázar a quien pensaban en París o en cualquier otra parte, menos al lado de ellas. Para él fueron momentos terribles.

Ser ciudadano del mundo y por ende sentirse ciudadano argentino es el problema, dice Cortázar. Vivir la Argentina, aquí o en otro lado, es la dificultad, expresa el autor de *Rayuela*.

Dice a Roberto Fernández Retamar:

> No se me escapa que hay escritores con plena responsabilidad de su misión nacional que bregan a la vez por algo que la rebasa y la universaliza; pero bastante más frecuente es el caso de los intelectuales que, sometidos a ese condicionamiento circunstancial, actúan por así decirlo desde afuera hacia adentro, partiendo de ideales y principios universales para circunscribirlos a un país, a un idioma, a una manera de ser. Desde luego no creo en los universalismos diluidos y teóricos, en las «ciudadanías del mundo» entendidas como un medio para evadir las responsabilidades inmediatas y concretas —Vietnam, Cuba, toda Latinoamérica en nombre de un universalismo más cómodo por menos peligroso; sin embargo, mi propia situación personal me inclina a participar en lo que nos ocurre a todos, a escuchar las voces que entran por cualquier cuadrante de la rosa de los vientos. A veces me he preguntado qué hubiera sido de mi obra de haberme quedado en la Argentina; sé que hubiera seguido escribiendo porque no sirvo para otra cosa, pero a juzgar por lo que llevaba hecho hasta el momento de marcharme de mi país, me inclino a suponer que habría seguido la concurrida vía del escapismo intelectual, que era la mía hasta entonces y sigue siendo la de muchísimos intelectuales argentinos de mi generación y mis gustos [111].

El «lado de acá», que es la Argentina, se introduce con una cita de Apollinaire, otro precursor del surrealismo, a quien Cortázar

---

[109] Vargas Llosa, Mario. *Loc. cit.*
[110] Martínez, Tomás Eloy. *Op. cit.,* p. 36.
[111] Cortázar, Julio. Carta a Roberto Fernández Retamar. (En: *Casa de las Américas,* XLV, La Habana, diciembre de 1967, pp. 6-7).

admira: «Hay que viajar lejos sin dejar de querer su hogar.» Fuentes dice:

> La odisea de Oliveira lo lleva de París, el modelo original, a Buenos Aires, la patria falsa. Buenos Aires es la cueva en la que se reflejan las sombras del ser. La realidad de la Argentina es una ficción, la autenticidad de la Argentina es su falta de autenticidad, la esencia nacional de la Argentina es su imitación europea: la ciudad de oro, la isla feliz, no es más que la sombra de un sueño de fundación [112].

«Hay que viajar lejos sin dejar de querer su hogar», continúa con la defensa que el autor de *Rayuela* hace de sí mismo, expresando así que no necesita de la presencia física de la Argentina para escribir, explicando que ser argentino no es estar en la Argentina. ¡Cuántos que están y *no están* en la Argentina!

Este autor que ha recorrido París hasta gastarla, que se para por las tardes junto al Sena, que se sienta en las barandas del puente Alexandre III y que mira así el abatimiento o la felicidad de los paseantes que rodean el Petit-Palais, siente en ese París algo que forzosamente lo aleja de la Argentina. ¿El problema lo ha creado él o ellos?

El «lado de acá» no puede encontrar mejor conclusión que la pregunta de Rosa Boldori:

> ¿No será esta misma la situación de Cortázar y la de tantos otros escritores sudamericanos que, desarraigados de su patria, la descubren solamente en el exilio (voluntario o no) y hallan sobre todo en París la perspectiva justa para captarlo y expresarlo? [113].

Las referencias a la búsqueda

Pero detrás de esta defensa personal, representada por las dos divisiones, hay algo más que es lo que justamente nos concierne. Es la referencia a la búsqueda. Porque entre una y otra, como bien lo expresa Jorge Musto, la distancia se acorta.

Algunas referencias de la novela misma confirman lo dicho. En el capítulo 21, por ejemplo, en la página 114, Oliveira expresa: «Pero ya no te puedo hablar de esas cosas, digamos que todo se acabó, y que yo ando por ahí vagando, dando vueltas, buscando el norte, el sur, si es que lo busco» [114]. Y en la página 394 Traveler le dice a Oliveira en palabras memorables: «El verdadero *doppelgänger* sos vos,

---

[112] Fuentes, Carlos. «Rayuela: la novela como caja de Pandora». (En: *Loc. cit.*).
[113] Boldori, Rosa. «Cortázar: una novelística». (En: *Op. cit.*, p. 21).
[114] Cortázar, Julio. *Rayuela*, Buenos Aires, Sudamericana, 1967, p. 114.

porque estás como desencarnado, sos una voluntad en forma de veleta, ahí arriba. Quiero esto, quiero aquello, quiero el norte y el sur» [115]. Dos citas que bastan para corroborar que el norte y el sur, París y la Argentina, son topes, extremos, polos si se quiere, de la búsqueda en que Oliveira está empeñado.

La segunda referencia a la búsqueda en este plano se encuentra en que *Rayuela* no tiene ni principio ni fin. En «Sentido y trascendencia de la estructura de *Rayuela*», Rosa Boldori aclara que *Rayuela* «no comienza, realmente, porque el capítulo 73, que debe leerse primero, se inicia: 'Sí, pero quién me curará del fuego sordo...', dando a entender así un contexto anterior que le da sentido y que se nos escamotea» [116]. Y en cuanto al fin, el capítulo 58 remite al 131 y así indefinidamente. Además, en el capítulo 58 hay un diálogo en el que no se responde a las preguntas que allí se formulan, no hay coordinación entre los que dialogan. Todos estos datos indican claramente que Cortázar ha querido hacer una alusión directa a la búsqueda de que aquí hablamos.

EL MÉTODO DE ESCRITURA EN *RAYUELA*

El capítulo anterior indicaba un aspecto muy significativo de la búsqueda que Cortázar propone en *Rayuela:* la protesta. Protesta contra una concepción metafísica heredada. Protesta contra un método de escritura heredada. Protesta que pregona la necesidad de desandar el camino o de iniciarlo otra vez.

Por eso, en el plano literario Cortázar-Morelli, ve un solo camino: cambiar la escritura en vigencia. Liberar el idioma de las cadenas lógicas que lo apresan, dejar que diga así la verdad del hombre, que exprese con toda plenitud su vida, que sea la vida misma. Problema de medio expresivo semejante al del pintor y el músico contemporáneos.

El propio Cortázar lo expresa así:

> Lo que en *Rayuela* se dice —muy *grosso modo*— es que hasta que no hagamos una crítica profunda del lenguaje de la literatura no podremos plantearnos una crítica metafísica más honda sobre la naturaleza humana. Tiene que ser una marcha paralela y, por así decirlo, simultánea. Cuando hablo de crítica del lenguaje o de modificación de las estructuras lingüísticas no creo que esto sea ni tarea de gramáticos ni tarea de filólogos que es gente que hace estupendamente su trabajo, pero que llega siempre *a posteriori*. Yo me refiero al trabajo del novelista en sí, del creador. Si el instrumento del novelista es el lenguaje y él tiene la

---

[115] *Ibid.*, p. 394.
[116] Boldori, Rosa. «Sentido y trascendencia de la estructura de *Rayuela*». (En: *Op. cit.*, p. 61).

conciencia de que su lenguaje en las circuntancias actuales es adulterado
en gran medida, tiene que proponerse una especie de higiene intelectual
previa, o por lo menos paralela, a la obra misma [117].

En el capítulo 99, Ronald comenta:

> No tan lejos. Lo que Morelli quiere es devolverle al lenguaje sus de-
> rechos. Habla de expurgarlo, castigarlo, cambiar «descender» por «bajar»
> como medida higiénica; pero lo que él busca en el fondo es devolverle al
> verbo «descender» todo su brillo, para que pueda ser usado como yo uso
> los fósforos y no como un fragmento decorativo, un pedazo de lugar
> común [118].

Muchos escritores en la actualidad se han dado cuenta de que el
lenguaje es una barrera que les intercepta el paso a la realidad, pero
pocos hacen experiencias radicales frente a ese problema. Cortázar,
por su parte, ha respetado las reglas y normas del cuento, pero no
ha podido hacer tal cosa con las de la novela. «Sin embargo, hasta
Rayuela la búsqueda no desencadena toda su audacia. Sólo entonces
la ética de la persecución y la autenticidad se decide a hablar su propio idioma; es decir, inventarlo» [119].

Desescribir la literatura

La empresa está decidida. Resta tan sólo concretar los términos,
aclarar los pasos. ¡Allí está lo difícil!
Una de las soluciones es seguir al pie de la letra la frase: hay
que terminar con la literatura clásica. Destruir y anular lo que nos
ha llegado a través de los siglos, lo que ha sido confeccionado conforme al más rígido modelo de la civilización occidental.
Pero Cortázar piensa que hay otra solución: desescribir la literatura. Dice García Canclini en su libro inédito:

> No obstante tal vez haya una última posibilidad, piensa Cortázar, es-
> critor, artífice de palabras. Acaso sea posible desescribir la literatura,
> crear un texto «desaliñado, desanudado, incongruente, minuciosamente
> antinovelístico». ¿Por qué no buscar de hacer de la literatura algo total-
> mente distinto desde dentro de ella misma? Si el hombre no puede pres-
> cindir del lenguaje, debe subvertirlo. Si el lenguaje le es inherente y la
> transformación de su ser es total, también habrá un modo de cambiar
> el habla. Entre otras tareas sugiere abolir el diccionario («el cementerio»),
> inventar un idioma nuevo (el gíglico), mezclar la tipografía de manera

---

[117] García Flores, Margarita. «Siete respuestas de Julio Cortázar». (En: *Casa
de las Américas,* La Habana, 8 de junio de 1966, p. 11).
[118] Cortázar, Julio. *Rayuela,* p. 500.
[119] García Canclini, Néstor. *Op. cit.,* p. 51.

que haya que leer renglón por medio, construir preguntas-balanza cambiando partes sueltas de las definiciones... En todos los casos el propósito es desafiar al lector, sorprenderlo, impedirle que resbale confortablemente por la sucesión lógica de los conceptos [120].

De allí que el lenguaje en *Rayuela* es chocante, hasta desafiante, molesto a veces. Por ejemplo, el capítulo 69 nos da la primera de las variaciones que Cortázar emplea en su método de des-escribir la literatura. Una parte del citado capítulo basta para reconocer las variaciones presentadas:

> Ingrata sorpresa fue leer en «Ortográfiko» la notisia de aber fayesido en San Luis Potosí el 1.º de marso último, el teniente koronel (asendido a koronel para retirarlo del serbisio), Adolfo Ábila Sanhes. Sorpresa fue porke no teníamos notisia de ke se ayara en kama. Por lo demás, ya ase tiempo lo teníamos katalogado entre nuestros amigos los suisidas, i en una okasión se refirió «Renovigo» a siertos síntomas en él obserbados. Solamente ke Ábila Sanhes no eskojió el rebólber komo el escritor antiklerikal Giyermo Delora, ni la soga como el esperantista fransés Eujenio Lanti [121].

El capítulo anterior a éste da la segunda de las variaciones cortazianas en donde describe una experiencia de amor con notables referencias sexuales en un idioma casi ininteligible:

> Apenas él le amalaba el noema, a ella se le agolpaba el clémiso y caían en hidromurias, en salvajes ambonios, en sustalos exasperantes. Cada vez que él procuraba relamar las incopelusas, se enredaba en un rimado quejumbroso y tenía que envulsionarse de cara al nóvalo, sintiendo como poco a poco las armillas se espejunaban [122].

Y la tercera variación —cropológica— está en el capítulo 154, en donde, después de relatar en manera normal la primera parte de este capítulo, comienza con palabras tales como:

> ... ah mierda, mierda, hasta mañana maestro, mierda, mierda, infinitamente mierda, sí a la hora de la visita, interminable obstinación de la mierda por la cara y por el mundo, mundo de mierda, le traeremos fruta, archimierda de contramierda [123].

El uso de palabras extranjeras indica una cuarta variación, puesto que Cortázar considera que si las palabras locales no son lo suficientemente connotativas, hay que apelar a lenguas extranjeras.

---

[120] *Loc. cit.*, pp. 51-52.
[121] Cortázar, Julio. *Rayuela*, p. 429.
[122] *Ibid.*, p. 428.
[123] *Ibid.*, p. 628.

Una quinta variación —con reminiscencias quevedescas— está dada por el uso de neologismos como el que se encuentra en la página 172: «No se trata de perfeccionar, de decantar, de escoger, de *librealbedrizar,* de ir del alfa hacia el omega» [124].

El designar a las cosas por sus nombres comerciales da lugar a la sexta variación: Birome, Colt 32 y Lettera 22.

El uso del lunfardo da lugar a la séptima variación. En la página 340 se presenta un ejemplo: «No somos buda che, aquí no hay árboles donde sentarse en la postura de loto. Viene un cana y te hace la boleta» [125].

Y por último la octava variación que se da por repeticiones innecesarias, como la del loco número 18, que repite, en el capítulo 56, siete veces: *¿Una crítica a Julio Cortázar?*

Dice Luis Harss:

> Si se puede hacer alguna objeción a *Rayuela* es que se desenvuelve en gran parte en un nivel intelectual de difícil acceso al lector común. Su erudición, a veces exagerada, intimida. El meduloso Oliveira, nos revela el texto en algún lado, es un escritor frustrado. Tiende a formular sus problemas en términos literarios. Presupone que el equipo cultural del lector sea comparable al suyo. Lo que es, en efecto, postular que la problemática del artista, y aun el contexto en que se mueve esta problemática, puede equipararse a la del hombre en general. Cortázar sostiene que en Oliveira ha creado «un hombre de la calle, un hombre inteligente y cultivado, pero a la vez común y hasta mediocre, para que el lector se identifique con él sin problemas, e incluso pueda superarlo en su propia experiencia personal» [126].

¿Pruebas de esto? Sólo una, que confirma las otras.

En el capítulo 28, donde Horacio explica a Ronald cómo el hombre obra, en ciertos momentos, con absoluta falta de razón, está el primero de ellos. Explica Oliveira cómo el ser humano usa la razón como actividad dialéctica sólo en los momentos de calma. Horacio, como parte de su exposición, expresa:

> La razón sólo nos sirve para disecar la realidad en calma, o analizar sus futuras tormentas, nunca para resolver una crisis instantánea. Pero esas crisis son como mostraciones metafísicas, che, de un estado que quizá, si no hubiéramos agarrado por la vía de la razón, sería el estado natural y corriente del pitecantropo erecto [127].

¿Quién, de los lectores corrientes de Cortázar, comprenderá que éste se refiere aquí al hombre de Java, uno de los miembros más

---

[124] *Ibid.,* p. 172.
[125] *Ibid.,* p. 340.
[126] Harss, Luis. *Op. cit.,* pp. 298-299.
[127] Cortázar, Julio. *Rayuela,* p. 196.

primitivos de la familia de los homínidos? ¿Cuál de los lectores va a interpretar que Cortázar está aquí queriendo hacer referencia a los primeros seres humanos, aprovechando la conformación física, y especialmente endocraneana, que ubica al *Pithecanthropus* entre los tales? Él mismo lo dice: «si no hubiéramos agarrado por la vía de la razón..., sería el estado natural del pitecántropo» [128].

Cortázar mismo responde a esta acusación contra su hiperintelectualismo: «No puedo ni quiero renunciar a esa intelectualidad en la medida en que pueda entroncarla con la vida, hacerla latir a cada palabra y a cada idea» [129].

El humor en la escritura cortaziana

El humor y la ironía tienen mucho que ver con este tipo de escritura que Cortázar se ha propuesto. En el capítulo 79 habla de un texto desaliñado e incongruente, y precisa el método: «la ironía, la autocrítica incesante, la incongruencia, la imaginación al servicio de nadie» [130].

En el capítulo que habla de la separación entre Horacio y Lucía, este humor cobra vivos matices. Cortázar mismo se expresa sobre el capítulo citado diciendo:

> Creo que uno de los momentos de *Rayuela* donde eso está más logrado es la escena de separación de Oliveira y la Maga. Hay allí un largo diálogo en el que se habla continuamente de una serie de cosas que poco tienen que ver aparentemente con la situación central de ellos dos, y en donde incluso en un momento dado se echan a reír como locos y se revuelven por el suelo. Pienso que allí conseguí lo que me hubiera resultado imposible trasmitir si hubiese buscado el lado exclusivamente patético de la situación. Habría sido una escena más de ruptura, de las muchas que hay en la literatura [131].

García Canclini destaca el papel preponderante del humor en la novela de Cortázar:

> El chiste no funciona en Cortázar como condimento de la narración. Por más que nos riamos, su humor no permite que quedemos en la mera diversión. Es un elemento central, ligado a los dos objetivos principales de la obra: explorar la realidad y transformarla. El lenguaje humorístico es empleado frecuentemente porque suele investigar lo real mejor que el lenguaje serio; en espontaneidad abre puertas que se resisten a las

---

[128] *Loc. cit.*
[129] Harss, Luis. *Loc. cit.*
[130] Cortázar, Julio. *Rayuela,* p. 452.
[131] Harss, Luis. *Op. cit.,* p. 284.

grandes palabras. Y también sirve para transformar un orden que se ha vuelto automático, pues introduce lo imprevisile [132].

Destaca, por último, que el humor se nutre de lo absurdo y lo traspasa a la vida cotidiana.

Reconoce Adam, por su parte, que el resultado de este lenguaje se asemeja a la escritura tipo automática de los primeros surrealistas, especialmente en este empleo del humor. Este hombre, que también está dispuesto a luchar contra los sofistas, usa de la ironía como el gran Sócrates.

Y es en el capítulo 82 donde se concreta la participación de este nuevo método de escritura en la búsqueda del «salto hacia adelante»:

> Así por la escritura bajo al volcán, me acerco a las Madres, me conecto con el Centro —sea lo que sea—. Escribir es dibujar mi mandala y a la vez recorrerlo, inventar la purificación; tarea de pobre shamán blanco con calzoncillos de nylon [133].

LA RELACIÓN REALIDAD-FANTASÍA EN *RAYUELA*

En un artículo publicado en el diario *La Nación* por Horacio Armani se lee: «No es aventurado incluir entre ellos a Julio Cortázar [entre los escritores actores], cuyos primeros libros de cuentos afirmaron su notable capacidad de narrador oscilante en la frontera de lo real y lo irreal» [134]. Estas palabras son, en mayor o menor medida, seguidas por muchos que piensan que uno de los grandes problemas de la obra cortaziana es delimitar en ella lo fantástico de lo real. Interpretación lamentable, puesto que para Cortázar esa división no existe. En cambio, en el mismo diario, y en fecha anterior, un artículo de Ezequiel Olaso delimitaba muy bien lo que tratamos de expresar en esta oportunidad:

> Se ha dicho que Cortázar es un realista... Para equilibrar la balanza se ha añadido que el realismo de Cortázar es fantástico. La suma de estas dos palabras hoy significa algo que tiene muy poco que ver con la intención estética de nuestro escritor y en ese juego de compensaciones se pierde lo esencial [135].

Y el autor de «El pastor de monstruos» agrega: «pero que una y otra no se diferencian es quizá el origen de toda literatura, el supuesto de

---

[132] García Canclini, Néstor. *Op. cit.*, p. 56.
[133] Cortázar, Julio. *Rayuela*, p. 458.
[134] Armani, Horacio. «Algunas vueltas en torno a Cortázar». (En: *La Nación*, Buenos Aires, 28 de enero de 1968).
[135] Olaso, Ezequiel de. «El pastor de monstruos». (En: *La Nación*, Buenos Aires, 24 de mayo de 1964).

que parte cualquier imaginero y éste me parece el eje de la actitud de Cortázar» [136].

Luis Gregorich completa así la idea presentada por Ezequiel de Olaso:

> Pero ocurre que, como lo adelantamos al principio de este trabajo, la obra de Cortázar, fronteriza por excelencia, se evade continuamente del esquema en que queremos encerrarla, lo elude apelando a una curiosa dialéctica en que los contrarios —tendencia fantástica y realismo, poesía y prosa, esencia y apariencia, gratuidad y compromiso— se reemplazan incesantemente los unos a los otros, esfumándose y reapareciendo sin pausa para que el propio lector elija aquel que mejor lo represente [137].

El diario _Expreso,_ de Lima, en un artículo publicado en el mes de febrero de 1965, explica con más precisión las propias palabras de Julio Cortázar al respecto:

> Toda persona que tenga una concepción surrealista del mundo sabe que esa alianza de «dos géneros» es un falso problema. Entendámonos primero sobre la noción misma del surrealismo: para mí es sencillamente una vivencia lo más abierta posible sobre el mundo, el resultado de esa apertura, de esa porosidad frente a las circunstancias se traduce en la anulación de la barrera más o menos convencional que la razón razonante trata de establecer entre lo que considera real (o natural) y lo que califica de fantástico (o sobrenatural), incluyendo en lo primero todo aquello que tiende a la repetición, acepta la casualidad y se somete a las categorías del entendimiento, y considerando como fantástico o sobrenatural todo lo que se manifiesta con carácter de excepción, al margen, insólitamente. Desde luego, siempre ha sido más fácil y frecuente encontrar un caballo que un unicornio, aunque nadie negará que el unicornio proyecta a la vida significativa del hombre una imagen por lo menos tan intensa como la del caballo..., los términos escolásticos de realidad y fantasía, de natural y sobrenatural, acaban por perder todo valor clasificatorio [138].

Todo esto nos ayuda a comprender que la relación realidad-fantasía está relacionada con el «salto hacia adelante». Esta relación comienza a notarse en su cambio del procedimiento de colocar situaciones fantásticas en el contexto de lo real al inverso. El método de _Bestiario_ que hacía posible en «Carta a una señorita en París» que un hombre vomitara conejitos no se da más en Julio Cortázar. Ni él mismo fue plenamente consciente de ese cambio y lo confiesa en su carta a García Canclini:

---

[136] _Loc. cit._
[137] Gregorich, Luis. «Julio Cortázar y la posibilidad de la literatura». (En: _Cuadernos de Crítica,_ III, Buenos Aires, agosto de 1966, p. 42).
[138] Vargas Llosa, Mario. _Loc. cit._

Desde luego, creo que lo que más me ha apasionado en su trabajo es el enfoque antropológico, la eliminación de la facilidad más o menos anecdótica para ir rectamente hacia las intenciones profundas. Es en ese plano donde más he aprendido sobre cosas que hago sin saberlas conscientemente, pero que luego se ordenan y se subjetivan a lo largo de los libros. Para no darle más que un ejemplo, yo no había advertido claramente lo que usted señala tan lúcidamente en las páginas 25-26: la inversión del procedimiento que diferencia a *Rayuela* con relación a *Bestiario* en lo que se refiere a la inserción de lo fantástico en lo «real» y «viceversa» [139].

La razón de todo esto es sorprender una vez más al lector, familiarizarlo con la «realidad». No con una intención de tipo realista o costumbrista, no para afirmar esa realidad. Sino para destruirla, para aniquilarla, para anular la convicción de la mayor parte de los seres humanos al respecto. Porque dentro de ese mundo trivial surge entonces de una manera inesperada aquello que es «irreal», «anormal», «fantástico».

En conclusión: sorprender al lector por medio de la relación realidad-fantasía, desorientarle por lo anormal que surge inesperadamente en medio de lo cotidiano. Ante una mujer, Talita, que está entre dos hombres que se la disputan, siendo uno de ellos su propio esposo, y en la ridícula situación de los tablones que unen las ventanas de ambos. O un hombre en medio de palanganas, piolines y demás «artefactos de defensa»; del Oliveira que se ha encerrado en una pieza para realizar una defensa de su persona que en esos momentos corre peligro.

EL TÍTULO DE *RAYUELA*

El doctor Raúl H. Castagnino, en su libro *El análisis literario,* expresa lo siguiente:

> El título puede ser declarativo, explicativo, inquisitivo, realista, provocativo, metafórico, sintético, arrefranado, etc. Sea cual fuere su carácter, la titulación siempre constituye factor influyente en la suerte del libro y el creador no lo ignora. De allí que el análisis forzosamente ha de tenerlo en cuenta, pues de él se pueden extraer indicaciones reveladoras [140].

En el caso particular de *Rayuela,* el título es, sin lugar a dudas, declarativo y simbólico. La palabra rayuela indica aquello que ha de tratarse en el transcurso de toda la novela.

---

[139] Cortázar, Julio: a García Canclini. *Loc. cit.*
[140] Castagnino, Raúl H. *El análisis literario,* Buenos Aires, Ed. Nova, 1965, página 40.

Unas pocas frases de Cortázar arrojan luz sobre el particular:

> Cuando pensé el libro, estaba obsesionado con la idea del mandala, en parte porque había estado leyendo muchas obras de antropología y sobre todo de religión tibetana. Además, había visitado la India, donde pude ver cantidad de mandalas indios y japoneses... Por su parte las rayuelas, como casi todos los juegos infantiles, son ceremonias que tienen un remoto origen místico y religioso [141].

Y he aquí las dos palabras claves: mandala y rayuela. Palabras que, a la luz de las ciencias antropológicas, cobran para nuestra investigación significado valioso.

El título de «Mandala»

No se sabe por qué Cortázar rechazó el título de «Mandala» ni interesa aquí, pues sólo se pretende indagar las razones por las cuales quiso el autor colocar este título, ya que, como se verá, está ampliamente relacionado con el que ahora tiene la novela.

El mandala, al cual Cortázar denomina «laberinto místico de los budistas», suele generalmente ser un cuadro o dibujo que se presenta dividido en sectores, compartimientos o casillas, tal como en la rayuela. La dinámica de este juego comprende dos partes básicas. En primer lugar el fijar la atención y, como consecuencia de ello, el cumplir y realizar una serie de etapas espirituales. Como la rayuela, el mandala es un dibujo; como la rayuela, el mandala tiene algo de juego; también suponen ambos un aumentar o progresar en el juego. Frente a todas estas igualdades sorprendentes surge lógicamente una pregunta: ¿Qué es lo que en definitiva diferencia el mandala de la rayuela para que se escoja una en lugar de otra en el título? La respuesta es sencilla, pero llena de rico significado: el mandala es aún un juego religioso, mientras que la rayuela ha perdido su carácter de tal. Por ello es que el mandala nos conduce a la rayuela.

El título de «Rayuela»

Si la diferencia fundamental entre mandala y rayuela radica en que la última ha perdido su sentido religioso en la actualidad, es evidente entonces, y paradójico, que el autor ha querido ocultar algo en este título declarativo. Y aquí se expresan una vez más las sorpresas que Cortázar nos brinda en *Rayuela*. Por el título, que es declarativo, Cortázar encamina al lector. Por el significado que encierra la rayuela

---

[141] Harss, Luis. *Op. cit.*, p. 266.

como juego (lo que es la mayor parte de las veces ajeno al lector), intenta confundirlo. Y esto es sólo la introducción a lo que se propone realizar a lo largo de su obra: utilizar elementos que son comunes al lector y por medio de esos mismos elementos desconcertarlo.

La rayuela es un juego que expresa con significativa amplitud las características de esa búsqueda que Cortázar nos ha propuesto. Es nuestra tarea, si nos sentimos lectores comprometidos, indagar tras esos atractivos detalles aparentemente ocultos.

De los juegos en general. Una contribución de Huizinga

El Fondo de Cultura Económica editó, en México y en el año 1943, el libro de Huizinga titulado: *Homo ludens, el juego y la cultura.* En esta obra Huizinga se propone comprobar que el elemento juego aparece en muchas manifestaciones culturales y especialmente en los actos de culto. Más específicamente: trata de reducir dichos actos al juego. Algunas de las características que Huizinga postula para los juegos nos ayudarán a vincular lo que venimos diciendo con *Rayuela,* de Cortázar.

El primero de ellos es que los juegos son actos libres. Huizinga dice en su libro que «no se realiza en virtud de una necesidad física, y mucho menos de un deber moral» [142]. Ana María Barrenechea en el artículo «*Rayuela,* una búsqueda a partir de cero», expresa en qué medida esta libertad de juego se encuentra en Horacio Oliveira:

> El protagonista Horacio Oliveira va destruyendo sistemáticamente sus ligaduras y preservando su libertad hasta llegar a una disponibilidad total que lo pone en el borde de la vida listo para el salto final, aunque siente la atracción de los lazos humanos (amor, amistad, compasión) [143].

Prosiguiendo con las características que da Huizinga, se encuentra aquella de la irracionalidad. En una alusión a la diferencia entre Oriente y Occidente, Cortázar explicó esto con sus propias palabras:

> La iluminación del Monje Zen o del maestro del Vedanta (sin hablar de tantos místicos occidentales, por supuesto) es el relámpago que lo desgaja de sí mismo y lo sitúa en un plano a partir del cual todo es liberación. El filósofo racionalista diría que es un alucinado o un enfermo; pero ellos han alcanzado una reconciliación total que prueba que por un camino que no es el racional han tocado fondo [144].

---

[142] Huizinga, Johan. *Homo Ludens,* México, Fondo de Cultura Económica, 1943, pp. 23-24.
[143] Barrenechea, Ana María. *Op. cit.,* pp. 69-70.
[144] Harss, Luis. *Op. cit.,* p. 268.

Otra de las características que da Huizinga, y que en nuestra lista es la última, es la de que el juego crea orden y es orden. Ana María Barrenechea expresa que:

> El gran desorden es unas veces metáfora de su concepción del absurdo de nuestra existencia, pero otras es el camino que debe seguirse, pues sólo con su instauración podrá —quizás— llegarse al orden y a la unidad anhelada [145].

La rayuela: sus orígenes y patrones

Luego de una primera aproximación al significado que encierra la rayuela como uno de tantos juegos, procedemos a considerar el juego mismo de la rayuela. Éste, que recibe varios nombres en distintos lugares, y que responde a diferentes modelos conforme la zona donde se afiance, obedece a un patrón que es, en general, similar al siguiente: en el suelo se traza un diagrama de rectángulos coronado por un semicírculo. Los distintos compartimientos (que suelen variar en número, pero en el que predominan los de siete o nueve casillas) se numeran y en ocasiones se les confiere distintos nombres. Cada jugador posee un tejo personal que arrojará sucesivamente en las diferentes casillas. El tejo pasa por estas casillas, impulsado por el jugador que avanza a pie cojo o que lo lleva en la punta de un dedo, generalmente el índice, o en la cabeza. El tejo no debe tocar las líneas de las casillas porque si no, pierde el jugador que lo impulsó. También pierde cuando está con ambos pies en la casilla, cuando habla en los lugares en que debe quedar callado o en algunas otras prohibiciones de menor importancia. El juego puede terminar en el primer recorrido o puede durar más. Si tal cosa ocurre, el mismo se va haciendo cada vez más difícil, y allí es donde hay que avanzar con el tejo sobre el pie, o atravesar el diagrama con los ojos vendados, o caminar de espaldas a pie cojo.

Aunque en algunos casos implica competición, no es así en todos, especialmente en aquellos que atienden a su significado más general, que es el de que todos llegasen al final.

La rayuela es de difusión mundial. En América se la ve jugar especialmente en: Brasil, Bolivia, Chile, Colombia, Ecuador, Haití, Paraguay, Perú, Puerto Rico, Santo Domingo, Uruguay, Venezuela, México, U. S. A. y toda América central. En Europa se encuentra en los límites extremos, Rusia, España, Inglaterra e Italia, y se difunde por todo el continente eurasiático. En todos estos lados es similar al realizado en la Argentina, aunque con pequeñas variaciones.

---

[145] Barrenechea, Ana María. *Op. cit.*, p. 72.

Por ejemplo, las casillas suelen recibir diferentes nombres según el lugar: nichos en Italia, aulas en Yugoslavia, etc.

Acerca de sus orígenes expresa Rodrigo Caro que la aparición de este tipo de juego en Grecia se debe a:

> Icario, padre de la ninfa Erigone, a quien por su gran justicia y equidad el dios Baco enseñó el uso de las vides para que él lo enseñase a los mortales. Habiendo plantado uno, hasta que estaba en flor, un desconocido cabrón se entró donde estaba y le comió frutos y hojas; Icario, lleno de justa saña, por el malogro de su cuidado y de su vid, mató al cabrón, y brincando el pellejo, del que se le desnudó, pidió a sus compañeros que en venganza de su pecado todos saltasen sobre él con un solo pie, suspendiendo el otro, esto es a pie cojita. Fue tan alegre fiesta para ellos, ver caer unos y tenerse mal y temblando, que esta risueña celebridad la transfirieron en fiestas y sacrificios del dios Baco [146].

La señora de Gomme, por su parte, cree ver en el antiguo foro romano las líneas borrosas de los trazados de las antiguas rayuelas.

De sus orígenes una sola cosa salta a luz y es muy evidente: la rayuela como juego ha perdido su significado religioso en la actualidad. En cuanto a su patrón, se verá que él está muy conectado con parte de los requisitos para la búsqueda que Cortázar postula en *Rayuela*.

La rayuela: sus interpretaciones y su validez

La señora de Gomme, comentando a J. W. Crombie, dice: «El juego representaría el avance del alma desde la tierra al cielo a través de varios estadios intermedios» [147]. Gomme añade, luego, que los cristianos

> ... habían adoptado la idea general del antiguo juego y lo convirtieron en una alegoría del cielo, abandonando el diagrama del laberinto y reemplazándolo por la forma de la basílica, dividiendo la figura en siete partes, como creían que el cielo estaba dividido, y colocando el Paraíso en la posición del altar [148].

Algunos de los diagramas que presentan círculos encadenados, como en Italia, Portugal, Checoslovaquia, Puerto Rico y Argentina, apoyarían esta tesis, ya que representarían los varios cielos de la tradición medieval.

La adaptación cristiana representaría entonces un proceso de pe-

---

[146] Rodrigo Caro. Citado por Eduardo Menéndez. (En: *Loc. cit.*).
[147] Gomme, Alice B. de. Citada por Eduardo Menéndez. (En: *Loc. cit.*).
[148] *Loc. cit.*

regrinación del alma a la gloria, por lo cual debe pasar por estadios de inferior jerarquía y sortear ciertos compartimientos peligrosos; por ejemplo, el del infierno, que no puede ser tocado ni por el jugador ni por el tejo y ante el cual el jugador debe permanecer callado si está jugando en él. Las casillas, que se suelen describir con los nombres de las partes de una casa o de la montura de un caballo, indicarían también algo de esto.

Ha de notarse que:

> En todas las cosas se observa siempre una sucesión cronológica o espacial, lo que nos da cierta noción de recorrido o peregrinación, que como ya dijimos, es lo que sostiene una de las teorías propuestas [149].

A modo de conclusión

Todas estas aclaraciones confirman que si Julio Cortázar no se preocupa por lo religioso, tiene, en cambio, una definida preocupación espiritual, la que ha cobrado expresión en esta novela moderna que es *Rayuela*. Esa preocupación espiritual se ha concretado para Cortázar en una búsqueda, en «la razón de la sin-razón».

El profesor Néstor García Canclini destaca que

> los griegos eran conscientes de que esa ambigüedad estaba en la condición humana. Y por ello definían al hombre como animal racional (animal y racional). Pero pensaban que lo animal, el desorden, debía ser organizado por la razón. Si lo animal desbordaba lo humano, como en el Minotauro, era preciso encerrarlo en un laberinto: tal vez su enérgica geometría le corrigiera. Hoy, después de las crisis racionalistas, después del surrealismo, de la filosofía de la vida y de la existencia, que tanto influyeron en Cortázar, sabemos que la razón no es la esencia del hombre. Más bien pensamos que el hombre se define como un ser de posibilidades [150].

Y más adelante agrega: «La posibilidad es siempre el desorden, la negación de las estructuras trazadas por la razón» [151].

En una entrevista que Cortázar concediera a Luis Mario Schneider, de la Universidad de México, expresa: «En *Rayuela* he intentado esa sumersión en lo negativo como posible terreno de reconciliación y de encuentro con nosotros mismos» [152]. Este novelista es un profeta que quiere conducirnos más allá de la esclavitud de las nor-

---

[149] Menéndez, Eduardo. (En: *Op. cit.,* pp. 155-156).
[150] García Canclini, Néstor. (En: *Op. cit.,* pp. 8-9).
[151] *Loc. cit.*
[152] Cortázar, Julio. «Sobre las técnicas, el compromiso y el porvenir de la novela». (En: *Loc. cit.*).

mas, las reglas del lenguaje y aún de la sicología, para decirnos que la verdadera esencia de las cosas está en otra parte.

En un párrafo del comienzo de *Rayuela*, Oliveira medita: «Ir del desorden al orden —pensó Oliveira—. Sí, pero ¿qué orden puede ser ese que no parezca el más nefando, el más terrible, el más miserable de los desórdenes?» [153]. Y Lucía —la Maga— expresa a su vez: «—Yo creo que te comprendo —dijo la Maga, acariciándole el pelo—. Vos buscás algo que no sabés lo que es» [154].

Lo que Cortázar pretende indagar en su novela es que hay una verdad fundamental. No nos dice cuál es esa verdad, sólo nos anima a que también la busquemos, pagando el precio que él describe. Se quiere hacer algo, pero no se sabe *cómo*. Oliveira resume muy bien esa actitud cuando, al tratar de enderezar unos clavos, reflexiona: «Tengo la impresión de que cuando tenga clavos bien derechos voy a saber para qué los necesito» [155]. Y *The New Republic* confirma así lo dicho: «What Horacio is searching for really is inexplainable. Each time he attempts to explain *what it is,* he ends up explaining *how to find it*» [156].

«EL ASALTO HACIA ADELANTE»

¿Llegó Oliveira al cielo? ¿Estaba loco? ¿Se ha suicidado? Son preguntas que no pueden eludirse, pero tampoco contestarse. Queda, pues, el interrogante, ante el cual se insinúan al menos dos soluciones.

La primera de ellas es ver que

> *Rayuela* es también una especie de experiencia límite para el autor. En ella Cortázar muestra su cosmovisión y sus conflictos como hombre y como intelectual frente a la realidad. La novela se transforma entonces en una especie de complejo balance de posibilidades luego del cual sólo parecen caber el silencio o una nueva búsqueda a partir de cero [157].

Ya se ha editado *Todos los fuegos el fuego,* una serie de cuentos en los cuales Cortázar mantiene los postulados que originaron *Rayuela.* Para el lector asiduo de Cortázar *Todos los fuegos el fuego* no representará nada nuevo, tan sólo el fruto que había saboreado en *Rayuela,* y notará que ese fruto está en el «mismo punto de sazón» [158]. Bajo este aspecto, quizá, aunque nadie lo asegura, sea nece-

---

[153] Cortázar, Julio. *Rayuela,* p. 18.
[154] *Ibid.,* p. 19.
[155] García Canclini, Néstor. *Op. cit.,* p. 25.
[156] *The New Republic: op. cit.,* p. 21.
[157] Desinano, Norma. *Loc. cit.*
[158] *Ibid.,* BV.

sario esperar hasta la nueva novela de Cortázar, próxima a editarse. Así se contestaría aquel ir y venir en que quedó *Rayuela* en sus capítulos 38 al 131 y viceversa.

La segunda de las soluciones postulables es la que se deslinda en los capítulos 79 al 97 y, además, el capítulo 99: los que destacan que Cortázar prefiere una cierta clase de lector, aquel «lector-partícipe» que crea la obra junto con el autor, y que la descubre, ahonda y enriquece en cada renglón. «En este llamado a la liberación de nuestra potencialidad creadora se funda el compromiso que Cortázar preconiza a lo largo de toda su obra» [159].

Esta misma solución es la que prefiere Morelli en el capítulo 79:

> Posibilidad tercera: la de hacer del lector un cómplice, un camarada de camino. Simultaneizarlo, puesto que la lectura abolirá el tiempo del lector y lo trasladará al del autor. Así el lector podría llegar a ser copartícipe y compadeciente de la experiencia por la que pasa el novelista, en el mismo momento y en la misma forma. Todo ardid estético es inútil para lograrlo: sólo vale la materia en gestación, la inmediatez vivencial (transmitida por la palabra, es cierto, pero una palabra lo menos estética posible; de ahí la novela cómica, los anticlímax, la ironía, otras tantas flechas indicadoras que apuntan hacia lo otro) [160].

De allí que las palabras mismas de Cortázar hacen notorio todo su valor:

> Por eso, y sin ocuparme ahora de los resultados conseguidos, admiro el esfuerzo de los escritores llamados de la «nueva novela» francesa. Se ve perfectamente que han comprendido la necesidad de quebrar los hábitos mentales de una sociedad habituada a la gran novela psicológica, y quebrarlos de la manera más agresiva, ácida y hasta maligna imaginable. Más que libros, están haciendo lectores, y esto vale incluso en el caso de sus más enconados enemigos, que no pueden ya ignorar ese avance en profundidad. Creo que la novela tiene por delante un inmenso territorio que explorar, pero que sólo con instrumentos nuevos logrará abrirse paso y cumplir su tarea [161].

¿Es válida la primera solución? ¿La segunda? ¿O quizá ambas a la vez? Hemos llegado al final de un libro en el cual, paso a paso, en cada capítulo, hemos encontrado, para usar la expresión de Ralph Linton, más preguntas que respuestas [162]. Entonces es cuando se vuelve a las palabras tan concisas de Federico Peltzer:

---

[159] Boldori, Rosa. «Cortázar, una novelística nueva». (En: *Op. cit.,* p. 23).
[160] Cortázar, Julio. *Rayuela,* pp. 153-154.
[161] Cortázar, Julio. «Sobre las técnicas, el compromiso y el porvenir de la novela». (En: *Loc. cit.*).
[162] Linton, Ralph. *Estudio del hombre.* México, Fondo de Cultura Económica, 1942, p. 469.

El hombre es el animal que pregunta —dice Cortázar—. Yo creo que el calibre de un escritor, de un gran escritor, se mide, más que por sus respuestas, por la honradez con que pregunta. Las respuestas pueden ser circunstanciales, pueden deberse a una fe (y feliz de quien la tenga sólida), o pueden deberse a una serie de factores momentáneos susceptibles de variar. Esa actitud de honradez para preguntar, me parece, es la característica del gran escritor. Veo en estas novelas argentinas una gran honradez para preguntar, es decir, para plantear cosas, hasta el fin [163].

Y se confirman las palabras de Enrique Anderson Imbert: «Cortázar, que del barrio Borges se mudó al barrio Arlt, sigue buscando» [164].

---

[163] Peltzer, Federico. «La novela y el cuento». (En: *Loc. cit.*).
[164] Anderson Imbert, Enrique. (En: *Loc. cit.*).

«Rayuela» o el orden del caos

Fernando Alegría

Dice Julio Cortázar en el «Tablero de dirección» que puso al comienzo de *Rayuela* [1]: «Este libro es muchos libros, pero, sobre todo, es dos libros»: uno, siguiendo sus instrucciones, puede leerse de corrido desde el capítulo primero al 56, mientras que el otro se lee combinando los capítulos de acuerdo con el «Tablero» y perdiendo en el proceso el número 55.

Al lector desprevenido esta introducción lo pone en guardia. Novela para profesores, se dice de inmediato. Mira otra vez esas palabras y completa: profesores estructuralistas. En esto no ha de verse ni un insulto para el magisterio ni un desdén hacia el autor. Se trata de una reacción natural. Póngase usted en la mano un libro de más de 600 páginas que debe leerse con un plano y una lupa, en uno de cuyos epígrafes dice alguien llamado César Bruto: «Siempre que viene el tiempo fresco, o sea al medio del otonio, a mí me da la loca de pensar ideas de tipo eséntrico y esótico...» (p. 11), frase tomada de *Lo que me gustaría ser a mí si no fuera lo que soy* (capítulo: *Perro de San Bernaldo*). Le tiembla a usted la mano.

En la superficie, el juego literario de Cortázar ha hecho pensar en Cervantes, en sus traviesas intromisiones y diálogos con el lector [2]. Asimismo, se ha mencionado a Laurence Stern, el autor de *Tristram Shandy,* y los más enojados le mientan a James Joyce. Un profesor se lo tira por la cabeza [3].

Yo me puse a leer, a pesar de todo, y dejé la puerta abierta por si acaso. A las 100 páginas, más o menos, Cortázar me la cerró y no

---

[1] Mis citas son de *Rayuela* (Buenos Aires: Sudamericana, 1963).
[2] Cf. Ana María Berrenechea, «*Rayuela,* una búsqueda a partir de cero». *Sur,* Buenos Aires, 288, 1964.
[3] Cf. Manuel Pedro González, *Coloquio de la novela hispanoamericana* (Fondo de Cultura Económica: México, 1967).

me di cuenta. Supe que estaba preso y no hice nada por escaparme. Dos razones: una, la devastadora reflexión sobre por qué nuestro mundo, con la humanidad a bordo, va derecho hacia la nada. Tanto en el plano filosófico como ético y en el plano más sutil del revolucionario, como Cortázar, que alude al hombre actual con claridad asesina y una erudición terrorista. La otra es razón de humanidad, porque comprende la afinidad entre Horacio y la Maga, me conmueve su podridísimo romance y se me saltan literalmente las lágrimas ante su dolor de payasos a quienes les pegan, como a César Vallejo, sin haber hecho nada; es decir, nada más que cumplir el viaje al cementerio amándose y destruyéndose. Como debe ser.

Entonces, el libro se vuelve compañero, querendón y turbulento. Le perdonamos hasta sus sermones y sus disquisiciones en el *toilet,* como a los seres muy queridos les perdonamos sus desviaciones criminales cuando nos cuentan por milésima vez cómo fue que descubrieron la pólvora. Nos reímos a gritos con el aparato-Stern y los malabares del idioma. Descartamos rápidamente a Ronald-Babs, figuras de linotipia; a Perico, español a la fuerza, por completo incandescente. Aguantamos a Etienne y Gregorio no sé cuántos. Nos quedamos en familia y amarrados hasta los pelos con la pobrecita Maga, la Pola París y los criollos, ¡ah, qué recuerdos de tanta borra maravillosa en el barrio!, los bellos criollos, el otro lado de la medalla de Horacio y el complemento de la Maga, y los sublimes locos y el patriótico gato calculista. Entonces, ya empezamos a leer el libro de Cortázar. No los dos libros de que habla en el prefacio: el libro. Y no hay más: ese cuya fábula es la de un amor increíblemente trágico (conciencia de la «vida-caos» *versus* aceptación tácita del caos como orden) y cuya acción ocurre en París, una metáfora, primero, y en Buenos Aires, otra metáfora, después. Quizá la misma metáfora en ambos casos, pero la segunda es el *boomerang* de la primera.

El narrador es, a veces, un Horacio discursivo, dialéctico, metafísico, con mucha sed, amargo, auto-inquisidor e inquisidor real, pero con lágrimas en los ojos, viril de una manera desgarrada, desolada y noble, *gauloise,* lleno el pecho de humo y de ternura. Otras veces, el narrador es omnisciente, sujeto de ojo cruel, satírico, erudito, vomitoso, tercera persona entrometida, empeñada en empujar a Horacio al hoyo. Novelista. Añádase a estos dos individuos un tercero, Morelli, a cargo de exponer la teoría de la novela y del lenguaje que da base a *Rayuela.* Una especie de Ezra Pound al recobrar el sentido, o de Cortázar disfrazado mal, quiero decir, con una peluca que se le pasa cayendo [4]. Finalmente, considérese un coro presidido por Traveler y sus fantasmas necesarios.

---

[4] «Cuando fui también un tal Morelli y lo dejé hablar en un libro, no podía

El profesor Juan Loveluck, pensando en forma y contenido, ha dicho refiriéndose a *Rayuela:*

«El acierto máximo del libro es la fusión de su forma, o su aforma, con la variedad del *mundo representado:* el mundo como caos, el mundo como cambio, el mundo como calidoscopio» [5]. Forma abierta. De acuerdo. Sin embargo, la rayuela siempre ha tenido una forma definida (para subir al cielo se necesita...), y, por supuesto, esta *Rayuela* tiene y no tiene esa forma. La tiene entre los capítulos primero y 56 si se leen de corrido. Después del 56 se le abre un costado y se desparrama como saco en una genial chorrera de «capítulos prescindibles». De trapecio pasa a embudo, y, de repente, el embudo se convierte en reloj de arena. Porque pudiera ser que la forma de esta novela sea la de un péndulo o un balancín: muévese entre dos extremos sobre el abismo, y se queda subiendo y bajando, saliendo y entrando eternamente del capítulo 58 al 131, del 131 al 58, sobre un eje indefinible. Para comprender esta forma en constante movimiento es necesario analizar sus premisas y juzgar cómo contribuyen al péndulo. Propongo el esquema siguiente:

1. Problemática filosófica: teoría del conocimiento.
   Especulación ontológica. Proyecciones metafísicas.
   Personajes símbolos: Horacio, la Maga, Traveler, Talita, Morelli.
   Personajes poco probables: los del Club.
2. Problemática estética: teoría del lenguaje y teoría de la novela. Cortázar-Morelli. Aplicación a *Rayuela.*
   Ejercicios lingüísticos.
3. Identificación de nombres y fuentes literarias para las notas de una edición académica.
4. Y, por último, si alguien posee el instinto destructor a la medida de un Ministerio de Higiene, como diría Ceferino Piriz, inclúyase un estudio sobre las sátiras de Cortázar contra la novela tradicional española e hispanoamericana, sin olvidar las alusiones veladas a Eduardo Mallea y las abiertas a Jorge Luis Borges, y el por qué jamás se alude a Ernesto Sábato. Chistes a costa de Julián Marías.

Personalmente, sólo me atraen los dos primeros puntos de este esquema.

Examinemos la primera problemática planteada por Cortázar en-

---

saber que hoy, años después, una lectura imperdonablemente aplazada me lo devolvería desde el siglo XIX con el nombre de Ignaz-Paul Vitalis Troxler, filósofo». *La vuelta al día en ochenta mundos* (México: Siglo XXI Editores, 1967, página 67).

[5] «Aproximación a *Rayuela*», *Revista Iberoamericana,* 65, enero-abril de 1968, páginas 83-93.

tre los capítulos primero y 56, el de las estrellitas, y resumida
en forma de diálogo filosófico en el capítulo 99.

De las especulaciones de Horacio, el inquisidor, se deduce que
el hombre extravió su camino al seguir los mandatos de la *razón*,
pues ella, en realidad, lleva por el camino de la mentira, la hipo-
cresía, la renuncia y el absurdo: el error disfrazado de orden[6].
Rebelarse contra esto —la violenta mentira de nuestra civilización—
no significa necesariamente descubrir el camino opuesto, ya que en
el acto de rebelión fijamos un orden que, en el fondo, no puede ser
tal, sino el otro lado del desorden o, para decirlo con una metáfora,
el lado ciego del espejo. De ahí, la desesperación. De ahí, la urgencia de actuar, y como quien actúa es un desesperado, no logra sino
herir y destruir lo que ama: al ser que, por impulso natural y condición de inocencia, resuelve la tragedia viviéndola. ¿Quién vive?
La Maga. Quien vive es, en verdad, quien se hunde, agoniza y muere
en la locura que es nuestra suerte, quien se da sin pedir nada, en el
acto del amor. ¿Quién muere? La Maga, porque no se vive de regalo
y hay que pagar el precio y el precio va en el conocimiento de que
hemos venido solamente a ver la sinopsis de un drama barato. El
drama sube de precio cuando comprendemos que nosotros estamos
en medio del escenario. No hay, entonces, otro camino para el desesperado auténtico que desgarrarse las vestiduras, de adentro y de afuera, llorando de amor por el mundo que borra de una plumada o de
un salto. Horacio.

Insistamos en algunas de estas ideas a propósito de la muerte de
Rocamadour, uno de los capítulos magnos de *Rayuela* (los otros dos
capítulos culminantes, a mi juicio, son el 56, diálogo de Traveler y
Horacio, y el 41, Talita en el tablón: en ellos aparece Cortázar con
todos sus cuchillos afilados y las baterías cargadas, atacando, entonces, en la plenitud de sus poderes). Composición de lugar: es el cuarto
de la Maga. Rocamadour, su hijo, a quien ella cuida y mima con la
tierna torpeza de los ligeramente tarados, muere mientras ella conversa con Horacio. No se da cuenta. Horacio constata el hecho y se
calla. El diálogo va transformándose en conversación a medida que
llegan otros personajes y, en la madrugada, se convierte en seminario
filosófico. Tema: la teoría del conocimiento y problemas afines, la
realidad de la realidad, el orden del caos, el lugar del hombre, la bolsa o la vida.

Todo ocurre a oscuras en un ambiente a la vez estático y mudante,
especie de caverna platónica. Una lámpara cambia de puesto, un fós-
foro se enciende y alumbra de pronto un cuerpo de pie en la sala:

---

[6] Cf. Ernesto Sábato, *El escritor y sus fantasmas*, cap. «Las letras y las
artes en la crisis de nuestro tiempo» (Buenos Aires: Aguilar, 1963, pp. 56-89),
donde se expone esta misma idea con base histórica y filosófica.

crean una imagen que vivirá por un momento hasta que otra la reemplaza, como un cuadro apaga a otro en una exposición de pintura. La discusión es brillante, interminable, interrumpida (asaltada, podría decirse) por un viejo que vive en el piso de arriba y que, como Dios, golpea con su bastón en el mundo para protestar de lo que ocurre a sus pies. Toman parte: Ronald, norteamericano, para defender una noción de realidad inmediata (por supuesto); Etienne y Gregorivus, como coristas del oficiante mayor; Horacio, cuya premisa se define así: la vida se hace de crisis en crisis y la razón preside un orden falso. Gregorivus recurre a una metáfora:

«En realidad nosotros somos como las comedias cuando uno llega al teatro en el segundo acto. Todo es muy bonito, pero no se entiende nada. Los actores hablan y actúan no se sabe por qué, a causa de qué. Proyectamos en ellos nuestra propia ignorancia, y nos parecen unos locos que entran y salen muy decididos. Ya lo dijo Shakespeare, por lo demás, y si no lo dijo era su deber decirlo» (página 191).

El raciocinio produce un eco en Etienne y otro en Horacio y otro de vuelta, en Cortázar. Se entiende: es la misma persona que cambia máscaras en la oscuridad. O cuatro mirando el mismo remanso de agua turbia y reflejándose por turno.

El mundo se ha convertido en un absurdo, dice el tango, y fue tal vez porque en un descuido se lo entregamos a la Razón. Grandes posibilidades aquí. El absurdo se disfrazó con vestimentas y ornamentos que aprendimos a venerar hasta que se nos olvidó la trampa y aceptamos el disfraz como realidad verdadera. Deshagámoslo pedazo por pedazo, entero. Empecemos de nuevo. ¿Cómo? ¿Para qué? Entonces comienza otra vez el problema.

La Maga descubre que el niño está muerto. Dios sigue golpeando con el bastón en el piso de arriba. Concluye el seminario. Breve secuencia de cine francés, y Horacio desaparece.

Queda la impresión de que Cortázar, como Camus en *La peste* y Sartre en *Huis clos,* ha escrito una *moralité:* un sermón dialogado, profundo, desgarrador, patético. ¡Ah! Dice el lector, he aquí otro ensayista argentino que necesita de la novela para expresarse. Sin embargo, es evidente que Cortázar no es un ensayista a la manera de Mallea, por ejemplo. La verdad es que al escribir su ensayo en forma de novela Cortázar se descuida y muestra las llagas: un *strip-tease* sangriento, clavado en su cruz.

La teoría del conocimiento pasa a ser, por tanto, un problema visceral. Sexo-humor-amor-violencia-pasión-humillación-cólera-agonía-desesperación, son todos condiciones de un hombre que mira a la sociedad contemporánea y en ella descubre, sin mucho asombro, su propio rostro. En el negativo de este autorretrato queda la humanidad. Pienso que Cortázar *siente* más la trágica pureza del desorden, la desesperanza suave y violenta de la traición, el heroísmo intrínseco del fracaso humano que los existencialistas argentinos, y reproduce esto con un arte más libre, más angélico y abominable a la vez.

Cortázar tiene el vuelo de lo que cuelga, la valentía del que corta la propia rama donde está parado, el humor negro (el único verdadero; el verde es puro vómito) de quien se pone trampas en el bosque; en una palabra, la feroz tara que diferencia a los condenados artistas de los filósofos preocupados. No sé si me explico. Camus o Sartre me convencen y me intrigan, Cortázar en el capítulo 56 de *Rayuela* me conmueve. Siento aquí una dimensión humana que no es únicamente parte de una brillante estructura, sino básicamente una grandeza para sufrir, amar y compadecer, signo claro de quien sabe llevar su cruz al hombro y, por eso, la lleva todos los días.

La base filosófica de esta actitud desesperada se resume en otro seminario: el capítulo 99. Las frases claves las pronuncia Horacio:

«Yo diría para empezar que esta realidad tecnológica que aceptan hoy los hombres de ciencia y los lectores de *France-Soir,* este mundo de cortisona, rayos gama y elución del plutonio, tienen tan poco que ver con la realidad como el mundo del *Roman de la Rose...*; el hombre, después de haberlo esperado todo de la inteligencia y el espíritu, se encuentra como traicionado, oscuramente consciente de que sus armas se han vuelto contra él, que la cultura, la civilitá, lo han traído a este callejón sin salida donde la barbarie de la ciencia no es más que una reacción muy comprensible. Perdón por el vocabulario» (páginas 506-507).

Horacio pide perdón por el vocabulario, pero no por las metáforas:

«La admiración de algunos tipos frente a un microscopio electrónico no me parece más fecunda que la de las porteras por los milagros de Lourdes. Creer en lo que llaman materia, creer en lo que llaman espíritu, vivir en Emmanuele o seguir curso de Zen, plantearse el destino humano como un problema económico o como un puro absurdo, la lista es larga, la elección múltiple. Pero el mero hecho de que pueda haber elección y que la lista sea larga basta para mostrar que estamos en la prehistoria y en la prehumanidad» (p. 507).

Buscar la verdad es un acto colectivo, no individual:

«Yo siento que mi salvación, suponiendo que pudiera alcanzarla, tiene que ser también la salvación de todos, hasta el último de los hombres» (p. 507).

Sin embargo, esa salvación que parece posible en el tren —el *swing,* diría Horacio—, de la especulación y la escala metafísica, se triza como un vidrio al recibir la primera luz del sol en la mañana:

«Me desperté y vi la luz del amanecer en las mirillas de la persiana. Salía de tan adentro de la noche que tuve como un vómito de mí mismo, el espanto de asomar a un nuevo día con su misma presentación, su indiferencia mecánica de cada vez: conciencia, sensación de luz, abrir los ojos, persiana, el alba.

En ese segundo, con la omniscencia del semisueño, medí el horror de todo lo que tanto maravilla y encanta a las religiones: la perfección eterna del cosmos, la revolución inacabable del globo sobre su eje. Náusea, sensación insoportable de coacción. *Estoy obligado a tolerar que el sol salga todos los días. Es monstruoso. Es inhumano*» (p. 426).

Se entiende que personajes como Horacio, la Maga, Traveler y Talita, para decir cosas como éstas tienen que asumir una actitud y una significación simbólicas. Es la ironía que siempre alcanza a los humoristas. La anti-retórica que procrea la retórica.

Horacio es el hombre pensante, el testigo supremo que observa, reflexiona en voz alta, juzga y se condena. Auto-inquisidor. La Maga lo define en una frase: todo y todos *están y son* en alguna parte, sólo Horacio «no *es* en la pieza». No obstante, sería un error considerarlo al margen de la ruina que constata. No olvidemos que él la provoca y sabe que la provoca. Horacio es el único del grupo que se reconoce y se huele. Su doble, Traveler, se comporta como la Maga: deja que la vida le pase por las venas. Las preguntas están de más. ¿Para qué pensar en respuestas?

El contraste entre Horacio y la Maga, ese duelo personal que es una parábola del conflicto filosófico o, para decirlo con palabras que le gustarían a Horacio, de la bronca de éste contra el mundo, se resume en un breve diálogo del capítulo 20. La Maga y Horacio se definen con sencillez:

«—Mis peligros son sólo metafísicos —dijo Oliveira—. Créeme, a mí no me van a sacar del agua con ganchos. Reventaré de una oclusión intestinal, de la gripe asiática o de un Peugeot 483.

—Lo sé —dijo la Maga—. Yo pienso a veces en matarme, pero veo que no lo voy a hacer. No creas que es solamente por Rocamadour, antes de él era lo mismo. La idea de matarme me hace siempre bien. Pero vos, que no lo pensás... ¿Por qué decís: peligros metafísicos? También hay ríos metafísicos, Horacio. Vos te vas a tirar a uno de esos ríos» (p. 109).

Todos sabemos que, de acuerdo con las reglas del juego, el pensante es Horacio y, por eso, no se matará. En cambio, la Maga... Lo curioso es que ella también raciocina en su patética carta a Rocamadour y filtra el mundo de acuerdo a ciertas categorías. Le sale a contrapelo:

«—Ya no lloro más, estoy contenta; pero es tan difícil entender las cosas, necesito tanto tiempo para entender un poco eso que Horacio y los otros entienden en seguida; pero ellos que todo lo entienden tan bien no te pueden entender a ti ni a mí...

Porque el mundo ya no importa si uno tiene fuerzas para seguir

eligiendo algo verdadero, si uno se ordena como un cajón de la cómoda y te pone a ti de un lado, el domingo del otro, el amor de
madre, el juguete nuevo, la gare de Montparnasse, el tren, la visita
que hay que hacer. No me da la gana de ir...» (pp. 222-223).

La Maga elige *algo verdadero*. He ahí la diferencia entre ella y
Horacio. No vacila en reconocerlo ni duda al elegir. Horacio tendrá
la tentación de escoger hasta el final y su indecisión será la del jugador que espera con un pie en el aire su entrada a la rayuela.

En la segunda parte de la novela ese conflicto que parecía resolver en torno a un eje único se pone a dar vueltas imprevistas. La
Maga pasa a un limitado trasfondo de irrealidad, mientras que Horacio se integra a una trinidad pasional.

Traveler aparece como la mitad de Horacio que se salva aceptando
tácitamente las reglas de la trampa:

«En el fondo Traveler era lo que él hubiera debido ser con un
poco menos de maldita imaginación, era el hombre del territorio
falso y precario, cuánta hermosura en esos ojos que se habían lle-
nado de lágrimas..., cuánto amor en ese brazo que apretaba la cintura
de una mujer. 'A lo mejor', pensó Oliveira mientras respondía a los
gestos amistosos del doctor Ovejero y de Ferraguto (un poco menos
amistoso), 'la única manera posible de escapar del territorio era me-
tiéndose en él hasta las cachas' » (p. 402).

Horacio, en el papel de Traveler, pensaría en sabotear la trampa
desde adentro, disfrazado de ciudadano y buen vecino; pero aún esta
función, con lo que ella entraña de compromiso y renuncia, le resultará inaceptable:

«... no se puede denunciar nada si se lo hace dentro del sistema
al que pertenece lo denunciado» (p. 509).

Talita, en quien Horacio no puede dejar de ver a la Maga, es el
fiel de la balanza, pero un fiel que se inclina inesperada y caprichosa-
mente hacia un extremo. Horacio se ha instalado en Traveler y Talita y, con él, metió también a la Maga. Está dada, entonces, la pauta
de la violencia. La relación entre Talita y Traveler se aclara: les une
un amor profundo por... Horacio. Sienten que deben deshacerse de
él; Horacio mismo pide que lo echen. Es imposible: la trinidad
existe en función de las fuerzas que tratan de romperla.

La parábola que usa Cortázar para definir este drama es buena
muestra de su virtuosismo implacable. Se trata de un acto de circo
ejecutado en la calle, Talita a caballo en un tablón, entre dos ventanas
de edificios vecinos, con un público de niños que le miran curiosos
las entrepiernas, y dos hombres en los opuestos extremos sintiendo
que hacia donde ella se mueve, se mueve también la vida. La *bida,*
como diría Horacio. Talita indefectiblemente se aleja de su marido
y se acerca a los brazos del amante, pero *la forza del destino* la detiene y la lleva hasta Traveler, quien, con voz desgarrada, la recibe

exclamando «¡Volviste!», en una parodia sanguinaria del trance que acabará con ellos.

Del circo, lógicamente, los amantes pasan al manicomio. No puede haber otro lugar para el desenlace de esta rayuela. El lugar del crimen, por decirlo así.

Los términos de la locura son claramente delineados por el narrador. Horacio, desde su cuarto de celador, ve cómo la Maga se empeña en entrar al cielo de la rayuela y cómo fracasa. Talita deja a Traveler en la cama y se va en busca de Horacio, éste la conduce a la morgue del Manicomio (lugar donde se congelan los difuntos y las cervezas del personal) y allí la besa. Pero, presintiendo que tiene sus horas contadas porque Traveler ha de matarlo, regresa a su cuarto y organiza un sistema de defensas con hilos y palanganas ayudado por un paciente. Se acomoda precariamente en el marco de la ventana y espera. Llega Traveler. Horacio lo recibe detrás de su cortina de hilos. Abajo, en el patio, autoridades, guardas y locos presencian fascinados el duelo. Mas no es en un combate que se consuma el sacrificio, sino en un diálogo.

Horacio, desgarrado, buscando desesperadamente lo que él mató mientras creía descubrir la vida, se desarma ante los ojos del amigo que lo observa llorando. En ese llanto y en la ternura de Traveler, que lo defiende contra el verdadero enemigo que se acerca, Horacio comprende la realidad de su doble: es él quien se salva *viviendo* el error, dentro del error, en una verdad que no podrá ser jamás la suya. La desesperación de Horacio, el sufrimiento moral insoportable, la presencia real de la Maga que lo llena de humo y de lágrimas, el convencimiento de que ha destruido la vida cuando quiso entenderla, la emoción de Traveler al reconocer esta impotencia, no son el relleno de un ensayo ni la curva de una parábola, sino factores de recreación profunda del drama de la humanidad contemporánea. Así como algunos de los *jazzistas* del Club me parecen proyecciones literarias de una polémica que Cortázar ejercita contra sí mismo, así estas gentes del circo y del manicomio me parecen desesperados independientes. Creo que en la angustia de Horacio y la compasión de Traveler se encierra la lección de humanidad de este libro.

Resumiendo: el conflicto fundamental planteado por Cortázar es el de un hombre del Medio-Siglo que intenta razonar en múltiples planos, registros y tonos, la sinrazón de su condición humana. Para quienes se identifican hoy con esta problemática *Rayuela* ejerce un poder catártico, algo así como la función definidora que tuvo *La montaña mágica* allá por mil novecientos treinta. La presentación del conflicto ideológico es en ambas novelas polarizadora, dialéctica, irónica, brillante. Pero *Rayuela* es un juego que se parece a la ruleta rusa, y *La montaña mágica,* una especie de solitario. Thomas Mann defendía una posición humanista burlándose de ella. Cortázar reconoce una verdad existencial como una sentencia de muerte. Sin embargo, es preciso dejar muy en claro que, en la persona de su narrador, Cortázar *se juega entero* y si hemos de acompañarlo tendrá que ser militantemente. He aquí la sátira de gran estilo: si hemos de jugar, juguemos con fuego; el circo supremo donde los payasos se dan con garrotes de verdad y el cañón del hombre volador está cargado con dinamita.

Consideremos ahora la problemática estética, la teoría del lenguaje y de la novela. Cortázar reconoce la presencia de un ojo mágico que analiza, regula y determina desde adentro la forma de *Rayuela*. Dice: «Inevitable que una parte de su obra fuese una reflexión sobre el problema de escribirlo» (p. 501). La referencia es a Morelli, el viejo escritor accidentado, moribundo, cuyos «manuscritos» caen en mano de Oliveira y compañía. La existencia de Morelli como personaje de la novela le permite a Cortázar autocriticarse con soltura e ironía. («Le estaba diciendo a Perico que las teorías de Morelli no son precisamente originales» [p. 592].)

La posición de Cortázar-Morelli con respecto al lenguaje puede sintetizarse del siguiente modo: así como la realidad se le da al hombre ya vivida, es decir, una *forma* que ha de aceptarse sin protestar, un camino fijo, una coerción, así también el hombre recibe el lenguaje ya hecho, falseado por toda clase de subterfugios éticos y estéticos. Es necesario, entonces, devolverle al lenguaje sus derechos, expurgarlo, castigarlo, como medida higiénica:

«Morelli entiende que el mero escribir estético es un escamoteo y una mentira, que acabó por suscitar al lector-hembra, al tipo que no quiere problemas, sino soluciones, o falsos problemas ajenos que le permiten sufrir cómodamente sentado en su sillón, sin comprometerse en el drama que también debería ser el suyo» (p. 500).

La tarea consiste en reconquistar los significados primigenios y elementales, en destruir toda retórica esteticista en la literatura, desarmarle sus tramas, entregar fragmentos como los entrega la vida, dar un complejo de retazos al lector para que éste los aborde, los re-cree como decía Unamuno, y les confiera algún sentido. Refiriéndose al género de la novela, dice Horacio:

«Morelli es un artista que tiene una idea especial del arte, consistente más que nada en echar abajo las formas usuales, cosa corriente en todo buen artista. Por ejemplo, le revienta la novela rollo chino. El libro que se lee del principio al final como un niño bueno. Ya te habrás fijado que cada vez le preocupa menos la ligazón de las partes, aquello de que una palabra trae la otra...» (p. 595).

El lector ha de ser un cómplice a quien se le murmura bajo cuerda y se le sugieren rumbos esotéricos. El resultado será una *Rayuela*:

«Provocar, asumir un texto desaliñado, minuciosamente antinovelístico (aunque no antinovelesco). Sin vedarse los grandes efectos del género cuando la situación lo requiera, pero recordando el consejo gidiano, *ne jamais profiter de l'élan acquis*. Como todas las criaturas de elección del Occidente, la novela se contenta con un orden cerrado. Resueltamente en contra, buscar aquí también la apertura y para eso cortar de raíz toda construcción sistemática de caracteres y situaciones. Método: la ironía, la autocrítica incesante, la incongruencia, la imaginación al servicio de nadie» (p. 452).

Se requiere una narrativa «catalizadora de nociones confusas y mal entendidas» para un lector que es el compañero de ruta del novelista. La ironía, el uso de la materia en gestación y de «la inmediatez vivencial» dan origen a la *novela cómica* («¿y qué es Ulyses?») que transcurre «como esos sueños en los que al margen de un acaecer trivial presentimos una carga más grave que no siempre alcanzamos a desentrañar» (p. 454).

Nítidamente se nos dan las normas, el sentido, las partes y la estructura de la novela como expresión de la realidad y, simultáneamente, la teoría se pone en práctica[7]. Y, como si fuera poco, las citas claves de Morelli son consideradas por Oliveira como *pedantísimas*. El círculo se cierra y quedan, a la pasada, las fuentes del milagro: Gide, Joyce, Gombrowicz y por ahí, como fantasmas que se equivocaron de *seance,* Pound y Kafka.

El círculo a que me refiero es el que integra a una novela con su anti-novela, círculo de impulso dialéctico cuya fuerza, por tanto, deriva de polos contrarios. No deseo sugerir ninguna nitidez en el proceso. Cortázar es sincero y eficiente en su intento de destruirse por dentro, su anti-novela ataca los primeros 56 capítulos de *Rayuela* desde ángulos múltiples con bombas de tiempo y granadas de mano. Sin embargo, el lector común (no pienso en lectores-hembras ni en lectores-machos, sino en hombres y mujeres que leen) dejará los capítulos prescindibles para alimento de críticos y profesores, y no se quedará con una novela abierta —la que propicia Cortázar—, preferirá una novela cerrada: la historia de la Maga y Horacio que se desenvuelve a la manera de «rollo chino». Ésta es la *Rayuela* que se comenta en público. En la otra crecen abundantes raíces de una retórica cortaziana. De vez en cuando Cortázar da unos do de pecho, para sacarle el sombrero, compitiendo favorablemente con los cantantes de la novela tradicional argentina y española. Por cierto que si se observa en estos manejos se ruboriza y le pone hache a la palabra alba y *b* a la vida...

No creo que *Rayuela* acabe con ninguna forma de novelar que no esté ya terminada. Tampoco pienso que Cortázar haya inventado

---

[7] Digamos también que si alguna función desempeñan los «capítulos prescindibles» es la de exponer a través de Morelli y los comentarios de Oliveira esta teoría de la novela. Búsquesela en toda su extensión y variedad en los capítulos 79, 82, 84, 94, 97, 99, 112, 115, 116, 145 y 154.

forma nueva alguna. Esto es obvio. Proust, Tolstoy, Gide, como se ha dicho, son antecedentes innegables de su experimento. Además, Cortázar no se propone tales empresas. Se las carga, en cambio, a Morelli.

Pero hay aún otra *Rayuela* que me interesa, acaso, más que ninguna: me refiero al libro que, planteando la condición humana de Horacio y su gente, responde con claridad mortal y honestidad suicida a las preguntas básicas de la actual generación en rebeldía contra el *establecimiento* burgués y sus podridas fórmulas y normas sociales. Hay algo de Guevara, de Leroy Jones o de Eldridge Cleaver en el lenguaje de Cortázar cuando le habla a una generación que se niega a aceptar una vida hecha y contrahecha y rumiada, una coerción criminal, una renuncia anticipada y sin disfraz para encajar en los casilleros y las trampas del Matadero. Cortázar habla de acción en la desesperación, de protesta fuera de orden, nunca bajo compromisos, de autenticidad en todo trance. No es ésta, entonces, una *Rayuela* exclusiva para *hippies, beats, zens, drop-outs* y *turned-ons*. Es una rayuela en la que podemos jugar todos: inocentes y condenados, sin excepción.

Libro duro, blando, sangriento, triste, dulce y angustiado, *Rayuela* responde a una generación que se pierde dando un noble combate para borrarles las mentiras a la sociedad contemporánea y, en el proceso, borrarnos a todos la máscara familiar. Si esto suena demasiado serio y poco literario, y en su severidad pudiera traicionar las intenciones de Cortázar, terminaré repitiendo las palabras del maestro de Morelli, el antinovelista polaco Witold Gombrowicz [8]:

«Ésas, pues, son las fundamentales, capitales y filosóficas razones que me indujeron a edificar la obra sobre la base de partes sueltas —conceptuando la obra como una partícula de la obra y tratando el hombre como una fusión de partes de cuerpo y partes de alma—, mientras a la Humanidad entera la trato como a un mezclado de partes. Pero si alguien me hiciese tal objeción: que esta parcial concepción mía no es, en verdad, ninguna concepción, sino una mofa, chanza, fisga y engaño, y que yo, en vez de sujetarme a las severas reglas y cánones del Arte, estoy intentando burlarlas por medio de irresponsables chungas, zumbas y muecas, contestaría que sí, que es cierto, que justamente tales son mis propósitos. Y, por Dios —no vacilo en confesarlo—, yo deseo esquivarme de vuestro Arte, señores, como de vosotros mismos, ¡pues no puedo soportaros junto con aquel Arte, con vuestras concepciones, vuestra actitud artística y con todo vuestro medio artístico!» (p. 614).

---

[8] Novelista polaco que residió en la Argentina, autor de *Ferdydurke, Diario argentino* (1968) y *La seducción* (1968).

*Algunas aproximaciones
a «Rayuela», de Julio Cortázar,
a través de la dinámica del juego*

Enrique Giordano

NOTA PRELIMINAR

El juego llamado rayuela consiste en una serie de casilleros, generalmente once, que se marcan sobre el suelo y se disponen alternadamente (1 y 2, respectivamente). El primer casillero es rectangular y por su tamaño equivale a dos de los que le suceden; es el casillero llamado «tierra». El último es una media luna y recibe el nombre de «cielo». Entre la tierra y el cielo hay nueve casilleros numerados. El juego no constituye sino la simple trayectoria entre el cielo y la tierra, trayectoria que debe seguirse de acuerdo a las siguientes instrucciones:

1.º Pararse en un solo pie (el izquierdo o el derecho, no importa) guardando necesariamente el equilibrio, pues, si éste se pierde, el jugador se va de inmediato al infierno.

2.º Tomar impulso, saltar y empujar con el pie un disco de metal hacia el casillero número uno, en tal forma que quede exactamente dentro de él y sin tocar ninguno de sus lados.

3.º Saltar justo al casillero uno, siempre en la posición de un pie (sin pisar las líneas divisorias), e impulsar ahora el disco al casillero dos.

4.º Luego recorrer todos los demás casilleros en la misma forma. Así, la trayectoria al cielo será en zig-zag.

5.º Si el jugador no cae al infierno durante su travesía, logrando por fin llegar al cielo con un solo pie, puede tomarse allí un pequeño descanso (si lo permiten así las reglas estable-

cidas por la costumbre) para volver luego a la tierra en la
misma forma en que salió de ella.

6.º De nuevo en la tierra, volverá a iniciar la trayectoria al
cielo, ahora partiendo del casillero número dos, y así sucesivamente.

7.º Después de cumplido este ciclo se continúa el juego de otras
formas: saltando de espaldas, saltando de un casillero por
medio, repitiendo todas las etapas anteriores con el otro pie.
Después sin el disco (saltando simplemente) y con uno y
luego con los dos pies, etc. Así, el juego no tendrá nunca un
fin determinado.

Por último, añádase que es muy difícil llegar a un dominio del
juego, debido a que es necesaria mucha destreza y precisión para
acertar en los determinados casilleros.

SENTIDO DEL JUEGO DE LA RAYUELA EN *RAYUELA*

En la rayuela se juega humorísticamente con los conceptos de finito y de infinito: lo contingente frente a lo absoluto. El paso del uno al otro es difícil y constituye un sinfín de trayectorias que no llegan a culminar en un punto preciso. Examinando más a fondo el juego, nunca se puede hablar de un triunfo absoluto: no hay ni una real partida ni una real meta. El jugador habrá estado en todos los casilleros y a la vez en ninguno, pues, estando en un momento en uno, lo abandona de inmediato para estar luego en el siguiente, y por último, no haber estado en ninguno de los dos. Cada meta, al lograrla, no es sino un punto de partida; la próxima, otro punto de partida, hasta que todo casillero, todo ángulo, todo punto de ubicación, no son sino puntos de partida, y el aparente final del juego no es sino un nuevo comienzo, hasta llegar a ser todo un conjunto de comienzos sin finales (fines de partida).

No hay un acuerdo universal en cuanto a la conclusión del juego ni tampoco en la manera de jugarlo, de lo que resulta un triunfo muy problemático y discutible. Se tiende a simplificarlo por comodidad, y de allí resultan presuntos ganadores, cuyo triunfo no es sino figurado: encasillarse en una solución cómoda, eludiendo seguir por entero la tragicómica paradoja del juego.

La estadía en el cielo es meramente transitoria, lo que hace que adquiera el carácter de un casillero más. Su sentido de infinitud deja de ser, para convertirse en una figura geométrica carente de centro estable:

> El 8 jugaba casi toda la tarde en la rayuela, era imbatible; el 4 y
> el 19 hubieran querido arrebatarle el cielo, pero era inútil; el pie del 8

era un arma de precisión, un tiro por cuadro, el tejo se situaba siempre en la posición más favorable... [...]. En su cama, cediendo a los efectos de un centímetro cúbico de hipnosal, el 8 se estaría durmiendo como las cigüeñas, parado mentalmente en una sola pierna, impulsando el tejo con golpes secos e infalibles a un cielo que parecía desencantarlo apenas ganado. (Cap. 54, p. 364).

La paradoja del juego: Una vez logrado un triunfo, éste, ante su momentaneidad, pierde de inmediato su sentido. Más adelante habrá otras metas que tendrán carácter de tales mientras se aspira a lograrlas, dándose el mismo proceso. Finalmente, no habrá ni triunfos ni metas. Así, la trayectoria pierde todo su sentido, pasando a convertirse en un continuo e inacabado zigzagueo, un continuo estar y no estar, un continuo avanzar y no avanzar, un continuo retroceder y no retroceder. Hay búsqueda, naturalmente que sí; pero una búsqueda viciada desde la partida, sin un derrotero fijo: sin saber de dónde se parte, ni dónde se está, ni adónde se va. Ése es uno de los puntos de enfoque de la trayectoria de Horacio Oliveira (protagonista de *Rayuela)* en su paso de Buenos Aires a París. Horacio no ha llegado a ninguna parte, su paso ha sido de casillero a casillero:

En pleno contento precario, en plena falsa tregua, tendí la mano y toqué el ovillo París, su materia infinita arrollándose en sí misma, la magma del aire y de lo que se dibujaba en la ventana, nubes y buhardillas; entonces no había desorden, entonces el mundo seguía siendo algo petrificado y establecido, un juego de elementos girando en sus goznes, una madeja de calles y árboles y nombres y meses. (Cap. 2, p. 26.)

La vuelta a Buenos Aires constituye otro paso de casillero a casillero. En realidad, no se trata de la vuelta propiamente tal: en los saltos de Buenos Aires a París y de París a Buenos Aires no hay una trayectoria *De* para llegar *A,* y nuevamente *De* para llegar *A,* sino un continuo permanecer en *De:* el personaje estará siempre partiendo a la búsqueda del otro espacio, lo que no supone un sentido de avance o retroceso: zigzagueo entre puntos sin espacio verdadero que los circunde. Sí, un espacio muerto, pero muerto, lo que elimina la posibilidad de avance, incluso en el tiempo. Sin embargo, en Horacio se da una búsqueda incesante y angustiosa: «Ya para entonces me había dado cuenta que buscar era mi signo, emblema de los que salen de noche sin un propósito fijo, razón de matadores de brújulas», dice autodefiniéndose en el capítulo primero (p. 20).

Interna y externamente la estructura de *Rayuela* sigue el juego en todo el compromiso que implica. Es en sí un laberinto sin solución, quien se adentra en él se pierde en la infinita complejidad de su existencia. Es un juego de rayuela; pero, ante todo, muchos: se superponen, se entrecruzan y se conforman entre sí. Ya no se salta

de un casillero a otro: al poner el pie sobre uno, se lo pone a la vez
en muchos e incluso en todos y, finalmente, en ninguno.
Tratemos de discernir algunos de los puntos más definibles en
este implacable vaivén:

I. *En la estructura interna*

   a) El salto de Europa a América («del lado de allá» y «del lado
de acá»), que, como hemos señalado, carece tanto de sentido espacial como temporal. Más aún, ambos «puntos» —por así decirlo—
se entrecruzan y confunden continuamente, careciendo cada uno de
un contorno definido de identificación. Ambos espacios se transfieren mutuamente, conformando un conjunto de sin sentidos. De allí
que Horacio vea en Talita a la Maga, y que ante Buenos Aires sienta
la misma extrañeza que le ofrecía París.
   b) La búsqueda de Horacio que se configura en base a continuas eliminaciones y autoeliminaciones. En cada paso, en cada afirmación, se encuentra patéticamente la carencia de los mismos (se
está y no se está en un casillero — se está y se deja de estar): cada
paso se elimina por sí mismo hasta que la búsqueda no sea sino un
constante y tenso proceso de autoeliminación. Cada salto se basa en
una paradoja, y como única forma de sobrellevarla hemos señalado
el humor ácido, que no es sino la expresión de sí misma (círculo
vicioso — vicio del casillero rectangular). Eliminación y autoeliminación: dar un salto hacia un casillero y no a otro supone la eliminación de este otro; a la vez, se ha saltado hacia aquel casillero,
pero al estar en él no se está realmente, pues en el hecho de situarse
en su espacio se encuentra implícito el inmediato abandono de él
(fuga del centro hacia el centro, doble afirmación que implica una
negativa, negativa que acaba por negarse a sí misma, ausencia definitiva de ángulos positivos o negativos): Hacer algo implica no hacer
lo otro, y hacer este algo no es sino aferrarse a una provisionalidad.
Tratar de quedarse aquí constituye la solución cómoda de quienes
asumen la «mentira colectiva», el truco del conformista para evadirse
de la dinámica trágica del juego (tragicidad en la insoluble polaridad
existencial: divorcio definitivo entre finitud e infinitud). «En cada
acto no hay sino la *Admisión de una carencia*», piensa Oliveira, y
ante esto vale más renunciar, porque la renuncia implica la protesta
a dicho acto: «la protesta tácita frente a la continua evidencia de la
falta, de la merma, de la parvedad del presente» (Cap. 3, p. 31).
En esta protesta hay una no aceptación de la condición finita, un no
aceptar las reglas del juego cotidiano, un no acomodarse al zigzagueo
continuo de la vida. Es un intento de evasión, pero evasión en el
sentido de proyección: proyección desde lo contingente a lo absoluto.

Proyección basada en la posición antagónica, en la antítesis de la sujeción al presente; protesta ante la insuficiencia insoluble de la realidad y del falso movimiento (movimiento sin trayectoria):

> Creer que la acción podía colmar o que la suma de acciones podía realmente equivaler a una vida digna de este nombre, era una ilusión de moralista. Valía más renunciar, porque la renuncia de la acción era la protesta misma y no su máscara. (Cap. 3, p. 31.)

Esta protesta trae por consecuencia una actitud de rebeldía fundamental entre Horacio y la realidad cotidiana. Se invierten en él los conceptos de escapismo y compromiso. El escapista no será el que eluda la responsabilidad de una elección entre las diversas acciones, sino precisamente el que la acepta, negándose con fácil comodidad a enfrentar la complejidad del acto. El aspecto a la doctrina, a la actividad determinada, no es sino una fuga y un aferramiento a una inconsciencia: «Felices los que eligen, los que aceptan ser elegidos, los hermosos héroes, los hermosos santos, los escapistas perfectos» (Cap. 3, p. 34). La rebeldía de Horacio está en la negación de este escapismo. El compromiso será seguir el juego en toda su tragicidad, compromiso con el absoluto. Y para ello es necesaria la inmersión en lo negativo; inversión de los valores. Ello trae una escisión frente a lo colectivo:

> Hacía bien en negarse al fácil estupefaciente de la acción colectiva y quedarse otra vez solo frente al mate amargo, pensando en el gran asunto, dándole vueltas como un ovillo donde no se ve la punta o donde hay cuatro o cinco puntas. (Cap. 90, p. 474.)

Y su opinión frente a los «comprometidos» será la siguiente:

> Conocía de sobra a algunos comunistas de Buenos Aires y de París capaces de las peores vilezas, pero rescatados en su propia opinión por «la lucha», por tener que levantarse a mitad de la cena para correr a una reunión o completar una tarea. En esas gentes la acción social se parecía demasiado a una coartada, como los hijos suelen ser las coartadas de las madres para no hacer nada que valga la pena en esta vida, como la erudición con anteojeras sirve para no enterarse de que en la cárcel de la otra cuadra siguen guillotinando a tipos que no deberían ser guillotinados. (Cap. 90, p. 475.)

Todo esto forma parte de un orden fariseo que hurta el cuerpo al fondo de los problemas. Cobardía del especializado, del ser aferrado al casillero cielo, afirmando con ahínco que lo ha logrado por fin. Horacio, quien ironiza ante sí mismo y los demás, afirma su liberación ante ese orden gracias a lo que su camarada Traveler llama «fiaca sistemática», hastío y negación de la acción en una provocación deliberada, como medio de protesta y de mayor acercamiento hacia una autenticidad. Sin embargo, cae en la trampa de la rayuela una vez más: esta contraposición acaba no siendo sino el casillero número dos frente al número uno, y otra vez el zigzagueo vicioso. Lo único que puede salvarlo en este sentido es la intención inabandonada de seguir el juego hasta sus últimas consecuencias:

> Pero también podía ser que su punto de vista fuera el de la zorra mirando las uvas. Y también podía ser que tuviese razón, pero una razón mezquina y lamentable, una razón de hormiga contra cigarra. Si la lucidez desembocaba en la inacción, ¿no se volvería sospechosa, no encubría una forma particularmente diabólica de la ceguera? (Cap. 3, p. 34.)

Ante la paradoja trágica sólo se puede sonreír (o reír), y la sonrisa (o risa) reviste la plasmación definitiva de la paradoja misma: Una estabilidad de renuncia a lo exterior y contingente y de enfrentamiento. Y otra vez se cae en la trampa del juego, siguiendo el humorismo de la rayuela que juega con polos opuestos poniéndolos a ras del suelo y separándolos con simples líneas de tiza. La trascendencia y su opuesto se unen a través de la sonrisa (o risa), provocada precisamente por la escisión entre ambas y la imposibilidad de proyección de la una hacia la otra:

> Oliveira encendió otro cigarrillo, y su mínimo hacer lo obligó a sonreírse irónicamente y a tomarse el pelo en el acto mismo. (Cap. 3, p. 31.)

c) El vaivén zigzagueante de Horacio Oliveira en su búsqueda degradada: saltos continuos de una realidad a otra, de un ser humano a otro, de una posibilidad a otra, buscando entre todo aquello un centro que dé sentido y unidad. Ante todo, saltos hacia sí mismo, pero a la vez nueva caída en un casillero de sí mismo. Salto hacia afuera para la contemplación objetiva de sí; pero ya afuera no se es «sí mismo», sino otro en contemplación de sí mismo. Por tanto, la expansión del yo hacia el exterior es imposible, viéndose el individuo limitado a su particular.

Juego multifacético: Jugar consigo mismo, tanto en pensamiento como en lenguaje: «Estás viejo, Horacio. Quinto Horacio Oliveira, estás viejo, flaco. Estás flaco y viejo, Oliveira.» El individuo se autodivide en casilleros hasta constituir él mismo una rayuela, y la búsqueda de sí mismo, un saltar desesperadamente de un casillero a otro. Jugar con los seres circundantes en la búsqueda de aprehensión de otras intimidades; afán de invadir otros microcosmos: salto a la Maga, a Pola, a la Maga, a Emmanuele la *clocharde,* a Traveler, a Talita. Saltos en sus relaciones con ellos, saltos de sí mismo a ellos y de ellos a sí mismo, hasta que las individualidades se transfieren como múltiples rayuelas que se entrecruzan:

Había pasado de la Maga a Pola en un solo acto, sin ofender a la Maga ni ofenderse, sin molestarse en acariciar la rosada oreja de Pola con el nombre de la Maga. Fracasar en Pola era la repetición de innúmeros fracasos, un juego que se pierde al final, pero que ha sido bello jugar... (Cap. 92, p. 479.)

Vaivén de una individualidad a otra sin llegar a conocer realmente a ninguna. Cada individualidad es un rectángulo en el cual no se puede estar; imposible captarla, penetrar en ella. El paso de Oliveira entre los seres que lo rodean se da simplemente por azar: «nimia incidencia en el espacio y en el momento», ninguno de ellos tiene un sentido propio, nada establece un puente entre ellos y Horacio. Éste se ubica entre los otros como situándose en uno de los casilleros. Individualidades sin cohesión entre ellas, perdidas en un espacio absurdo y en un tiempo también absurdo. Sus movimientos son meras oscilaciones, vaivenes sin sentido. El acercamiento entre ellas, un mero roce casual:

Salió del rincón donde estaba metido, puso un pie en una porción del piso después de examinarlo como si fuera necesario escoger exactamente el lugar para poner el pie, después adelantó el otro con la misma cautela, y a dos metros de Ronald y Babs empezó a encogerse hasta quedar impecablemente instalado en el suelo. (Cap. 14, p. 70.)

d) En el transcurso de la existencia se dan diversos ciclos que conforman la estructura propia de la rayuela. En primer lugar, el período de la infancia, período al que en la obra solamente se alude. Es aquel en que el juego se realiza con su inocencia original y en el que no hay aún plena conciencia de la paradoja existencial que implica el vaivén tierra-cielo. El niño piensa que realmente podrá conquistar una y otra vez el cielo con «la punta del zapato y una piedrita». En segundo lugar tenemos que, al estarse a punto de dominar la conquista del cielo, la aparentemente simple trayectoria deja de ser tal y se complica cada vez más. A una estructura de realidad simple se sucede la apertura a una complejidad cada vez mayor; la posibilidad de un logro definitivo se aleja hasta diseminarse totalmente en el juego especulativo que el ser humano se plantea ante su propia realidad. En esa situación se encuentra Horacio Oliveira, y en su juego inagotable podemos distinguir cuatro etapas (no definitivas: cada una de ellas supone una serie de sub-etapas que pueden reunirse en otras unidades prefectamente legítimas):

1. El paso de Buenos Aires a París: punto de partida, el primero; meta, el segundo. Es la odisea de la búsqueda de un «algo», búsqueda de un encuentro con una nueva realidad; pero odisea que no tiene la trayectoria del héroe, por tanto anti-odisea. No supone ciclos de obstáculos y contraobstáculos antes de lograr un fin deter-

minado. Se trata en este caso de una constante oscilación entre sucesivos procesos de eliminación y autoeliminación que culminan en una situación límite: la renuncia final contenida en la pérdida definitiva de la Maga y la situación con la *clocharde* en uno de los puentes del Sena. Situación que implica un nuevo comienzo.

2. El salto a Buenos Aires, que, como ya hemos explicado, no constituye un regreso. No es sino una reincidencia en la etapa anterior, etapa que se irá a proyectar a través de las personas de Traveler y Talita, en cuya intimidad Horacio quisiera entrar y con la cual se identifica. Talita constituye una transposición de la Maga, y Traveler, un doble de Horacio. Esta tensión a trío irá a alcanzar su extremo en la escena del tablón: puente inestable y oscilante en el que las tres existencias se juegan en forma definitiva a través de un proceso de desenmascaramiento.

3. Búsqueda vertical hacia arriba. Intento de proyección a lo infinito a través de una apertura hacia lo alto. Nuevo tiempo y nuevo espacio en una armonía universal superior. Explosión hacia la luz: luz total sin tiempo ni espacio. Morelli apunta en una de sus notas:

> Ese cuerpo que soy yo tiene la presciencia de un estado en el que al negarse a sí mismo como tal, y al negar simultáneamente el correlato objetivo como tal, su conciencia accedería a un estado fuera del cuerpo y fuera del mundo que sería el verdadero acceso al ser. (Cap. 61, p. 413.)

El encuentro con el ser se daría en una infinitud total fuera de la contingencia de la particularidad del mundo. Es eso lo que añora Oliveira en el momento en que, trabajando en el circo, contempla el orificio superior de la carpa, a través del cual ve un acceso de liberación hacia lo absoluto:

> ... ese escape hacia un quizá contacto, ese centro, ese eje como un punto del suelo al espacio liberado, dejó de reírse y pensé que a lo mejor otro hubiera ascendido con toda naturalidad por el mástil más próximo al ojo de arriba, y que ese otro no era él que fumaba mirando el agujero en lo alto, ese otro no era él que se quedaba abajo fumando en plena gritería del circo. (Cap. 43, p. 310.)

4. Búsqueda vertical hacia abajo. Inversión en cuanto a la dirección de la búsqueda. La aspiración hacia una figura de consumación se torna descenso hacia las profundidades. Del concepto de lo positivo a lo negativo, de una proyección luminosa al universo oculto de la oscuridad. Esta etapa se da al ingresar Horacio al sanatorio siquiátrico: momento en que desciende al sótano, al depósito de los cadáveres:

> Deteniéndose al lado del agujero del montacargas miró al fondo negro y pensó en los campos Flegreos, otra vez en el acceso. En el circo

había sido al revés, un agujero en lo alto, la apertura comunicando con
el espacio abierto; ahora estaba al borde del pozo, agujero de Eleusis, la
clínica envuelta en vapores de calor acentuaba el pasaje negativo, los
vapores de solfatara, el descenso. (Cap. 54, p. 367.)

Horacio ha llegado a una etapa decisiva: la inmersión en lo negativo, etapa que se vislumbró ya en «del lado de allá», cuando en su
obsesivo juego con Emmanuele, la *clocharde,* observa que una búsqueda profunda no puede ser sino inversión del valor positivo y convencional de ella (protesta a la acción):

> ... el Oscuro tenía razón, un camino al kibbutz, tal vez el único ca-
> mino al kibbutz, eso no podía ser el mundo, la gente agarraba el cali-
> doscopio por el mal lado, entonces había que darle vuelta con ayuda
> de Emmanuele y de Pola y de París y de la Maga y de Rocamadour, ti-
> rarse al suelo como Emmanuele y desde ahí empezar a mirar desde la
> montaña de bosta, mirar el mundo a través del ojo del culo... (Cap. 36,
> página 253.)

De esta montaña de bosta y del lente del ojo del culo se llega
en esta etapa a una caída en el universo de la locura, universo demoníaco en el que podremos hallar el ser profundo de las cosas.
Este ingreso paulatino a este nuevo cosmos comienza en el ambiente
de oscuridad que rodea a Horacio en la clínica. Es una noche diferente, el silencio y las tinieblas contienen un llamado del misterio.
Una nueva realidad emerge grandiosa de ella. Horacio sabe que está
al borde de la caída a un nuevo centro. «Hizo una cosa tonta: encogiendo la pierna izquierda, avanzó a pequeños saltos por el pasillo,
hasta la altura de la primera puerta»: la rayuela está ya en una etapa
diferente, pero una etapa que contiene la ansiedad de un logro que
está por fin próximo. Como la rayuela, cuyas líneas divisorias relucen
fosforescentes en el patio de la clínica: oscuro designio.

Pasaje hacia el encuentro definitivo. Pasaje que se suma en una
atmósfera de locura. Nueva razón profunda y misteriosa. Horacio
volverá a su cuarto, sólo le retiene el temor; con piolines de colores
irá tejiendo una telaraña que lo proteja. Será precisamente la locura
demoníaca quien lo irá guiando en su faena. A través de aquella telaraña irá escindiéndose en forma cada vez más definitiva de la superficie. «Para la parte de los hilos el 18 resultó muy útil, porque
apenas lo informó sucintamente de las necesidades estratégicas,
entornó sus ojos verdes de hermosura maligna y dijo que la 6 tenía cajones llenos de hilos de colores»; la atmósfera de locura lo
va absorbiendo. Aquellos «ojos de hermosura maligna», más que el
acecho al nuevo adicto, adquieren la dimensión de un oráculo. Ojos
verdes: apertura y comunicación hacia otro mundo. Se irán dando

como constante obsesiva durante todo el capítulo, acentuándose su intensidad cada vez más.

Finalmente Horacio llega al momento crucial: aquel en que confluyen lo contingente y lo absoluto. La paradoja de la rayuela ha terminado, Horacio está al borde del encuentro definitivo con el ser. Basta para ello tomar un poco de impulso y lanzarse por la ventana. El suicidio no es un fin, sino una apertura hacia un tiempo y un espacio infinitos. Basta saltar de un casillero al universo, pero no sabemos qué hay más allá en este momento crucial de la novela. Horacio queda ante la disyuntiva: retroceso a la conformidad o paso hacia la locura y la muerte:

> ... aunque no pudiera durar más que ese instante terriblemente dulce en el que lo mejor sin lugar a dudas hubiera sido inclinarse apenas hacia afuera y dejarse ir, paf se acabó. (Cap. 56, p. 404.)

Pero aquí surge una nueva paradoja: La conquista de lo absoluto, ¿no significa la pérdida de ella? ¿Es nuevamente el salto del casillero 10 a la media luna del ciclo? Probablemente este momento crucial marca en definitiva una imposibilidad, y esto lo recalca irónicamente Horacio a Traveler en el preámbulo a esta situación:

> Fíjate que si me tiro —dice Oliveira— voy a caer justo en el cielo (aludiendo a la rayuela que está dibujada bajo la ventana). (Cap. 56, página 398.)

Queda abierta la posibilidad que todo (incluyendo este momento crucial) no constituyó sino una gran trampa contenida en las reglas mismas del juego.

II. En la estructura externa

El carácter de la rayuela está presente en:

a) El ritmo.
b) La disposición de los planos narrativos.

El ritmo dependerá esencialmente del lenguaje y de la disposición de éste a través de la obra. En seguida, de la distribución de los diversos grados de tensión. Es un ritmo zigzagueante: vibración continua. Es un proceso contrapuntístico que marca la tensión continua entre las polaridades que se eliminan entre sí. A un punto se contrapone otro, y ambos se excluyen, llegándose a una estabilidad fundada en el humor.

La disposición de planos narrativos asemeja la distribución de los casilleros de la rayuela, aspecto que ya hemos señalado con sufi-

ciente claridad. El narrador se sitúa en su plano de tal y nos informa
de los personajes y de las situaciones. De allí salta el relato en primera persona de Horacio Oliveira, el que reviste la forma de reflexión y de monólogo, llegando en algunos momentos en forma evidente al monólogo interior. Y de aquí la narración se ubica en la
interioridad de los diversos personajes: la Maga, Talita, Traveler,
Gregorovius, etc. Y no acaban los planos de narración: hay también
una segunda novela (prescindible) en la que se interponen: las anotaciones de Morelli (un escritor: contraportada del autor y, en algunos aspectos, del personaje), una serie de anotaciones y citas extraí-
das de otras obras e incluso de periódicos, sub-textos y anotaciones
de otros capítulos, etc. Todo esto conforma una novela que, como
señala su autor, es ante todo un conjunto de novelas, una novela que
de por sí abarca una complejidad fundamental, basándose en una
Ubicuidad Narrativa: única forma de abrazar la realidad en sus múltiples facetas. Ante una situación no se da una sola posibilidad, sino
un número indeterminado de ellas: pero posibilidades que se conforman y a la vez se excluyen entre sí.

Los diversos planos se transponen mutuamente: en una misma situación la narración se ubica en diversos estratos, en una disposición
propia de la rayuela. Así, la transposición dada partiendo del capítulo 11, transposición que en realidad ha comenzado ya en el capítulo 65 de la «novela prescindible». Allí se caricaturiza la ficha de
identificación de uno de los personajes que forman el Club: Ossip
Gregorovius. En seguida, en el capítulo 11 vemos a Gregorovius
participando dentro del conjunto. El narrador lo enfoca, lo examina
y a través de esa perspectiva abarca a todo el grupo. Luego se salta
al capítulo 136, que contiene una cita de Georges Bataille hecha
por Morelli, cita que a simple vista constituye una arbitrariedad,
pero que posee una oscura relación de contenido no exenta de ironía.
En el capítulo 12 encontramos un nuevo enfoque de Gregorovius:
su relación con los demás, sus manifestaciones inmediatas y su intento
de acercamiento a la Maga. Juego de relaciones a partir de Gregorovius visto a través de su propio ángulo. Dentro del mismo capítulo 12
el plano narrativo cambia de punto de proyección para ubicarse im-
perceptiblemente en Horacio, hasta concentrarse exclusivamente en
él: «No puede ser que esto exista, que realmente estemos aquí, que
yo sea alguien que se llama Horacio.» Desde el capítulo 106 se da
un nuevo cambio de plano que continuará en el 13. Aquí la música
surge como elemento ambiental que, partiendo de una canción de
Johnny Temple, inicia una invasión atmosférica en el grupo hasta
envolverlo. Plano situado en el ambiente, a partir del cual se da una
situación de aparente armonía. De acuerdo a este proceso de ubicuidad se desenvolverá la narración en los capítulos 14-114-15-120-
16-137-17-97-18.

El lector, por su parte, se verá obligado a ubicarse continuamente en los diversos planos, cambiando sucesivamente de posición. Paralelamente a los personajes, el lector deberá también jugar: a la búsqueda de los personajes se suma la suya propia. Por tanto, será un juego de a tres partes: personajes, lector y autor. No hay una recepción pasiva de un mundo estructurado por parte del lector, sino (como en toda novela auténticamente contemporánea) una real participación de éste.

En la sola acción de saltar continuamente de la novela propiamente tal a los capítulos prescindibles, y de éstos a la novela, se manifiesta el movimiento de zig-zag a que hemos hecho ya mención. Y con mayor importancia aún: al sumergirse en el caos de un mundo inestructurado hay una sumisión por parte del lector a la paradoja insoluble de la rayuela.

> Todo desorden se justificaba si tendía a salir de sí mismo, por la locura se podía acaso llegar a una razón que no fuera esa razón cuya falencia en la locura. «Ir del desorden al orden», pensó Oliveira. «Sí, pero ¿qué orden puede ser ese que no parezca el más nefando, el más terrible, el más insanable de los desórdenes?» (Cap. 18, p. 94.)

EL JUEGO DE LAS REALIDADES

> Vagando por el Quai des Celestins piso unas hojas secas, y cuando levanto una y la miro bien la veo llena de polvo de oro viejo, con por debajo unas tierras profundas como el perfume musgoso que se me pega a la mano. (Cap. 84, p. 461.)

De acuerdo a una percepción simple que no vaya más allá de ella misma, la realidad se nos da unificada. Cada objeto tendría una faz, sería uno y formaría parte de una unidad mayor compacta que sería la realidad. Sin embargo, no podemos hablar de *la* realidad, sino de un infinito número de realidades, y cada objeto no tiene una sola identidad determinada. No hay objetos que conformen una realidad única: cada objeto es en sí un complejo de realidades, constituyendo una conformación multifacética. En primera instancia, podemos distinguir dos tipos de realidades en aquella que aparentemente es una:

    a) Realidad superficial: aquella que ofrece la percepción simple y que aceptamos convencionalmente.

    b) Realidad subterránea: realidad interior desconocida, nueva realidad.

En la cita anteriormente transcrita se expresa claramente esta división: «hoja seca», que al ser vista con mayor detención resulta:

«llena de *polvo de oro* viejo» — sequedad, brillo (proyección de la superficie hacia afuera — extraversión de la realidad superficial), y en seguida, «con por debajo unas *tierras profundas* como el perfume musgoso que se me pega a la mano», abriéndosenos así una sub-realidad interior — proyección hacia el fondo.

Así tendremos que en la conversación entre la Maga y Horacio (capítulo 19) se revelan expresamente los estratos señalados, pero ahora en el plano exclusivo del ser humano que en sí es otro complejo de realidades:

> —... [...] ... Sí, vos sos más bien un Mondrian y yo un Vieira da Silva.
> —Ah —dijo Oliveira—. Así que yo soy un Mondrian.
> —Sí, Horacio.
> —Querés decir un espíritu lleno de rigor.
> —Yo digo un Mondrian.
> —¿Y no se te ha ocurrido sospechar que detrás de ese Mondrian puede empezar una realidad Vieira da Silva?
> —Ahí, sí —dijo la Maga—. Pero vos hasta ahora no te has salido de la realidad (...).

Detrás de una relación determinada puede empezar otra, dándose una relación estrecha entre ambas, relación de causalidad que puede encontrarse en una dicotomía, pero dicotomía que no es sino la expresión de una oscilación profunda (Mondrian-Vieira da Silva: aparente paradoja). Pero así como esa dicotomía es complementaria, como en el ejemplo señalado, puede también ser excluyente. En este segundo caso tenemos la transposición de realidades dada en el cuento de Julio Cortázar: «Las babas del diablo» (en *Las armas secretas):* la primera realidad (idílica: un bello paisaje decorado por el reflejo solar, los hilos de la virgen) es captada por el lente del protagonista. Esa misma realidad en la fotografía se torna bruscamente en otra antitética: realidad demoníaca (los hilos de la virgen se convierten en las babas del diablo). Una realidad iluminada se contrapone a sí misma en una realidad siniestra, sombría (polvo de oro viejo — tierras profundas). Ambas se excluyen mutuamente, y dicha exclusión no es sino una expresión de la complejidad paradojal del mundo.

Este mismo proceso de autoeliminación se observa en el filme de Michelangelo Antonioni *Blow-up* (inspirado precisamente en «Las babas del diablo»), donde, en consecuencia, el protagonista queda sumido en un desconcierto total, sin discernir en definitiva cuál es su auténtica posición entre los diversos estratos de realidades ni cuál es finalmente *la* realidad. En *Rayuela* encontramos esta contraposición excluyente en el enfrentamiento entre Traveler y Horacio: lo que los separa, lo que los contrapone mutuamente es precisamente la identidad profunda que se da entre los dos; dos estratos de una misma realidad en el que el uno deberá dar finalmente paso al otro (lo que se evidencia en el temor final de Oliveira de que su camarada Traveler intente asesinarlo).

Pero esto es sólo un aspecto de la complejidad de la(s) realidad(es). Volvamos a la cita del capítulo 84. Continúa de la siguiente forma:

> Por eso traigo las hojas secas a mi pieza y las sujeto en la pantalla de una lámpara. Viene Ossip, se queda horas y ni siquiera mira la lámpara. Al otro día aparece Etienne, y todavía con la boina en la mano. Dis donc, c'est épatant ca!, y levanta la lámpara, estudia las hojas, se entusiasma, Durero, las nervaduras, etc.

> Una misma situación y dos versiones... Me quedo pensando en todas las hojas que no veré yo, el juntador de hojas secas, en tanta cosa que habrá en el aire y que no ven estos ojos, pobres murciélagos de novelas y cines y flores disecadas. Por todos estos lados habrá lámparas, habrá hojas que no veré. (Cap. 84, p. 461.)

Se nos plantea aquí un conflicto entre el sujeto y la multiplicidad de objetos. Más aún, la restricción del ser humano que observa la realidad desde su ángulo (punto de observación). La realidad (dicho está) se nos presenta en una multiplicidad; en cambio, la observación de dicha realidad (limitada al individuo) es particular y restringida. Más aún, el sujeto puede observar y aprehender sólo *una faz*, incapaz de captar otras, y, asimismo, su proyección se dirigirá exclusivamente a objetos determinados. Ser humano limitado a una pequeña porción de la realidad. Esta sujeción a un solo ángulo impide a Ossip Gregorovius captar más allá de su radio de visión: no captará la realidad enfocada por Horacio al ni siquiera fijarse en la hoja pegada a la lámpara. Sin embargo, abarcará otras realidades (al fijarse, por ejemplo, en que Horacio está deprimido) que no serán consideradas con Etienne, quien sí observa de inmediato la hoja. Pero tampoco hay coincidencia entre este último y Horacio. Para Horacio no hay nada más que la hoja en sí (abarcando sus realidades internas); en cambio, para Etienne dicha hoja es punto de partida para una relación («Durero, las nervaduras, etcétera»), y para la creación pictórica. Así, Oliveira tomará conciencia de su sujeción a un solo fragmento: «Por todos lados habrá lámparas, habrá hojas que no veré.»

Todo esto conforma una situación compuesta de varias versiones: se subdivide entre Etienne, Ossip, Oliveira y el conjunto de objetos. A su vez, cada uno de éstos se volverá a subdividir dentro de sí mismo, dando por resultado una desintegración y una polarización múltiple:

Lo absurdo es creer que podemos aprehender la totalidad de lo que nos constituye en ese momento, o en cualquier otro momento, e intuirlo como algo coherente, algo aceptable si querés. (Cap. 28, p. 195.)

De esto resulta que el ser humano, al observar fragmentos de la realidad en discordancia con otros objetos, llegará a una interpretación subjetiva de aquello que lo circunda: un objeto será según lo veamos, y será otro según lo vean los demás. Será según lo vemos porque en él no haremos sino descargar nuestras propias realidades subjetivas. Buscaremos en él un sentido, un signo y una forma a partir de nosotros mismos, llegando a una verdad fundada en la invención.

Mediante dicho proceso de invención trataremos de moldear el material objetivo para llegar a la configuración de un universo propio. En *Rayuela* se hace alusión a una cita contenida en un libro de Morelli respecto a un napolitano que durante años se dedicó a mirar un tornillo en el suelo (Cap. 73, p. 439):

Por la noche lo juntaba y lo ponía debajo del colchón. El tornillo fue primero risa, tomada de pelo, irritación comunal, junta de vecinos, signo de violación de los deberes cívicos, finalmente encogimiento de hombros, la paz, el tornillo fue la paz (...). Morelli pensaba que el tornillo debía ser otra cosa, un dios o algo así. Solución demasiado fácil. Quizá el error estuviera en aceptar que ese objeto era tornillo por el hecho de que tenía la forma de un tornillo.

Un objeto no será tal en cuanto a su forma, sino de acuerdo a la proyección subjetiva que lo invada. El verdadero objeto será creado por la capacidad inventiva del sujeto, sin cuidado de su contorno.

Picasso toma un auto de juguete y lo convierte en el mentón de un cinocéfalo. A lo mejor el napolitano era un idiota, pero también pudo ser el *inventor de un mundo*. Del tornillo a un eje, de un eje a una estrella... (id.).

El individuo no podrá escapar a los límites de su punto de vista y se encerrará en una sola realidad; una realidad desconocida por él mismo (puesto que está incapacitado de volver a sí para observarse) y, por lo demás, puesto que cada «otredad» no volverá en él sino el cuadro que representan sus respectivas subjetividades.

En Horacio hay una aspiración a la que denomina «estados excepcionales»; es decir, logro de expansión hacia fuera de sí mismo en pos de una autocontemplación: «una aptitud instantánea para salirme, para de pronto desde fuera aprehenderme, o de dentro pero en otro plano». (Cap. 84, p. 461). Pensamiento que implica una autoeliminación insoluble. Yo y los otros se escinden en polaridades evidentes. Yo observo lo otro; pero al tratar de ser yo el otro en contemplación de mí mismo, lo otro pasaría a ser yo y yo lo otro. No puede por tanto el sujeto evadirse de los límites de su particularidad, y el peligro de creer en la posibilidad de dichos estados excepcionales es caer en una falacia. El ser humano no podrá observarse, sino tan sólo autointerpretarse a través de una intuición subjetiva.

Cada ser: una realidad diferente.—Cada realidad constituye un ente cerrado e incomunicado de los otros entes. Entre cada uno hay una separación insalvable que sobrepasa los límites de tiempo, espacio y acción. La escisión obedece a una condición humana estatal: forma parte de una condición esencial del ser humano.

> Sólo que esta realidad no es ninguna garantía para vos o para nadie, salvo que la transformes en concepto y de ahí en convención, en esquema útil. El solo hecho de que vos esté a mi izquierda y yo a tu derecha hace de la realidad por lo menos dos realidades, y conste que no quiero ir a lo profundo y señalarte que vos y yo somos dos entes absolutamente incomunicados entre sí salvo por medio de los sentidos y la palabra, cosas de las que hay que desconfiar si uno es serio. (Cap. 28, página 192.)

Podemos encontrar en esto tres modos esenciales de manifestación: primero, escisión de una realidad ante otra (extrañeza); segundo, autoescisión de la propia realidad; y tercero, escisión entre la realidad inmediata y la realidad auténtica. Con respecto a la primera, ya hemos hecho bastante hincapié en los puntos anteriores. En cuanto a la segunda, tenemos dos fenómenos de disociación:

a) Entre el yo presente y un yo lejano: ante un yo inmediato al cual sentimos como extraño, falso e impuesto, intuimos la existencia de otro yo desconocido que se encuentra situado en otro tiempo y en otro espacio. Ante la inmediatez del yo presente añoramos la aprehensión de ese otro que sentimos como auténtico y absoluto. Es ésa una de las posibilidades en la búsqueda de Horacio: intuición de un segundo ser. En «El perseguidor», del mismo autor (en *Las armas secretas)*, tenemos la búsqueda de Johnny, el *jazzista,* de la proyección hacia otro ser inmerso en otro tiempo y en otro espacio, proyección que busca a través de la apertura inconmensurable del alucinógeno. En «Lejana» (en *Bestiario),* del mismo Cortázar, la protagonista Alina Reyes siente en forma evidente no tan sólo la existencia de su verdadero ser, sino además el llamado angustioso de éste:

> A veces sé que tiene frío, que sufre, que le pegan. Puedo solamente odiarla tanto, aborrecer las manos que la tiran al suelo y también a ella, a ella todavía más porque le pegan, porque soy yo y le pegan.

Del encuentro final entre ambas Alina Reyes, surgirá una transposición: aquella Alina lejana se convertirá en esta otra Alina, quien asumirá ahora la condición de lejana. Nueva separación que vuelve a impedir la fusión definitiva:

> Al abrir los ojos (tal vez gritaba ya) vio que se habían separado. Ahora sí gritó. De frío porque la nieve le estaba entrando por los zapatos rotos, porque yéndose camino a la plaza iba Alina Reyes lindísima en su traje gris, el pelo un poco suelto contra el viento, sin dar vuelta la cara y yéndose (p. 49).

Cortázar cita en *Rayuela* un poema de Octavio Paz que viene a iluminar al respecto:

> Mis pasos en esta calle
> Resuenan
>   En otra calle,
> Donde
>   Oigo mis pasos
> Pasar en esta calle,
> Donde
> Sólo es real la niebla.
> (Cap. 149, p. 618.)

La autoescisión es insoluble. Cada ser dentro del ser es un sujeto-ente aislado, incomunicado del resto de los seres que conforman el conjunto mayor. Así ocurre que dicho conjunto mayor se desintegra, quedando el individuo dividido en una serie de realidades diferentes sin hallar entre ellas un centro definitivo que les dé sentido de cohesión. Ser humano multifacético.

La segunda manifestación del fenómeno disociativo está dada en la extrañeza ante el cuerpo. Nueva forma de escisión: entre sí mismo y el cuerpo. No hay una correspondencia entre el ser humano y su constitución fisiológica. El cuerpo no será sino un parásito del yo, algo extraño que se adhiere a éste: «no ser yo y estarme adherido»:

> Cierto individuo nada metafórico me dijo, creyendo hacer un chiste, que defecar le causaba una impresión de irrealidad. Me acuerdo de sus palabras: «Te levantás, te das vuelta y mirás, y entonces decís: 'Pero ¿esto lo hice yo?'» (Cap. 83, p. 159.)

Sensación de adherencia insalvable. Los alimentos invaden nuestro cuerpo llegando a integrarse a él: «La sopa está en mí, la tengo en una bolsa que no veré jamás, mi estómago.» El cuerpo se presenta como una extrañeza: nos damos cuenta de pronto que nuestros miembros («aún lo más próximo y lo más querido del cuerpo, por ejemplo, la mano derecha») adquieren una repugnante condición de no ser parte del yo, pero de estar adherido a él. Esta dicotomía repulsiva se hace más evidente al tomar conciencia del cuerpo como tal; esto se da a través del dolor físico. Por medio del sufrimiento fisiológico el cuerpo se revela, adquiere presencia consciente: toma conciencia de su ser, haciéndose más evidente su divorcio del yo:

> A mí todo dolor me ataca con arma doble: hace sentir como nunca el divorcio entre yo y mi cuerpo (y su falsedad, su invención consoladora) y a la vez me acerca mi cuerpo, me lo pone como dolor. (Cap. 83, página 460.)

A la vez, el dolor hace sentir el cuerpo en propiedad, aunque no en participación, dentro del yo. Así se marca una nueva paradoja, que aparentemente señala un lazo de unión, pero que en el fondo acentúa la falta de unidad: «meros modos de un complejo cuya unidad está en no tenerla», como apunta Oliveira.

El tercer modo de escisión de las realidades se da en el espacio que circunda al yo: espacio presente frente a un espacio ausente. No hay tan sólo una búsqueda del yo verdadero, sino también la de un espacio verdadero, espacio que forzosamente implicará también un tiempo. Frente al espacio inmediato (presente) se da nuevamente el proceso de extrañeza: en sí nos es ajeno, estamos en él por simple coincidencia. En consecuencia, se intuye la presencia de otro aspecto lejano, abierto a lo absoluto, pero desconocido e inalcanzable. Aunque sintamos su real existencia, no sabemos cómo llegar a él. (A esto responde la búsqueda de un nuevo espacio por parte de Horacio en su viaje a Francia y en su «regreso» a Buenos Aires). La búsqueda de ese otro espacio, sustento de una realidad más amplia, se patentiza en las reflexiones de Horacio durante una reunión del Club:

> Si hubiera sido posible pensar en una extrapolación de todo eso, entender el Club, entender «Gold Wagon Blues», entender el amor de la Maga, entender cada piolincito saliendo de las cosas y llegando hasta sus dedos, cada títere o cada titiritero, como una epifanía; entenderlos, no como símbolos de otra realidad inalcanzable, pero sí como potenciadores (qué lenguaje, qué impudor), como exactamente líneas de fuga para una carrera a la que hubiera tenido que lanzarse en ese momento mismo, despegándose de la piel esquimal que era maravillosamente tibia y casi perfumada y tan esquimal que daba miedo, salir al rellano, bajar, bajar solo, empezar a caminar, caminar solo hasta la esquina, la esquina sola, el café de Max, Max solo, el farol de la rue de Bellechase donde..., donde solo. Y quizás a partir de ese momento. (Cap. 18, p. 90.)

En forma más clara y directa se expresa esta intuición del otro espacio en el texto de Jean Tardieu transcrito en el capítulo 152 de *Rayuela*: «Abuso de Conciencia» (título del texto):

Esta casa en que vivo se asemeja en todo a la mía: disposición de las habitaciones, olor del vestíbulo, muebles, luz oblicua por la mañana, atenuada a mediodía, solapada por la tarde; todo es igual, incluso los senderos y los árboles del jardín, y esa vieja puerta semiderruida y los adoquines del patio.

También las horas y los minutos del tiempo que pasa son semejantes a las horas y los minutos de mi vida. En el momento en que giran a mi alrededor me digo: «Parecen de veras. ¡Cómo se asemejan a las verdaderas horas que vivo en este momento!»

Por mi parte, si bien he suprimido en mi casa cualquier superficie de reflexión, cuando a pesar de todo el vidrio inevitable de una ventana se empeña en devolverme mi reflejo, veo en él a alguien que se me parece. ¡Sí, que se me parece mucho, lo reconozco!

Pero ¡que no se vaya a pretender que soy yo! ¡Vamos! Todo es falso aquí. Cuando me hayan devuelto *mi* casa y *mi* vida, entonces encontraré mi verdadero rostro. (Cap. 152, p. 261.)

Esta presencia obligada en un espacio inmanente trae en consecuencia una situación de extrañeza frente a éste: extrañeza ante la realidad en que estamos situados absurdamente y que aparentemente es nuestra, pero no en el fondo. Por último, situación de extrañeza ante sí mismo.

El espacio implica tácitamente un tiempo. A un espacio inmediato, un tiempo inmediato. Y de éste trataremos de evadirnos para proyectarnos hacia el otro tiempo, que conjuntamente con el espacio y con el ser forma parte del absoluto. Tal es la búsqueda de Johnny de «El perseguidor», perseguidor de un universo absoluto a través de la armonía de la música *(jazz)*.

Presentándonos el tiempo y el espacio inmediatos como ajenos a una realidad verdadera, veremos en ella un absurdo. Realidad sin sentido profundo que la justifique, conjunto de contornos vacíos e inexplicables, meras coincidencias en su reunión: «No ganaba nada con preguntarse qué hacía allí a esa hora y con esa gente...» (Cap. 18, página 90). Así, todas las realidades presentes se configurarán en una *ilusión:* irrealidad:

Pero todo eso, el canto de Bessie, el arrullo de Coleman Hawkins, ¿no eran ilusiones, y no eran algo todavía peor, la ilusión de otras ilusiones, una cadena vertiginosa hacia atrás, hacia un mono mirándose en el agua el primer día del mundo? (Cap. 12, p. 65.)

Incluso la misma irrealidad se presenta escindida: no es una unidad ilusoria, sino una multiplicidad de ilusiones (sin un centro fijo en sí mismas), entre las cuales no cabe la verdad y se la desconoce.

La búsqueda de Horacio en el juego de realidades se da en tres sentidos:

a)   Búsqueda de la realidad absoluta (yo-tiempo-espacio).

b) Búsqueda de un centro en la multiplicación de realidades.
c) Aspiración a una *ubicuidad* imposible de lograr, dada la sujeción del individuo a su particularidad. Horacio busca los «dos mil ojos de Argos»: afán de expandirse de sus límites, para situarse simultáneamente en infinitos ángulos y planos.

Conclusión.—De todo lo dicho se desprende que las realidades se dan radicalmente escindidas, pero ante todo se trata de *una* escisión: entre lo mediato y lo inmediato, entre lo aparencial y lo verdadero, entre lo contingente y lo absoluto. Dicotomía que implica la eliminación consecutiva entre los polos y una situación de estar y no estar del ser humano: carácter esencial del juego de la rayuela que hemos señalado en el tema anterior.

EL JUEGO DE LAS RELACIONES HUMANAS

> Y pensábamos en esa cosa increíble que habíamos leído, que un pez solo en su pecera se entristece y entonces basta ponerle un espejo y el pez vuelve a estar contento... (Cap. 8, p. 50.)

El ser humano ante su soledad esencial tiene dos alternativas: la búsqueda desesperada de proyección en el otro, aunque este otro no sea sino una mera ilusión (conformidad del autoengaño) o un simple reflejo de sí mismo, y la renuncia a la búsqueda, renuncia que implica una aceptación de la soledad ancestral. Para Oliveira esta renuncia es en el fondo una protesta, un no sometimiento a la trampa de la vida; sin embargo, en contradicción a esta actitud (el ser humano no es sino un conjunto de contradicciones) emprenderá una angustiosa travesía hacia los demás: la Maga, Traveler, Talita, Etienne... Pero esta travesía contiene una paradoja: en el fondo, una forma del zigzagueo de la rayuela. El individuo estará dentro de su casillero y lo exterior a él será un acontecer sin sentido en el que es imposible aprehender un punto determinado. Imposibilidad de salida del yo para aprehender el otro: ser humano relegado a sí mismo.

Tal como la realidad exterior se presenta en una irrealidad, la presencia del compañero no es sino una ilusión: «hombre solo en la sala de los espejos y los ecos». (Cap. 22, p. 120.) Otredad no es sino una ficción: una propia invención. El individuo constituye un universo cerrado, pero sin coherencia interior: sin un eje esencial que lo unifique. Desintegración del yo. Más aún, un universo que se extraña a sí mismo, que se sabe falso, que se detesta, obligado por tanto a intentar la fuga de sí mismo hacia el otro en pos de una desesperada e imposible fusión:

Y por eso se le ocurría ahora lo que a lo mejor debería habérsele
ocurrido al principio: sin poseerse no había posesión de la otredad, ¿y
quién se poseía de veras? ¿Quién estaba de vuelta a sí mismo, de la
soledad absoluta que representa no contar siquiera con la compañía propia, tener que meterse en el cine, o en el prostíbulo, o en la casa de los
amigos, o en una profesión absorbente, o en el matrimonio para estar
por lo menos solo-entre-los-demás? (Cap. 22, p. 120.)

La compañía constituye un paralelismo entre los seres que participan en ella: líneas paralelas jamás podrán encontrarse:

> Los contactos en la acción, y la raza, y el oficio, y la cama, y la can-
> cha, eran contactos de ramas y hojas que se entrecruzan y acarician de ár-
> bol a árbol, mientras los troncos alzan desdeñosos sus paralelas incon-
> ciliables. (Cap. 22, p. 120.)

Ante la imposibilidad de aprehensión surge la necesidad de tender un puente hacia la otredad. Pero este puente no podrá dar paso
a la comunicación: parte del sujeto sin un blanco preciso, dada la
irrealidad y desconocimiento de un centro en el objeto: «me atormenta tu amor que no me sirve de puente, porque un puente no se
sostiene de un solo lado». (Cap. 93, p. 483.)

Así como la aprehensión no puede darse, tampoco es posible una
perpetuación; tampoco una aprehensión del otro; este proceso debe
obligatoriamente darse de sujeto a objeto, y nunca de sujeto a sujeto
(de un ser a otro). Al pretender la posesión o la aprehensión de uno
de estos últimos, el supuesto logro implicaría la conversión de dicho
sujeto en objeto, trayendo como consecuencia la pérdida de su ser:

> Te quiero porque no sos mía, porque estás del otro lado, ahí donde
> me invitás a saltar y no puedo dar el salto, porque en lo más profun-
> do de la posesión no estás en mí, no te alcanzo, no paso de tu cuerpo,
> de tu risa... (Cap. 93, p. 483.)

Al abarcar el otro ser, éste en sí se esfuma, quedando en nuestra
posesión tan sólo un cuerpo sin identidad, totalmente extraño a aquel
otro ser:

> Tan triste oyendo al cínico Horacio que quiere un amor pasaporte,
> amor pasamontañas, amor llave, amor revólver que le dé los mil ojos de
> Argos, la ubicuidad, el silencio desde donde la música es posible, la raíz
> desde donde se podría empezar a tejer una lengua. (Id.)

Un amor que sea a la vez puente de contacto y un lenguaje nuevo que proyecte al individuo a la armonía absoluta del universo musical, pretensión que el mismo Oliveira hará objeto de risa en otros
capítulos. Risa consecuencia de la imposibilidad y forma de enfren-
tarla: medio de serenidad.

La búsqueda entre los seres será una aventura, aventura que se sabe sin fin y que se resuelve en un continuo de encuentros aparentes y desencuentros alternados. El encuentro: mero contacto de las superficies corporales, de lo que se deduce que el desencuentro no es sino la dirección opuesta del aparente encuentro. La Maga y Horacio vagarán por un laberinto de calles parisienses buscándose el uno al otro: búsqueda provocada que no pretende sino dar un sentido de aventura a sus relaciones. Aventura: modo de escapar de lo cotidiano. «Les gustaba desafiar el peligro de no encontrarse» (Cap. 6, p. 46), porque en dicho desafío habrá un obstáculo, obstáculo que dará a la búsqueda un sentido de heroicidad que no es sino un modo lúdico de escapar al acontecer monótono de la existencia:

> ¿Encontraría a la Maga? Tantas veces me había bastado asomarme, viniendo por la rue de Seine, al arco que da al Quai de Conti, y apenas la luz de ceniza y oliva que flota sobre el río me dejaba distinguir las formas, ya su silueta delgada se inscribía en el Pont des Arts, a veces andando de un lado a otro, a veces detenida en el pretil de hierro, inclinada sobre el agua. Y era tan natural cruzar la calle, subir los peldaños del puente, entrar en su delgada cintura y acercarme a la Maga que sonreía sin sorpresa, convencida como yo de que un encuentro casual era lo menos casual de nuestras vidas, y que la gente que se da citas precisas es la misma que necesita papel rayado para escribirse o que aprieta desde abajo el tubo dentífrico. (Cap. 1, p. 15.)

Horacio verá en el contacto amoroso un poder de enriquecimiento, una exaltación de las fuerzas intercesoras, por lo que su visión adquiere un sentido de tragicidad: en sí el amor es tan insuficiente en este sentido como cualquier otro puente de contacto. Ante esto surge la visión del amor por el amor mismo, sin tratar de ir más allá:

> Un día se dio cuenta de que sus amores eran impuros, presuponían una esperanza, mientras que el verdadero amante amaba sin esperar nada fuera del amor, aceptando ciegamente que el día se volviera más azul y la noche más dulce y el tranvía menos incómodo. (Cap. 90, p. 477.)

Inmersión en el amor sin búsqueda de nada en y fuera de él, actitud que Horacio Oliveira no puede compartir: «Hasta de la sopa hago una operación dialéctica», comenta irónicamente. Es un perseguidor de mundos, los que, apunta Morelli, constituirían una reminiscencia del paraíso perdido. Sin embargo, el salto mediante el amor, salto más allá de sí a otro sí y más allá de éste, es salto fallido:

> Amor mío, no te quiero por vos ni por mí ni por los dos juntos, no te quiero porque la sangre me llame a quererte, te quiero porque no sos mía, porque estás del otro lado, ahí donde me invitás a saltar y no puedo

> dar el salto, porque en lo más profundo de la posesión no estás en mí,
> no te alcanzo, no paso de tu cuerpo, de tu risa...

Y, en consecuencia, resultará un total desencanto e insatisfacción:

> Demasiado tarde, siempre, porque, aunque hiciéramos tantas veces
> el amor, la felicidad tenía que ser otra cosa, algo quizás más triste que
> esta paz y este placer, un aire como de unicornio o isla, una caída
> interminable en la inmovilidad. (Cap. 2, p. 27.)

Amor escindido en cuanto a la felicidad que se le atribuye; como
en la realidad y en el yo se da ante el amor presente un amor lejano,
inalcanzable, en proyección a la eterna inmensidad de lo absoluto.
Esto lleva a Horacio a tratar de ver más allá de su objeto, buscando
el verdadero ser del amor:

> La Maga no sabía que mis besos eran como ojos que empezaban a
> abrirse más allá de ella, y que yo andaba como salido, volcado en otra
> figura del mundo, piloto vertiginoso de una proa negra que cortaba el
> agua del tiempo y lo negaba. (Continuación cita anterior.)

El amor como fuerza de evasión del tiempo y del espacio infinitos. Forma de proyección hacia lo inmóvil y eterno, pero que inevitablemente deja al sujeto en el punto de partida. Así, la búsqueda
en este plano sigue un ciclo de declinación sucesiva, ciclo que se
compone de tres etapas:

a) Aprehensión mediante la destrucción, el tormento, el dolor
físico (sadismo).

b) Acecho del otro. Mera contemplación empecinada. Búsqueda
de un signo, de un indicio del verdadero ser.

c) Resignación al mero roce casual.

El tormento y la humillación en el plano físico es una vía de
posesión, pero posesión limitada. Se pretende la eliminación en el
otro ser de su calidad de sujeto (señalado está que entre dos sujetos
no cabe una fusión), lográndose esto a través del dolor físico. Con el
dolor hemos dicho que el cuerpo adquiere presencia consciente, constituyéndose en objeto de aprehensión. Se busca rescatar al otro de
su universo cerrado, de su «espiritualidad», para poder aprehenderlo.
Un proceso similar se da como constante en autores como Sade,
Onetti, etc. En Cortázar se manifiesta con evidencia en el capítulo 5
de *Rayuela:*

> Una noche le clavó los dientes, le mordió el hombro para sacarle
> sangre porque él se dejaba ir de lado, un poco perdido ya, y hubo un
> confuso pacto sin palabras, Oliveira sintió como si la Maga esperara de
> él la muerte, algo en ella que no era su yo despierto, una oscura forma

reclamando su aniquilación... (...) ...la hizo Pasifae, la dobló y la usó
como a un adolescente, la conoció y le exigió las servidumbres de la más
triste puta, la magnificó a constelación, la tuvo entre sus brazos oliendo
sangre, le hizo beber el semen que corre por la boca como un desafío
al Logos...
   ...porque en pleno diálogo eran tan distintos y andaban por tan
opuestas cosas (y eso ella lo sabía lo comprendía muy bien), entonces la
única posibilidad de encuentro estaba en que Horacio la matara en el
amor donde ella podía conseguir encontrarse con él... (...) ...mirándola
estático como si empezara a reconocerla, a hacerla suya de verdad, a
traerla de su lado.

Véase cómo el amor está en estrecho contacto con el concepto
de muerte. Y aquí encontramos otra paradoja de la rayuela: la fusión
a partir de una posesión se acerca al momento límite de la muerte;
mientras mayor es la proximidad de éste, mayor cercanía se da entre
el uno y el otro. Sin embargo, en el instante supremo de la posesión
total en la muerte se da nuevamente la escisión ineludible: con la
muerte el ser deja de ser, nuevo punto de partida (extraña similitud
con el instante en que se está a punto de lograr el cielo y éste se
convierte en un nuevo punto de partida hacia otro cielo, y así sucesivamente). Horacio comienza a hacer de verdad suya a la Maga,
pero este inicio no acaba en logro. En realidad, Horacio logra la
posesión de una sola fisonomía de la Maga. Y, al convertirla en objeto, la ha destruido como sujeto.
   El amor acabará finalmente por ser un mero deleite estético.
Dice la Maga a Horacio:

> Era así, el piano iba por un lado y el violín por el suyo y de eso
> salía la sonata; pero ya ves, en el fondo no nos encontrábamos. Me di
> cuenta en seguida, Horacio, pero las sonatas eran tan hermosas. (Cap. 20,
> página 109.)

Ante su fracaso, Horacio y la Maga deberán apartarse. Y en el
instante de su separación primera enfrentarán el dolor de la frustración a través de una risa incontrolada. Humorismo cortazariano,
medio de enfrentamiento que elude la gravedad y la solemnidad.
   La segunda etapa es el acecho: espiar al otro, observarlo durante
su repliegue a sí mismo para sorprender el instante en que el verdadero ser puede revelarse. El momento propicio es el sueño, instante
en que el sujeto está inmerso en su intimidad, como veremos más
adelante. Horacio es espectador del sueño de Pola sin que ella lo
sepa, esperando el instante en que ésta se revela en lo que es de
verdad, liberada de su yo aparente y cotidiano:

> Tampoco Pola hubiera comprendido por qué de noche él retenía el
> aliento para escucharla dormir, espiando los rumores de su cuerpo (...).

A las tres de la mañana la rue Dauphine callaba, la respiración iba y
venía, entonces había como un leve corrimiento, un menudo torbellino
instantáneo, un agitarse interior como de segunda vida, Oliveira se en-
derezaba lentamente y acercaba la oreja a la piel desnuda, se apoyaba
contra el curvo tambor tenso y tibio y escuchaba... (Cap. 103, p. 521.)

Búsqueda del indicio de una nueva realidad y revelación del misterio humano en el otro. El signo sonoro es un vestigio de la vibración interior del verdadero otro. Al silencio total que invade la atmósfera se contrapone el surgimiento de una serenidad profunda,
la que se escudriña:

Rumores, descensos, caídas, ludiones y murmullos... (...). Un cosmos
líquido, fluido, en gestación nocturna, plasmas subiendo y bajando...

Instante primigenio: el ser humano en el primer día de la creación de su micro-cosmos. Descenso a las capas profundas de su propio
planeta:

Pola microcosmo, Pola resumen de la noche universal en su pequeña
noche fermentada donde el *yoghourt* y el vino blanco se mezclaban con la carne y las legumbres, centro de una química infinitamente
rica y misteriosa y remota y contigua.

Concentración de la armonía universal en el microcosmos particular. Instante de proyección hacia lo absoluto en el que Horacio
no participa, sólo contempla. Su intervención sería una interferencia
desarmonizadora. Pola tampoco participa de su expansión infinita,
puesto que no es consciente de ella.

Esta etapa se queda en lo contemplativo, sin poder traducirse
en actividad de proyección por parte del observador.

Tercera etapa es el mero contacto físico, ajeno a una trascendencia y de un carácter casual. Entre un cuerpo y otro hay una variedad de formas que el sujeto explorará a través del tacto con un
fin exclusivamente estético:

Encanto y desencanto al pasar de una boca a otra, de buscar con los
ojos cerrados un cuello donde la mano ha dormido recogida, y sentir
que la curva es diferente, una base más espesa, un tendón que se crispa
brevemente con el esfuerzo de incorporarse para besar o morder. Cada
momento de su cuerpo frente a un desencuentro delicioso, tener que
alargarse un poco más, o bajar la cabeza para encontrar la boca que
antes estaba ahí tan cerca, acariciar una cadera más ceñida, incitar a una
réplica y no encontrarla, insistir, distraído, hasta darse cuenta que todo
hay que inventarlo otra vez, que el código no ha sido estatuido, que las
claves y las cifras van a nacer de nuevo, serán diferentes, responderán
a otra cosa. (Cap. 92, p. 480.)

Esta forma de amor no es sino un juego en el que se autocrea, se expande y se envuelve en un torbellino constante. El placer límite de la penetración sexual es lo único que se mantiene idéntico dentro de su variedad.

Resultante de lo señalado es la ya mencionada sujeción del individuo a su contorno límite. Esto lo obligará a un descenso a sí mismo, a un recogimiento a su intimidad. La otredad es un espacio ajeno, lejano y desconocido. En «El río» (en *Final del juego*) Cortázar plantea claramente esta situación. Una pareja en la cama en la noche:

> ... porque hace tanto que apenas escucho cuando dices cosas así, me viene del otro lado de mis ojos cerrados, del sueño que otra vez me tira hacia abajo.

Al cerrar los ojos se rompe la última aspiración a un contacto, última compuerta que queda al individuo por bloquear para caer a sus propias profundidades. Reencuentro con su propio mundo: mundo íntimo, cavidad cerrada, pero sin fondo conocido, que constituye el ámbito propio del ser. Está estrechamente unido a la oscuridad: oscuridad negra de la profundidad donde no llega el brillo exterior. El individuo vuelto hacia sí mismo será un visitante de su propia noche, elemento ambiental en que los contornos se expanden hasta lo desconocido. Podemos decir que el hombre se acerca un poco más hacia lo absoluto cuando se halla en completa soledad. De la desarmonía ante los demás se llega a una armonía a la que se proyecta desde el propio punto de partida hasta el espacio nocturno infinito. De allí que se afirme que la meditación se expanda y se profundice cerrando los ojos: sabiduría de la oscuridad, contraposición a la limitación de la luminosidad (superficie).

Pero este universo cerrado no puede ser compartido. Es pertenencia exclusiva del individuo y, por tanto, su secreto.

Como forma de inmersión ilimitada en la interioridad se da lo onírico. Irracionalismo, liberación de las restricciones de lo contingente, proyección hacia un universo más amplio. Así adquiere importancia única la nueva realidad del *sueño*. Éste, evidentemente, no podrá ser compartido, tan sólo podremos relatar aspectos anecdóticos de él; pero al hacerlo no estaremos sino traicionándolo: pierde su calidad de secreto y en su expresión a través de signos lingüísticos se restringe totalmente su dimensión. Pero no es ésta la única dificultad ante la realidad onírica; si bien el sueño es infinito en sí mismo, está limitado al individuo que lo vive: éste se halla supeditado al inevitable despertar, momento en que es expulsado de su propia intimidad, expulsión que reviste la tragicidad de la pérdida del paraíso:

... solamente me acuerdo de que debí soñar algo maravilloso y que al
final me sentía como expulsado (o yéndome, pero a la fuerza) del sueño
que irremediablemente quedaba a mis espaldas. (Cap. 132, p. 577.)

Dolor derivado de la expulsión de sí mismo. Separación del yo
y de la realidad onírica. Tragedia de ancestro edónico:

De golpe comprendo mejor el espantoso gesto de Adán de Maraccio.
Se cubre el rostro para proteger su visión, lo que fue suyo.

Y la etapa que continúa al despertar es el destierro, destierro
que podrá concluir en el retorno al sueño, repitiéndose un ciclo
circular:

Y llora cuando se da cuenta que es inútil, que la verdadera condena
es eso que ya empieza: el olvido del Edén, es decir, la conformidad vacu-
na, la alegría barata y sucia del trabajo y el sudor de la frente y las va-
caciones pagas.

Intimidad compartida.—Excepcionalmente puede darse la conformación de un mundo íntimo entre dos seres, mundo que reviste el
carácter de contrato entre dos realidades. Este contrato admite una
aceptación de la limitación de ambas partes, pero con una aproximación que si bien no es total, está lograda hasta cierto punto. Comunión de dos seres en un sistema compuesto por dos mundos que se
complementan a una distancia menor, feliz semiecuación que permite una serena estabilidad y una comprensión aproximada. Tal es la
intimidad lograda por Talita y Traveler; aunque entre ambos no
existe la participación mutua de un sueño común, hay una intuición
del uno con respecto al otro:

Por la mañana, obstinados todavía en la duermevela que el chirrido
horripilante del despertador no alcanzaba a cambiar por la filosa vigilia,
se contaban fielmente los sueños de la noche. Cabeza contra cabeza, acari-
ciándose, confundiendo las piernas y las manos, se esforzaban por traducir con palabras del mundo de afuera todo lo que habían vivido en las
horas de tinieblas. (Cap. 143, p. 609.)

Esta comunión crea un sistema de convivencia cerrado, con carácter de propiedad privada. Horacio añora este pequeño mundo,
desea en alguna forma participar de su ternura, pero se sabe excluido:

La intimidad de los Traveler. Cuando me despido de ellos en el za-
guán o en el café de la esquina, de golpe es como un deseo de quedarme
cerca, viéndolos vivir, *voyeur* sin apetitos, amistoso, un poco triste.
(Cap. 78, p. 448.)

Dada la imposibilidad de integración, su actitud será en primera instancia de una contemplación melancólica. Sin embargo, en su afán de persecución de mundos, Horacio se sentirá impulsado a la intromisión de aquella intimidad. Y eso porque hay lazos profundos que se tienden entre él y la pareja: en Traveler no hay sino otra versión de sí mismo, y en Talita una transposición de la identidad de la Maga; además, el ansia de encuentro total se vislumbra en cierto modo entre aquellos dos. Esto trae como resultante su asedio continuo a la pareja, asedio que se irá acentuando paulatinamente, encontrando su punto crucial en el episodio del tablón: las habitaciones de los Traveler quedan situadas frente a frente de las de Horacio (en edificios paralelos separados por la calle); Horacio necesita yerba y clavos y los pide a los Traveler; éstos, para evitar la caminata agotadora bajo un sol agobiante, deciden con Horacio tender un tablón de ventana a ventana. Al no bastar la longitud de uno, se tienden dos y se los amarra en el punto de unión. Talita atravesará por él hasta la habitación de Oliveira. Sin embargo, el temor, la fragilidad de los tablones, el calor agobiante, harán que la mujer quede detenida en el medio, sin atreverse a avanzar en ningún sentido. Se provocará así una prolongada secuencia de tensión en la que se revelarán desenmascarados los tres seres en juego. Horacio y Traveler frente a frente, dos elementos de un mismo polo que por su identidad mutua están en choque decisivo. Talita, oscilando entre ambos en el límite de la fragilidad; se juega al borde de la rayuela en un instante límite. Horacio y Traveler se enfrentan en un clímax, indiferentes a la mujer que se aferra a dos tablones vibrando sobre un espacio vacío que acaba en una planicie compuesta por los casilleros que conforman los adoquines:

> Estos dos han tendido otro puente entre ellos —pensó Talita—. Si me cayera a la calle ni se darían cuenta. (Cap. 41, p. 291.)

Paralelamente, entre los dos hombres:

> —¿Y qué? —dijo Traveler— ¿Por qué tengo que hacer el juego, hermano?
> —Los juegos se hacen solos, sos vos el que mete un palito para frenar la rueda.
> —La rueda que vos fabricaste, si vamos a eso.
> —No creo —dijo Oliveira—. Yo no hice más que suscitar las circunstancias, como dicen los entendidos. El juego había que jugarlo limpio.
> —Frase de perdedor, viejito.

Traveler es en el fondo aquel Horacio que no ha franqueado la distancia del océano en la búsqueda de otra realidad. A pesar suyo, se ha quedado relegado el casillero bonaerense. Frente a él se da

aquel otro que ha jugado con muchas realidades, que ha franqueado
grandes espacios. Ambos se enfrentan ahora; ambos saben que la
fusión es imposible entre dos polaridades idénticas: ambas tienden
a rechazarse de alguna manera: «Como si fuéramos vampiros, como
si un mismo sistema circulatorio nos uniera; es decir, nos desuniera.»
(Cap. 51, p. 355). Y más aún, no puede darse la existencia paralela
de ambos en un mismo espacio y en un mismo tiempo. Talita es
entre los dos como un pelota de ping-pong: recurso a través del cual
se desencadena la conflictiva mutua. Ella, en su identificación con
la Maga, es punto intermedio:

> Talita sabía que de alguna manera estaban hablando de ella, y seguía
> mirando a la chica de los mandados inmóviles en la silla con la boca
> abierta. «Daría cualquier cosa por no oírlos discutir», pensó Talita.
> «Hablen de lo que hablen, en el fondo es siempre de mí, pero tampoco
> es eso, aunque es casi eso.» (Cap. 41, p. 292.)

La discusión entre los dos hombres reviste el carácter de enjui-
ciamiento mutuo, pero Talita sabe que en última instancia es a ella
a quien se juzga. Como el procesado está en su silla mientras otros
deciden por él, su salvación o su pérdida, ella oscila entre la vida
y la muerte, vibrando en el vacío.

> —¿Por qué te balanceas así? —dijo Traveler, sujetando su tablón con
> las dos manos—. Che, lo estás haciendo vibrar demasiado. A ver si nos
> vamos todos al diablo.

El radio de acción del conflicto se va estrechando. Los tres sienten que el momento definitivo se aproxima. «A ver si nos vamos
todos al diablo»; a ver si pisamos la raya y nos vamos al infierno.

> —No te salgas del tablón —pidió Talita—. Me voy a caer a la calle.
> (a Traveler).
> —La enciclopedia y la cómoda la sostienen perfectamente. Vos no te
> movás, que vuelvo en seguida. (P. 293.)

Ahora quedan Talita y Horacio frente a frente. El juego será de
a dos presentes y uno ausente. Ante la inminencia del peligro, ambos
jugarán a las «preguntas-balanza», juego verbal que servirá de medio
de enfrentamiento de la situación: forma de evadir su solemnidad
dramática para llegar a una estabilidad preeminente, sentido que tienen el juego y el humor en la obra cortazariana. Ciclo de recuperación de la permanencia frente al conflicto.

> No tenés por qué escabullirte —dijo Oliveira—. Es un hecho que
> vos te sumás de alguna manera a nosotros dos para aumentar el parecido
> y, por tanto, la diferencia. (P. 297.)

Al volver Talita a su ventana se producirá el reencuentro con su intimidad: el círculo Manú (Traveler)-Talita ha vuelto a cerrarse, obligando a Horacio a la retirada: vuelta a sí mismo, momento de la rayuela en que, habiendo estado próximos al logro del casillero cielo, debemos seguir el juego, pero ahora de espaldas.

> Talita había cerrado los ojos y se dejaba sostener, arrancar del tablón, meter a empujones por la ventana. Sintió la boca de Traveler pegada a la nuca, la respiración caliente y rápida.
> —Volviste —murmuró Traveler—. Volviste, volviste.
> —Sí —dijo Talita, acercándose a la cama—. ¿Cómo no iba a volver? Le tiré el maldito paquete y volví, le tiré el paquete y volví, le...
> —En fin, en fin —dijo Oliveira. (P. 303.)

La gente del barrio que observa la escena no es sino un anti-coro caricaturesco del conflicto central. Incomprensión del mundo cotidiano de la que participan: la señora de Gutusso, la niña de los mandados, Gekrepten y los niños:

> La señora de Gutusso miraba a la chica de los mandados. La chica de los mandados se puso un dedo en la sien y lo hizo girar. Gekrepten agarró el sombrero con las dos manos y entró al zaguán. Los chicos se pusieron en fila y empezaron a cantar con música de «Caballería ligera»:
>
> > Lo corrieron de atrás, lo corrieron de atrás,
> > le metieron un palo en el cúúúlo.
> > ¡Pobre señor! ¡Pobre señor!
> > No se lo pudo sacar.
>
> (Bis). (P. 307.)

Al retrotraerse a su propio universo, Horacio inicia un descenso hacia la oscuridad (pozo cayendo dentro de sí mismo), oscuridad a la cual ya hemos hecho referencia. Pero siendo Talita un doble de la Maga, y Traveler de sí mismo, no podrá escapar a la presencia de ambos. Si bien no están integrados a su propiedad, sus imágenes se reflejan en ella. Esto provoca un nuevo estado de contemplación: de entre las tinieblas; nueva esperanza fundada en un plano antagónico. La observación de Horacio se llevará a cabo en la noche, de ventana a ventana:

> Era natural, porque en el fondo el tablón seguía estando ahí, y la negativa a pleno sol podía quizás ser otra cosa a plena noche, virar a una *aquiescencia súbita,* y entonces él estaría ahí en la ventana, fumando para espantar a los mosquitos y esperando que *Talita sonámbula* se desgajara suavemente del cuerpo de Traveler para asomarse y mirarlo *de oscuridad a oscuridad.* (Cap. 45, p. 320.)

Brusco cambio de plano a una realidad profunda: búsqueda del encuentro en un sub-mundo a través de un lazo misterioso. Así continuaría la existencia del tablón. Surge entonces la etapa de *acecho* mutuo, inmerso en una naciente atmósfera de miedo intrínseca a la oscuridad. Los seres se expanden. Horacio observa y espera, Talita se siente observada y atraída por un llamado silencioso. Traveler siente también el acecho y vigila:

> Piensa Talita:
> ... entes amenazadores o absurdos viviendo una vida propia y aislada, saltando de golpe sin que nada pudiera atajarlos: «Soy yo, soy yo, y él no era Manú, él era Horacio, el habitador, el atacante solapado, la sombra dentro de la sombra de su pieza por la noche, la brasa del cigarrillo dibujando lentamente las formas del insomnio.»

Pero de Talita, de Traveler y de Horacio no es sino un nuevo ser el que surge, cada uno desconocido, extraño, perteneciente a un plano lejano del yo. Invasión extraña al ser: reversificación. «Se estaban como alcanzando desde otra parte de sí mismos, y no era de ellos que se trataba...»

Reincidencia en el tablón. Un extraño Horacio, un extraño Traveler, en dos extremos, y en el medio, Talita. Las fluctuaciones se dan recíprocamente, obedeciendo a una causal ajena por muy propia, de allende lo inmediato. Crece el miedo y se acentúa el descenso. La transposición de identidades se evidencia cada vez más; Talita ya es en definitiva la Maga para Horacio. Éste teme a Traveler como a sí mismo. El acercamiento es cada vez más estrecho, como el misterioso peligro. La rayuela fulgura en el patio de la clínica donde están los tres personajes.

El descenso a ese nuevo ámbito se intensifica al bajar Horacio a la morgue. Talita le sigue porque intuye que él está ya al borde definitivo del pozo. Ellos, o los otros ellos, se acercan cada vez más, con otras fisonomías que se observan con extrañeza en la cercanía de un raro encuentro. Ambos saben que Horacio está a punto de una apertura hacia un algo infinitamente mayor: un nuevo universo. Pero es el miedo el que aún detiene a Horacio, lo que lo aferra al ámbito presente. Más allá de aquello es la soledad definitiva, el desencuentro definitivo con la otredad para encontrarse consigo mismo en plenitud. A un paso de la nueva razón de la locura, Horacio teme: teme ante todo a Traveler (que además es temor a sí mismo). Sabe que la encrucijada es a la vez entre él y su amigo. Llega el momento en que dos seres iguales deben reducirse a uno.

Talita le abandona y corre a refugiarse a su pequeño mundo con Traveler. Reencuentro definitivo:

> Talita se corrió un poco en la cama y se apoyó contra Traveler. Sabía que estaba otra vez de su lado, que no se había ahogado, que él la

estaba sosteniendo a flor de agua y que en el fondo era una lástima, una maravillosa lástima. Los dos lo sintieron en el mismo instante y resbalaron el uno hacia el otro como para caer en ellos mismos, en la tierra común donde las palabras, las caricias y las bocas los envolvían como la circunferencia al círculo, esas metáforas tranquilizadoras, esa vieja tristeza satisfecha de volver a ser el de siempre, de continuar, de mantenerse a flote contra viento y marea, contra el llamado y la caída. (Cap. 55, página 378.)

En su temor a Traveler, Horacio teje una telaraña de piolines de colores en su pieza: su amigo entraría en ella y se enredaría sin poder alcanzarlo. Sin embargo, es el momento culminante de esta travesía que por fin va adquiriendo sentido, al encontrarse nuevamente frente a frente a Traveler. De la liberación del temor surge por fin un *momento de comunicación*, de entendimiento mutuo y tácito, instante de armonía entre los seres, sólo instante, pero armonía al fin. Éste es el momento crucial en que Horacio, sentado en la ventana, con un pie afuera, oscila en el punto de confluencia de lo finito y lo infinito:

Era así, la armonía duraba increíblemente, no había palabras para contestar a la bondad de esos dos ahí abajo... (...) ... diciéndose que al fin y al cabo algún encuentro había, aunque no pudiera durar nada más que ese instante terriblemente dulce en el que lo mejor sin lugar a dudas hubiera sido inclinarse apenas hacia afuera y dejarse ir, paf se acabó.

---

* Cortázar, Julio. *Rayuela*, Buenos Aires, Ed. Sudamericana, 4.ª ed., 1966.

Las imágenes de «Rayuela»

John G. Copeland

Sostiene José Durand [1] que la clave de la manera de escribir de Cortázar se encuentra en el jazz:

> Each story is a sort of jam session, though adhering to a plan for artistic creation composed of fixed and stable forms. As in the case of the traditional impromptu jazz solo, it takes off from a given theme, and how it develops depends on previous knowledge and technique... A great store of already known technical procedures is at hand, some of them very complex and elaborate. So there is a richness one can count on in advance, plus personal skill in the art of improvisation, plus a subject to be developed, all of which come into action at the creative moment (p. 42).

En la novela *Rayuela* [2] podríamos encontrar muchos ejemplos del *riff* del jazz, y los procedimientos del autor sí son complejos y ricos. Sin embargo, la complejidad misma de la obra impide indicar *un* procedimiento como fuente o clave. Al leerla nos damos cuenta de que hay varios propósitos literarios, así como filosóficos. Entre los propósitos literarios, el que sobresale es el deseo de reformar la novela, de cambiarla radicalmente. Este pasaje parece indicar el intento general del autor:

> Una narrativa que no sea pretexto para la trasmisión de un «mensaje» (no hay mensaje, hay mensajeros y eso es el mensaje, así como el amor es el que ama); una narrativa que actúe como coagulante de vivencias, como catalizadora de nociones confusas y mal entendidas, y

---

[1] En «Julio Cortázar: Storytelling Giant», *Américas,* enero de 1963, páginas 39-43.
[2] Todas las citas son de la edición de la Editorial Sudamericana, Buenos Aires, 1965.

que incida en primer término en el que la escribe, para lo cual hay que escribirla como antinovela porque todo orden cerrado dejará sistemáticamente afuera esos anuncios que pueden volvernos mensajeros, acercarnos a nuestros propios límites de los que tan lejos estamos cara a cara (p. 453).

Al escribir la antinovela, Cortázar busca (como lo buscó Octavio Paz) restaurar a la palabra su fuerza original. Pero no puede hacerlo sin antes atacar la palabra, casi aniquilarla, para después imponerle su significado y belleza originales. Lo expresa así:

> Tanta palabra para lavarse de otras palabras, tanta suciedad para dejar de oler a Piver, a Caron, a Carven, a d. J. C. Quizá haya que pasar por todo eso para recobrar un derecho perdido, el uso original de la palabra (p. 540).

El propósito del autor no es completamente negativo: en el proceso de renovar el lenguaje se aprovecha de una variedad de técnicas, con frecuencia basadas en la imagen y su uso. En la novela se describe el arte moderno como retorno a la Edad Media, la cual «había entendido el arte como una serie de imágenes, sustituidas durante el Renacimiento y la época moderna por la representación de la realidad» (p. 544). Es este aspecto de la obra —la forma y el uso de la imagen, tan importante en la Edad Media y en la novela de Cortázar— el que pensamos examinar en el presente estudio.

LA FORMA DE LA IMAGEN

La riqueza de la prosa de Cortázar consiste en gran parte en saber utilizar tantas maneras de expresarse. A continuación se mencionan algunas de las técnicas y formas de la imagen que se encuentran con más frecuencia en *Rayuela*.

Impresionismo, expresionismo

Se podrían citar muchos ejemplos de trozos impresionistas o expresionistas en la novela. Sólo presentaré dos de cada uno, para dar una idea de su uso por nuestro autor.

El siguiente trozo es notable no sólo por la técnica impresionista, sino también por el uso de metáforas que convierten la prosa en poesía:

> ... todas las peceras al sol, y como suspendidos en el aire cientos de peces rosa y negro, pájaros quietos en su aire redondo... están las

peceras bajo el sol con sus cubos, sus esferas de agua que el sol mezcla con el aire, y los pájaros rosa y negro giran danzando dulcemente en una pequeña porción de aire, lentos pájaros fríos. Los mirábamos, jugando a acercar los ojos al vidrio, pegando la nariz, encolerizando a las viejas vendedoras armadas de redes de cazar mariposas acuáticas... (p. 49).

A la metáfora básica («pájaros quietos en su aire redondo») se añaden otras cuando Oliveira y la Maga buscan otras analogías para describir los peces: «Y ese pez era perfectamente Giotto, te acordás, y esos dos jugaban como perros de jade, o un pez era la exacta sombra de una nube violeta» (p. 50).

A veces una breve frase impresionista (interesante en este caso por la forma adverbial nada común) puede ser humorística: «Ronald se apoyó contra la puerta. Pelirrojamente en camisa a cuadros» (página 54).

Se utiliza la técnica expresionista para expresar emociones. Traveler revela su actitud hacia Oliveira y da a conocer las emociones inspiradas en él por su amigo cuando le dice a Talita que cuando Oliveira «se junta con nosotros hay paredes que se caen, montones de cosas que se van al quinto demonio, y de golpe el cielo se pone fabulosamente hermoso, las estrellas se meten en esa panera, uno podría pelarlas y comérselas, ese pato es propiamente el cisne de Lohengrin...» (p. 318). Talita también utiliza una imagen expresionista para expresar el peligro que siente alrededor de ellos:

> ...tengo la impresión de que estamos criando arañas o ciempiés. Las cuidamos, las atendemos y van creciendo, al principio eran unos bichitos de nada, casi lindos, con tantas patas, y de golpe han crecido, te saltan a la cara (p. 323).

La metáfora

Las metáforas pueden tener valor descriptivo, describir lo filosófico, lo caótico o lo insignificante, servir de símbolo de lo insano (lo cual puede ser el fin de una búsqueda, el *kibbutz* del deseo).

Se notará el valor descriptivo en las siguientes frases:

> ...la tapioca de la madrugada empezando a pegarse a la claraboya... (p. 91).

> Las ventanas son los ojos de la ciudad..., y naturalmente deforman todo lo que miran (p. 288).

> ...el silencio que había en toda música verdadera se desarrimaba lentamente de las paredes, salía de debajo del diván, se despegaba como labios o capullos (p. 68).

En la última, el silencio llega a tener una cualidad plástica; lo inanimado —el silencio de la música— cobra forma tangible, real, y entendemos la imagen perfectamente, a pesar del conflicto implícito en la metáfora.

También se anima lo inanimado en otro trozo, ahora para producir una emoción de terror, casi de locura. Oliveira supersticiosamente busca un terrón de azúcar que ha caído al suelo, entre los zapatos de la gente sentada alrededor de la mesa:

> Lo primero que hice fue darme cuenta de que el terrón no estaba a la vista y eso que lo había visto saltar hasta los zapatos (que se movían inquietos como gallinas)... El mozo se tiró del otro lado de la mesa, y ya éramos dos cuadrúpedos moviéndonos entre los zapatos-gallina que allá arriba empezaban a cacarear como locas..., empecé a agarrar los zapatos de las mujeres y a mirar si debajo del arco de la suela no estaría agazapado el azúcar, y las gallinas cacareaban, los gallos gerentes me picoteaban el lomo, oía las carcajadas de Ronald y de Etienne... (pp. 22-23).

Así la metáfora inicial se ha aumentado al final hasta incluir no sólo los zapatos, sino también sus dueños.

Se describe la importancia de la risa para establecer la fraternidad del hombre en esta imagen: «... la risa ella sola ha cavado más túneles útiles que todas las lágrimas de la tierra...» (p. 434). Y se simboliza el vínculo entre el hombre y su «realidad histórica» así: «A todo el mundo le pasa igual, la estatua de Jano es un despilfarro inútil, *en realidad* después de los cuarenta años la verdadera cara la tenemos en la nuca, mirando desesperadamente para atrás...» (página 122).

Oliveira describe al mundo caótico de la Maga: «... un mundo donde te movías como un caballo de ajedrez que se moviera como una torre que se moviera como un alfil» (p. 18). Este caos, que se expresa de muchas maneras, puede conducir a la idiotez o a la locura. Morelli usa «insano» o «idiota» como símbolo o metáfora de lo que no entendemos, de lo que no podemos formular con palabras, pero que existe en nosotros (p. 417). Cortázar nos representa la locura como fenómeno visible cuando hace que el 18 repita la misma acción una y otra vez, acción siempre descrita por la misma frase, que llega a tener valor metafórico: «... entornó sus ojos verdes de una hermosura maligna». (Esta frase que se encuentra por primera vez en la página 380, se repite en las páginas 381, 384 y —dos veces— en la página 385).

Los dibujos de tiza de colores funcionan como símbolo de lo efímero: todo es tiza, todo se borra.

> La rue Dauphine de tiza gris, la escalera aplicadamente tizas pardas, la habitación con sus líneas de fuga astutamente tendidas con tiza

verde claro, las cortinas de tiza blanca, la cama con su poncho donde todas las tizas ¡viva México!, el amor, sus tizas hambrientas de un fijador que las clavara en el presente, amor de tiza perfumada, boca de tiza naranja, tristeza y hartura de tizas sin color girando en un polvo imperceptible, posándose en las caras dormidas, en la tiza agobiada de los cuerpos (p. 240).

El símbolo de las tizas del amor «hambrientas de un fijador que las clavara en el presente», parece ofrecer una posible explicación del episodio del capítulo 41, en el que Oliveira endereza clavos. La acción parece tener valor metafórico. Como dice Oliveira en el mismo capítulo, «hay imágenes que copian todos tus movimientos. Yo soy muy sensible a esas idioteces...» (p. 298).

El símil

Los símiles de *Rayuela* pueden tener un valor descriptivo:

(el paraguas)
... se hundió como un barco que sucumbe al agua verde, al agua verde y procelosa... Y quedó entre el pasto, mínimo y negro, como un insecto pisoteado (p. 16).
... viendo pasar una pinaza color borravino, hermosísima como una gran cucaracha reluciente de limpieza... (p. 17).
... un mate es como un punto y aparte. Uno lo toma y después se puede empezar un nuevo párrafo (p. 175).
... como de un globo de chewing-gum enorme y obsceno empieza a asomar la cara fofa de la madre... (p. 598).

plástico:

Más de una vez la vi admirar su cuerpo en el espejo, tomarse los senos en las manos como las estatuillas sirias (p. 24).
... la Maga que se dibujaba frente a él como un Henry Moore en la oscuridad, una giganta vista desde el suelo, primero las rodillas a punto de romper la masa negra de la falda, después un torso que subía hacia el cielo raso, por encima una masa de pelo todavía más negro que la oscuridad... (p. 187).

de caracterización:

(Después de una admonición de Talita a la Cuca)
... el encuentro de las miradas de Traveler y Oliveira fue como si dos pájaros chocaran en pleno vuelo y cayeran enredados en la casilla nueve (página 403).
... mientras habla esconde las manos en los bolsillos del delantal como hacen algunos animales malignos (p. 221).
Etienne, seguro de sí mismo como un perro o un buzón... (p. 39).

o poético:

> ... nos besamos como si tuviéramos la boca llena de flores o de peces, de movimientos vivos, de fragancia oscura... Y hay una sola saliva y un solo sabor a fruta madura, y yo te siento temblar contra mí como una luna en el agua (p. 48).
> Esas cosas no suceden de golpe, Pola fue viniendo como el sol en la ventana... Entraba de a poco, quitándome la sombra, y Horacio se iba quemando como en la cubierta del barco, se tostaba, era tan feliz (p. 164).
> Allí donde esté tiene el pelo ardiendo como una torre y me quema desde lejos, me hace pedazos nada más que con su ausencia (p. 225).
> ... vos temblabas, pura y libre como una llama..., como un río de mercurio, como el primer canto de un... pájaro cuando rompe el alba (página 232).

El aforismo

Se encuentran varios aforismos en la novela, algunos memorables por resumir temas principales de la obra:

> La explicación es un error bien vestido (p. 329).
> Estar vivo parece siempre el precio de algo (p. 394).
> ... toda locura es un sueño que se fija. Sabiduría del pueblo: «Es un pobre loco, un soñador...» (p. 456).
> Escribir es dibujar mi mandala y a la vez recorrerlo, inventar la purificación purificándose; tarea de pobre shamán blanco con calzoncillos de nylon (p. 458).

La aposición

La aposición, tal como la utiliza Cortázar, puede tener una forma simple:

> ... la muerte, ese fósforo que se apaga... (p. 189).
> ... el «alma» (mi yo-no-uñas) (p. 455).

o puede derivarse de una conversación indirecta, como esta que describe un intervalo breve antes de entrar en una casa:

> En el portal de la casa de Ronald hubo un interludio de cierraparaguas comment ça va a ver si alguien enciende un fósforo está rota la minuterie qué noche inmunda ah oui c'est vache... (p. 54).

A veces tiene la forma de una libre asociación de ideas:

> (Babs, pensando en el blues de Bessie Smith)
> ... la mañana siguiente, los zapatos en los charcos, el alquiler sin pa-

gar, el miedo a la vejez, imagen cenicienta del amanecer en el espejo a los pies de la cama, los blues, el cafard infinito de la vida (p. 64).

o es más complejo, con dos sustantivos juntos y la sinestesia al final:

> Tan triste oyendo al cínico Horacio que quiere un amor pasaporte, amor pasamontañas, amor llave, amor revólver, amor que le dé los mil ojos de Argos, la ubicuidad, el silencio desde donde la música es posible, la raíz desde donde se podría empezar a tejer una lengua (p. 483).

En la carta de la Maga, la aposición da un tono patético:

> ... te quiero tanto, Rocamadour, bebé Rocamadour, dientecito de ajo, te quiero tanto, nariz de azúcar, arbolito, caballito de juguete (p. 224).

Y en el capítulo 104, las aposiciones forman todo el capítulo, después del símil inicial:

> La vida, un ballet sobre un tema histórico, una historia sobre un hecho vivido, un hecho vivido sobre un hecho real.
> La vida, fotografía del numen, posesión en las tinieblas (¿mujer, monstruo?), la vida, proxeneta de la muerte, espléndida baraja, tarot de claves olvidadas que unas manos gotosas rebajan a un triste solitario.

La yuxtaposición (la enumeración)

En alguna ocasión Oliveira le dijo a la Pola: «—Enumerá, enumerá. Eso ayuda. Sujetate a los nombres, así no te caés» (p. 422). En la novela el autor usa las enumeraciones como recurso poético, de renovación del lenguaje y de definición. Hay capítulos enteros que apenas son más que largas enumeraciones; por ejemplo, la descripción borgeana de Oliveira del primer capítulo, en el que éste trata de recordar «lo insignificante, lo inostentoso, lo perecido» de su pasado (pp. 19-20), o los capítulos 129 y 133, en los que se examina la obra de Ceferino Piriz, *La luz de la paz del mundo:* capítulos que forman un *pastiche* excelente y que son, en realidad, una enorme metáfora por medio de la enumeración.

Cierta palabra puede llegar a tener una fuerza universal cuando se la traduce a varias lenguas, presentando así una serie de sinónimos que restauran a la palabra su vitalidad original. Este uso puede servir de definición:

> Kibbutz; colonia, settlement, asentamiento, rincón elegido donde alzar la tienda final, donde salir al aire de la noche con la cara lavada por el tiempo, y unirse al mundo, a la Gran Locura, a la Inmensa Burrada, abrirse a la cristalización del deseo, al encuentro (p. 239).

o puede tener valor poético:

> ... y los gatos, siempre inevitablemente los minouche morrongos miau-
> miau kitten kat chat cat gatto grises y blancos y negros y de albañal,
> dueños del tiempo y de las baldosas tibias... (pp. 37-38).

o gran fuerza emotiva:

> Sí, en el instante de la animalidad más agachada, más cerca de la
> excreción y sus aparatos indescriptibles, ahí se dibujan las figuras iniciales
> y finales... Todo se resume alfa y omega, coquille, cunt, concha, con,
> coño, milenio, Armagedón, terramicina... (pp. 612-613).

A veces la enumeración se deriva de la libre asociación de ideas.
Oliveira, al escuchar el *Stack O'Lee Blues,* piensa en lo que es el
jazz, lo que significa, en una larga asociación de ideas, cuya unidad
se deriva del hecho de que todo el trozo es una sola frase larga. Él
piensa en las varias clases de *jazz* («su charleston, su black bottom,
su shimmy, su foxtrot, su stomp, sus blues, para admitir las clasificaciones y las etiquetas, el estilo esto y aquello, el swing, el bebop,
el cool») (p. 87) y describe, en una serie de metáforas, lo que es el
jazz: «... es inevitable, es la lluvia y el pan y la sal, algo absolutamente indiferente a los ritos nacionales, a las tradiciones inviolables,
al idioma y al folklore: una nube sin fronteras, un espía del aire y
del agua, una forma arquetípica, algo de antes, de abajo, que reconcilia mexicanos con noruegos y rusos y españoles...» (p. 88).
Al indicar su deseo de evitar la falsa unidad de la persona, la cual
no es más que «una unidad lingüística y un prematuro esclerosa-
miento del carácter», Oliveira expresa de esta manera su deseo de
escapar de la sumisión a la palabra:

> ... el deber, lo moral, lo inmoral y lo amoral, la justicia, la caridad,
> lo europeo y lo americano, el día y la noche, las esposas, las novias y las
> amigas, el ejército y la banca, la bandera y el oro yanqui o moscovita,
> el arte abstracto y la batalla de Caseros pasaban a ser como dientes o
> pelo, algo aceptable y fatalmente incorporado, algo que no se vive ni se
> analiza porque *es así...* (p. 99).

Y se aprovecha de la enumeración para expresar la imposibilidad de
comunicar con Traveler, en una asociación interesante de palabras:

> Si empezaba a tirar del ovillo iba a salir una hebra de lana, metros
> de lana, lanada, lanagnórisis, lanatúrner, lannapurna, lanatomía, lanata,
> lanatalidad, lanacionalidad, lanaturalidad, la lana hasta lanáusea, pero
> nunca el ovillo... (p. 358).

La sinestesia

Hay varios ejemplos de sinestesia en la obra. Cuando la Maga oye palabras que no entiende, las ve como colores:

> ... ya Gregorovius hablaba de la inutilidad de una ontología empírica y de golpe era un Friedländer, un delicado Villon que reticulaba la penumbra y la hacía vibrar, *ontología empírica,* azules como de humo, rosas, *empírica,* un amarillo pálido, un hueco donde temblaban chispas blanquecinas (p. 159).

Gregorio dice que París es una enorme metáfora, y la Maga dice que era «como uno de esos signos de Sugai, con mucho rojo y negro» (página 160). Siempre que se da cuenta de sus limitaciones intelectuales, la Maga tiene una «sensación violeta» y piensa que «Es tan violeta ser ignorante» (p. 157).

La sinestesia entra en varias descripciones:

> Wong y Gregorovius se detuvieron bajo el farol (y parecían estar tomando una ducha juntos)... (pp. 53-54).
> ... la luz de ceniza y olivo... (p. 15).
> ... un zumbido que parecía azul en la penumbra del pasillo (p. 370).
> ... un zumbido azul (p. 370).

Y también aparece en varios trozos líricos:

> ... oír el fragor de la luna apoyando contra su oreja la palma de una pequeña mano... (p. 446).
> ... los senos cantan de otro modo, la boca besa más profundamente o como de lejos... (p. 480).

El signo antitético

Se utiliza el signo antitético en dos formas: el contraste de dos palabras de sentido opuesto:

> ... la mamá patria (p. 266).
> ... un vidente ciego (p. 19).
> ... el miedo alegre (p. 378).

o el contraste de ideas o conceptos opuestos:

> ... te cansaste de no estar cansada... (p. 18).
> ... para verte como yo quería era necesario empezar por cerrar los ojos... (p. 18).

(Morelli) se movía en esa misma ambigüedad, orquestando una obra cuya legítima primera audición debía ser quizá el más absoluto de los silencios (p. 605).

La parodia

Es interesante notar que la parodia más humorística de la novela —la del diálogo entre españoles— llega a tener valor metafórico cuando la misma situación se repite en la conversación entre Oliveira, Talita y Gekrepten (pp. 295-298), en la que se observa que el autor trata de mostrar la banalidad de Gekrepten. Se establece una equivalencia entre lo literario y lo vital, y éste parodia a aquél.

Más obvias son las parodias de famosas citas literarias, como:

En el principio fue la cópula, violar es explicar, pero no siempre viceversa (p. 51).
Pinto, ergo soy (p. 51).

La frase gastada (el clisé)

Para atacar el clisé, Cortázar se aprovecha de dos técnicas: o escribir el clisé como una sola palabra:

La noticia corriócomounreguerodepólvora (p. 492).
Babs lo miraba admirada y bebiendosuspalabrasdeunsolotrago (p. 506).
... diospatriayhogar (p. 358).

o escribir usando guiones para indicar una frase tan gastada que las palabras individuales ya no tienen valor:

no-se-le-escapaba (p. 308).
un-esfuerzo-heroico (p. 308).
Las-pesadas-responsabilidades (p. 343).
estaban-pendientes-de-sus-palabras (p. 349).
prestaba-un-oído-atento (p. 359).

TEMAS EN LOS QUE LA IMAGEN TIENE IMPORTANCIA ESPECIAL

La imagen tiene una importancia especial cuando el autor escribe sobre ciertos temas. La última parte de este estudio se dedica a un comentario sobre algunos de estos temas y el uso de la imagen que hace Cortázar al desarrollarlos.

El *tiempo* y la *Maga*

Oliveira busca la vida profunda, no en el pasado ni en el porvenir, sino adentrándose en el momento actual y exponiéndose a todos los riesgos y los deleites de la vida cotidiana. Para llegar a la vida de la Maga, él tiene que rechazar todo orden falso y evitar dar expresión verbal a sus sentimientos o analizarlos por la palabra. Nunca logra hacerlo, aunque se da cuenta de que la Maga está en la vida que él busca. Hay varias referencias al tiempo cuando los dos analizan sus relaciones. Al comienzo de la novela, Oliveira dice:

> ... Oh, Maga, en cada mujer parecida a vos se agolpaba como un silencio ensordecedor, una pausa filosa y cristalina que acababa por derrumbarse tristemente, como un paraguas mojado que se cierra (páginas 15-16).

Un poco después añade:

> ... fuiste siempre un espejo terrible, una espantosa máquina de repeticiones..., y el tiempo soplaba contra nuestras caras una lenta lluvia de renuncias y despedidas y tickets de metro (p. 17).

A Oliveira le parece que el recuerdo (el pasado) mata al presente:

> Cada vez iré sintiendo menos y recordando más, pero qué es el recuerdo sino el idioma de los sentimientos, un diccionario de caras y días y perfumes que vuelven como los verbos y los adjetivos en el discurso... (p. 115).

Durante el acto sexual, el tiempo alcanza su máxima inmediación: la Maga en tales momentos parece ser

> mítica y atroz como una estatua rodando por una montaña, arrancando el tiempo con las uñas, entre hipos y un ronquido quejumbroso que dura interminablemente (p. 43).

La Maga describe su mundo sin dirección, caótico, cuando dice que el tiempo «es un bicho que anda y anda» (p. 221).

Se notará en las imágenes de Oliveira su pesimismo, su incapacidad para abismarse en el momento presente sin analizarlo. Sólo durante la cópula (única comunión posible entre individuos) tiene el tiempo una vitalidad no analizada.

La palabra

La idea de matar la palabra para después volver a crearla es un tema repetido con frecuencia. Etienne dice que Morelli quería despegarse de las palabras, que sentía que «el lenguaje que usamos nos traiciona» (p. 503). Oliveira también se siente traicionado por las palabras, divorciado de ellas:

> Hace rato que no me acuesto con las palabras. Las sigo usando, como vos y como todos, pero las cepillo muchísimo antes de ponérmelas (página 115).

El uso metafórico de «acostarse» no es fortuito si nos acordamos del significado que tiene el acto sexual para Oliveira.

Oliveira reserva sus metáforas más agrias para describir su lucha con las palabras, como se puede notar en este trozo:

> Pero estoy solo en mi pieza, caigo en artilugios de escriba, las perras negras se vengan como pueden, me mordisquean desde abajo de la mesa. ¿Se dice abajo o debajo? Lo mismo te muerden. ¿Por qué, por qué, pourquoi, why, warum, perchè este horror a las perras negras? Míralas ahí en ese poema de Nashe, convertidas en abejas. Y ahí en dos versos de Octavio Paz, muslos del sol, recintos del verano... Tengo miedo de ese proxenetismo, de tinta y de voces, mar de lenguas lamiendo el culo del mundo (p. 484).

Y un poco más tarde continúa:

> En guerra con la palabra, en guerra, todo lo que sea necesario aunque haya de renunciar a la inteligencia, quedarse en el mero pedido de papas fritas y los telegramas Reuter, en las cartas de mi noble hermano y los diálogos del cine. Curioso, muy curioso que Puttenham sintiera las palabras como si fueran objetos, y hasta criaturas con vida propia. También a mí, a veces, me parece estar engendrando ríos de hormigas feroces que se comerán el mundo (p. 485).

Oliveira ataca a la palabra por las enumeraciones y por el «hachismo». Otra manera de atacarlas nos la presenta el autor en el capítulo 68, donde sustituye palabras inventadas por él, palabras que en realidad no existen, en un párrafo que describe una escena sexual. A pesar del número de sustituciones, entendemos perfectamente el sentido del capítulo. Así Cortázar nos indica que la parcial destrucción de las palabras no impide la comunicación.

París y Buenos Aires

En la novela hay pocas descripciones de la capital argentina, pero quiero citar una que merece ser incluida por sus imágenes gráficas:

> No sentís como nosotros a la ciudad como una enorme panza que oscila lentamente bajo el cielo, una araña enormísima con las patas en San Vicente, en Burzaco, en Sarandí, en el Palomar, y las otras metidas en el agua, pobre bestia, con lo sucio que es este río (p. 269).

De París hay muchas descripciones y las imágenes son, tal vez, las mejores de la novela. Gregorovius y Oliveira describieron a París como «una enorme metáfora» (pp. 159 y 215) y como escenario (y en cierto sentido, meta) de la búsqueda de Horacio. Al revisar las imágenes referentes a la ciudad, me di cuenta de que forman un poema en prosa, con una gran variedad de metáforas, y decidí poner las citas aquí, sin comentario, sin observar el orden en que aparecen en la novela, siguiendo una técnica parecida a la que sugiere el autor para leer los capítulos de su obra.

> ... el frío entra por una suela rota, en la ventana de ese hotel una cara como de payaso hace muecas detrás del vidrio. La sombra de una paloma roza un excremento de perro: París (p. 540).
> París debía ser una enorme burbuja grisácea en la que poco a poco se levantaría el alba (p. 204).
> París, una tarjeta postal con un dibujo de Klee al lado de un espejo sucio (p. 24).
> ... un gran amor a ciegas, todos estamos perdidamente enamorados, pero hay algo verde, una especie de musgo, qué sé yo (p. 163).
> París es un centro, entendés, una mandala que hay que recorrer sin dialéctica, un laberinto donde las fórmulas pragmáticas no sirven más que para perderse (p. 485).
> ... tendí la mano y toqué el ovillo París, su materia infinita arrollándose a sí misma, al magma del aire y de lo que se dibujaba en la ventana, nubes y buhardillas; entonces no había desorden, entonces el mundo seguía siendo algo petrificado y establecido, un juego de elementos girando en sus goznes, una madeja de calles y árboles y nombres y meses (p. 26).
> ... París nos destruye despacio, deliciosamente, triturándonos entre flores viejas y manteles de papel con manchas de vino, con su fuego sin color que corre al anochecer saliendo de los portales carcomidos. Nos arde un fuego inventado, una incandescentetura, un artilugio de la raza, una ciudad que es el Gran Tornillo, la horrible aguja con su ojo nocturno por donde corre el hilo del Sena, máquina de torturas como puntillas, agonía en un jaula atestada de golondrinas enfurecidas (pp. 439-440).

La búsqueda de Oliveira

Todo en esta antinovela es símbolo, empezando con el título mismo, *Rayuela,* metáfora por la búsqueda de Oliveira. Oliveira describe los ingredientes que son necesarios para jugar a la rayuela: «una acera, una piedrita, un zapato, y un bello dibujo con tiza, preferentemente de colores» (p. 251). La piedrita parece representar la cruz —«llegar con la piedrita» (¿cargar con su cruz?...)—, símbolo de sufrimiento y peligro. El zapato representa el esfuerzo, la lucha por llegar al cielo (p. 252). El cielo, azul, es «un nombre infantil de su kibbutz...» (p. 252). La imagen de la rayuela, con sus varias metáforas componentes, se repite en diversas partes de la novela. En el manicomio, Oliveira ve a Talita que juega a la rayuela, y cree que es la Maga (p. 366). Oliveira mismo imita las acciones de un jugador de rayuela: «Hizo una cosa tonta: encogiendo la pierna izquierda, avanzó a pequeños saltos por el pasillo... A cada salto había repetido entre dientes el nombre de Manú» (p. 367). Él habla de cómo Talita había jugado a la rayuela:

> Perdiste en la tercera casilla. A la Maga le hubiera pasado lo mismo, es incapaz de perseverar, no tiene el menor sentido de las distancias, el tiempo se le hace trizas en las manos, anda a tropezones con el mundo (p. 369).

Para Oliveira, el besar a Talita es

> como la caricia a la paloma, como la idea de levantarse para hacerle una limonada a un guardián, como doblar una pierna y empujar un tejo de la primera a la segunda casilla, de la segunda a la tercera. De alguna manera habían ingresado en otra cosa, en ese algo donde se podía estar de gris y ser de rosa, donde se podía haber muerto ahogada en un río (y eso ya no lo estaba pensando ella) y asomar en una noche de Buenos Aires para repetir en la rayuela la imagen misma de lo que acababan de alcanzar, la última casilla, el centro del mandala, el Ygdrassil vertiginoso por donde se salía a una playa abierta, a una extensión sin límites, al mundo debajo de los párpados que los ojos vueltos hacia adentro reconocían y acataban (pp. 373-374).

Así el juego refleja —anticipa— las acciones de los personajes, y especialmente las de Oliveira. Todos entran en el juego, pero sólo Oliveira logra pasar todas las casillas hasta llegar al Cielo.

La búsqueda es el proceso por el que Oliveira pasa de casilla en casilla, camino al Cielo. Ya desde el comienzo de la novela lo encontramos buscando algo:

Ya para entonces me había dado cuenta de que buscar era mi signo, emblema de los que salen de noche sin propósito fijo, razón de los matadores de brújulas (p. 20).

En medio de la confusión de la vida, él cree que la vida tiene que tener algún propósito: «No puede ser que estemos aquí para no poder ser» (p. 92). ¿Qué es lo que busca? No sólo la reconciliación con Dios, sino la fraternidad del hombre, la comunión entre la humanidad:

> ... especulaba sobre los tres días en que el mundo está abierto, cuando los manes ascienden y hay puente del hombre al agujero en lo alto, puente del hombre al hombre (porque, ¿quién trepa hasta el agujero si no es para querer bajar cambiado y encontrarse otra vez, pero de otra manera, con su raza?) (p. 313).

Con el místico, sufre la angustia del mundo, desespera y cree que jamás dará con la unión que tanto desea. Esta unión la expresa con una serie de metáforas:

> A Oliveira le iba a doler siempre no poder hacerse ni siquiera una noción de esa unidad que otras veces llamaba centro, y que a falta de contorno más preciso se reducía a imágenes como la de un grito negro, un kibbutz del deseo (tan lejano ya, ese kibbutz de madrugada y vino tinto) y hasta una vida digna de ese nombre porque... había sido lo bastante infeliz como para imaginar la posibilidad de una vida digna al término de diversas indignidades minuciosamente llevadas a cabo (p. 384).

Estas indignidades se parecen a los ritos de purificación de algunos santos o místicos. En el caso de Oliveira, él se propone deshacerse de un mundo que considera falso, por vía de la acumulación. Gregorovius describe así la reacción de Oliveira frente al mundo:

> La cosidad es ese desagradable sentimiento de que allí donde termina nuestra presunción empieza nuestro castigo... Oliveira es patológicamente sensible a la imposición de lo que lo rodea, del mundo en que se vive, de lo que le ha tocado en suerte, para decirlo amablemente. En una palabra, le revienta la circunstancia. Más brevemente, le duele el mundo... (página 84).

Para curarse de la cosidad, Oliveira se precipita a lo absurdo, lo cual él describe así:

> Lo que no entendemos es por qué eso tiene que suceder así, por qué nosotros estamos aquí y afuera está lloviendo. Lo absurdo no son las cosas, lo absurdo es que las cosas estén ahí y las sintamos como absurdas. A mí se me escapa la relación que hay entre yo y esto que me está

pasando en este momento. No te niego que me esté pasando. Vaya si me
pasa. Y eso es lo absurdo (pp. 194-195).

Para él, la historia, el folklore, las costumbres, las reglas, los hábitos
—todo lo que impone orden al hombre o una actitud artificial—
le parece absurdo y sin sentido. La idea de su desapego de un mundo
absurdo se resume en los siguientes símiles:

> A veces me convenzo de que la estupidez se llama triángulo, de que
> ocho por ocho es la locura o un perro. Abrazado a la Maga, esa con-
> creción de nebulosa, pienso que tanto sentido tiene hacer un muñequito
> con miga de pan como escribir la novela que nunca escribiré o defen-
> der con la vida las ideas que redimen a los pueblos (p. 28).

Sólo en ciertos momentos de crisis, de irracionalidad, puede esca-
parse del mundo:

> Y esas crisis que la mayoría de la gente considera como escandalosas,
> como absurdas, yo personalmente tengo la impresión de que sirven para
> mostrar el verdadero absurdo, el mundo ordenado y en calma... Los mi-
> lagros nunca me han parecido absurdos; lo absurdo es lo que los precede
> y los sigue (p. 196).

El esfuerzo del místico para librarse del mundo es un esfuerzo solitario: no puede ser compartido, le separa de los demás. Es lo mismo
en el caso de Oliveira. No hay contacto verdadero, profundo, con
ningún otro ser.

> Los contactos en la acción y la raza y el oficio y la cama y la cancha,
> eran contactos de ramas y hojas que se entrecruzan y acarician de árbol a
> árbol, mientras los troncos alzan desdeñosos sus paralelas inconciliables
> (página 120).

Cuando trata de ayudar a Berthe Trépat, el fracaso es inevitable.
Lo que comenzó como un sentimiento de lástima, terminó con las
más agrias descripciones de la vieja pianista («esa cara de muñeca
rellena de estopa» (p. 129), «esa muñeca desteñida», «ese pobre
globo inflado donde la estupidez y la locura bailaban la verdadera
pavana de la noche» (p. 136), «esa bola encorsetada que se movía
como un erizo bajo la lluvia y el viento» (p. 141). Aún sus relaciones con la Maga no tienen significado profundo para él:

> ... vamos componiendo una figura absurda..., dibujamos con nues-
> tros movimientos una figura idéntica a la que dibujan las moscas cuan-
> do vuelan en una pieza, de aquí para allá, bruscamente dan media vuel-
> ta, de allá para aquí, eso es lo que se llama movimiento brownoideo...,
> todo eso va tejiendo un dibujo, una figura, algo inexistente como vos
> y como yo..., una interminable figura sin sentido (p. 233).

Esto lo ha sentido la Maga y lo expresa con estas imágenes:

> ... sos el que va al museo y mira los cuadros. Quiero decir que los
> cuadros están ahí y vos en el museo, cerca y lejos al mismo tiempo. Yo
> soy un cuadro, Rocamadour es un cuadro. Etienne es un cuadro, esta
> pieza es un cuadro. Vos creés que estás en esta pieza, pero no estás.
> Vos estás mirando la pieza, no estás en la pieza (p. 34).

Y hay cierta alienación de sí mismo, como se revela en esta frase
dirigida a Traveler (el cual, en ciertos aspectos, parece ser un Oliveira «histórico»):

> ... siento que sos mi *doppelgänger,* porque todo el tiempo estoy
> yendo y viniendo de tu territorio al mío, si es que llego al mío, y en
> esos pasajes lastimosos me parece que vos sos mi forma que se queda ahí
> mirándome con lástima, sos los cinco mil años de hombre amontonados
> en un metro setenta... (p. 400).

En alguna ocasión Etienne se aprovechó de una frase de estilo
barroco para describir la angustia de Oliveira: dijo que éste era
«El alacrán clavándose el aguijón; harto de ser un alacrán, pero ne-
cesitado de alacranidad para acabar con el alacrán» (pp. 189-190).
Por lo cual él quería decir que Oliveira había revelado una «inexplicable tentación de suicidio de la inteligencia por vía de la inteligencia misma» (p. 189). Sería difícil ofrecer mejor descripción de la
meta del místico de la Edad Media. Así el «suicidio» de Oliveira,
sea físico o metafórico, representa su escape de un mundo que no
puede tolerar, y su llegada al cielo de la rayuela, la reconciliación
mística entre hombre y Dios y entre hombre y hombre.

«62. Modelo para armar»: ¿Agresión, regresión o progresión?

Ángela Dellepianc

Sin palabras llegar a la palabra (qué lejos, qué improbable).

(*Rayuela*, p. 99.)

Cuando apareció *Rayuela*, de Julio Cortázar, se produjo en el mundo literario hispanoamericano algo así como un terremoto. Se elogió la novela, se la denostó, se la comparó con el *Ulises* de Joyce, se la criticó duramente. Pero *Rayuela*, después de ser tan traída y llevada, después de siete años, está allí inconmovible, ya más calmadamente estudiada y aceptada como una de las mejores ficciones hispanoamericanas del presente, como la anti-novela por excelencia que lanza un desafío al lector, a la lengua, a la creación novelística.

Cortázar es uno de esos perfeccionistas que se han forjado un código propio de trabajo, de objetivos a alcanzar y de cómo alcanzarlos. No hay improvisación en sus obras. Hay, sí, en cambio, una constante reflexión acerca del quehacer literario y una incisiva observación de cuanto se produce —o se ha producido— en las literaturas europea y norteamericana. Hay, asimismo, una total identificación entre su condición humana y su condición de escritor: «Sólo hay una belleza que todavía puede darme ese acceso [a una realidad absoluta y satisfactoria]: aquella que es un fin y no un medio, y que lo es porque su creador ha identificado en sí mismo su sentido de la condición humana con su sentido de la condición de artista» [1].

Rayuela fue algo así como la culminación de casi veinte años de impuesta disciplina. En ese libro está encerrada toda una estética

---

[1] *Rayuela*, 2.ª ed. (Buenos Aires, Sudamericana, 1965), p. 539. Todas las citas se hacen por esta edición.

acerca de la que Cortázar empezó a reflexionar allá por sus años de *Realidad*. Por ello resulta doblemente interesante acercarse a la novela que vino después: *62. Modelo para armar*. Doblemente, digo, por lo que *Rayuela* significó en el contexto de la novelística continental y por lo que ella representó en la obra de Cortázar. Cabe preguntarse, frente a este otro libro, si Cortázar se ha mantenido fiel a sus propios postulados y de qué naturaleza son éstos, si los ha trascendido o si ha habido una regresión. Ya que ésta va a ser nuestra búsqueda, sentemos algunas premisas que han de permitirnos encontrar adecuadas respuestas a aquellas inquisiciones.

I

La búsqueda

Cortázar tiende a los sistemas «abiertos», a las encrucijadas dialécticas, a las antinomias, comprometido como está en la búsqueda de la esencia del hombre y de su vida. Recuérdese aquello de que «el hombre *no es*, sino que *busca ser*» (*Rayuela*, p. 418), verdad torturante, vitalmente sentida por Cortázar, premisa impulsora de toda su obra. De ahí que Oliveira-Cortázar vea el *hacer* como una protesta del ser, puesto que lo confronta con «la parvedad del presente» (*Rayuela*, p. 31); esto es, con las carencias y limitadas opciones del hombre, con la imposibilidad de alcanzar la *verdadera* naturaleza de las cosas. De ahí, también, que la búsqueda ininterrumpida de Cortázar debe verse como una *ascesis*, como el cumplimiento de una serie de etapas espirituales *(mandala)*, para llegar a ver la luz, la respuesta última a esa incógnita que es el vivir. A esa peregrinación metafísica, ontológica, Cortázar se entrega en su creación novelística [2], razón por la cual puede afirmar en *Rayuela* que «escribir es dibujar mi mandala y a la vez recorrerlo, inventar la purificación purificándose; tarea de pobre shamán blanco con calzoncillos de nylon» (458).

El lenguaje

A esa tarea literaria él trae muy específicas ideas con respecto al instrumento con que va a realizarla: el lenguaje. Las ha expresado en artículos, en entrevistas, en alguna medida en *Los*

---

[2] Recuérdese que Cortázar considera que «la presencia inequívoca de la novela en nuestro tiempo obedece a que es el instrumento verbal necesario para el apoderamiento del hombre como persona, el hombre viviendo y sintiéndose vivir» («Situación de la novela», *CuA*, 4, julio-agosto 1950, p. 228).

premios, pero, muy particularmente, en *Rayuela.* Cortázar hizo *Rayuela* dispuesto a «incendiar el lenguaje, acabar con las formas coaguladas e ir todavía más allá, poner en duda la posibilidad de que este lenguaje esté todavía en contacto con lo que pretende mentar... No se trata de sustituir la sintaxis por la escritura automática o cualquier otro truco al uso. Lo que él [Morelli] quiere es transgredir el hecho literario total, el libro» [3]. Como Morelli, Cortázar en *Rayuela* se ha dado el gusto de «seguir fingiendo una literatura que en el fuero interno minaba, contraminaba y escarnecía...: al final había siempre un hilo tendido más allá, saliéndose del volumen, apuntando a un tal vez, a un a lo mejor, a un quién sabe, que dejaba en suspenso toda visión petrificante de la obra» (*Rayuela,* pp. 602-603). Es decir, un *más allá* [4] que apunta a una superrealidad, a una suerte de meta ascética, al cielo de la rayuela.

En esta concepción cortazariana del lenguaje y de la obra literaria, se mezclan preocupaciones puramente estéticas con otras de índole social, filosófica, metafísica. En el plano de lo estético es evidente que Cortázar está de acuerdo con Breton en que «La mediocridad de nuestro universo, ¿no depende esencialmente de nuestro poder de enunciación?» [5]. Los surrealistas estaban decididos a terminar con los dogmas falsos de la civilización occidental, a recuperar el derecho del hombre «al sueño, al delirio, a la incongruencia y aun a la locura» [6], a crear un orden nuevo con un nuevo enfoque de la condición humana. Había que abarcar y comprender al hombre y el mundo a partir de «*todos* los medios del conocimiento y en especial de los ajenos a la razón» [7], tal como lo había proclamado Alfred Jarry, el creador de la patafísica, sistema meditado de desintegración total y de reconstrucción en lo insólito: «lo verdaderamente interesante no son las leyes, sino las excepciones» [8]. Había que usar la literatura como un arma de negación liberadora. Por ello fue que, en un primer momento, los surrealistas echaron mano de la escritura automática, para liberarse de un lenguaje estereotipado. En Cortázar hay también idéntica tendencia a liberar al hombre por medio de un lenguaje «que pueda ser usado como yo uso los fósforos y no como un fragmento decorativo, un pedazo de lugar común...» (*Rayuela,*

---

[3] *Rayuela,* p. 509. El subrayado me pertenece.
[4] O, como lo llama a veces Cortázar, el *otro lado* contraponiéndolo a *este lado,* tanto en *Rayuela* como en *62.*
[5] A. Breton, *Introduction au discours sur le peu de réalité,* apud M. Raymond, *De Baudelaire al surrealismo* (México, FCE, 1960), p. 248.
[6] Guillermo de Torre, *¿Qué es el superrealismo?,* 2.ª ed. (Buenos Aires, Columba, 1959), p. 19.
[7] Graciela de Sola, *Proyecciones del surrealismo en la literatura argentina* (Buenos Aires, Ediciones Culturales Argentinas, 1967), p. 13.
[8] Luis Harss, *Los nuestros* (Buenos Aires, Sudamericana, 1966), p. 297. De aquí en adelante todas las citas se refieren a esta edición.

página 500). Hay, además, un «ataque directo» contra un lenguaje «emputecido» (*Rayuela*, p. 504) que «nos engaña prácticamente a cada palabra que decimos»⁹, pero no para destruirlo, sino para «revivirlo» (*Rayuela*, p. 503), para «devolverle... sus derechos», «expurgarlo», «castigarlo» (*Rayuela*, p. 500), «incendiarlo», «acabar con las formas coaguladas e ir todavía más allá, poner en duda la posibilidad de que este lenguaje esté todavía en contacto con lo que pretende mentar» (*Rayuela*, p. 509).

Lector-cómplice

José M.ª Castellet ha dicho, hace algunos años, que ha sonado *la hora del lector*¹⁰, que ya no se puede no contar con la buena voluntad de ese ser no más receptivo, sino activo re-creador de la ficción que lee. Sábato, en *Sobre héroes y tumbas* y en *El escritor y sus fantasmas,* y Goytisolo, en su ensayo *Problemas de la novela,* entre los novelistas, y un copioso número de críticos han afirmado la aparición de este lector de nuevo cuño que resulta algo así como un «cómplice» del autor, como el «ejecutante» de una partitura cuyos símbolos, claves y silencios tiene que saber penetrar, volviéndose así un «intérprete» acabado cuya muda dialéctica contribuirá cada vez a re-crear la novela y sus conflictos.

Cortázar está superlativamente interesado en esa clase de lectores (bien conocido es su desprecio por el lector-hembra o hedónico): «... hacer del lector un cómplice, un camarada de camino. Simultaneizarlo, puesto que la lectura abolirá el tiempo del lector y lo trasladará al del autor. Así el lector podría llegar a ser copartícipe y copadeciente de la experiencia por la que pasa el novelista, *en el mismo momento y en la misma forma*»¹¹. Y lo está porque da por sentado que esa clase de lector es capaz de reaccionar ante su obra —«me pregunto si alguna vez conseguiré hacer sentir que el verdadero y único personaje que me interesa es el lector, en la medida en que algo de lo que escribo debería contribuir a mutarlo, a desplazarlo, a extrañarlo, a enajenarlo» (*Rayuela*, pp. 497-498).

---

⁹ Harss, p. 285. En *62* expresa Cortázar otra vez esta misma idea al decir: «... reavivar esa materia que cada vez se volvía más lenguaje, arte combinatoria de recuerdos y circunstancias, sabiendo que... Todo lo que contara estaría irremisiblemente falseado, puesto en orden, propuesto como enigma de tertulia» (*62. Modelo para armar,* Buenos Aires, Sudamericana, 1968, p. 30). Todas las citas van por esta edición.
¹⁰ *La hora del lector* (Barcelona, Seix Barral, 1957).
¹¹ *Rayuela,* p. 453. El subrayado es del autor.

El fragmentarismo y las figuras

Tal como los surrealistas, Cortázar rechaza la banalidad, las clasificaciones limitadoras, lo convencional y académico [12], la falsa ordenación del mundo (esa «gran máscara podrida de Occidente», *Rayuela*, p. 560) y prefiere la ruptura de esquemas racionales, el desorden, «la elección de una inconducta en vez de una conducta» (*Rayuela*, p. 25), se interesa por lo excepcional y singular, por lo aparentemente inconexo [13]. En estas premisas hay que buscar la razón de la estructura novelística de las creaciones de Cortázar. *Rayuela*, y en mayor medida *62*, están concebidas no a partir de la causalidad de los hechos, sino como superposición (interposición), de escenas aisladas, de parejas o grupos relacionados de «otro» modo [14]. No obstante ese desorden, ese fragmentarismo de la composición, Cortázar tiende a la captación de una totalidad, de un más allá coherente, de un ámbito que sobrepase lo consciente y en el que el ser vea la trama, la constelación de la que forma parte sin saberlo [15]:

> Leyendo el libro se tenía por momentos la impresión de que Morelli había esperado que la acumulación de fragmentos cristalizara bruscamente en una realidad total. Sin tener que inventar los puentes o coser los diferentes pedazos del tapiz, que de golpe hubiera ciudad, hubiera tapiz, hubiera hombres y mujeres en la perspectiva absoluta de su devenir, y que Morelli, el autor, fuese el primer espectador maravillado de ese mundo que ingresaba en la coherencia.

[12] «Muy pronto, por desgracia, uno de los tres hará lo convencional, dirá lo que hay que decir, cometerá la tontería estatuida, se irá o volverá o se equivocará o llorará o se matará o se sacrificará o se aguantará o se enamorará de otro o le darán una beca Guggenheim, cualquiera de los pliegues de la gran rutina, y dejaremos de ser lo que fuimos, nos volveremos la masa bien pensante y bien actuante» (*62*, p. 50).

[13] «... el [rechazo del inconformista de Morelli] de todo lo que huele a idea recibida, a tradición, a estructura gregaria basada en el miedo y en las ventajas falsamente recíprocas... No es misántropo, pero sólo acepta de hombres y mujeres la parte que no ha sido plastificada por la superestructura social; él mismo tiene medio cuerpo metido en el molde y lo sabe, pero ese saber es activo y no la resignación del que marca el paso. Con su mano libre se abofetea la cara la mayor parte del día, y en los momentos libres abofetea la de los demás...» (*Rayuela*, p. 442).

[14] «Morelli es un artista que tiene una idea especial del arte, consistente más que nada en echar abajo las formas usuales... Por ejemplo, le revienta la novela rollo chino. El libro que se lee del principio al final como un niño bueno..., cada vez se preocupa menos la ligazón de las partes..., busca una interacción menos mecánica, menos causal de los elementos que maneja...» (*Rayuela*, p. 505).

[15] Uno de los personajes de *62* dice de Juan —Cortázar— que «tendía a verlo todo como en una galería de espejos», como un «calidoscopio que él se pasaba la vida queriendo fijar y describir» (*62*, p. 49).

Pero no había que fiarse, porque coherencia quería decir en el fondo asimilación al espacio y al tiempo, ordenación a gusto del lector-hembra. Morelli no hubiera consentido en eso, más bien parecía buscar una cristalización que, sin alterar el desorden en que circulaban los cuerpos de su pequeño sistema planetario, permitiera la comprensión ubicua y total de sus razones de ser, fueran éstas el desorden mismo, la inanidad o la gratitud. Una cristalización en la que nada quedara subsumido, pero donde un ojo lúcido pudiese asomarse al calidoscopio y entender la gran rosa policroma, entenderla como una figura, *imago mundis* que por fuera del calidoscopio se resolvía en living room de estilo provenzal, o concierto de tías tomando té con galletitas Bagley (*Rayuela,* p. 533).

El nombre que Cortázar emplea para designar esa constelación es el de *figura,* y es término en el que conviene detenerse. Como el mismo Cortázar lo atestigua en su charla con Harss, con Persio, en *Los premios,* «tuve por primera vez una intuición que me sigue persiguiendo, de la que se habla en *Rayuela* y que yo quisiera poder desarrollar ahora a fondo en un libro. Es la noción de lo que yo llamo las figuras. Es como el sentimiento —que muchos tenemos, sin duda, pero que yo sufro de una manera muy intensa— de que, aparte de nuestros destinos individuales, somos parte de figuras que desconocemos. Pienso que todos nosotros componemos figuras... Siento continuamente la posibilidad de ligazones, de circuitos que se cierran y que nos interrelacionan al margen de toda explicación racional y de toda relación humana... Persio tiene un poco una visión estructural de lo que pasa. Ve siempre las cosas como figuras, como conjuntos, a manera de grandes complejos, y trata de explicarse los problemas desde ese punto de vista que representa una especie de supervisión». (Harss, pp. 277-278). Lo que Cortázar desea es «escribir de manera tal que la narración estuviera llena de vida en su sentido más profundo, llena de acción y de sentido, y que al mismo tiempo esa vida, esa acción y ese sentido no se refirieran ya a la mera interacción de los individuos, sino a una especie de superacción de las figuras formadas por constelaciones de personajes... Quisiera llegar a escribir un relato capaz de mostrar cómo esas figuras constituyen una ruptura y un desmentido de la realidad individual, muchas veces sin que los personajes tengan la menor conciencia de ello. Uno de los tantos problemas, ya sospechado en *Rayuela,* es saber hasta qué punto un personaje puede servir para que algo se cumpla por fuera de él sin que tenga la menor noción de esa actividad, de que es uno de los eslabones de esa especie de superación, de superestructura». (Harss, p. 289). Superestructura que es una superrealidad, algo que supera la realidad y se aleja de ella, pero a su través [16].

---

[16] Esto es, que uno hace su vida, pero siempre a merced de fuerzas superiores, dibujando una figura que desconoce, que no sabe dónde lo conducirá: «... nadie podía ser y quitar a la vez una astillita azul o una cuenta púrpura

Debido a esa necesidad de acercarse a esa superestructura, Cortázar no puede desenvolver sus ficciones en una secuencia temporal lineal, ni tampoco puede limitarse a un determinado medio espacial, sino que tiene que avanzar y retroceder en «abierta violación del equilibrio y los principios que cabría llamar *morales* del espacio» [17].

De igual modo, la *figura* opera sobre los personajes, sus acciones e interacciones, como también sobre el *doppelgänger:* «Los dobles, dice Cortázar, son como sus 'figuras', o más bien, a la inversa, 'las figuras serían en cierto modo la culminación del tema del doble, en la medida en que se demostraría o se trataría de demostrar una concatenación, una relación entre diferentes elementos que, vista desde un criterio lógico, es inconcebible'». (Harss, p. 292). Es decir, que el doble es usado por Cortázar como un puente entre esos seres distantes y diversos que forman parte de una misma *figura.* Por ello, en la novela de Cortázar, la superestructura llega a ser lo fundamental, y los personajes y sus caracteres pasan a ser lo secundario, lo que puede intercambiarse.

La *figura* actúa asimismo sobre el lector, puesto que es a él a quien Cortázar reserva la tarea de descubrir con figura, esas constelaciones que aúnan personajes y vidas: «Los puentes entre una y otra instancia de esas vidas tan vagas y poco caracterizadas, debería presumirlos o inventarlos el lector, desde la manera de peinarse, si Morelli no la mencionaba, hasta las razones de una conducta o de una inconducta, si parecía insólita o excéntrica. El libro debía ser como esos dibujos que proponen los sicólogos de la Gestalt, y así ciertas líneas inducirían al observador a trazar imaginativamente las que cerraban la figura» *(Rayuela,* p. 533).

El humor

Resuelto como está Cortázar a «provocar, asumir un texto desaliñado, desanudado, incongruente, minuciosamente antinovelístico» *(Rayuela,* p. 452), a dar por tierra con el orden cerrado de la novela tradicional, él ha buscado «cortar de raíz toda construcción sistemática de caracteres y situaciones» (ib.). Y el método que recomienda —y que pone en práctica— es el de «la *ironía,* la autocrítica incesante, la *incongruencia,* la imaginación al servicio de nadie» (ib.) [18]. En esta

---

[del calidoscopio]; si agitaba el tubo y la figura se armaba por su cuenta, ya no se podía ser a la vez la mano y la figura» *(62,* p. 50).

[17] *Rayuela,* p. 602. El subrayado es del autor.

[18] Y dos páginas más tarde insiste en lo mismo: «Todo ardid estético es inútil para lograrlo [la complicidad del lector]: sólo vale la materia en gestación, la inmediatez vivencial (transmitida por la palabra, es cierto, pero una palabra lo menos estética posible; de ahí la novela 'cómica', los *anticlímax,* la

lista me interesan el primer y tercer términos, que he destacado. Uno, la ironía, es método clásico; el otro, la incongruencia, es herencia surrealista y está íntimamente relacionado con el humor en Cortázar.

Los surrealistas habían postulado que sólo mediante la incorporación de todo lo existente en su cosmovisión, podría el individuo recobrar su perdido poder. Relacionado con este anhelo de lo absoluto, está el concepto de que el mundo es absurdo debido a su finitud. Así es que, para destruir los límites de la realidad y borrar las condiciones inhibitorias de la existencia cotidiana, los surrealistas hacen entrar en su obra el absurdo y el humor, con los que se quiere, por caricaturización, señalar la inutilidad de los cánones burgueses y la frustración a que reducen al hombre que se acomoda a ellos. La técnica usada para conseguir estos fines es la de sacar un objeto de su contexto habitual y colocarlo, incongruentemente, en otro plano. Sólo así, sostenían Breton y sus seguidores, se podría llegar a conocer el ser verdadero de las cosas. Otra vez aquí, como ya antes, Cortázar, al suscribirse a este principio, está aceptando las enseñanzas de su admirado Jarry, quien sostenía que la risa nace del ambiente contradictorio en que vivimos. «Jarry —dice Cortázar— se dio perfecta cuenta de que las cosas más graves pueden ser exploradas mediante el humor; el descubrimiento y la utilización de la patafísica es justamente tocar fondo por la vía del humor negro» (Harss, p. 283). El propósito de este humor, de las incongruencias y absurdos es desconcertar, desquiciar al lector (como sostiene Harss) y, por allí, empujarlo a la reflexión, a la comprensión de la absurdidad del mundo en que vive. Por todo lo cual es fácil comprender que el humorismo de Cortázar es agónico y no lúdico y apunta hacia los mismos objetivos que lo compelen a llevar a cabo una búsqueda incesante en su obra.

El azar

Los surrealistas lucharon denodadamente por la valoración del inconsciente, del mundo síquico extrarracional del hombre; esto es, por sacar a la superficie lo intuitivo, lo onírico, las sensaciones, lo videncial, lo mítico, lo maravilloso, el azar, de modo tal de llegar, por medio de analogías, a captar la unidad profunda de lo real. Para ello exaltaron el poder de la imaginación capaz de acercar los objetos más alejados, relacionándolos mágicamente a fin de obtener una suprema armonización. Esto en la obra literaria lleva a la existencia

---

ironía, otras tantas flechas indicadoras que apuntan hacia lo otro)» (*Rayuela*, páginas 453-454).

de una serie de coincidencias, premoniciones, hechos explicados —a priori o a posteriori— por sueños, por encuentros fortuitos. Éste es el azar que los surrealistas llamaron «objetivo» y que puede definirse como «lugar geométrico donde se producen esas coincidencias turbadoras, el punto de reunión entre el curso aparentemente autónomo de nuestra vida espiritual y el curso aparentemente autónomo del mundo exterior» [19]. Con su empleo metódico se pretende «elucidar relaciones entre 'necesidades naturales' y 'necesidades humanas', manifestando la invasión de 'lo maravilloso' en la vida cotidiana. Para los surrealistas —escribe Carrouges— el hombre marcha en pleno día entre un tejido de fuerzas ocultas; le bastaría discernir y captar éstas para avanzar, frente al mundo, en la dirección del punto supremo» [20].

Cortázar demuestra su adhesión a estas ideas desde el momento en que construye sus novelas sobre la casualidad y nos confronta a cada paso con hechos fortuitos, inesperados: el accidente de Morelli, el concierto de Berthe Trépat en Rayuela; el «juego» de Marrast con los Neuróticos Anónimos y el cuadro del museo en 62 [21], para no citar sino los más flagrantes. Idea esta del azar a través de la cual lo absurdo se vuelve real y que se une a lo que ya dijimos sobre el humor en Cortázar.

II

Teniendo en cuenta estas premisas, podemos ahora entrar de lleno en la consideración de 62. Modelo para armar. Y lo primero es formular la idea central sobre la que reposa esta novela. Idea que ya Cortázar explicó al escribir el capítulo 62 de Rayuela y que es formulación, a través de Morelli, de su propio concepto de lo que debe ser «su» novela:

> ... postular un grupo humano que cree reaccionar psicológicamente...,
> pero que no representa más que una instancia de ese flujo de la materia
> animada, de las infinitas interacciones de lo que antaño llamábamos de-
> seos, simpatías, voluntades, convicciones, y que aparecen aquí como algo
> irreductible a toda razón y a toda descripción: fuerzas habitantes, ex-
> tranjeras, que avanzan en procura de su derecho de ciudad; una bús-

---

[19] Guillermo de Torre, op. cit., p. 38.
[20] Ibid.
[21] «Un juego del tedio y la tristeza había alterado un orden, un capricho había incidido en las cadenas causales para provocar un brusco viraje, dos líneas enviadas por correo podían entonces conmover el mundo, aunque fuera solamente un mundo de bolsillo» (62, p. 156). Y ya antes ha dicho, aún más explícitamente, que «Todos mis actos en esa última media hora se situaban en una perspectiva que sólo podía tener sentido desde lo que me había sucedido en el restaurante Polidor, anulando vertiginosamente cualquier enlace causal ordinario» (p. 25).

queda superior a nosotros mismos como individuos y que nos usa para sus fines, una oscura necesidad de evadir el estado de homo sapiens hacia... ¿qué homo?... Si escribiera ese libro, las conductas standard (incluso las más insólitas, su categoría de lujo) serían inexplicables con el instrumental psicológico al uso. Los actores parecerían insanos o totalmente idiotas. No que no se mostraran incapaces de los *challenge and response* corrientes: amor, celos, piedad y así sucesivamente, sino que en ellos algo que el homo sapiens guarda en lo subliminal se abriría penosamente un camino como si un tercer ojo parpadeara penosamente debajo del hueso frontal. Todo sería como una inquietud, un desasosiego, un desarraigo continuo, un territorio donde la causalidad psicológica cedería desconcertada, y esos fantoches se destrozarían o se amarían o se reconocerían sin sospechar demasiado que la vida trata de cambiar la clave en y a través y por ellos, que una tentativa apenas concebible nace en el hombre como en otro tiempo fueron naciendo la clave-razón, la clave-sentimiento, la clave-pragmatismo. Que a cada sucesiva derrota hay un acercamiento a la mutación final, y que el hombre no es, sino que busca ser, proyecta ser, manoteando entre palabras y conducta y alegría salpicada de sangre y otras retóricas como esta (*Rayuela*, pp. 417-418).

Si, como se ha dicho alguna vez, *62* estaba ya redactada en 1957, hay que subrayar la identidad de ambas novelas —*Rayuela* y *62*— en lo que hace a esta idea central. Pero, comparándolas, *62* parece haber ido más lejos en el rompimiento del principio de causalidad [22]. Porque —lector-hembra o no— leer los primeros 56 capítulos de *Rayuela* es tarea relativamente fácil, a pesar de la dislocación temporal y los procedimientos narrativos. Mas no lo es, en cambio, leer *62*, en primer lugar, por dos palabritas que nos asaltan constantemente —*la zona, la ciudad*—, y luego, por una serie de coincidencias extrañas, de magias cuyo sentido no se alcanza a comprender, de itinerarios en tranvías con paquetes que no son lo que parecen, de desenlaces (¿desenlaces?) que nos dejan sin saber a ciencia cierta qué le pasó a nuestras pobres heroínas. En suma, si bien mucho más breve y más estrictamente novelesca, *62* demanda más de su lector que *Rayuela*. Y esto es así porque Cortázar nos arranca de nuestro mundo tridimensional y nos empuja (¡y con qué empellones!) a otro «terreno» para el que estamos desprovistos y en el que coincidencias inexplicables asocian elementos reales, en que hechos cotidianos son corta-

---

[22] Esto se ve claro al comienzo de la novela cuando Cortázar, por boca de Juan, pide de su lector una comprensión del relato que deberá alcanzar por la vía intuitiva, a-lógica y que supondrá el olvido de su bagaje racional habitual: «... sé que todo es falso, que ya estoy lejos de lo que acaba de ocurrirme y que, como tantas otras veces, se resuelve en *este inútil deseo de comprender, desatendiendo quizá el llamado o el signo oscuro de la cosa misma*... Ahora todo eso no me ha dejado más que la curiosidad... *Y lo otro, la crispación en la boca del estómago, la oscura certidumbre de que por allí,* no por esta simplificación dialéctica, *empieza y sigue un camino»* (*62*, pp. 11-12. El subrayado es mío).

dos por sucesos extraños, inesperados —una muñeca, un comensal gordo, una piedra de hule, un vino Sylvaner, un caracol, una condesa sangrienta, un muchacho muerto, un basilisco, un palacio en Viena, un libro de Butor [23]. Todo lo cual nos habla de una simbología oculta, de un orden distinto que nosotros, inquisitivamente, tenemos que descubrir. Tarea ésta, sin embargo, para la que no se nos dan suficientes instrumentos simplemente porque tampoco el autor los tiene, porque el libro es en sí una búsqueda que no ha arribado todavía a esa realidad profunda, a ese *lo otro*. *62* es esa *inquietud*, ese *desasosiego*, ese *desarraigo*, ese *territorio* en que la *casualidad* sicológica *ha cedido desconcertada*. Y si no se lo lee poniéndose en actitud de ¡ojo-estoy-pisando-terreno-desconocido!, no se lo podrá gustar en todas sus sutilezas y complejidad.

Cortázar en *62* ha reunido una serie de esas que Jung denominaba *meaningful coincidences* [24] y que se dan en un ordenamiento superior que el hombre no puede aprehender. Muestra una serie de hechos pedestres, absurdos, entre seres corrientes manejados por un azar implacable [25], que los usa, los mueve [26], los une o los separa, determinando así figuras que integran un contexto impenetrable porque están predeterminadas por una fuerza superior [27]. Ese «armado»

---

[23] Los hechos fortuitos a partir de los que la novela se conforma y las coincidencias significativas que la abren son los siguientes: Juan compra un libro de Butor «sabiendo que lo compraba sin necesidad y sin ganas» (p. 27). Hojeando el libro en el restaurante Polidor, ve el nombre de Chateaubriand y, segundos después, rompiendo el silencio, oye al comensal gordo (cuya imagen ve en un espejo) pedir un *château* (común abreviatura de Chateaubriand) *sanglant*, que Juan traduce —mal y a sabiendas, pero transmitiendo esto a su lector— como *castillo sangriento*, lo que le trae la evocación «inmotivada» de Frau Marta, quien, a su vez, se relaciona con la famosa «condesa sangrienta» Erszébet Báthory y sus célebres residencias: el castillo de Csythe en Hungría y la Basilisken Haus en la Blutgasse (calle de la sangre) en Viena. Esto despierta otra evocación: la de la casa del basilisco en París, animalito que trae la imagen de un *clip* de Hélène y del anillo de M. Ochs. Y por si todo esto fuera poco, Juan se descubre bebiendo vino Sylvaner, «que contenía en sus primeras sílabas como en una charada las sílabas centrales de la palabra donde latía a su vez el centro geográfico de un oscuro terror ancestral» (p. 24). Esa palabra es Trans*ilva*nia, y la otra palabra que también contiene, aunque invertidas, esas dos primeras sílabas —basil— es basilisco.

[24] «Synchronicity: an acausal connecting principle», en C. G. Jung & W. Pauli, *The Interpretation of Nature and the Psyche* (New York, Pantheon Books, 1955), p. 14.

[25] «Tell, ¿cuántas combinaciones habrá en esa roñosa baraja que el tipo con cara de pescado está mezclando en la mesa del fondo?» (*62*, p. 192).

[26] «... tú y yo sabemos demasiado de algo que no es nosotros y juega estas barajas en las que somos espadas o corazones, pero no las manos que las mezclan y las arman, juego vertiginoso del que sólo alcanzamos a conocer la suerte que se teje y desteje a cada lance, la figura que nos antecede o nos sigue, la secuencia con que la mano nos propone al adversario, la batalla de azares excluyentes que decide las posturas y las renuncias» (*62*, p. 38).

[27] Que los personajes son conscientes de esto se ve en frases como las si-

del título es el que se da por sí solo una vez que hemos finiquitado
la lectura y del que resulta la «figura» que nosotros mismos seamos
capaces de formar.

Claro que la lucha del lector con esos símbolos recurrentes retacea
la comprensión, el goce, y el libro se vuelve críptico en una medida
tal que perturba. Aunque también es fuerza reconocer que si los
numerosos enigmas que emergen de las páginas de 62 no se resuelven, ello ha sido buscado por el autor y, en última instancia, no
deterioran nuestra comprensión del libro, comprensión que el lector
sensible otorgará más por vía simpática que lógica. Porque 62 es un
libro que exige, como pocos, un lector-cómplice y aún más, un lector
supersensible que pueda captar todos los matices, tanto del pensamiento cuanto del estilo, que sea capaz de vibrar intensamente ante
el cuerpo de Celia que la sábana tironeada por Austin descubre lentamente, como ante el *thriller* que se desarrolla en la habitación
de la chica inglesa; que se ría con las innúmeras *gags* que salpican
todo el libro como que se emocione frente a ese Marrast impotente
para ganarse a Nicole; que se entusiasme con alusiones hiperinte-
lectuales como con la suave poesía de ciertas metáforas; que ab-
sorba con delectación los pequeños —pero decisivos— toques de una
lengua sugerente en extremo, ya sean ellos del nivel conversacional,
lunfardo o de idiomas extranjeros, como así también que compren-
da el sutil uso del *vos* y del *tú* en un autor argentino acostumbrado
al voseo, pero que pone el tú en boca de sus personajes franceses
(o ingleses o de la nórdica Tell) por oposición a los argentinos Juan,
Polanco, Calac y mi paredro, en un afán por dar algún viso de realidad al hecho convencional de tener que hacer hablar a todos sus
personajes una misma lengua.

Me parece evidente que 62, al igual que *Rayuela*, es una *búsqueda*,
y que Juan es un protagonista que cuestiona la realidad en la misma
medida en que Oliveira lo hacía. Pero mientras Oliveira se hundió en
la locura o la muerte, Juan —más convencional y quizá más real—
se aturde con alcohol, se deja arrastrar por la rutina de las sucias
palabras y hace el amor a falta de algo mejor. No obstante, que está
en la misma tarea de Oliveira se comprende no bien se abre el libro:
en ambos idéntico hurgar mental a partir de preguntas que destaparán
toda una secuela de hechos, seres, acciones, conductas y esas mágicas
e inexplicables coincidencias a que ya antes nos referimos. Juan, además, lo dice bien claro: «... este inútil deseo de comprender, desatendiendo quizá el llamado o el signo oscuro de la cosa misma, el
desasosiego en que me deja, la instantánea mostración de otro orden

---

guientes: «... la interminable libertad de elegir lo que de nada nos serviría»
(página 233); «... Y, sin embargo, estás aquí por eso, y otra vez tenemos que
pensar que nos usan, que servimos vaya a saber para qué» (p. 235).

en el que irrumpen recuerdos, potencias y señales para formar una fulgurante unidad que se deshace en el mismo instante en que me arrasa y me arranca de mí mismo. Ahora todo eso no me ha dejado más que la curiosidad, el viejo tópico humano: descifrar» (62, p. 11). En este libro, sin embargo, Cortázar ha corporizado, por decir así, esa búsqueda no ya en una rayuela, sino en un itinerario que Hélène cumple por las callejuelas intrincadas de eso que Cortázar ha denominado la ciudad y que ella recorre a pie o, muy frecuentemente, en tranvía cargando un paquete, cada vez más pesado, cuyo contenido desconoce, como desconoce también adónde va y por qué. Estos itinerarios de Hélène irrumpen en la narración súbitamente —«Tal vez ya llevaba un largo rato sintiendo que Celia lloraba en silencio, dándome también la espalda, cuando la callejuela viró bruscamente y el codo en que se apelmazaban viejas casas de piedra me dejó bruscamente frente a la explanada de los tranvías» [28]—, con lo que se patentiza el carácter obsesivo que poseen en la vida de Hélène como, asimismo, en la de Juan, a quien vemos obsesionado por tranvías en los que divisa a una Hélène siempre inalcanzable. En él la búsqueda es doble, porque, por un lado, busca descifrar lo otro —búsqueda metafísica, ontológica— y, por otro, comunicarse con la mujer a quien quiere —búsqueda sentimental, romántica—, mientras que en ella la búsqueda es la de sí misma, la de su verdadero ser. En este sentido, todos los personajes están comprometidos en una búsqueda, aunque no lo saben: Marrast, cuando inventa el juego con los neuróticos y el cuadro; Nicole, en su amor no correspondido; Tell, en aceptar lo que viene y como viene; Polanco, con sus experimentos; Calac, con sus novelas. Celia y Austin parecen ser los únicos que hallan una respuesta en el mutuo descubrimiento de sus cuerpos, en una cópula total, espiritual y física. Representan lo epifánico —al igual que la Maga en Rayuela—; es decir, otra vez una concepción surrealista en Cortázar; el amor como salvación [29]. Celia y Austin, como la Maga, son seres inocentes [30], intuitivos, que viven poéticamente (ella se escapa de su familia sin saber adónde ir o qué hacer; él toca el laúd). Sin saberlo, ellos también realizan, al amarse, la búsqueda de lo absoluto a través de esos instantes fugaces.

Quedan por dilucidar los símbolos de esta búsqueda cortazariana. El paquete puede interpretarse como la carga de miserias que arrastramos en nosotros (en Hélène, una homosexualidad que abomina, pero de la que no puede desprenderse); el tranvía es el destino,

---

[28] 62, p. 165. El subrayado me pertenece.
[29] Véase F. Alquié, The Philosophy of Surrealism (Ann Arbor, The University of Michigan Press, 1965), pp. 84 y ss.
[30] Lo prueba la reacción de Celia ante el comportamiento de Hélène y el relato de Austin de su primera experiencia sexual con la prostituta francesa, una de las páginas más hilarantes de la novela.

predeterminado e inamovible porque se desliza sobre rieles: todo puede cambiar en los tranvías —los guardas, los pasajeros—, mas la ruta es inalterable. Los rieles obligan a que lo sea. Y Tell lo ve claro cuando dice a Juan: «¿No sabías que son Némesis...? ... son los últimos dragones, las últimas gorgonas» (p. 189).

De estos símbolos el de *la ciudad* es el de más difícil captación, quizá porque en él, Cortázar ha invertido tanto esfuerzo para formular un pensamiento que tal vez no sea totalmente claro ni para él mismo [31]. La clave, bastante ambigua y elusiva, la da Cortázar en la novela en varias ocasiones. Dice

> ... en la ciudad que también ellos [los amigos] conocen y temen y a veces recorren... (p. 20).

y que es conveniente discutir porque

> todos nosotros estábamos de acuerdo en que cualquier lugar o cualquier cosa podían vincularse con la ciudad [32], y así a Juan no le parecía imposible que de alguna manera lo que acababa de ocurrirle [en el Polidor] fuese materia de la ciudad, una de sus irrupciones o sus galerías de acceso, abriéndose esa noche en París como hubiera podido abrirse en cualquiera de las ciudades adonde lo llevaba su profesión de intérprete... La ciudad podía darse en París, podía dársele a Tell o a Calac en una cervecería de Oslo, a alguno de nosotros le había ocurrido pasar de la ciudad a una cama en Barcelona, a menos que fuera lo contrario. *La ciudad no se explicaba, era...* [33]

De todo lo cual deducimos que la ciudad es algo así como una entidad suprarreal, el lugar —o la circunstancia o el momento— en que Juan o Marrast o Tell o cualquier otro de los personajes [34] pueden

---

[31] «Pues si es verdad que debajo de la obra de un gran escritor hay siempre una *Weltanschauung,* no siempre esa concepción del universo puede expresarse en ideas claras y distintas; o, en todo caso, la natural forma de expresarla es, en el poeta, su mágica creación, lo que es algo menos, pero también algo más que una filosofía; algo menos y algo más que un conjunto de conceptos: es una visión total de la realidad, en parte conceptual y en parte intuitiva, parcialmente intelectual y en sumo grado emocional y mágica» (E. Sábato, «Prefacio» a Witold Gombrowicz, *Ferdydurke,* 2.ª ed., Buenos Aires, Sudamericana, 1964, p. 8).

[32] Ha dicho un instante antes que en adelante no mencionará la Ciudad con mayúscula, «puesto que no hay razón para extrañarla —en el sentido de darle un valor privilegiado por oposición a las ciudades que nos eran habituales—» (p. 22).

[33] *Ibid.* El subrayado es mío.

[34] Excepto Feuille Morte, que está definitivamente excluida de la ciudad (página 23). ¿Por qué? Nunca se nos lo explica. Pero al avanzar en la lectura y encontrarnos otras veces con este personaje enigmático que sólo dice «Bisbis» y al que al final custodian como si temieran perderla (p. 268), parecería que ella representa esas cosas pequeñas, intrascendentes, pero en las que quizá se

ser ellos mismos, sin fingimientos, sin concesiones a lo convencional y establecido. En el poema que de pronto se le entona a la ciudad (páginas 32 a 36), están contenidos los elementos que le dan realidad: duchas, un canal, navíos, silencio, un puente liso, calles, una calle que sale hacia el campo, casas, expectativas agazapadas, el mercado con portales y tiendas de frutas, los rieles y el tranvía, un barrio como el Once, paredones tranquilos, presagios, podredumbre, el hotel, verandas tropicales, habitaciones con puertas que no dan a nada, una cita, un ascensor en el que el miedo se coagula, la mansión infinita, retretes, trenes, el Perro. Una conjunción de elementos que ya, desde el nivel de la sintaxis hasta el de las significaciones, nos obligan a leer con un sexto sentido avizor. Y terminada la lectura, le queda a uno el regusto de poemas surrealistas en que hay que entretejer las asociaciones aparentemente más dispares para desentrañar su significado. Tarea no siempre satisfactoria, ya que esas asociaciones son, en gran medida, un producto de vivencias demasiado personales del autor. No importa dónde esté localizada la acción en un momento dado de la novela, cada vez que aparece uno de estos elementos sabemos que estamos en la ciudad y que en ella se pueden encontrar los que están lejos, y en su canal es donde Nicole parece suicidarse y en su hotel en donde Austin parece asesinar a Hélène y allí es donde sentimientos, gustos y disgustos, convicciones, irreductibles a la razón, adquieren ese «derecho de ciudad» que Morelli buscaba y que quizá sea sinónimo de aquel «punto supremo» de los surrealistas que antes citamos.

Todos los personajes de 62 dibujan su mandala (o su rayuela) y no uno solo como en el libro anterior. Y es por ello que en todos queda pendiente un hilo que se sale de la novela y que apunta —como ya lo mencionamos— «a un tal vez, a un a lo mejor, a un quién sabe» (Rayuela, pp. 602-603) que deja la obra abierta al «armado» que cada lector sea capaz de hacer con ella. Pero esta «obra abierta» opera como tal sobre el lector no sólo desde su trama, sino aun desde su lenguaje. En igual medida que en Rayuela, aquí en 62 Cortázar ha tratado de revivir el lenguaje, de castigarlo para exprimirlo y llegar a formas no coaguladas. Prueba de ello son los siguientes elementos de estilo [35]:

a) Las metáforas que, por inesperadas y extrañas, transmiten una visión única y particular de la realidad que envuelve al lector, lo atrae, lo hace ingresar en ese universo especial de la prosa y el pensamiento cortazarianos:

---

esconde el secreto del vivir. Parecería un personaje fuera de la realidad cotidiana, a la cual no se adscribe, sino que existe por encima de ella, como si ya tuviera todas las respuestas, como si ya estuviera en el más allá.

[35] La lista que doy a continuación en manera alguna pretende ser exhaustiva. Se mencionan sólo los elementos considerados esenciales.

… las miradas, esas gatas flacas (p. 70).
¿La esperanza, entonces, esa puta de vestido verde? (p. 148).
… lenguaje que se había asomado al límite de la percepción, pájaro
caído y desesperado de fuga (p. 15).
… las metáforas saltaban hacia él como arañas, como siempre eufe-
mismos o rellenos de la inaprehensible mostración (otra metáfora) (p. 22).

Algunas de ellas tienen una sugerencia de cuño totalmente surrealista, por ejemplo, el sueño de los corazones de Polanco (pp. 41
y ss.), que me trae insistentemente la imagen del cuadro de Dalí
«La persistencia de la memoria» con sus famosos relojes blandos,
o la escena fantasmal de las páginas 265 a 267, o la imagen repetida
del «cuajo» (p. 21) y del «coágulo en fuga» (p. 24) para expresar
esos inquietantes recuerdos (o percepciones) que asaltan a Juan.

b) Su *adjetivación,* en algunos casos muy borgiana, y en todos
sugestiva:

> portafolios *fatigados* (p. 184),
> avenidas de *ilustre* anchura (p. 37),
> [ciudad]; urdimbre *minuciosa* (p. 37),
> una presunta dactilógrafa de pechitos *encabritados* (p. 92),
> Feuille Morte, nunca mirada y menos *mirante* (p. 62),
> unos pocos ciudadanos *previsibles* (p. 95).

c) Los *verbos* que, como los adjetivos, sorprenden por lo des-
usado de su aplicación y atraen por las evocaciones que hacen nacer
en el lector:

> … los terrones de azúcar que *cunden* en la mesa (p. 63).
> … fabriquemos una bandera con la camiseta de Calac, que *incurre*
> en ellas (p. 201).

d) Las *interrupciones* súbitas de la frase que la dejan en suspenso, invitando (casi empujando) al lector a completarla de acuerdo
con la fuerza de su imaginación:

> —No sé —dijo Nicole—, pero yo sí subiría a tu taxi amarillo… y
> me llevarías a… (p. 243).

Ah, Hélène, una no sabe cómo hacer contigo. Eres tan. Y a veces
una quisiera que… [36] (p. 140).

---

[36] La que habla es Celia, personaje cuyas tiradas están plagadas de estas
interrupciones. En ella revelan su juventud, la inmadurez de un pensamiento
que no ha llegado a su formulación completa. La palabra con que casi siempre
quedan colgando las frases de Celia es *tan,* de por sí sugestiva, aunque creo que
Cortázar ha abusado un tanto de este recurso en este personaje.

e) Las *elipsis* de ciertos elementos de la oración que sería cargoso explicitar o repetir, con lo que la frase no sólo se aligera, sino que cobra un intenso valor oral:

—No, señora —dijo Polanco, que gozaba *como solamente un cerdo* (página 239).

—Bisbis, bisbis —dijo Feuille Morte, que no había apostado nada, pero era *como si...* (p. 242).

f) *El uso de un término,* al cabo de una enumeración, *de distinta categoría gramatical,* pero, no obstante, unido copulativamente (o por comas) a los anteriores. Término que es como un remache violento de la idea o como una condensación rápida de lo que, de otro modo, necesitaría una prolija descripción:

... avergonzados y temblando y *cigarrillo* (p. 168).

Pero ahora, tal vez porque estaba tan cansado y húmedo y *Sylvaner y nochebuena* (p. 52).

algo que Nicole conocía perfectamente y que era estúpido e inevitable y antiguo y *tristeza* (p. 152).

g) Las *repeticiones* que parecen liberar estados obsesivos:

El taxi no esperaría, el taxi no esperaría. El taxi no esperaría si no bajaba inmediatamente. El taxi no esperaría, no esperaban nunca... Y el taxi no esperaría si no bajaba en seguida (p. 191).

... mi pobre puta pobre pobrecita puta
un hombre a salvo con su puta dentro
un hombre porque puta
solamente por eso
y entonces puta entonces puta entonces puta (p. 198).

h) *El humor* condensado en inesperados *giros finales* que tiñen todo lo dicho anteriormente:

Desde luego, todo eso sería absolutamente abstracto [se refiere a la estatua de Vercingétorix por Marrast], pero la municipalidad no dejaría de señalar a los habitantes de Arcueil, mediante una placa adecuada, la identidad del personaje conmemorado (p. 54-55).

[el] pobre Austin, que los estaría esperando en una esquina porque su pieza en los altos de una pensión era muy pequeña y estaba atestada de instrumentos antiguos, sin contar a su señora madre, aquejada de perlesía (p. 94).

i)   Los *diálogos absurdos* en un lenguaje inventado:

> —Usted es el más cronco —dice Calac.
> —Y usted el más petiforro —dice Polanco.
> Calac tora el zote con la suela del zapato. Parece como si estuvieran
> a punto de amafarse...
> —Usted me toró el zote —dice Polanco.
> —Yo se lo toré porque usted me motó de petiforro...
> Polanco saca un trefulgo del bolsillo y le pega a Calac, que no se
> remune (p. 56).

Aquí todavía hay mezcla de lo inventado con palabras del castellano,
pero en otras instancias se va más lejos, pues sólo se usan sonidos
sugerentes, como cuando, a causa de la crítica que la Sra. de Cina-
momo (perfecta representación de la costumbre) hace de la estatua
de Marrast, los amigos se ponen a defender y explicar la obra «a su
manera» que suena así:

> «Guti guti guti», dijo mi paredro. «Ostás ostás fetete», dijo Tell.
> «Poschos toquetoque sapa», dijo Polanco. «Tete tete fafa remolino»,
> sostuvo Marrast... «Bisbis bisbis», dijo Feuille Morte. «Guti guti», dijo
> mi paredro. «Ptac», dijo Calac, que confiaba que el monosílabo cerra-
> ra la discusión (pp. 239-240) [37].

j)   El *ritmo poético* que asume la prosa cortazariana en algunos
pasajes del libro, como el dedicado a Hélène o la última parte de la
carta de Marrast a Tell (pp. 197-198) o, directamente, la forma poética en el canto a la ciudad (pp. 32-36):

> Hélène arquero flechado, busto de Cómodo adolescente, Hélène dama
> del Elche, doncel del Elche, fría astuta indiferente crueldad cortés de
> infanta entre suplicantes y enanos (p. 77).

k)   Los *argentinismos* incrustados en su prosa no ya sólo porque
el personaje los requiere, sino por necesidad de encontrar una lengua que dé cabida y use lo coloquial a fin de escribir con naturalidad, pero sin caricatura [38]. El uso de *palabras extranjeras* es prueba,
asimismo, de idéntico afán de liberar el lenguaje, de encontrar la
palabra exacta, aunque sea fuera del español:

> ... llegarían [Calac y sus amigos] rápidamente a destino siempre que
> no se equivocaran en la segunda combinación [de trenes], que era *más
> bien peluda* (p. 93).
> ... bebamos cualquier cosa que haya a *tiro* (p. 189).
> ... su ansiedad y su (little) soledad (p. 46).

---

[37] Otro diálogo con semejante lenguaje puede verse en la p. 63.
[38] Véase M. Benedetti, «Julio Cortázar, un narrador para lectores cómplices», en *Letras del Continente Mestizo* (Montevideo, Arca, 1967), n. 7, pp. 71-72.

—Foutez-moi la paix —propuso Marrast, que tenía su manera propia de pensar en las golondrinas (p. 91).
... una especie de *tedium vitae* (p. 72).

Si fijamos ahora nuestra atención en la estructura fragmentaria de *62*, comprobamos que el libro evidencia haber nacido dentro de esa línea surrealista en que se asienta gran parte de la obra de Cortázar. Puesto que, como dijimos, la «superestructura» es lo fundamental, la composición del libro tiene que revelarla, subrayarla. Y ello está perfectamente logrado en *62*. La novela no está dividida en capítulos, sino en apartados de diversa extensión, separados por blancos. Desde la página 9 a la 42 hay diecisiete apartados que cierran un *primer ciclo* (o *parte)*: el de Juan a solas con sus reflexiones en el restaurante Polidor una Nochebuena en París. Esta parte contiene las disquisiciones metafísicas de Juan, nos acerca a todos los personajes (en el pasado, el presente o el futuro), aguijonea nuestro interés con alusiones a hechos extraños, a mágicas asociaciones, nos interna en el universo extraño de *la ciudad* y *la zona* y nos presenta a ese cuasi personaje que es *mi paredro*. A partir de la página 43 comienza la acción novelesca propiamente dicha, que se desarrolla, paralelamente, en dos ciudades —Londres y Viena— con dos parejas de personajes en cada una: Marrats y Nicole y Juan y Tell, alrededor de los cuales giran —en Londres y luego en París— Polanco, Calac, Austin y mi paredro *(2.ª parte)*. A partir de la página 100 a esas dos ciudades se agrega París, con centro en Hélène y Celia (y apariciones fugaces de Feuille Morte) y las tres ciudades y, por ende, los tres grupos de personajes, alternan hasta la página 198 *(3.ª parte)*, en que todos los personajes van convergiendo en París *(4.ª parte)*. No puede darse una mayor fragmentación, pero que no impide descubrir un diseño, unir los puntos dispersos y formar la *figura* (o tratar de formarla).

Tal diseño tiene necesariamente que demandar la atemporalidad, la ucronía que en *62* es especialmente resaltante. En ningún momento se nos dan fechas que nos permitan tender un hilo conductor. El presente parece ser la escena con que se abre el libro: Juan en el restaurante Polidor, en París, *una* Nochebuena. Pero, en realidad, poco importa para la comprensión del libro si los hechos narrados han tenido lugar antes o después de ese momento [39]. Por lo general, Juan evoca instantes, situaciones, actos ya vividos. Sin embargo, lo que interesa no es el *cuándo,* sino el *cómo* [40]; es decir, que la

---

[39] «... lección de cosas, mostración de cómo una vez más el antes y el después se le destrozaban en las manos, dejándole una fina inútil lluvia de polillas muertas» *(62,* p. 27).
[40] «Cortázar ha prescindido del interés tradicional de la narrativa —los motivos, los porqué— para describir los cómo. De esta suerte se quiebra la tra-

coordenada temporal poco afecta a estos personajes, a sus relaciones y a las situaciones que los convocan. Lo mismo puede decirse de la determinación espacial. París, Londres, Viena no están descritas, individualizadas de modo particular. Constituyen escenarios intercambiables, en todos los cuales se da la misma incomunicación, igual soledad, idénticas cópulas y, a veces, el amor. Lo importante para Cortázar es situar a sus «muñecos» físicamente lejos unos de otros, pero, no obstante, mostrarlos unidos por fuerzas misteriosas para que el lector los entrelace y forme las figuras (como con los puntos de los dibujos de la Gestalt). Calando más hondo, se pueden descubrir en esta estructura dos cortezas: una más superficial, dada por hechos acaecidos entre tales y cuales personajes en una ciudad determinada y, presumiblemente, en tal o cual fecha; y otra más profunda, aquella en que se inscriben *la ciudad* y *la zona* y que es la verdadera realidad a la que sólo se puede acceder en forma a-lógica [41].

Por todas estas razones es por lo que los personajes de 62 no se sostienen ante el lector con caracteres bien definidos: resultan vagos, poco caracterizados; son seres débiles y como a merced de esas fuerzas imponderables que los impelen. Se subraya así, a propósito, el valor del azar, de lo fortuito en sus vidas. Juan (=Cortázar como lo eran Oliveira y Morelli en *Rayuela)* [42] es el personaje central en el sentido de que en él (o hacia él) convergen todos los demás. Pero, en verdad, no puede hablarse de un protagonista, sino de varios que avanzan a primer plano o retroceden en las diversas partes del libro. Hélène está caracterizada con cierta ambigüedad (como todos los personajes, por lo demás). Es «fría distante inevitable hostil» (p. 21), «atenta y ajena» (p. 40); precisa, metódica lo que sólo vale en ella como «defensa geométrica» de su soledad, «algo que un hombre hubiera descalabrado de un manotazo» (p. 138) y cuya profesión —anestesista— es símbolo de lo que ella hace, anestesiarse para no ver lo que le repugna en sí misma. Hélène se siente atraída y repelida por Juan (p. 140) y esto último porque su cariño la denuncia, la despoja y la desnuda, la obliga a verse como es (p. 141) —«alguien que tiene miedo y que no lo dirá jamás, alguien que hace de su miedo la fuerza que la lleva a vivir como vive ... que teme la violación profunda de su vida, la irrupción en el orden obstinado de su abecedario, Hélène que sólo ha entregado su cuerpo cuando tenía la certe-

---

yectoria lógica de causa y efecto» (L. Pagés Larraya, «Cotidianidad y fantasía en una obra de Cortázar», *CuH*, 231, marzo 1969, p. 695).

[41] «Tú ves, Hélène, así podría yo contar mi Bari, cabeza abajo y recortado, en otra escala, desde otro peldaño, y entonces ese punto verde que valora todo el plano superior de mi pequeña joya de cartón..., ese punto verde que será... la casa del número tanto de la calle tal, donde viven hombres y mujeres que se llaman así y así, ese punto verde vale de otra manera, puedo hablar de él como lo que es para mí, derogando una casa y sus habitantes» (p. 37).

[42] Véanse los datos autobiográficos contenidos en las pp. 58 y 243.

za de que no la amaban ... para que nadie subiera después a llamar
a su puerta en nombre de los sentimientos» (ib.). Pero ésta es la
«racionalización» de Hélène, esto es lo que ella se dice a sí misma.
Porque también está la otra explicación: «De alguna manera te quiero, pero también tenías que saber que lo mismo me da Celia que tú
[Juan] o lo que pueda venir mañana, porque yo no estoy enteramente aquí, algo sigue en otra parte...» (pp. 261-262). Es decir, que
el personaje se nos escapa, es ese hilo tendido hacia el más allá, y no
sabemos exactamente cómo entenderlo porque hay contradicciones
que nos despistan. Celia, en cambio, es la chiquilina, todo despertar,
«la edad de los juguetes y los resfríos» (p. 112) —según la ve Hélène— y «diecisiete años y cursos en la Sorbona» (p. 113) que se marcha de su casa con lápices de colores, una guía de Holanda, un paquete de caramelos, tres vestidos, zapatos y un libro de Aragon (p. 136)
y que de pronto se vuelve mujer. Tell, por su parte, es esa mujer
con la que un hombre puede tener una relación placentera, sin futuro, sin ataduras que tiranicen (p. 67). Nicole, nunca muy interesada
en lo que la rodea, obsesionada por su amor no correspondido a
Juan, entregada a quehaceres simples y a un hombre que no le interesa, «dejándose usar..., astillita azul en la rosa [del calidoscopio]
de Juan» (p. 50), se asemeja un tanto a la Maga y, como ella, desaparece, no sabemos si se suicida o simplemente se marcha. Marrast,
el «bueno y paciente y dolorido Marrast» (p. 69) como el divertido e
ingenioso Calac [43], son otras tantas proyecciones de Cortázar, como
él —aunque en registros diferentes— entregados a la misma búsqueda. Y llegamos así a *mi paredro,* un super-personaje, alguien que
es y no es, un sustituto en quien se delega, por turnos, lo propio de
cada personaje. Cortázar lo define así: «... mi paredro era una rutina en la medida en que siempre había entre nosotros alguno al que
llamábamos mi paredro, denominación introducida por Calac, y
que empleábamos sin el menor ánimo de burla, puesto que la calidad de paredro aludía, como es sabido, a una entidad asociada, a
una especie de compadre o sustituto o *baby sitter* de lo excepcional,
y por extensión un delegar lo propio en esa momentánea dignidad
ajena, sin perder en el fondo nada de lo nuestro...» (p. 23). Y más
adelante completa esa definición así: «la atribución de la dignidad
de paredro era fluctuante y dependía de la decisión momentánea de
cada cual sin que nadie pudiese saber con certeza cuándo era o no
el paredro de otros presentes o ausentes en la zona, o si lo había
sido y acababa de dejar de serlo. La condición de paredro parecía
consistir sobre todo en que ciertas cosas que hacíamos o decíamos

---

[43] No analizo sino unos pocos personajes y someramente por razones de espacio. Hay además tres personajes que sólo se mencionan, pero nunca hablan
directamente con nosotros: M. Ochs, la chica inglesa y Frau Marta, aunque a
esta última la vemos actuar.

eran siempre dichas o hechas por mi paredro, no tanto para evadir responsabilidades, sino más bien como si en el fondo mi paredro fuese una forma del pudor..., mi paredro valía como testimonio tácito de la ciudad...» (p. 27). Es decir, que mi paredro es la entidad ordenadora, el que puede decir aquellas cosas que cada uno, desde su identidad conocida y aceptada por los otros, no quiere o no puede o no se atreve a decir. El tratamiento literario que Cortázar ha dado a este super-personaje, no obstante, me parece que no se ajusta estrictamente a las características que el autor le ha asignado en los trozos transcritos. Mi paredro resulta constantemente muy argentino, muy semejante a Polanco o Calac y, en general, es siempre con estos personajes con quienes lo vemos actuar. Los otros se limitan a mencionarlo, pero con ellos no se vuelve «actuante». La idea está claramente formulada por Cortázar; lo que no creo igualmente alcanzado es su realización novelesca.

La primera vez que se nos habla de casi todos los personajes que conoceremos después, es en relación con lo que Cortázar denomina *la zona*. También en este caso Cortázar entrega una definición:

> ... contando las noticias del día como más tarde en la zona (el *Cluny*, alguna esquina, el canal Saint-Martin, que son siempre la zona)...» (página 15).

Y más adelante:

> ... vuelven de un viaje y entran otra vez en la zona (el *Cluny* por la noche, casi siempre, el territorio común de una mesa de café, pero también una cama o un *sleeping car* o un auto que corre de Venecia a Mantua, la zona entre ubicua y delimitada que se parece a ellos, a Marrast y a Nicole, a Celia y a monsieur Ochs y Frau Marta, participa a la vez de la Ciudad y de la zona misma, es un artificio de palabras donde las cosas ocurren con igual fuerza que en la vida de cada uno de ellos fuera de la zona..., la zona es una ansiedad insinuándose viscosamente, proyectándose... Bien puede suceder que no solamente esté solo en la zona como ahora en el restaurante Polidor..., pero también puede ocurrir que los otros estén en la zona... (pp. 15-16).

Como se ve, la idea de Cortázar es poco clara porque, por momentos, *la zona* parecería superponerse a *la ciudad*. Entiendo, no obstante, que la zona es el lugar y el instante en que se ventilan, entre los amigos o a solas, esas ansiedades, esos «coágulos» que los inquietan y sobre los que ejercen su gimnasia mental. Otra vez aquí, como en otras instancias de la novela, un esfuerzo por trascender la realidad cotidiana, pero que no consigue atrapar al lector.

Al fragmentarismo de que hablábamos más arriba hay que atribuir también la multiplicidad de los puntos de vista asumidos por el novelista y los diversos procedimientos a que obligan. Frecuentemente, Juan se entrega a soliloquios [44] en primera persona —narrador-protagonista [45]— que, de pronto, se transforman en narración hecha en tercera persona por un narrador-observador [46], narración interrumpida una y otra vez por la cita directa —entre comillas— de los pensamientos de Juan (en primera persona), casi siempre con el agregado de fórmulas como «pensó Juan», «se dijo Juan», «me dije», «pensé» [47]. En ocasiones, en la narración en primera persona, aparece una segunda persona, en una suerte de apelación a un interlocutor mental, invisible, no presente [48]. González Lanuza ha llamado a este procedimiento «diálogo-monologado» [49], pero yo creo que sería más apropiado invertir los términos y hablar de un monólogo dialogado, puesto que lo esencial es el monólogo, el intercambio mental, pero a partir de una sola presencia. Hay, además, un procedimiento que Cortázar usa sistemáticamente en todo el libro y que consiste en comenzar un trozo en tercera persona, como narrador omnisciente, que va desenrollando para el lector los pensamientos que ocupan la mente de un determinado personaje (o a veces de dos de ellos, pues esto casi siempre sucede cuando las parejas están interactuando) y, de pronto, soltarle a uno a la vista una primera persona que indica que el narrador todopoderoso ha desaparecido como por arte de magia y que allí estamos, solos, confrontados con los pensamientos mismos, con el personaje en toda su desnudez mental y sentimental: «... el nombre nació con un timbre, con una inflexión que no hubiera tenido de otra manera, cargado de algo que iba más allá de la información y que Hélène pareció lamentar porque le temblaban los labios y lentamente procuró desasirse de los dedos que seguían hincándose en sus hombros, pero *él me retuvo con más fuerza y casi grité y me mordí la boca hasta que comprendió y con un confuso rumor de*

---

[44] Esto es, monólogos silentes, pero que presuponen un público (Juan, en realidad, no piensa para sí, sino que Cortázar con este procedimiento se elimina y deja a su personaje en contacto directo con el lector) y que poseen una ordenación lógica, ya que se refieren a un nivel de lo consciente que está más cerca de la superficie. (Véase R. Humphrey, *Stream-of-consciousness in the Modern Novel*, Berkeley & Los Angeles, Univ. of California Press, 1954).

[45] «¿Por qué entré en el restaurante Polidor? ¿Por qué, puesto a hacer esa clase de preguntas, compré un libro que probablemente no habría de leer?» (p. 9).

[46] «Según el espejo, el comensal estaba sentado en la segunda mesa a espaldas de la que ocupaba Juan...» (p. 9).

[47] «'¡Ah!, no te dejaré ir así', pensó Juan... Y no podía impedirse sonreír mientras asistía, testigo sardónico, a su pensamiento...» (p. 13).

[48] «Me desperté (hay que darle un nombre, Hélène) en un banco, al alba; todo me facilitaba una vez más la explicación atendible, el sueño donde se mezclan los tiempos, donde tú, que en ese momento dormirías sola en tu departamento..., habías estado conmigo...» (p. 31).

[49] E. González Lanuza, «Causalidad y casualidad. A propósito de *62. Modelo para armar*, de Julio Cortázar», *Sur*, 318 (mayo-junio 1969), p. 75.

excusa se apartó bruscamente y me dio la espalda[50]. En algunas instancias este situarse en el personaje conduce a verdaderos monólogos interiores en los que también aparece el monólogo dialogado a que antes me referí[51]. Además, con frecuencia, Cortázar hace dialogar a sus personajes usando generalmente la forma matizada del diálogo[52]. Existe, sin embargo, un tipo de diálogo muy particular en Cortázar que éste usa en diez ocasiones[53]. En diálogo —directo— aparece metido, embutido en la narración, separados los diversos interlocutores por barras, de modo tal de no interferir visualmente o no romper el ritmo narrativo, de no destacarse con rasgos especiales dentro de lo que se narra (o describe): «Siguió un previsible debate dentro de la línea en todo caso los croncos son útiles y sobre todo leales a los amigos / Vale más un petiforro solitario que un cronco idiotizado por un escultor acéfalo / ... / ... yo no necesito ninguna neurótica porque tengo mis rebusques / Permitime una sonrisa / Y así otros ocho minutos» (pp. 124-125). En algunos de estos diálogos se intenta transmitir una visión multitudinaria que sería imposible conseguir sin una descripción minuciosa y cansadora (diálogo entre Harold Haroldson y los neuróticos anónimos, p. 154, o entre los espectadores que asisten a la inauguración de la estatua de Marrast en Arcueil, p. 239); en otro se trata de comunicar la urgencia de un intercambio apresurado, dramático (diálogo entre Juan y Tell cuando siguen a Frau Marta hasta la habitación de la chica inglesa, p. 180); otra vez es la banalidad de las frases hechas, estereotipadas (pp. 18, 19, 47) o de instantes de intimidad en que se juega tonta, pero deliciosamente (diálogo entre Nicole y Marrast, página 76). No importa cuál sea la razón por la cual Cortázar use estos diálogos «multitudinarios», el resultado es siempre efectivo y la prosa se ve así vitalizada, enriquecida con un procedimiento oral, gráfico que la vuelve aún más sugestiva. Hay dos variantes —podríamos decir— del uso de esta forma dialogal: una se da en la página 49, cuando Marrast destila en el oído de Mr. Whitlow la idea de que algo grave puede pasarle a su pariente, Harold Haroldson. Como Cortázar no va a descender a los detalles de la intriga, sólo anota las palabras de Marrast, de por sí enigmáticas, pero lo suficientemente sugestivas como para que comprendamos la patraña urdida por el escultor. Las preguntas o comentarios de Mr. Whitlow están separadas por barras y reducidas a puntos suspensivos. La economía expresiva es total, y el resultado, el buscado. La segunda variante se da en la página 250. Lo que las barras separan no son distintos

---

50 P. 234. El subrayado es mío.
51 Por ejemplo, pp. 70-71.
52 Véase R. H. Castagnino, *El análisis literario*, 6.ª ed. (Buenos Aires, Nova, 1969), pp. 176 y ss.
53 Pp. 18, 19, 47, 49, 76, 125, 154, 171, 180 y 239.

interlocutores, sino el discurso —en itálica— que el representante de la sociedad de historiadores pronuncia en el banquete en honor de Marrast [54] y los pensamientos obsesivos de éste que giran alrededor de «la malcontenta» Nicole [55].

Morelli había dicho, al postular el libro que hubiera deseado escribir, que en él «las conductas standard (incluso las más insólitas...) serían inexplicables con el instrumento sicológico al uso. *Los actores parecerían insanos o totalmente idiotas*» [56]. Y siguiendo este pensamiento es por lo que Cortázar nos confronta en 62 con una serie de hechos y conductas absurdos que constituyen algunas de las partes más hilarantes de esta novela (y de la novelística hispanoamericana, en general). Humor, no obstante, que no se usa como valor en sí, sino como dinamita para hacer volar, entre las sacudidas de la carcajada, ese mundo organizado sobre la costumbre y la causalidad. Cortázar, al igual que los surrealistas, saca los objetos —o los seres— de sus contextos habituales y los lanza, con toda incongruencia, a otro plano para que allí existan de otra manera. Y lo que nos hace reír es, precisamente, lo disparatado de la situación y/o de las reacciones. Pero, a través del esperpento, de la caricatura, del absurdo, el lector es llevado, casi inconscientemente, a reflexionar sobre su realidad, sobre lo ridículo y absurdo de convenciones, hábitos, estereotipos. Es una suerte de patafísica, menos punzante que la de Jarry, más sofisticada intelectualmente, pero de idéntico serio propósito.

A ese humor y a esa reducción al absurdo hay que adscribir el episodio de «los tártaros» (los argentinos, los bárbaros) Polanco, Calac y mi paredro en la isla. No hay mayor desatino que imaginarlos «náufragos» en una isla situada en medio de una laguna de un metro

---

[54] Cortázar utiliza una serie de «formas de relieve» expresivo-tipográficas. Son las usuales —entrecomillado, paréntesis, mayúsculas, cursiva— siempre con la intención de destacar algo. Lo mismo puede decirse de los nueve apartados con sangría (pp. 15, 19, 22, 27, 41, 56, 62, 76 y 191).

[55] Otra forma dialogal desusada es la que aparece al final del relato hecho por Polanco del sueño de los corazones (pp. 41-42). Se termina con todos los amigos literalmente echándose sobre el relato para hacer consideraciones disparatadas que reducen a la nada el sueño (o su posible significación). Este intercambio apresurado lo resuelve Cortázar estilísticamente así: «No lo llevaste a la Policía, dice Tell... No hay como las mujeres, dice Marrast... No te pongas misógino, dice mi paredro...» La repetición del «dice», la falta de los clásicos guiones y cambios de renglón dan al diálogo la vivacidad y la rapidez requeridas por ese tiroteo de ideas. Todavía podemos señalar una tercera forma dialogal, en que se omiten las barras, los «dice» y en la que se da el diálogo directo, separado por comas. Cortázar lo usa en uno de los momentos más tiernos de la novela; es un intercambio entre Celia y Austin cuando por primera vez descubren sus cuerpos. Y Cortázar lo ha transmitido, valiéndose de este procedimiento y de una enumeración caótica, en toda su diáfana pureza y realidad (p. 223).

[56] *Rayuela*, p. 417. El subrayado es mío.

12

y medio de profundidad que para colmo ¡tiene mareas! y que dista sólo cinco metros de la orilla. Ninguno quiere mojarse los zapatos ni los pantalones, como si del mantenerse secos dependiera su vida o su salud mental. Y los preparativos para el «salvataje» por su ineficacia y complicación excesiva acentúan lo grotesco de la situación, que los amigos aprovechan para pasar revista —con toda calma— a recientes acontecimientos. Si bien esta farsa trae a la memoria el episodio del tablón en *Rayuela,* hay entre ambos diferencia, por cuanto el de *Rayuela* tiene una trascendencia significativa, hasta metafísica, que no creo exista en este otro. Aquí lo importante es lo absurdo *per se* y la risa que desata.

Igualmente absurdo es ese caracol Osvaldo que mi paredro carga en una jaulita y que saca a relucir en el café y en el tren. El animalito es una suerte de sustituto sicológico por medio del cual el grupo desplaza sus ansiedades o las evade momentáneamente al concentrarse en las angustiosas carreras del caracol. El mero hecho de hacer correr carreras a un caracol es ya de por sí descabellado, como lo es llevarlo constantemente en el bolsillo, ponerlo sobre la mesa en el café o hacerlo andar por el borde del asiento en el tren. Lo interesante es observar que el pobre molusco nunca llega a alcanzar ninguna meta debido a que la autoridad (el mozo del café, el guarda del tren) se lo prohíben. Además de lo ridículo, ¿hay que asignar a Osvaldo una especial simbología? Parecería que es lícito pensar que el caracol representa a los seres humanos, tan poco dotados como él para la carrera que alguien más poderoso los obliga a correr y que no pueden jamás completar debido, justamente, a la interferencia de fuerzas que los controlan.

Otro disparate es la estatua de Marrast: «... como primera medida, el orden pedestal-estatua se daría invertido» (p. 53), con lo que la estatua «expresaría... una concepción dinámica del héroe galo, que parecería así surgir como un tronco de la tierra..., sosteniendo con ambos brazos, en vez de la espada y el escudo infinitamente estúpidos y favorecedores de palomas, la parte más voluminosa de la piedra de hule...» (p. 54), por lo que el público «tendría la grata sorpresa de asistir a una estatua que alzaría contra el cielo lo más pesado y aburrido de sí misma, la materia cotidiana de la existencia, proyectando el basamento fecal y lacrimoso hacia el azur en una trasmutación genuinamente heroica» (ib.). Mofa, como es claro, de lo convencional y manido, suprema carcajada que resalta aún más como despropósito, visualizada en la plaza de un tradicional pueblecito francés, con sus adocenados y burgueses «vecinos bien pensantes» (p. 39).

Gracioso en grado sumo es, asimismo, el episodio en la habitación del hotel en Londres, durante el cual Polanco —inventor fallido— intenta sin éxito demostrar, sumergiendo en una cacerola de porridge una maquinilla de afeitar eléctrica que puede producir «una emisión continua y sostenida de porridge que, por ejemplo, recorriera la distancia que iba desde la cacerola hasta el diccionario Appleton (de Calac), por supuesto poniendo un diario viejo para recibir los impactos» (p. 133), lo que Calac califica tersamente de «espectáculo casto y duradero» (p. 131); o las conversaciones en el Metro —para consternación de las gentes que las oyen— acerca de si las golondrinas son mamíferos o sobre la música modal, o el episodio de telefonear a Marrast desde una cabina telefónica que no es tal y en una estación que, aunque lo parece, no lo es (p. 254). Asburdas son las muñecas de M. Ochs (historia que Cortázar cuenta imitando el estilo de las crónicas policiales), pero aquí el humor es negro, como lo es también el supuesto vampirismo de Frau Marta y de todo el episodio que lo contiene y la asociación con la pervertida condesa de la Blutgasse y sus crímenes. Es posible entender que Cortázar apunta a la gratuidad de la perversión y maldad humanas, aunque ambas situaciones están tratadas tan ambiguamente que se vuelve tarea de charada la de esclarecer su significado. Quizá debamos no buscar ninguna explicación [57] y dejar estos «coágulos» suspendidos, llegar a ellos por la vía intuitiva, releerlos una y otra vez, hasta que «le de[mos] por fin un sentido» (p. 12). Es indudable que para muchos lectores esos símbolos serán mudos y para otros (para cada uno de los muchos otros) tendrán un significado distinto que dependerá en cada caso de su sensibilidad, su cultura, su percepción (¿o de los poderes de su percepción extra-sensorial?). Mas lo importante (y lo que Cortázar quiere): con 62 no se tendrá nunca una «visión petrificante» de la obra literaria.

Sin embargo, el humor en 62 reside más que nada en palabras aisladas, en los giros abruptos al final de tiradas serias, en ciertos diálogos (especialmente los de Polanco y Calac, los personajes cómicos por excelencia). Le salta al lector desde las páginas de la novela, con ademán y pirueta rabelesiana.

Conclusiones

Habría aún mucho más que decir de 62. Modelo para armar. Me he limitado, sin embargo, a aquellos elementos que creo fundamentales en esta novela para su mejor comprensión y más ajustada valoración. Y también me he detenido en ellos para hacer hincapié en los rasgos surrealistas de la novelística de Cortázar, rasgos que creo esenciales en este autor como en varios otros de la narrativa

---

[57] O quizá la explicación esté dada por Juan cuando piensa que «todo parecía una percepción para nada, sin respuesta moral» (p. 180).

argentina y, todavía en mayor proporción, de la del continente. Cortázar supo siempre apreciar los valores del surrealismo (aunque también sus faltas), no ya sólo en lo que a sus aspiraciones estéticas se refería, sino principalmente por su posición de rescate del hombre y de rebelión contra lo establecido. Dijo Cortázar, hace ya veintiún años: «el vasto experimento surrealista... me parece la más alta empresa del hombre contemporáneo como previsión y tentativa de un humanismo integrado. A su vez, la actitud surrealista (que tiende a la liquidación de géneros y especies) tiñe toda creación de carácter verbal y plástico, incorporándola a su movimiento de afirmación irracional» («Irracionalismo y eficacia», *Realidad,* VI, 17-18 [septiembre-diciembre 1949], p. 253). Es evidente, pues, hasta qué punto este escritor argentino se ha mantenido fiel en su obra a esta «empresa» surrealista.

Ahora bien, subrayado esto, digamos que, no obstante la genialidad de Cortázar, siento que a causa de su concepción toda de la novela y de sus esfuerzos —notorios— por renovar el lenguaje, es por lo que *62* deja la impresión de un gran esfuerzo no totalmente logrado. Porque el afán de encontrar —haciéndola— una forma más auténtica de novelar y de crear un lenguaje no literario salta demasiado a la vista; porque la búsqueda en sí, en el plano de las ideas como en el de su realización literaria, es tan angustiosa que de algún modo eso se transmite al lector para inquietarlo, pero no del modo que Cortázar quiere, sino con un rechazo del libro. En suma: *62* es una experiencia dura para el lector e insatisfactoria. Es libro de grandes desniveles que, junto a trozos de antología, ofrece parcelas repetitivas y prescindibles. Si la comparamos a *Los premios,* para el lector hedónico, será ésta superior; para los otros, todo lo contrario. Y si el término de comparación es *Rayuela,* pues sin ninguna duda la famosa novela será la ganadora. Parecería que tendremos que colocar a *Rayuela* a la cabeza de la producción de Cortázar. Y esto es y no es justo, puesto que el autor es tan auténtico en una como en la otra. Cortázar sigue «agrediendo» la novela tradicional, lo que supone en cada una de sus novelas una «progresión» en su alejamiento de la obra cerrada. En cuanto a *62,* en el contexto de sus otras novelas y aun del resto de sus ficciones, pienso que su manejo de lo novelesco es más apropiado para una *short story* que para una larga; Cortázar es más cuentista que novelista. La dispersión de esfuerzos a que lo conduce en *62* el manejo de tantas parejas de personajes y de acciones novelescas distintas, resta a la novela valor como totalidad, aun cuando éste se le pueda otorgar parcialmente.

Notas sobre la búsqueda en la obra de Cortázar

Ana María Pucciarelli

La búsqueda, que en *Rayuela* se vuelve explícita y crítica, se insinúa desde muy atrás en la obra total de Cortázar. Podemos preguntarnos: ¿qué es lo buscado?, ¿quién busca?, ¿cómo lo hace?, y examinar luego los resultados. La meta se presenta como el encuentro de lo real, lo absoluto, que impartirá unidad y sentido a las apariencias del mundo y a la vida del hombre. El sujeto empeñado en tal búsqueda es plural: en *Rayuela* (1963) el protagonista, Horacio Oliveira, es Morelli —su desdoblamiento, cuya condición de escritor permite a Cortázar exponer su teoría sobre la narrativa—, es el grupo del Club de la Serpiente; antes, Johnny Carter, «El perseguidor» (*Las armas secretas*, 1959), con la música que le abre por instantes el ingreso a otro tiempo, a otra realidad, y antes aún, «La banda» (*Final del juego*, 1956) muestra cómo nace un cazador de absoluto. En *La vuelta al día en ochenta mundos* (1967) Cortázar advierte: «Nosotros, tímidos productos de la autocensura y de la sonriente vigilancia de amigos y críticos, nos limitamos a escribir memorias vicarias, asomándonos a lo Frégoli desde nuestras novelas» («Verano en las colinas»). Pero allí relegando a las criaturas de la ficción ocupa la primera línea; lo ha ayudado, declara, desde mucho antes de volverse consciente de su ansiedad, «el sentimiento de no estar del todo» en los esquemas de la realidad y el experimentar súbitas fracturas en lo aparente y condicionado que le permitían asomarse, por los intersticios, a otra cosa; toda su obra, agrega, es una invitación a que otros encuentren sus salidas y compartan la búsqueda, cuyo

---

[1] En definición de Ossip, personaje cuya función es a menudo explicar: «Ladrones de eternidad, embudos del éter, mastines de Dios, nefelibatas...» «Puercos astrales», y según Oliveira, «gente que no estaba esperando otra cosa que salirse del recorrido ordinario de los autobuses y de la historia».

método es el *extrañamiento*. Muchos de los cuentos son «un testimonio de extrañamiento, cuando no una provocación tendiente a suscitarlo en el lector...» «son en su mayoría de la misma estofa que mis novelas, *aperturas* sobre el extrañamiento, instancias de una *descolocación* desde la cual lo sólito deja de ser tranquilizador porque nada es sólito cuando se lo somete a un escrutinio sigiloso y sostenido». (*La vuelta al día...*, p. 25).

Si retrocedemos hasta *Los reyes* (1949), encontramos el laberinto, imagen de un camino a recorrer para llegar a un centro; en *Historias de cronopios y de famas* (1951-1962) nos presenta con lirismo y naturalidad a los cronopios, seres libres e insólitos, evadidos del marco de pautas habituales; en *Los premios* (1960) el paso de proa a popa muestra un *tránsito* que define a los personajes por su enfrentamiento con lo inaccesible, con el misterio. El examen de todo esto, significativo aún antes de las confesiones de *La vuelta al día...* (corroboración de lo que el conjunto de la obra revela), señala que quien busca, desde muy atrás, es el autor y que uno de los caminos propuestos, el central, consiste en hacerse ajeno, extraño, descolocado con respecto a la realidad natural-social y a sus imposiciones. El resultado lo consideraremos luego de observar cómo juegan en *Rayuela* los elementos apuntados.

En esta novela se tiende a un centro, Centro del mundo, eje en que convergen —para la conciencia mítica— las tres regiones cósmicas y por eso, zona donde pueden ocurrir rupturas de nivel que permitan superar los límites de la condición humana y acceder a lo real. A este centro se lo asedia con múltiples denominaciones: «Eje, centro, razón de ser, *Omphalos,* nombres de la nostalgia indoeuropea», dice Oliveira, y «ansiedad axial», «reencuentro con el fuste», unidad, «algo que otra ilusión infinitamente hermosa y desesperada había llamado en algún momento *inmortalidad*», «explosión de luz», Yggdrasil, paraíso perdido, Edén, reino milenario, Arcadia, otro mundo, y en el capítulo 36 «*kibbutz* del deseo», «colonia, settlement, asentamiento, rincón elegido donde alzar la tienda final, donde salir al aire de la noche con la cara lavada por el tiempo, y unirse al mundo, a la Gran Locura, a la Inmensa Burrada, abrirse a la cristalización del deseo, al encuentro».

Cuando se refiere más al tránsito que a la llegada (como ha observado Ana María Barrenechea), se lo llama rayuela, mandala, laberinto, espiral, descenso, ascenso, ajedrez, camino, puente, umbral, puerta, llave, ventana, agujero, pasaje. La rayuela, que da nombre al libro, es un rito de iniciación desacralizado, un espacio sagrado; Cortázar pensó titular «mandala» a la novela luego de haber visto mandalas indios y japoneses en la India, dibujos cuyo fin es ayudar a cumplir una serie de etapas espirituales. Distinto cualitativamente de la extensión profana, no sacralizada, el mandala actualiza el arquetipo de un espacio sagrado, donde se hace posible la unión de Tierra y Cielo y el acceso a éste; consiste en una serie de círculos inscritos en un cuadrado y es a la vez *imago mundi* y panteón simbólico; el neófito va penetrando en las diversas zonas o niveles, lo que equivale a la iniciación por ingreso ritual en un laberinto; simbólicamente representa al universo entero, al Cosmos, e implica al simbolismo del Centro y de la altura. Sustituido en la titulación el mandala por la rayuela, cuyo origen ritual aún se advierte, la novela es o intenta ser mandala o laberinto; quizá por el tipo de camino expuesto, laberinto. Es un juego, pero un juego, se pregunta Cortázar, «¿no es un proceso que parte de una descolocación para llegar a una colocación, a un emplazamiento —gol, jaque mate, piedra libre?» *(La vuelta al día...,* p. 21). De todas maneras, como es frecuente en el poema y menos habitual en la novela, su título la contiene cifrada, condensada.

El hombre moderno no diferencia cualitativamente el espacio, aunque reconoce lugares significativos en su existencia. Para Oliveira, empeñado en una sustracción que lo acerque a lo esencial, todo espacio es lo mismo: París, donde transcurre la primera parte de la novela, o Buenos Aires, contorno de la segunda. Sin embargo, la rayuela simboliza aún una zona donde el tránsito que le interesa es posible. Oliveira, lo mismo que Morelli, rechaza lo condicionado, la apariencia, la limitación, el ser para no poder ser, y acusa a su mundo de responder a un orden falso, errada labor de cinco mil años de civilización desencaminada. Se sabe en parte condicionado, pero se aferra a los instantes de *visión* (como hacía Johnny Carter en «El perseguidor») que lo vuelven apto para una nueva intuición de las apariencias: «la Gran Costumbre», el inmenso sueño, el circo, la Gran Locura, la Inmensa Burrada, «las muchas materias de la nada», la «vida, tarot de claves olvidadas». Por su parte, Morelli (Cap. 71) examina la tenaz nostalgia de un paraíso perdido que padece el hombre moderno y la considera consecuencia de la asfixiante racionalidad, del pragmatismo, del olvido de las verdaderas dimensiones humanas. El protagonista, usando de esa libertad que Breton valora y él acusa de falsa, quiere acceder a la realidad absoluta de una manera peculiar, sin renunciar a nada, en plena pluralidad y sin que su acceso implique diferencias con los demás hombres; siente que la no-realidad circundante se le opone, por eso asienta en su limitado haber la negación temprana a las mentiras colectivas, al orden fariseo que esquiva el fondo de los problemas, a la tradición, a la estructura gregaria basada en el miedo y en las ventajas falsamente recíprocas, a cualquier ubicación: ni sistemas filosóficos o religiosos, ni profesión y menos especialización, ni matrimonio. Su método consiste en sustraerse a los caminos habituales en espera de la manifestación del inédito porque sospecha que en un desorden (u orden) abierto puede cristalizar la búsqueda: «quietismo laico, ataraxia moderada, atenta desatención», define su renuncia y su espera. Incluso rechaza la relación con la Maga, personaje que se mueve naturalmente en el ámbito por él deseado, cuando siente que ese amor en un principio promesa de encuentro, posibilidad de *kibbutz,* no le da acceso; pero lo rechaza temiendo ser cobarde o incapaz de alcanzar su meta, pues presiente que nunca estará tan cerca como en esos días en que se siente acorralado por el mundo Maga. Así reproduce la pertinaz actitud ambivalente del hombre frente a lo absoluto: deseo y temor. Dice Oliveira: «... estás *del otro lado, ahí donde me invitás a saltar y no puedo dar el salto...*», «me atormenta tu amor que no me sirve de puente porque un puente no se sostiene de un solo lado». Reconoce que «quiere un amor pasaporte, amor pasamontañas, amor llave, amor revólver, amor que le dé los mil ojos de Argos», todo eso que duerme un poco en ella, y concluye: «*Dadora de infinito,* yo no sé tomar, perdóname». (Cap. 93).

La verdadera realidad se insinúa como algo totalmente diverso de la experiencia humana habitual, en momentos de extrañamiento provocados por sueños, por la poesía, la metafísica, la metapintura, por signos que traen certezas y alegrías inexplicables y súbitas, por visiones o paravisiones: «no hay palabras para *una materia entre palabra y visión pura,* como un bloque de evidencia...», «lo llamaré paravisiones», ocurren por exaltación o depresión, se trata de «una aptitud instantánea para *salirme,* para de pronto desde afuera aprehenderme, o de dentro, pero en otro plano...», no dura nada, «a veces el despertar dura un poco más, pero entonces es fabuloso». (Cap. 84). Al describir al inconformista —retrato de Oliveira y de sí mismo— Morelli señala que experimenta a veces «un pasaje», «un acorde fuera del tiempo», fulgurantes armonías momentáneas que lo ayudan a sobrellevar el resto. De la misma manera vive instantes de «extrañamiento, de enajenación dichosa», «brevísimos tactos de algo que podría ser su paraíso». (Cap. 74).

La posición asumida exige al protagonista una vigilancia permanente para eludir el condicionamiento y mantenerse en disponibilidad; rebelde a la razón y sus resultados, resulta a menudo atrapado por ella, pero lo sabe y suma a sus permanentes reflexiones y discusiones una actitud desconfiada y burlona cuyas armas son la ironía y el humor negro o absurdo; con ellas intenta evitar que el pensamiento lo arrastre, mientras persiste en aferrarse a los momentos excepcionales. Por ejemplo, cuando acompaña a Berthe Trépat bajo la lluvia juzgándose tremendamente estúpido, experimenta de pronto una alegría insensata: «Era como *un camino que se abriera de golpe en mitad de la pared:* bastaba adelantar un poco el hombro *y entrar, abrirse paso por la piedra, atravesar la espesura, salir a otra cosa.*» Era inconcebiblemente feliz, con una alegría tan nueva, tan otra cosa. «Imposible comprender todo eso, como siempre que hubiera sido tan necesario comprenderlo. Una alegría, una mano debajo de la piel apretándole el estómago, *una esperanza* —si una palabra así podía pensarse, si para él era posible que algo inasible y confuso se agolpara bajo una noción de esperanza, era demasiado idiota, era increíblemente hermoso...» (Cap. 23).

Otra nota de la realidad que se postula es la de estar contenido en esta que se niega: «es algo que ya está aquí, en nosotros. Se la siente, basta tener el valor de estirar la mano en la oscuridad...» «¿Qué nos da la poesía sino esa entrevisión?...» «Todo el mundo ha tenido su instante de visión, pero lo malo es la recaída en el hinc y el nunc». (Cap. 99). Se encuentra al alcance de todos, por eso el problema de la salvación —resultado del encuentro— se plantea en términos colectivos, se siente y se quiere que sea válida y accesible para todos, sin exclusión ni diferenciación.

Pese al rechazo de la vía racional, por inconducente, la novela aparece como una larga reflexión en la que se insertan instancias de extrañamiento. Considerando su extensión, la acción es mínima: la Primera Parte comprende una sesión de *jazz,* la separación de Horacio y la Maga, cuyo amor es presentado con entonación elegíaca; el concierto de Berthe Trépat y el paseo posterior, la muerte de Rocamadour, el encuentro personal con Morelli, la ruptura del Club de la Serpiente, las escenas con la *clocharde,* y se cierra con el espléndido clímax de la *rayuela-kibbutz* del deseo. En la Segunda ocurre muy poco, los capítulos presentan una larga expectativa (resultado de la conjunción Oliveira-Traveler-Talita), el episodio de los tablones-puente, la entrega del manicomio, el descenso a los infiernos y la escena final de la ventana, otro clímax que no se resuelve y entrega al lector tres soluciones entre las que debe optar. Los «capítulos prescindibles» suceden a la Segunda Parte, pero, pese a la diversidad de lectura propuesta por el autor, la única válida es la indicada en el Tablero de Dirección, pues los capítulos interpolados enriquecen al resto: tanto las reflexiones de Morelli sobre la búsqueda y sobre la teoría de la novela, como las citas y los capítulos que se enlazan con la secuencia narrativa, directa o cifradamente, cumplen funciones ampliatorias, sintetizantes, potenciadoras o de *shock* (la trasposición del método Zen que atrae a Morelli, cap. 95). Así como la concreción de un «desorden abierto» en la vida del protagonista no parece concluir con el arribo a lo perseguido, el desorden abierto que ensaya *Rayuela* no va mucho más allá de una intención, ya que su línea narrativa no resulta tan alterada como hace suponer el Tablero de Dirección. El final propuesto —muerte, locura, adaptación—, donde además se remiten infinitamente el uno al otro los capítulos 58 y 131 en un continuo sin salida, lleva al lector a una opción extranovelesca: suponer que la búsqueda continúa en iguales condiciones de duda y esperanza; posteriormente *La vuelta al día*... testimonia en favor de esta suposición. El capítulo 110, solamente una cita (Anais Nin, *Winter of Artifice*) presenta una *figura* o *imagen* del libro y de la búsqueda tal como se da en él:

«El sueño estaba compuesto como una torre formada por capas sin fin que se *alzaran* y se perdieran en el infinito, o *bajaran* en círculos perdiéndose en las entrañas de la tierra. Cuando me arrastró en sus ondas la espiral comenzó, y *esa espiral era un laberinto*. No había techo ni fondo, ni paredes ni regreso. Pero había temas que se repetían con exactitud.»

Como en el desconcierto del protagonista (y de Cortázar, por ejemplo, en «Me caigo y me levanto», de *La vuelta al día*...) subir y bajar son equivalentes, un proceso no llega a su fin, el centro no se alcanza.

El laberinto como espiral temblorosa se reproduce en el capítulo 66, último en que hay referencias a la figura de Morelli; éste expresa primero que le gustaría dibujar ciertas ideas y proyecta luego *uno de los muchos finales de su libro inconcluso*.

«La página contiene una sola frase: *En el fondo sabía que no se puede ir más porque no lo hay*. La frase se repite a lo largo de toda la página, dando la impresión de *un muro,* un impedimento. No hay puntos ni comas ni márgenes. De hecho un muro de palabras ilustrando el sentido de la frase, *el choque contra una barrera detrás de la cual no hay nada*. Pero hacia abajo y a la derecha, en una de las frases falta la palabra 'lo'. Un ojo sensible descubre el *hueco entre los ladrillos, la luz que pasa*.»

Este final proyectado por Morelli potencia la gran escena de la ventana (cap. 56), que entre temor y esperanza, desencuentro e imposibilidad de comunicación, presenta un instante de «armonía insensata», de maravillosa reconciliación entre el territorio de Oliveira y el de Traveler. Declara Cortázar no haber sabido, no saber aún, cómo termina la búsqueda, pero en el texto, a pesar de los fracasos, a pesar de la parábola nihilista sobre la realidad expuesta en la historia de las pelucas de la madre de Ossip (cap. 24) (y a pesar de que en *Los premios* la popa del barco estuviera vacía), abre un resquicio a la esperanza. Según Oliveira, la esperanza es el único de los sentimientos humanos que no es verdaderamente del hombre, sino que le pertenece a la vida, «es la vida misma defendiéndose». Conviene observar, teniendo en cuenta que la riqueza y distribución de los recursos sinonímicos son índice de los intereses y preocupaciones, que *quizá,* reiteradamente empleado en el texto, tiende a generar, como *Centro y camino,* series sinonímicas; por ejemplo, en la esperanza imprevista del capítulo 154: «... tal vez, vielleicht, maybe, forse, peut-être...» «a lo mejor todavía... Una llave, figura inefable. Una llave. Todavía, a lo mejor, se podía salir a la calle y seguir andando, una llave en el bolsillo. A lo mejor todavía, una llave Morelli, una vuelta de llave y entrar en otra cosa, a lo mejor todavía».

Asimismo en el 141, al referirse a la «intención espeleológica» de la obra de Morelli: «al final había siempre un hilo tendido más allá, saliéndose del volumen apuntando a un tal vez, a un a lo mejor, a un quién sabe...»

Rayuela es el testimonio de una persecución (¿quién será en el fondo el perseguido y quién el perseguidor?), de un tránsito incompleto, la esperanza de llegar en algún momento de algún día a la consumación. Una de las aspiraciones de Morelli se cumple en la novela: «Negarse a hacer 'psicologías' y osar al mismo tiempo poner al lector en contacto con el mundo 'personal', con *una vivencia y meditación personales*...» (Cap. 97), pues esto es exactamente *Rayuela.*

Examinaremos ahora rápidamente otros rasgos de la teoría sobre la novela, recordando que a través de Morelli se expresa, en el doble plano de la literatura y de la vida, la misma ansiedad metafísica que acosa al protagonista: «No podré renunciar jamás al sentimiento de que ahí, pegado a mi cara, entrelazado en mis dedos, hay como una deslumbrante explosión hacia la luz, irrupción de mí hacia lo otro o de lo otro en mí, algo infinitamente cristalino *que podría cuajar y resolverse en luz total sin tiempo ni espacio.* Como una puerta de ópalo y diamante desde la cual se empieza a ser eso que verdaderamente se es y que no se quiere y no se sabe y no se puede ser.» «... el verdadero acceso al ser...», «porque detrás de la puerta de luz (cómo nombrar esa asediante certeza pegada a la cara) el ser será otra cosa que cuerpo y, que cuerpos y almas y, que yo y lo otro, que ayer y mañana». (Cap. 61.)

Por eso Morelli desea colaborar *desde la literatura,* su mester, en un descubrimiento, en una apertura que enriquezca al hombre, explorando igual que Oliveira difíciles caminos. «De ninguna manera Morelli parecía querer treparse al árbol bodhi, al Sinaí o a cualquier plataforma revelatoria. No se proponía actitudes magistrales desde las cuales guiar al lector hacia nuevas y verdes praderas.» «... escribía como si él mismo, en una tentativa desesperada y conmovedora, imaginara al maestro que debía iluminarlo». (Cap. 95.) Rechazando el «realismo» porque limita el ámbito del lector, intenta llevarlo más allá, sugerirle rumbos esotéricos mediante un texto abierto, desaliñado, que lo incite a desplazarse. Como recursos propone la «novela cómica», los anticlímax que detienen el impulso «literario» adquirido, la autocrítica incesante (porque desconfía de las trampas de la razón y del lenguaje), la imaginación desatada, la ironía y el humor y la burla contra la solemnidad. En su forma expresiva llega a la «autodestrucción virtual de cada fragmento», en busca «del metal

noble en plena ganga» (cap. 141), eso capaz de alcanzar al lector,
de vulnerar su falsa, ciega paz:
«¿quién está dispuesto a desplazarse, a desaforarse, a descentrar-
se, a descubrirse?» «... el verdadero y único personaje que me interesa es el lector, en la medida en que algo de lo que escribo debería
contribuir a mutarlo, a desplazarlo, a extrañarlo, a enajenarlo».
(Cap. 97.)

Su esperanza es convertirlo en un cómplice, un camarada de camino, co-partícipe de la experiencia que vive al escribir y co-pade-
ciente si al perseguir lo mismo que él persigue tampoco logra alcanzarlo. Otros recursos propuestos: renunciar a la causalidad y a la
trabazón narrativa, sustituir la «representación de la realidad» por
«figuras» o «imágenes», recurrir al apólogo y la parábola, no respetar
la separación de los géneros literarios y escribir una novela que sea la
transgresión total del hecho literario, del libro, puesto que es inútil
la literatura usual, que narcotiza con su ausencia de problemas o con
falsos problemas ajenos; en cambio, entregar al lector «algo así como
una anilla significativa, un comienzo de modelado con huellas de algo
que quizá sea colectivo humano y no individual».

La tentativa parte de una repulsa parcial de la literatura, «parcial
puesto que se apoya en la palabra, pero (que) debe velar en cada
operación que emprendan autor y lector». (Cap. 79.)

Del manejo alerta y desconfiado de la palabra procede en *Rayuela*
la construcción antitética que opone a cada afirmación la contraria,
o el chiste, la ironía, el juego absurdo de palabras para mostrar cómo
el lenguaje arrastra a callejones sin salida si no se lo controla, el uso
de las haches para neutralizar la posible presunción (las «hinquietudes
del hespíritu»); todo esto se practica en la novela de Cortázar, dando
cuerpo a la reflexión de Morelli, quien caracteriza su creación:
«Ahora sólo podía escribir laboriosamente, examinando a cada paso
el posible contrario, la escondida falacia», y se admira ante su producción anterior: «¿Cómo habían podido brotar esas invenciones,
ese desdoblamiento maravilloso pero tan cómodo y tan simplificante
de un narrador y su narración?...» «Inevitable que una parte de
su obra fuese una reflexión sobre el problema de escribirla», confirma Oliveira. (Cap. 99.)

En su ley interna, en su impulso configurador, *Rayuela* revela la
conciencia desgarrada del hombre moderno que, a medias condicionado, anhela evadirse hacia horizontes más amplios. De la tensión
surgen los opuestos que se advierten en el sabotaje al concepto y en
la modelación expresiva: la constante sorpresa, la interrupción, la
incongruencia, la quiebra del movimiento afectivo o especulativo
mediante exabruptos, humor negro, comicidad casera, los violentos
cambios de nivel de lenguaje: coloquial, filosófico, familiar. Pero
desde el desgarramiento se tiende a la armonía, a la conciliación y la

expresión se vuelve tensamente lírica en pasajes como el de la rayuela y el *kibbutz* del deseo, la puerta de luz, el fuego sordo, el canto a la Maga; aquí el ritmo, la eufonía, la afectividad extremada, las imágenes, el color, envuelven al autor y al lector con su peso y con su vuelo. Porque ni Cortázar ni Morelli rechazan la poesía, cuyo poder de enajenación, de entusiasmo, valoran altamente, sino esa literatura átona por la que no pasa nada; la poesía asume su antigua función de contacto con el misterio, de inspiración, de «manía». Morelli declara que escribe impulsado por un ritmo que conjura e informa la materia confusa, ritmo que es la única certidumbre de la necesidad de escribir: «Así por la escritura bajo al volcán, me acerco a las Madres, me conecto con el Centro —sea lo que sea. Escribir es dibujar mi mandala y a la vez recorrerlo, inventar la purificación purificándose; tarea de pobre shamán blanco con calzoncillos de nylon». (Cap. 82.) En *La vuelta al día...*, Cortázar mismo señala que sus cuentos, como los poemas, le parecen haberse escrito a sí mismos y que sus novelas «han sido empresas más sistemáticas, en las que la enajenación de raíz poética sólo intervino intermitentemente para llevar adelante una acción demorada por la reflexión».

En cuanto al intento de inconexión de la secuencia narrativa, ese «orden abierto» que exigirá la participación activa del lector, ya observamos que las posibilidades combinatorias eran más una expresión de deseos que un logro; la causalidad, no minuciosa pero existente, se impuso al posible hallazgo de un orden personal de lectura; como sugiere Cortázar, pueden leerse solamente los dos primeros libros, por ejemplo; pero se perderá la apertura a direcciones más profundas, la síntesis en «figuras» que dan entrada a una reinterpretación cuyo propósito es orientar de otra manera al lector. Pese al recurso al poder imaginativo o adivinatorio de éste, Morelli declara admirar la eficacia comunicativa del ensayo, puente vivo, para transmitir ciertas nociones, pero se aparta de él, pues sólo se dirige a especialistas y se apoya en la narración de estructura abierta; en cuanto al absurdo de elegir una narración para fines que no parecen meramente narrativos, él mismo responde que el escándalo procede de la manía clasificatoria y genérica de Occidente y sostiene: «¿Por qué no?...» «Los profetas, los místicos, la noche oscura del alma: utilización frecuente del relato en forma de apólogo o visión...» (Cap. 95.) El episodio de los tablones o el descenso a la morgue ilustran el procedimiento: lo que pasa es sólo referencia superficial donde se apoyan los sucesos verdaderos. Se adelanta Cortázar a la crítica no sólo mediante Morelli, sino a través del Club de la Serpiente que discute la teoría y la obra de éste:

«Si la revelación última era lo que quizá más lo esperanzaba, había que reconocer que su libro constituía ante todo una empresa literaria...», «la destrucción de formas (de fórmulas) literarias...».

También para «algunos de sus lectores (y para él mismo) resultaba irrisoria la intención de escribir una especie de novela prescindiendo de las articulaciones lógicas del discurso. Se acababa por adivinar como una transacción». (Cap. 95.)

En conclusión, el impulso constructivo de la novela margina la dicotomía forma-contenido, pues se advierte que una única ley estructura los diversos aspectos: *a)* la ansiedad de una búsqueda que no concluye y la desconfianza en las vías racionales rigen el desorden vital en la escasa peripecia del protagonista; *b)* se propone un desplazamiento en la lectura, como en la rayuela a saltos de una casilla a otra, incluyendo apelaciones extrarracionales; esto procede de la voluntad de ruptura e innovación que plasma una instancia expresiva con la esperanza de que allí cristalicen las posibilidades que se adivinan; y *c)* se triunfa en la renovación de lenguaje y estilo, donde se alcanza un éxito, a la vez goce y ejemplo que ya ha hecho escuela.

Pero sobre los seguidores se cierne un peligro: bien claro manifiesta Cortázar que lo absoluto es lo único que le interesa, la única justificación que encuentra al ejercicio de la literatura; es decir, que su renovación arranca de un descontento existencial profundo, de un drama de conciencia; por esto quien se pliegue a ella sin haber descendido hasta las raíces puede estar construyendo precariamente.

Dejando de lado la tendencia a autoabastecerse que muestra *Rayuela* al integrar novela, teoría y crítica, nos detenemos en el significado de la presencia de Morelli. ¿Por qué necesita Cortázar un portavoz? ¿Sólo para justificar su novedad? Mediante la figura del escritor con quien se identifica («Cuando fui también un tal Morelli...») explica el origen y el propósito de la forma narrativa a la que ha sido conducido gradualmente (recordemos que su celebración, en 1949, de *Adán Buenosayres* anticipa mucho de lo que llega a poner en práctica en *Rayuela),* quizá porque, en cierto modo, explicar a los demás es aclarar para sí mismo aquella raíz íntima, oculta y anterior que lo impulsa. Además importa tener en cuenta la peligrosa soledad de Oliveira que finalmente no puede comunicarse con nadie; de aquí puede surgir la necesidad de volcarse por todos los medios posibles, paralela al deseo de suscitar compañeros de camino; Cortázar elude las reglas del juego al apelar directamente al lector y llega incluso a *reclamar* su «vigilia activa» en *La vuelta al día...* («Del sentimiento de no estar del todo»).

Por otra parte, ¿qué propone secretamente Cortázar, cuál es el misterio detrás de la fachada al que hace referencia Morelli? No aceptar un límite, cuidar la flexibilidad de nuestras fronteras, cultivando la capacidad de extrañamiento, para tendernos siempre más allá. Pero todo esto se dice claramente. Hay algo que no recomienda, pero a lo que acude con insistencia: el manejo de símbolos universales del orden de la conciencia mítica; quizá parte del mensaje secreto sea una incitación a remontar la corriente y redescubrir la significación profunda de imágenes, mitos, ritos desvalorizados que expresan la situación del hombre en el cosmos con vivencia integradora.

La soledad y el padecimiento de Oliveira, de Carter, no ocultan al lector la dificultad de la empresa propuesta; no obstante, se insiste en estimular la búsqueda de las propias aperturas para que, asomándose por ellas, se participe en esa antropofanía en la que desea colaborar Morelli, en ese descubrimiento de una nueva idea del hombre que integre todo cuanto pertenece a los diversos niveles de la experiencia humana. Algo semejante a lo que buscó el surrealismo en la escritura automática, en los sueños, en la infancia, en la locura, en la poesía: dar al hombre su auténtico lugar en el hombre y en el mundo, unificando al fin lo material y lo espiritual, lo personal y lo social, lo objetivo y lo subjetivo, lo racional y lo extrarracional... Esa antropofanía que aparece como una de las formas a través de las cuales esperan descubrir la manifestación de lo absoluto Oliveira y Morelli en *Rayuela*, Cortázar en *La vuelta al día*...

«Sediento de ser, el poeta no cesa de tenderse hacia la realidad, buscando con el arpón infatigable del poema una realidad cada vez mejor ahondada, más real...» que fracture «para siempre la falsa valla kantiana entre el término de nuestra piel espiritual y el gran cuerpo cósmico, la verdadera patria». («Casilla del camaleón».)

La búsqueda de autenticidad

Malva E. Filer

La mayor parte de lo que ha escrito Cortázar responde a un impulso rebelde frente a los modos estereotipados de conducta de la sociedad en que vivimos. Sus personajes rechazan, con frecuencia, las formas convencionales de vivir, pensar, hablar y sentir, y se lanzan a una búsqueda de lo auténtico, de una concordancia entre la conducta y la convicción íntima, de una elección en el sentido sartreano de la palabra. El ejemplo más sobresaliente de esta actitud es, sin duda, el de Oliveira en *Rayuela*. Pero la búsqueda de lo auténtico, sea en la conducta o en la comprensión de la realidad, encuentra ya expresión en algunos de los cuentos, así como también en *Los premios*. Entre los primeros son especialmente ilustrativos «La banda» y «El perseguidor».

«La banda»

Éste es un cuento dedicado «a la memoria de René Crevel, que se murió por cosas así» [1]. La relación entre el relato y la dedicatoria se vuelve inteligible a medida que leemos. Se trata de la experiencia de Lucio Medina, quien, a través de un episodio aparentemente intrascendente, despierta a la sensación de lo falso y lo absurdo en su vida y en la vida de quienes lo rodean, y decide expatriarse. Había ido al Gran Cine Ópera de Buenos Aires —sala conocida por su imitación de cielo estrellado y su decoración un tanto excesiva y cursi— atraído por una película de Anatole Litvak. Pero cuando tomó asiento en la platea se encontró con un público y pro-

---

[1] Uno de los fundadores del movimiento surrealista, René Crevel se suicidó en 1935.

gramas especiales que no habían sido anunciados. La fecha de 1947 y el nombre de Banda de «Alpargatas» ayudan al lector, especialmente si es argentino, a reconocer en la descripción de Cortázar el ambiente populachero del Buenos Aires peronista, con sus espectáculos especiales para gremios y su forzada introducción de números folklóricos antes de la presentación de la película. El autor también deja caer, al pasar, la observación de que en el 47 «Buenos Aires ya andaba escasa de novedades». *(FJ.,* p. 105). No hay duda, pues, de que el estado de ánimo de Medina —en el que fácilmente se reconoce a Cortázar mismo—, así como su decisión de abandonar el país, tienen mucho que ver con una sensación de disgusto por la forma de vida bajo el régimen peronista y por el aislamiento cultural en que está sumergido el país en esa época.

La experiencia en el Cine Ópera había hecho que la insatisfacción de Medina se volviera consciente y lo impulsara a tomar una decisión. «El mentido programa, los espectadores inapropiados, la banda ilusoria, en la que la mayoría era falsa», ya que sólo fingía tocar un instrumento, «el director fuera de tono, el fingido desfile, y él mismo metido en algo que no le tocaba» (p. 110), hicieron que abriera los ojos al hecho de que lo falso se había vuelto lo real. La inautenticidad lo rodeaba por todas partes; estaba en la calle, en el *Galeón,* en su traje azul, en su programa de la noche, su oficina, su plan de ahorro, su veraneo, su amiga, y abarcaría su madurez y hasta el día de su muerte. Por cosas así, es decir, por su angustia ante lo inauténtico, por un sentimiento de futilidad ante lo absurdo de la así llamada normalidad, fue tal vez que se suicidó el poeta surrealista. La decisión de Molina, menos drástica por cierto, es la de abandonar el país.

«El perseguidor»

«El perseguidor» tiene por escena a París y su protagonista es Charlie Parker, el saxofonista negro que aparece en la historia bajo el nombre de Johnny Carter. (El cuento está dedicado «In memoriam Ch. P.».) En 1952 Cortázar había publicado en la revista *Buenos Aires Literaria,* la crónica de un concierto de Louis Amstrong en París, con el título de «Louis enormísimo cronopio» [2]. Esa crónica, en que hizo su primera aparición el término (¿concepto?) «cronopio», fue, al mismo tiempo, el antecedente de «El perseguidor», ya que en ella dio por primera vez expresión literaria a su interés y entusiasmo por el mundo del *jazz* y por la sensibilidad especial de

---

[2] Esta crónica ha quedado incluida en *La vuelta al día en ochenta mundos,* p. 121.

sus intérpretes. El carácter específico del protagonista fue sugerido
por la lectura, en un diario de 1955, de la necrología del *Bird,* Charlie
Parker, el ángel del *jazz.*

En «El perseguidor» Cortázar muestra por primera vez, en forma explícita, su deseo de enfocar un problema existencial. Según él
mismo ha declarado en sus entrevistas con Luis Harrs [3], hasta ese
momento había estado satisfecho con inventar puras fantasías, con
imaginar situaciones fantásticas que se resolvieran en una forma que
le pareciera estéticamente adecuada. Esta primera época, la de *Bestiario* y algunos de los cuentos de *Final del juego,* es dejada atrás
por él al escribir «El perseguidor». El deseo de profundizar en la
comprensión de lo humano que, según Cortázar, lo impulsó a escribir
este relato, lo llevó luego a la realización de obras más maduras,
como *Los premios* y *Rayuela.* «El perseguidor» es, pues, un cuento
clave, ya que fue escrito en un momento de encrucijada para el autor.

El problema de Johnny Carter, el saxofonista negro, es el de un
hombre dotado de un sentimiento metafísico puramente intuitivo,
pero totalmente desprovisto de recursos intelectuales para analizarlo.
La música es su único instrumento de expresión y, al mismo tiempo,
de búsqueda. El tiempo, no el del reloj, sino el tiempo sicológico,
lo obsesiona. No logra comprenderlo. Así lo expresa muchas veces
en su lenguaje desarticulado y primitivo. «En casa el tiempo no acababa nunca» *(AS., p.* 107), le dice a Bruno, contándole de su infancia. Pero cuando comenzó a tocar el saxo se dio cuenta de que la
música lo sacaba del tiempo convencional, aunque de alguna manera
lo metía también en el tiempo, un tiempo que, añade perplejo, «no
tiene nada que ver con ... bueno, con nosotros, por decirlo así».
(Ibid.) «Esto del tiempo es complicado, me agarra por todos lados»
(página 110), confiesa más adelante.

Johnny es un hombre que no acepta la manera convencional de
entender la realidad. Es un perseguidor, rastreando a ciegas en búsqueda de una iluminación del sentido de la realidad. Lo preocupa que
no lo conozcan tal como él cree ser, en su yo verdadero. Esto se lo
reprocha a Bruno, su amigo y biógrafo. «De lo que te has olvidado
es de mí» (p. 171), le dice a propósito del libro que Bruno ha escrito
sobre él y cuya versión en inglés está en proceso de publicación.
Pero lo que no sólo lo preocupa, sino que hasta lo enfurece, es el
hecho de que la mayoría de la gente, la gente que lo rodea al menos,
se sienta tan segura, viviendo dentro de una realidad aparentemente
estable y comprensible, cuando a él todo se le antoja inestable, incomprensible y, por tanto, alarmante.

Tocar el saxo maravillosamente, como él lo hace, no le parece
a Johnny tarea difícil, ni digna de admiración. «En realidad las cosas

---

[3] *Los nuestros,* pp. 273-274.

verdaderamente difíciles son otras tan distintas, todo lo que la gente
cree poder hacer a cada momento. Mirar, por ejemplo, o comprender
a un perro o a un gato. Ésas son las dificultades, las grandes dificultades. Anoche se me ocurrió mirarme en este espejito, y te aseguro
que era tan terriblemente difícil que casi me tiro de la cama. ...
Realmente ese tipo no soy yo. ... Lo agarré de sorpresa, de refilón,
y supe que no era yo. Eso lo sentía, y cuando algo se siente...»
(páginas 142-143).

La premonición de la muerte lo persigue. Por todas partes ve ce-
menterios llenos de urnas. En una de esas visiones se ve a sí mismo
agachado, desenterrando una urna para ver si está vacía, esperándolo.
«Pero no, estaba llena de un polvo gris como sé muy bien que estaban
las otras aunque no las había visto. Entonces ... entonces fue cuando
empezamos a grabar *Amorous*, me parece» (pp. 139-140). Naturalmente estas obsesiones son síntomas que se explican sin dificultad
en un cuadro esquizofrénico favorecido por la bebida y las drogas.
Pero al autor no le interesa el cuadro clínico, sino el drama humano,
encarnado en su protagonista. Cortázar, provisto como está de una
preparación intelectual adecuada para el análisis de problemas existenciales, ha querido presentar aquí el drama tal como es vivido y
expresado por una mente sencilla, aunque extremadamente sensitiva.
Es sugestivo también el hecho de que el relator sea al mismo tiempo
biógrafo de Johnny. Varias veces expresa Bruno el conflicto que él
ve entre su condición de amigo y su papel de biógrafo. Él sabe que
su libro no va más allá de una presentación superficial del hombre
Johnny. Lo que él ha ofrecido a sus lectores es la figura de un talentoso músico negro, y al mismo tiempo ha querido mostrarse a sí
mismo como musicólogo, al analizar el estilo y métodos de improvisación de Johnny.

Bruno tiene conciencia de que su amistad con Johnny está influi-
da por un interés profesional egoísta. Se siente culpable y se desprecia
por ser crítico, un hombre «que sólo puede vivir de prestado, de
las novedades y decisiones ajenas» (p. 156). No hay duda que ésta
es también la opinión de Cortázar, quien hace que su personaje trate
de justificarse como mejor puede. Bruno no puede permitirse ahondar
en el drama personal de Johnny, porque entraría en algo que no le
corresponde como crítico de *jazz* y, además, los lectores no lo com-
prenderían. Por otra parte, él mismo no comprende la diferencia que
distancia a Johnny de quienes lo rodean, ya que no lo consideran un
Picasso o un Einstein. Sin embargo, ese hombre, en apariencia sólo
«un pobre diablo enfermo y vicioso y sin voluntad y lleno de poesía
y de talento» (p. 145), es algo más que se le escapa a sí mismo, a
Bruno y a los que lo conocen, aunque al mismo tiempo explica la
atracción que es capaz de ejercer.

Bruno no ha creído necesario «explicarle a la gente que Johnny cree pasearse por campos llenos de urnas, o que las pinturas se mueven cuando él las mira» (p. 152). Pero aunque él trata de explicarse estas alucinaciones como consecuencia obvia de la marihuana, ellas no dejan de afectarlo, porque esas experiencias patológicas parecen abrir una brecha por la cual se entrevé la desintegración constante y el abismo de la muerte, que son la pesadilla de la condición humana.

«Los buenos servicios»

La autenticidad es objeto de búsqueda para la mayor parte de los personajes de Cortázar. A veces, sin embargo, el sentimiento verdadero surge inesperadamente, en medio de la falsedad y la sordidez, como en «Los buenos servicios», otro de los cuentos de Las armas secretas. Los servicios que madame Francinet presta a la familia Rosay tienen un carácter inusitado. La primera vez se trata de cuidar a seis perros durante una fiesta importante. Los animales tienen su cuarto y cada uno duerme en su colchón individual. Cabe agregar que los dueños de casa, especialmente las mujeres, adoptan una actitud ridículamente protectora hacia los perros, en contraste con su indiferencia hacia las necesidades elementales de madame Francinet. Pero la parte más importante del relato se inicia con una descripción de la conducta de monsieur Linard (alias monsieur Bébé) y su repentina cordialidad hacia madame Francinet durante la noche de la fiesta.

El segundo de los buenos servicios que ella va a rendir es el hacerse pasar por madre de monsieur Bébé, quien ha muerto «en circunstancias muy especiales» (p. 60). La buena señora acepta hacerlo gracias a una atractiva oferta de dinero, y sin saber que la persona muerta, monsieur Linard, es el mismo monsieur Bébé que le había dado de beber y le había acariciado la cabeza, el único que la había tratado como un ser humano aquella noche de la fiesta. Cuando madame Francinet ve al muerto, el falso duelo se vuelve duelo auténtico. Su llanto es espontáneo y sincero, un elemento incongruente dentro de esa farsa. Madame Francinet se siente totalmente identificada con su papel.

No sabemos cuáles han sido las «circunstancias especiales» de la muerte de Bébé, pero el autor deja que imaginemos algo turbio asociado a una evidente homosexualidad. La elección de una profesión como la de modisto, la hostilidad entre monsieur Nina y monsieur Loulu, producto tal vez de celos, el llanto de ambos hombres ante la muerte de Bébé y la aparición del personaje de la bufanda, una amistad probablemente contraída por Bebé en un ambiente menos respetable que el suyo; todo confirma esa impresión. Y por otra parte, la actitud de madame Francinet, que había sido planeada como un elemento teatral para que el drama no careciera de respetabilidad, resulta en definitiva el aspecto más auténtico y el elemento purificador.

«Rayuela»

La insatisfacción con el medio y con la propia vida, así como la desesperación por no llegar a tocar nada verdadero, está presente entre los viajeros de *Los premios*. La que mejor encarna ese estado de ánimo tal vez sea Paula, exiliada de su familia aristocrática por una rebeldía estéril, sin rumbo, y sin suficiente coraje para rechazar su dependencia económica del «padre cacique político». Pero también Raúl, Medrano, Claudia, cada cual lleva consigo su carga de frustraciones, sentimientos de culpa y sensación de vacío.

Sin embargo, la presentación más completa y elaborada de esos problemas la da Cortázar a través de *Rayuela*. En el capítulo 3 de esa novela, Oliveira hace un lúcido examen de conciencia. Desde temprano, su vida había sido un constante rechazo de los moldes de conducta que le hubieran permitido integrarse a la sociedad en que vivía. Se había negado a aceptar las «mentiras colectivas», el escapismo por la acción o por la rápida y ansiosa acumulación de cultura, actitud tan característicamente argentina; pero tampoco se había acogido a la «soledad rencorosa» del intelectual especialista. «Era clase media, era porteño, era colegio nacional, y esas cosas no se arreglan así nomás» (p. 32). Su excesivo temor a ese acondicionamiento lo había llevado al relativismo, a la imposibilidad de tomar decisiones, a «la lucidez terrible del paralítico». (*Ibid.*) Pero si la lucidez desembocaba en la inacción, ¿no sería ésta una forma de ceguera? «Felices los que eligen, los que aceptan ser elegidos, los hermosos héroes, los hermosos santos, los escapistas perfectos» (p. 34). Este camino es precisamente el que Oliveira se siente incapaz de seguir. Las razones de su conducta las vuelve a explicar en el capítulo 90. «Ronald había acabado por irse cabizbajo sin convencer a Oliveira de que era necesario apoyar con la acción a los rebeldes argelinos» (pp. 473-474). Oliveira se niega a apaciguar su conciencia por medio de la acción social. Le parece el camino fácil, una manera de sentirse valiente y bueno, de ser apreciado por los amigos y, en el fondo, desentenderse del problema. Sospecha que ese activismo no es más que «una traición vestida de trabajo satisfactorio, de alegrías cotidianas, de conciencia satisfecha, de deber cumplido» (p. 475). Lo que rechaza no es el objetivo de la acción, muchas veces meritorio, sino la motivación personal que lleva a ella; y el que el sufrimiento de otros le permita a uno sentirse abnegado, ser «santo a costa de otro». (*Ibid.*)

En *62. Modelo para armar*, Cortázar vuelve a abordar el tema, pero en forma mucho más irónica y humorística. Esta vez el sarcasmo abarca a aquellos que, como Austin, creen en el mérito de indignarse y preocuparse por las injusticias de este mundo. El párrafo siguiente es ilustrativo al respecto:

> Marrast había tenido que aguantarse un alegato en pro de la educación de las masas y de la lucha contra el racismo. Todavía ahora, entre cada viaje de los tenedores a los *spaghettis*, se oían restos más o menos confusos del tema: Ustedes no tienen derecho a perder el tiempo en esa forma / Échales sal, que están repugnantes / ¿Pero no te das cuenta de que también esto es una manera de impulsar a la humanidad por caminos más vitales? / Cómo extraño el pan de París, madre mía / Aquí le ponen *ketchup* a todo / Es un impulso muy raro, no te lo oculto / Cuanto más raro, más eficaz, che, los hombres no son coleópteros / Para ustedes lo que está pasando en el Congo, entonces / Pero sí, Austin, claro que sí / Y en Alabama / Estamos enteradísimos, Polanco tiene un teléfono directo con el pastor King / Y lo de Cuba, entonces / A Cuba la conocemos en detalle, y en todo caso no le vendemos una flotilla de autobuses que después se hunden con barco y todo / Histriones, eso es lo que son / Muy posible, laudista, pero qué hacías vos antes de conocer a los histriones / Yo, en realidad / No, en realidad no, en tu club de paranoicos y gracias / Por lo menos tenía conciencia de los problemas / Claro, y con eso dormías como un ángel / (p. 146).

La última frase es la clave. Marrast pone en duda la autenticidad de sentimientos y la superioridad moral de los que constantemente adoptan una actitud solemne y preocupada con respecto a los problemas político-sociales. Y, en definitiva, se ríe de su pretensión ingenua.

El análisis de cada acto, la sospecha permanente de inautenticidad, hacen que Oliveira renuncie a la lucha por ideales que, sin embargo, comparte. Prefiere gozar de la «máxima libertad y disponibilidad» que le confiere su condición de testigo. ¿Para qué esa libertad y disponibilidad que Oliveira trata de conseguir a tan alto precio? Su respuesta parece teñirse de un intelectualismo estoico. Renunciar a la acción para obtener mayor libertad de conciencia, para lograr una visión desprejuiciada, para alcanzar, tal vez, a penetrar intuitivamente lo que es esencial en la vida. Pero si, por una parte, sus esfuerzos por liberarse de la sicología de burgués porteño no parecen muy exitosos, tampoco el negativismo paralizante en el que está anclado le permite encontrar dirección o meta alguna. Vaciado de posibilidades por decisión propia, sólo le queda la autodestrucción, la cual realiza metódicamente por medio de un determinado y despiadado hundirse en las tinieblas.

Es extrema la forma en que el protagonista pone en duda todo, hasta sus sentimientos. Al darse cuenta de que Rocamadour, el bebé de la Maga, ha muerto, mientras ellos escuchan discos y discuten de filosofía y arte, su primera reacción es poner distancia y frenar un impulso espontáneo. No, él no iba a gritar, «armar la de mil demonios normal y obligatoria», eso sería «calzar en el molde» y, por lo demás, completamente inútil. En su experiencia con Berthe Trépat, sólo unas horas antes, había fracasado en un impulso compasivo de acercamiento, raro en él. Ahora, avergonzado de una sentimentalidad que en general rechazaba, no iba a dejarse arrastrar de nuevo. Hay algo de Mersault en esa imposibilidad de Oliveira de sentir la muerte de Rocamadour. No se permite siquiera consolar a la Maga porque, al fin de cuentas, lo haría solamente, según cree, por motivos egoístas. « 'Eso yo lo haría por mí', pensó. 'Ella está más allá de cualquier cosa' ... 'Yo dormiría mejor después de besarla y consolarla y repetir todo lo que ya le han dicho éstos' » (p. 204).

En todos los planos, sea en la vida sexual, en la amistad, en el terreno de las convicciones político-sociales o estéticas, en la creación literaria, la actitud de Oliveira, como la de Cortázar mismo, es siempre el rechazo de los estereotipos, de las formas de expresión que el uso ha contaminado, haciéndolas falsas o, simplemente, vacías. La atracción que ejerce el *jazz* sobre Cortázar, y que se hace tan evidente en *Rayuela,* está relacionada probablemente con el hecho de ser éste un arte que, como tal, no admite formas definitivas; se da en él, por el contrario, la coincidencia de la creación y la ejecución en un solo momento de expresión libre e irrepetible. Cortázar habla en *La vuelta al día en ochenta mundos* de los *takes* en el *jazz* y en la literatura. El *take* consiste en la grabación sucesiva de un mismo tema; cada nueva versión del tema es una creación; es decir, un nuevo esfuerzo, y una nueva expresión de mérito independiente al de las versiones previas o posteriores. Es un tipo de ejecución que excluye la repetición y la mecanización. El procedimiento artístico se adapta perfectamente a su ideal de lo que la labor literaria debe ser, un «riesgo implícito en la ejecución», un «compromiso total». *(VD., p. 201).*

Este ideal, de acuerdo al cual ha sido escrita *Rayuela,* puede entenderse como una de las formas en que se manifiesta la búsqueda de lo auténtico, preocupación que se encuentra, implícita o explícitamente expresada, en cada una de las páginas de Cortázar. Los viajeros rebeldes del «Malcolm» pugnan por alcanzar la popa, por salir del laberinto, por ver la luz; pero el único que llega a ella paga la osadía con su vida. Oliveira, por otra parte, cruza océanos físicos y mentales, saltando las etapas de su vida como una rayuela en busca de un absoluto. El ideal del protagonista, simbolizado por el cielo de la rayuela, es nombrado con distintas palabras: centro, *kibbutz, ygdrassil,* unidad, armonía, encuentro, paraíso perdido, etc. Pero, de más está decirlo, los nombres son sólo aproximaciones a algo que no llega nunca a ser definitivo. La empresa de Oliveira acaba frente a la ventana abierta de un manicomio, desde la cual el acceso al cielo sólo parece posible mediante el salto físico suicida o el salto mental que termine de sumergirlo en la locura. Claro que también queda la renuncia, y tal vez sea por ésta que el protagonista opte, al menos temporariamente, como piensa Ana María Barrenechea [4]. La novela terminaría, según ella, con «el triunfo de este lado de acá», representado por Talita y Traveler aferrados a «la ternura de esta tierra» y Horacio respondiendo, aunque no se puede saber hasta cuándo, al llamado de lo humano.

No parece posible, sin embargo, que Cortázar haya querido dar solución, siquiera temporaria, al problema existencial de su personaje, porque lo que presenta es un conflicto insoluble. En sus propias palabras: «En cuanto a ese equilibrio último que se simboliza un poco con el final de Oliveira, ese final en el que realmente no se sabe lo que ha sucedido —yo mismo no lo sé, ignoro si Oliveira se tiró por la ventana y se mató realmente, o no se mató y entró en una locura total, sin contar que además estaba ya instalado en un manicomio...— yo creo que eso fue una tentativa de demostrar desde un punto de vista occidental, con todas las limitaciones y las imposibilidades conexas, un salto en lo absoluto como el que da el monje Zen o el maestro del Vedanta» [5]. Esta empresa, imposible de realizar desde un punto de vista realista, queda, pues, planteada en términos ajenos a la razón. El salto en lo absoluto, de ser factible, sólo podría realizarse por medio de una intuición trascendental, problema filosófico insoluble, que está en la raíz de toda esa búsqueda, en la que Cortázar participa con su personaje Oliveira y algunas de sus otras criaturas.

Pero si el intento de Medrano en *Los premios* —donde la popa se convierte en un objetivo inaccesible, en símbolo de lo absoluto— está aún rodeado de una aureola romántica un tanto ingenua, y la angustia de Johnny Carter en «El perseguidor» es patética y conmovedora, la búsqueda de Oliveira se caracteriza, en cambio, por lo estrafalario, por lo grotesco y absurdo. Cortázar detesta las búsquedas solemnes y cree, además, que «las cosas más profundas salen a veces de una broma o una bofetada» [6]. 62. *Modelo para armar,* aunque sin ahondar como *Rayuela* en el planteamiento de estos problemas, es una nueva confirmación de su humorismo irónico y demoledor, como ya hemos podido apreciar en el párrafo anteriormente citado.

Cortázar se ubica dentro de la fecunda tradición europea que va de Rabelais y Voltaire al humor negro de Alfred Jarry y al teatro de

[4] «*Rayuela,* una búsqueda a partir de cero», *Sur,* núm. 288, Buenos Aires, 1964, p. 73.
[5] *Los nuestros,* pp. 285-286.
[6] *Ibid.,* p. 281.

Beckett, Ionesco y Dürrenmatt. Jarry es mencionado por él con frecuencia. «Desde muy joven», le dice a Luis Harss, «admiré la actitud personal y literaria de Alfred Jarry. Jarry se dio perfecta cuenta
de que las cosas más graves pueden ser exploradas mediante el humor; el descubrimiento y la utilización de la patafísica es justamente
tocar fondo por la vía del humor negro. Pienso que eso debió influir
mucho en mi manera de ver el mundo, y siempre he creído que el
humor es una de las cosas más serias que existen» [7].

La vivencia de lo absurdo, nunca alejada de la obra de Cortázar,
es uno de los aspectos fundamentales del mundo personal que *Rayuela* ofrece. Los episodios con madame Trépat y con la *clocharde*
muestran una tendencia a lo esperpéntico. La actitud de todo el
grupo frente a la enfermedad y muerte de Rocamadour parece inconcebible en términos humanos; sin embargo, puede que no lo sea
tanto, si se piensa en la capacidad de apatía e indiferencia que el
hombre demuestra para el sufrimiento ajeno. Lo absurdo y grotesco
de la situación tienen un fuerte impacto sobre el lector, que no puede
dejar de reaccionar ante tamaña insensibilidad e irresponsabilidad,
a pesar de que el autor se ha esmerado en despojar la escena de todo
elemento verdaderamente dramático. Por otra parte, la búsqueda de
Oliveira es tan absurda e inútil como la espera de los protagonistas
de *Esperando a Godot,* y la falta absoluta de comunicación entre los
personajes de *Rayuela* en el capítulo 58, por ejemplo, nos puede
muy bien recordar las páginas finales de *La cantante calva,* de
Ionesco.

Friedrich Dürrenmatt, en *Problems of the Theatre* [8], habla también de lo grotesco como la única manera de expresar el mundo paradójico en que vivimos. Según Dürenmatt, sólo a través de la comedia
puede el dramaturgo hacer que surja el elemento trágico, ya que la
tragedia, en su concepto clásico, no tiene sentido en un mundo des-
pojado de sentimientos de culpa y responsabilidad individual.

Cortázar cree, del mismo modo que los autores citados, que el
recurso humorístico es el arma más poderosa y el recurso de mayor
eficacia expresiva de que dispone el escritor contemporáneo. Una
muestra de su talento humorístico es su caracterización de la conducta humana a través de las páginas burlonas y, al mismo tiempo,
profundas de *Historias de cronopios y de famas.* Este libro, anterior
a *Rayuela,* en el que culmina la tendencia desrealizadora en la producción de Cortázar, es, a pesar de su aspecto inofensivo, una obra
significativa porque en ella encuentran expresión sus preocupaciones
más serias y arraigadas, según se verá a continuación.

---

[7] *Ibid.,* pp. 282-283.
[8] Grove Press, Inc., New York, 1958.

...Sobre Julio Cortázar

Osvaldo López Chuhurra

En tanto no haya hombres nuevos, no habrá lugar para lo nuevo.

PIET MONDRIAN.

Julio Cortázar es un ser lanzado al mundo que se realiza en el tiempo. Lo más importante de este *ser existiendo* quedará expresado en el universo que el hombre-escritor va creando, como una confirmación categórica de su propia existencia. Realidad que subraya lo particular de *una vida,* inmersa en lo universal de *la vida.*

Cuando Flaubert confesaba *Salambo c'est moi* (Salambó soy yo), hacía centro en la verdad con respecto a las características especiales de ciertos escritores. Porque algunos *son más en la obra* que otros; los que «se comprometen» en la zambullida del riesgo y el peligro, desnudando y arriesgando su propia interioridad, para mostrar las vivencias profundas que se exponen al encuentro con el mundo de los *otros,* de los que no son la «persona» del escritor.

Persona es «máscara», apariencia externa. El creador lleva —como todos los seres— la máscara de una individualidad inconfundible, que lo distingue del resto de la especie. La máscara obliga a un nombre «personal»; esta vez será el de Julio Cortázar, escritor que podría hacer suyas las palabras de Flaubert, ya que en mayor o menor grado —según las circunstancias y las exigencias— *su obra es él,* recortado con el biombo traslúcido de la expresividad.

Si elegimos la «persona Cortázar» es porque nos *interesa,* mejor dicho, porque nos ha interesado desde el momento que lo conocimos. El interés nos comunicó su presencia mientras leíamos la obra que nos «había llamado» (cuando la escogimos no sabíamos del contenido de

14

sus voces); y al «volver a nuestra realidad» (abandonando esa otra realidad que el escritor nos proponía), al penetrar en ese estado de indefiniciones en medio del cual no somos capaces de desprendernos del universo del libro, y al mismo tiempo tenemos conciencia de lo verosímil de todo lo que nos rodea, emitimos una opinión y en seguida un juicio.

La opinión habla de gustos, el juicio de valores. Por eso nos atribuimos el derecho de decir que Julio Cortázar es *un escritor importante*. Ser importante quiere decir que «importa»; importa al lector, al que se acerca a la obra en este caso, movido por un *interés*. El interés es siempre egoísta; interesa aquello que de alguna manera beneficia al *interesado*. En consecuencia, si un libro de Cortázar «interesa» a un lector, es porque en la obra existen ciertos elementos capaces de modificar —con su participación— la marcha ininterrumpida de su existencia.

Es por ello que el lector demuestra interés, «se interesa» vale decir «se da», se entrega a la lectura, porque *siente* (y «no sabe») que durante la misma su existencia se está modificando y, en consecuencia, enriqueciendo. En este sentido el ser humano es ambicioso y avaro por naturaleza. Desde que nace «recibe» una existencia, que va enriqueciendo en el tiempo (aun en los casos de las experiencias negativas, en las situaciones del «paso hacia atrás», es evidente una forma de riqueza: *se cuenta* con una cosa *más*).

Y una vez que se siente dueño, es celoso de lo que posee, se convierte en avaro cuando se trata de entregar una parte de su propia interioridad, de su auténtica condición humana. El creador es uno de los ejemplos más convincentes de lo que acabamos de afirmar. Ambición y avaricia —entendidas con el significado especial que se les otorga dentro del planteo— favorecen a la creación; Cortázar nos ayudará a demostrarlo.

Julio Cortázar «ha elegido» ser escritor —la elección es siempre símbolo de libertad—; con un papel y un lápiz (¿o la máquina de escribir?), se «complace» en conseguir el «médium» que lo certifica en cuanto existencia que se va realizando, y que *necesita* imperiosamente renovar su inevitable devenir. Decimos «se complace», porque el hacer es para Cortázar una forma de juego que le divierte. El artista es en su raíz profunda, el hombre que no ha dejado de ser niño; está *descubriendo* el mundo permanentemente, y sigue poblándolo con «ilusiones» nuevas. El niño *se asombra* cada vez frente a lo inesperado, y vive en el universo de sus «fantasías». Paul Klee resulta el paradigma de esta dimensión existencial incomparable.

La complejidad de esa existencia que se realiza «en acto» (que nunca *está hecha,* por tanto), registra las experiencias, la van conformando. El espíritu creador es consciente de ese incesante «registrar», porque vive en permanente actitud de expectativa, es una «sensibilidad abierta al mundo»; y en esta intencional apertura está implícita su capacidad para recibir y su posibilidad de dar.

El universo que se ofrece al escritor —a Julio Cortázar para nosotros—, tiene una dimensión distinta con respecto a la que puede percibir el hombre común; pero la diferencia estriba en el interés que demuestra cada uno de los espectadores.

El escritor *se interesa* por el mundo y lo penetra (aparece aquí el interés, tomado como otra forma de *compromiso*). Su fructífera «ambición» (ya que será siempre intencional), acelera el ritmo de su devenir existencial; por eso todo creador es un visionario, él ve *antes* y *más*. En consecuencia, cuando «dice», lo hace en un momento del tiempo que no corresponde al que vive su época. De ahí que se afirme siempre que los creadores «se adelantan» a su tiempo.

Hay que valorizar como corresponde y de una vez por todas a estos auténticos creadores, capaces de instaurar un orden nuevo, haciendo posible que a partir del sistema que ellos elaboran se multipliquen las experiencias expresivas. Eurípides, Miguel Ángel, Cézanne, están siempre dispuestos para demostrarlo.

En las distintas artes existen estas islas fundamentales que rigen la vida de todo el archipiélago; los otros artistas forman los islotes que se nuclean alrededor de ellas. De acuerdo con esto, debemos distinguir el escritor tomado en un sentido general, del escritor que se proyecta más allá de su propia obra. Este último es capaz de modificar con su presencia (materializada en el libro), la estructura de ese «caos organizado» llamado cultura, estructura que marcha siguiendo el ritmo que le impone el mismo ser humano.

Julio Cortázar forma parte del grupo de «islas», pertenece al clan de los profetas del arte, poseedores de la *palabra nueva* (debemos evitar la confusión a la que puede llevarnos el sustantivo «palabra»; en este caso está referido a una nueva forma de ser de la *expresión*). Nadie discute que todos los artistas son poseedores de un «lenguaje», gracias al cual pueden expresarse; pero debemos establecer la diferencia entre el artista que maneja elementos expresivos para decir *su* palabra (con la cual «creará» su obra), y el artista-creador que carga *su* palabra con una significación particular, capaz de dar origen a *«la* palabra-clave» de un nuevo sistema expresivo. En el primer caso, el valor «significante» de la obra no pasa de los límites de ese mundo inventado; en el segundo, lo «significante» define a la obra, y al mismo tiempo posee en estado embrionario los elementos de un *hacer futuro.*

Este último es realmente el creador, ser que «liga con un solo gesto la tradición que él reanuda y la tradición que él funda», escribe Merleau Ponty. El gesto es la *nueva palabra,* abierta a toda posibilidad, una apertura que conduce al encuentro con los infinitos significados que todavía «no son» una realidad concreta.

La producción de Julio Cortázar cumple con el doble destino del segundo grupo de obras significantes (y significativas). Sus cuentos y novelas tienen una unidad cerrada, circular, que se satisface en la significación de su propio mundo, y en los mismos cuentos y novelas se descubre *el gesto* que bosqueja una literatura que «comienza a ser», a partir de las primeras realidades que ya son hijas de su mano. Cortázar denuncia la presencia de un nuevo acontecer, del cual resulta el portavoz. Es una verdad existencial que asoma como un brote, antecedente de un futuro árbol que dará su semilla. Se cumple así el proyecto de un ciclo vital en el cual participa, por supuesto, la cultura.

Especificando más, diremos que ésta cumple con su propio ciclo vital, porque es *existencia manifestada.* La intervención del escritor en el modelado de ese cuerpo abstracto de la cultura, juega un *rol* fundamental. Siguiendo este razonamiento, una novela o un cuento de Cortázar son existencia con cuerpo de palabra; energía creadora que estructura una frase, una oración, una cláusula, un período, la obra misma. Las palabras que utiliza nuestro escritor hablan de cosas, de casos, de sucesos. Vienen del recuerdo o del presente, de la realidad cotidiana o de los estratos de la fantasía. En todos los casos están poniendo de manifiesto esa «otra naturaleza» que es parte vital del escritor, y que convive con la naturaleza que llamaremos «biológica», para distinguirla de la anterior, la «naturaleza creadora».

No cabe duda de que la existencia del escritor es ambivalente; «consume un tiempo de vida», el orgánico, el de su «ser en el mundo», e «incorpora al tiempo» una *existencia creada,* en virtud de una facultad extraordinaria que lo hace «ser para el mundo».

El escritor dispone del *existir* y del *ver la existencia* con mirada «interesada» (este interés es ya intencionalidad creadora). Mirar así es provocar un diálogo; Julio Cortázar dialoga con el mundo que está frente a él, y con el otro que se oculta inmerso en su existencia. El diálogo, los diálogos, tienen por destino ser «obra creada» en la forma de un libro. Y esta obra cumple a su vez «su» destino: provocar un nuevo diálogo. Pero ahora la otra parte no son las cosas que están fuera o dentro del creador; son los lectores, los «otros» que no son «él», y que cumplen también —en su situación particular— con una existencia bivalente.

La experiencia se cumple cuando «en el momento de la expresión, el otro a quien yo me dirijo y yo que me expreso, estamos ligados sin concesión», según afirma acertadamente Merleau Ponty. Al «ligarnos» a una o varias páginas de Cortázar aceptamos el comienzo de un diálogo, con una de las tantas galaxias que forman ese universo suyo, poblado de innumerables sistemas «luminosos».

Los sistemas se han ido creando con la materia prima recogida y seleccionada por el autor, siempre ávido de conocimiento, interesado —incansablemente— por saber (que no es lo mismo que conocer), por apropiarse de todo lo que vive y tiene algo que ver con él desde el momento que su atención se pone al servicio de la sensibilidad.

Esta ambición por recibir el mundo se transforma más tarde en una ambición por entregar las «ganancias» que le dejaron las experiencias vividas. Pero cuando se cumple este segundo paso, el impulso vital de la invención modifica sustancialmente los contenidos de aquel pretérito aleccionador, porque *el presente* —que se conjuga con todas las personas de su creación—, es una existencia que acaba de entrar en la vida, con la respiración de la palabra inicial de un título poblado de sugerencias.

Julio Cortázar, devorador y poseedor de una cultura que penetra la epidermis del papel, fabrica sus propias «armas secretas» para producir una herida, un *tajo existencial* que deja al descubierto una zona profunda y oscura, donde se oculta el centro de la perspectiva total, de la mirada sin punto de fuga. Él será el primero en meterse en la herida para des-ocultar el centro; ésta es, en el presente, la meta de la etapa próxima, su ambición, insatisfecha todavía.

No nos ha resultado difícil encontrar al Cortázar «ambicioso»: tratemos de hallar ahora al «avaro» que pervive en este ser humano. En el escritor —como en todo creador—, el sentimiento de avaricia flota tembloroso en el mar convulsionado del inconsciente. El artista es magnífico toda vez que pierde una parte de sí mismo, sin esperanza de recuperación; pero a medida que «hace para dar», está realizando para «realizarse». Utiliza y dispone de todo lo que tiene para entregar al *ser del otro,* pero siempre guarda, conserva el remanente que resta de la experiencia creadora.

Aunque parezca paradójico, ese acto de «desprendimiento» que tiene lugar cuando se logra la realización total de una obra, va proporcionando las energías creadoras del próximo acontecer existencial que debe vivir el artista. El autor nunca queda *vacío,* al contrario: si es un auténtico creador siempre tendrá más cosas «que decir». Cuando se agote el repertorio expresivo estará frente a la «muerte» de su propia imagen de artista.

El escritor jamás llega a dar lo mejor de sí de una manera definitiva —Cortázar es un estupendo ejemplo en este caso—; los síntomas de avaricia inconsciente, a la cual hemos hecho referencia, aparecen en el proceso mismo de la creación. Cuando el autor pierde su contacto con la obra terminada, está convencido de haber dado lo mejor de sí mismo (de lo contrario no se desprendería de ella); pero no la ha perdido de vista todavía, y ya se muestra interesado por un *re-comenzar* que busca otra vez ese *mejor* que provoca el futuro nacimiento. Vive en un estado de crisis permanente, de esa pérdida de equilibrio que conduce a una «necesidad» de expresión que está siempre *después* y *en seguida*.

Cortázar es consciente de este «mejor» que compromete su futuro inmediato. (Remitimos al lector al trabajo de Luis Harss «Cortázar o la cachetada metafísica», aparecido en el número 7 —enero 1967—, de la revista *Mundo Nuevo,* editada en París.) Su máxima ambición —es decir su «necesidad» en futuro— es llegar a ser dueño de una visión «no euclidiana» de la existencia, para poder abarcar al hombre en un ámbito vital carente de dimensión numérica.

Mientras perfecciona su retina cosmológica, recorramos el universo de su invención, agudizando la mirada para alcanzar a ver —desde nuestro ángulo de observación—, el *más acá* de la supuesta realidad. En medio de ese universo estará fluctuando la figura del testigo que «observa y registra», y confundido con la propia materia creada, estará hablándonos el espíritu de un artista. Ser y mundo, y un «verbo personal».

EL MUNDO DE LA REALIDAD Y LA FANTASÍA DEL MUNDO

La producción cortazariana que nos interesa comienza con *Bestiario* y se detiene (anunciando un nuevo título) en *Todos los fuegos el fuego.* Cuentos al principio y cuentos al final; resulta tentador, por consiguiente, referirse a este género literario, en el que nuestro escritor es un verdadero maestro.

Antes de entregar las pruebas que confirman el juicio emitido, conviene preguntarnos *qué es un cuento,* para saber *de qué* estamos hablando; después será más fácil manejar las pruebas.

Un cuento es la narración de un «acontecer» (real y posible gracias a la intervención de uno o varios sucesos). El desarrollo del mismo mantiene presente la persona del narrador (de apariencia abstracta) que «nos va contando» el acontecimiento. Por eso, en general, el tiempo del acontecer es un pretérito presentizado por el autor que lo *presenta.*

Desde que hace su aparición, el cuento permanece siempre «frente a nosotros», nada incita a la participación activa del lector. Existe una especie de barrera entre el escenario donde se cumple el acontecer, y la butaca de primera fila, donde está sentado el que lee. Para «meternos» en el clímax de la narración, es imprescindible traspasar la barrera y, una vez instalados en el «otro lado», recorremos lugares y tiempos, en calidad de espectadores dispuestos a *ver* lo que sucede. La facultad de hacernos *visible* esa realidad que contemplamos, es una «facultad plástica», de la que disponen los grandes cuentistas. Y Julio Cortázar, repetimos, es, en ese sentido, un maestro reconocido.

Bestiario, Final del juego, Las armas secretas, Historias de cronopios y de famas, Todos los fuegos el fuego, cada tomo, un álbum de sorpresas. Los abriremos para hojearlos rápidamente (el número de narraciones atenta, esta vez, contra el análisis exhaustivo), tratando de poner en situación de evidencia las características comunes que distinguen su específico acontecer; y nos detendremos especialmente en algunas páginas significativas, aquellas que nos facilitaron los elementos de juicio para aventurarnos a la afirmación del primer párrafo.

Llamaremos *leit motiv* a cada uno de los temas que se repiten en cuanto entes participantes, pero llevan en cada caso una distinta y especial intencionalidad. Y para comenzar, un *leit motiv* principalísimo, ausente en muy pocas oportunidades.

La dualidad

Dibujando todas las variantes posibles, Julio Cortázar establece el enfrentamiento de dos formas del ser, dos estados vivenciales, dos posibilidades; siempre dos, el acontecer de dos realidades. En el contexto de unos veinte cuentos, lo dual asume capital importancia. Vida y muerte, realidad y fantasía, la vigilia y el sueño, el simbolismo de la doble flauta, las dos formas de ser de ciertas existencias, París y Buenos Aires al este o al oeste del Atlántico, según las circunstancias, separadas por el mar y unidas por el recuerdo, el mundo ahogado por la envoltura de un pulóver y ese otro mundo libre de la tiranía de la prenda, la arena del circo romano en los primeros años del Imperio y el departamento con teléfono, «patallazo» característico de nuestros días.

También el escritor es un personaje dual: registra los acontecimientos y crea una realidad nueva con el acontecer que registra. Acontecer detenido, fijado con el tiempo para poder adquirir una forma, lenguaje expresivo que lo «comunica» (la palabra lenguaje se refiere, en este caso, a los elementos operativos de la expresividad).

La dualidad difícilmente se resuelve en la unidad; se cerraría en un vértice, un punto, ente sin dimensión y por tanto sin proyección. Julio Cortázar no acostumbra casi nunca a colocar punto final; si éste aparece —como signo gramatical es indispensable—, lleva la carga y la intención del «punto y seguido».

El que sigue es el lector, completando y cerrando los ciclos vitales que giraron a su alrededor. De donde resulta que el personaje sentado en la primera fila asume de repente el papel de creador. Crea *para él* respondiendo a las propuestas que Cortázar ha dejado «en suspensión». Este tipo de aporte lo provoca y lo espera la «obra abierta», aquella que no termina con el último punto.

Autor y lector constituyen así los dos términos de una dualidad; la obra es hija de un ser que sustantiva la creación, en la cual participa otro ser que adjetiva con la fantasía un posible y multiforme acontecer. El creador hace «aparecer» una cosa (cosa, tal como la considera Heidegger) que antes *no era,* en cambio el lector «elabora» a partir de «la cosa que aparece». Si fuese capaz de provocar una aparición aprovecharía la energía de su espíritu para crear sus propias obras.

La realidad y la fantasía forman una de las parejas predilectas de Cortázar. En su afán por disecar hasta encontrar ese *centro* que «era y sigue siendo un problema personal», desmenuza la vida y encuentra —entre tantos hallazgos— una realidad aparencial indiscutida (la realidad «primera», que vemos, oímos, tocamos), y la «imagen eidética» de otra apariencia de lo real, que espera una mano dispuesta a sacarla a la luz). En medio de esas dos polaridades (otra vez lo dual), la mezcla de la realidad sin secretos aparentes (aunque es la que verdaderamente los tiene), con aquella que parece misteriosa, inventada, ficticia. Las variantes que puede ofrecer Cortázar prometen llegar al infinito; siempre encuentra el motivo que le proporciona una nueva combinación aleatoria.

Respondiendo a estas solicitudes nacieron *Los buenos servicios, La señorita Cora, La salud de los enfermos,* muy extraños, y sin embargo de «fácil acceso», porque la problemática se desarrolla en la esfera del universo que denominamos —ingenuamente— *mundo real.* Pero también escapan de su pluma las *Historias de cronopios y de famas,* realidades inventadas, excelencia del arte, realidad que *existió* para el escritor cuando *la vio* y la llevó al papel; realidad para nosotros cuando la leemos y *la vemos* (la «plasticidad», aliada de la visión, otorga al cuento valor comunicativo). Si no la sintiéramos real no creeríamos en lo que leemos, y sin un «auto de fe» es imposible entrar en el juego. También el niño «cree» y convierte en realidad su juego; el palo de escoba es el caballo y un trozo de cortina abandonada se transforma en la capa que lo enaltece como a un auténtico caballero.

Esta realidad fantástica debe resultar tan valiosa y convincente como la que nos impone la vida; imposición a la que nos oponemos tantas veces, cuando el sistema no «coincide» con la estructura que «nos inventamos» a propósito de la realidad y la vida. Los Cronopios, los Famas y las Esperanzas, hacen la ronda en una capa del mundo donde la fantasía acaba de inventar hasta la sustancia primera del acontecer, la presencia volátil de los protagonistas. Sin embargo, existe siempre un intercambio de posibles e imposibles. Nos llega a parecer normal que los Famas embalsamen los recuerdos porque cuando colocan los cartelitos de reconocimiento escriben: «Excursión a Quilmes», o «Frank Sinatra» (¿y acaso lo «fantástico» no estará en el cumplimiento de ese maravilloso vaivén inaprehensible?).

En la zona donde la realidad y la fantasía se atraen y se rechazan, llega a producirse la ruptura con las leyes de la lógica, y formulado el nuevo código, comienza la existencia de los seres que protagonizan una serie de cuentos significativos. Recordemos «Carta a una señorita de París», donde el nuevo inquilino de un departamento cumple con la catarsis de su angustia vomitando conejitos, y «Lejana», en el que una mujer vive una doble existencia: la que cumple como un componente más de la burguesía argentina, mientras aquella otra que tiene foma de mendiga atravesada por la nieve, «la está esperando» en un puente de Budapest.

La lógica degenera a veces en un verdadero «absceso conceptual»; llegado el momento, Cortázar convierte su pluma en bisturí para extirparlo de raíz. Occidente y Oriente son focos de una bipolaridad por demás conocida, con respecto a sus concepciones cosmológicas. El escritor invita a efectuar «el salto» (desprendiéndose de los mecanismos lógicos que han estructurado el pensamiento y la cultura occidentales), para caer en la otra orilla; el Vedanta, la filosofía Zen, están esperando acompañados de la Sabiduría.

En el complejo tablero de la existencia humana, figura un blanco con el nombre de *Muerte;* en él han hecho «centro» los arqueros-filósofos, y hacia él apunta sus flechas Julio Cortázar. Para los orientales, morir no significa el encuentro último, el fin absoluto; la muerte es pasaje, puente, «metamorfosis». Para Cortázar-escritor, el personaje de la muerte se yergue como un *leit motiv,* cuya importancia le otorga el derecho de aparecer en sus relatos.

La muerte

Personaje familiar, no falta casi nunca a la cita que conciertan los cuentos. El estado de metamorfosis, el «cambio de forma» de la existencia, es siempre Muerte, pero se presenta cada vez con un atavío particular, único y distinto. ¿Tendremos entonces que hablar de la Muerte, o acertaríamos en el blanco si apuntásemos a «las muertes»? El interrogante encierra los contenidos de una dualidad, que destacamos para un futuro estudio: *la esencia de la muerte* (corte definitivo para los occidentales, metamorfosis para los orientales) y *la existencia de la muerte,* una realidad distinta (como lo es toda existencia) para cada individualidad determinada.

Julio Cortázar no nos hace olvidar que la muerte nace con la vida. Reconstruyendo los temas de sus cinco libros de cuentos, nos encontramos con más de treinta narraciones en las cuales se le ha confiado uno de los primeros papeles del reparto; como dato ilustrativo, observamos que en *Todos los fuegos el fuego* —el último—, aparece en las ocho historias que forman el volumen.

Con validez de hipótesis se podría postular que la muerte representa en estos casos la «otra parte» de esa «dualidad» que llamamos *existencia*. El hombre es «vida y muerte»; no puede ser solamente vida, porque si así fuese, no tendría la oportunidad de *vivir* el acontecer de la muerte. La muerte es una experiencia de la cual (de este lado de la realidad total) no llegamos a tener conciencia. No la «conocemos», nos acontece, y el acontecer es vivencia. De donde, el ciclo completo de la vida se cumple con el acontecer de la muerte. («Quién sabe si la vida —decía Eurípides— no es un morir, y lo que nosotros llamamos morir no tenga en el *más allá* el nombre de vida.»)

El perfeccionamiento de la visión cosmológica incluye en el programa la presencia de la muerte, para poder abarcar la totalidad de la existencia. La intuición de un posible encuentro con ese centro *de observación* al que aspira llegar el escritor, lo incita a seguir el camino ascendente, para calar hondo y «tocar fondo». Y una vez ahí, el espacio y el tiempo carecerán de significación.

El Tiempo

Es éste el tercer *leit motiv* de la trilogía de fundamentales que sostienen la estructura narrativa de Cortázar (podríamos agregar muchos más: la náusea, el recuerdo, el sueño, los peces, el ajedrez, los barrios y las calles, el *jazz,* «las hojas secas que se pegan en la cara», etcétera). En los cuentos agota casi las posibilidades que tiene el tiempo para jugar y burlarse de los relojes y los calendarios.

Juego y burla permiten que a un tiempo «no problematizado», que fluye naturalmente en la realidad de un recuerdo, se le oponga (en otro libro, en otra situación), un tiempo que desarma el mecanismo de la cronología, reconstruyéndolo en la forma de un cronómetro especial donde el antes y el después cambian sus significados. *Dejan de ser* lo habitual para *comenzar a ser* una realidad «sorprendente».

El tiempo, invención humana, se reduce a una complicada fantasía cuando Cortázar hace saltar la cuerda del reloj. Como es un creador, se apodera de *su tiempo,* del que atrapa a la «prolongación del instante», y lo va *fijando,* lo va transformando en «devenir», de acuerdo con la lógica que solicita y exige el acontecer.

Contamos diecisiete cuentos, en los cuales el tiempo gravita en la manifestación de la existencia, y en algunos asume caracteres protagónicos. En «Autopista del sur» los habitantes de los coches responsables del «embotellamiento» de la ruta que da acceso a París, viven un tiempo que nada tiene que ver con ese otro que va enhebrando los días de la ciudad. En «Sobremesa» es personaje clave de un relato casi policial. «Cartas de mamá» plantea el problema de la negación del tiempo «real»; dos momentos distintos de un mismo acontecimiento: el que se fija al escribir la carta, y el que deviene mientras se realiza la lectura. «La flor amarilla» enlaza un tiempo sin pretérito ni presente, porque el «ahora» de la existencia se resuelve en el futuro que provoca el fenómeno de la eternidad. «El perseguidor» puede ser considerado un ensayo sobre el problema temporal, y «Todos los fuegos el fuego» es el exponente de la perfección de una partida tan apasionante como peligrosa, en la que el autor se coloca el traje de «prestidigitador del tiempo».

Dualidad, muerte y tiempo —en compañía de los otros motivos—, entran y salen del *mundo de la realidad* y la *fantasía del mundo*. Esta aparente libertad se las ha brindado Cortázar, el orquestador que escoge los instrumentos que le son indispensables para realizar la ejecución.

Y ahora preguntemos: ¿Cómo intervienen dichos instrumentos en esas partituras hechas con palabras? Batuta en mano, el director va señalando las «entradas y salidas» de cada elemento de la orquesta que canta su frase, ahora escrita. La «construcción» de la obra adquiere importancia capital porque a medida que ella —la obra— «se va haciendo», va des-ocultando el espíritu que la anima.

Revisemos partituras escritas por Cortázar, buscando algunos resortes «operativos»; cuando los encontremos no vamos a tener necesidad de interrogarnos por qué lo hemos considerado un maestro en el arte de escribir un cuento. Obligados a elegir, separamos tres títulos que marcan ya el comienzo de una nueva avanzada para el futuro de la narrativa.

LOS SECRETOS DE LA «INTERVENCIÓN»

Desmenuzando en líneas generales «La autopista del sur», «El otro cielo» y «El perseguidor», desde el punto de vista de la construcción formal, nos sorprende la multiplicidad de recursos empleados por el autor, para conseguir «orquestar» la *intervención* de todos los elementos que hacen la obra.

La estructura combinatoria de esa imagen del mundo creado por el escritor resulta válida, en virtud precisamente de una intervención continua. ¿Qué significa «intervenir» en este caso? Significa participar para organizar el todo en una unidad; pero cada intervención *dice algo al todo* y *dice mucho de sí*, todos los factores son indispensables a la totalidad, pero algunos gravitan más que otros. La agudeza inventiva en el manejo de estas relaciones, pone de manifiesto las posibilidades del oficio del escritor. Y esa *condición nece-*

saria responsable del «alumbramiento» —feliz o desgraciado—, es
la que vamos a tener en cuenta, descartando de antemano que el
parto ha sido un éxito.

«La autopista del sur»

Ya hemos anticipado la situación en la que se encuentra una parte
de la población francesa, aglutinada en una autopista que permite
llegar a París. Esta vez, Cortázar se ha propuesto atrasar esa entrada.
Para caracterizar la narración, basta indicar tres o cuatro elementos
determinantes.

La presencia de los dueños de los coches es imprescindible, pero
el verdadero protagonista es el espacio-tiempo. En pocas líneas, el
autor nos sitúa y nos ambienta inmediatamente en ese final de ruta
que será siempre el mismo, aunque se avancen cuatro o cinco metros
de vez en cuando. El lugar está «fijado», pero no así el tiempo (en
Lorca, en cambio, es éste el que se fija «a las cinco en punto de la
tarde»).

El sitio se ha elegido mal, pero ahora debe aceptarse; ahí va a
comenzar la marcha de un tiempo «distinto». Es el tiempo que corresponde a esa pequeña sociedad burguesa gregaria, obligada a orga-
nizarse para subsistir y poder esperar. Esperanza que también se
«detiene», porque en cierto momento «se esperaba más del sueño
que de las noticias», pese a que éstas alimentan la salvación de la
llegada.

El lugar y la urgencia vital condicionan una específica forma de
vida; los personajes más heterogéneos se encuentran reunidos por
obra del azar y dan cuerpo a una existencia que se desarrolla con un
sentido auténticamente tribal. Cada individuo debe abandonar su anterior «relación social», para conseguir integrarse —y acomodarse—
a esta nueva realidad. En cierto momento, la tribu siente la fatiga
del desespero y entonces «nadie miraba a los demás, los ojos estaban
tan ciegos como la sombra misma». Hay fatiga, pero no entrega,
porque «Bajo las mantas sucias... algo de felicidad duraba aquí
y allá».

El tiempo avanza insensiblemente; el comienzo del cuento huele
a verano, y al pasar unas veinte páginas se siente el frío del invierno.
Las estaciones llegan traídas de las hojas por una coma, un punto.
Una monja presa de la fiebre, habla en su delirio «de Armagedón,
del noveno día, de la cadena de cinabrio. El médico vino mucho
después, *abriéndose paso entre la nieve* que caía desde el mediodía».

Con la ayuda de signos ortográficos, Cortázar hace transcurrir
las horas, los días, las semanas, los meses y las estaciones. Este «sistema del acontecer en el tiempo» lo maneja con una habilidad tan

atrayente y deslumbrante, que llega a crear en el lector una insatisfecha *apetencia de futuro*. En el «incumplimiento» permanente está el resorte que mantiene viva la fuerza del relato.

La fatiga y el desaliento consiguen que después de un tiempo, ya nadie piense en la realidad que está a pocos metros del primer coche de la fila. La situación «absurda» de la autopista se ha convertido en la realidad «auténtica»; lo irreal resulta París, sus calles, su circulación. Cuando finalmente la caravana desemboca en las calles de la ciudad, se deshacen los nudos de las ligaduras, se rompe la célula tribal, y cada trozo va a perderse en el conglomerado de la incomunicación.

Las vidas seguirán, en otros lugares, en otros tiempos, marchando, existiendo...

«El otro cielo»

También en este caso el espacio-tiempo desempeña el papel protagónico. Los seres que viven el relato resultan, en cierto modo, las sustancias indicadas para que el autor —entretenido en su laboratorio— pueda experimentar con una materia que lo atrae, saturada de propiedades que se van descubriendo con todo éxito, a medida que se suceden las fórmulas. La materia «orgánica» es el espacio que busca y necesita mezclarse con el tiempo.

Dos espacios, dos tiempos. Buenos Aires, hoy, en verano; París, 1870, durante el invierno. El tubo de ensayo que «une» esos dos mundos, las Galerías Güeme y Vivienne, universo cerrado, cubierto por una bóveda celeste *sui generis*.

Un argentino joven va grabando con la energía de su existencia las dos caras de una medalla. El escritor larga al aire esa medalla, que vuelve al suelo con la rapidez de la caída, para mostrarnos el mundo que se organiza alrededor de Irma —una novia bonaerense—, o aquel otro mundo de Josiane, la amante parisina. El juego interesa más que los que juegan; los personajes están esperando quedar de cara al cielo, para mostrarse y respirar la vida, hasta que vuelven a caer con el rostro pegado a la tierra.

La maestría del jugador llega a tal extremo, que la medalla consigue rodar —mostrando las dos caras—, con una velocidad vertiginosa. Entonces la realidad dual se combina —no se mezcla—, trazando un arabesco de arcos entrelazados, que sirven para unir el devenir de la existencia. La existencia del que vive esa experiencia doble, que llega a mezclarse y confundirse en el recuerdo y en el presente.

El tiempo ha perdido, desde el principio, la pretensión de su «habitualidad»; el espacio lo acompaña. Todo ha quedado confiado al azar; aunque estamos esperando la cara que «está del otro lado», nunca sabemos cuándo se va a producir el encuentro. La suerte la decide el jugador que no suelta la medalla, y que con una simple coma, una respiración apenas, es capaz de detener las volteretas para que cobre vida la bohardilla de Josiane o el patio de la casa porteña.

Y en esta casa, tomando mate, mirando a Irma, «que espera para diciembre», permanece como una imagen detenida, pero con la vista puesta en algo que está más allá de su propio presente, el argentino joven que consiguió *ser* y *estar* en dos mundos diferentes, en dos tiempos distintos, atravesando las galerías que nos protegen con su «cielo de yeso».

«El perseguidor»

Creación, lugar y tiempo «quieren reunirse» en este cuento de proyección ilimitada dentro de la producción cortazariana.

El problema se centra en un ser humano, en el *otro* que tiene el autor frente a él, pero que en definitiva es él mismo, escondido en la imagen del otro.

Johnny Carter toca el saxo, improvisa, crea. Pero además improvisa los discursos con los cuales se empecina en explicarse la existencia, hecha de música que no se ha oído todavía, de tiempo que huye del presente. Johnny es un genio creador y un pensador iluminado. Vale la pena oír algunas de sus frases, médula espinal de esta extraordinaria narración.

Indolente, vicioso, enfermo, suspendido en una realidad que no alcanza a percibir, le reprocha a su amigo: «Tú no haces más que contar el tiempo.» Él se resiste a la fragmentación convencional, porque tiene la seguridad de que siempre se le escapa algo de las manos. Obsesionado por esa visión fantasmal que lo persigue, confiesa: «Yo me sentiría mucho mejor si me pudiera olvidar del tiempo.» Y como no puede olvidarlo, se toma la revancha faltándole el respeto, aprisionándole para hacer con él lo que se le ocurra.

El tiempo está metido como una tromba en la furia de sus improvisaciones. La frase que canta con las notas de la improvisación, la oye en un «después» que está lejos del presente. «Esto lo estoy tocando mañana», exclama en un ensayo, y en seguida: «Esto ya lo toqué mañana, es horrible, Miles.» En el mismo *mañana,* un presente y un pretérito.

¿Es el «razonamiento» de un loco, o la razón intuitiva del creador que está dando para «mañana», y, en consecuencia, si ya se dio —como en este caso—, no merece la pena «repetirlo»?

Su condición de *jazzman* agudiza esa preocupación sobre el tiempo porque la música le ayuda a comprender. «La música me sacaba del tiempo», y separado por un punto seguido: «Yo creo que la música me metía en el tiempo.» La contradicción es aparente; ya hemos hablado del tiempo de lo cotidiano y de aquel otro que reclama el proceso creador. Johnny abandonaba el primero, cada vez que se entregaba a los imprevistos del segundo.

En este tiempo —que está en él mientras crea, pero que lo supone fuera de él—, «yo no me abstraigo cuando toco. Solamente que *cambio de lugar*», dice (tiempo y lugar forman la eterna identidad). «Y me di cuenta cuando empecé a tocar que entraba en un ascensor, pero era un ascensor de tiempo.» Con sus «espontáneas» palabras —Johnny resulta más filósofo que músico—, la creación aparece en otro lugar del cosmos, situada en el interior de un tiempo irrepetible. Ello le autoriza a decir más adelante: «... como yo meto la música en el tiempo cuando estoy tocando, a veces.» Con la libertad del que es dueño de su creatura, puede entonces estar «tocando mañana».

Johnny tiene conciencia —está seguro— que existen dos tiempos (¿podía faltar el personaje de la *dualidad?*). No tiene ninguna duda cuando afirma: «... viajar en el *metro* es como estar metido en un reloj. Las estaciones son los minutos, comprendes, es ese tiempo de ustedes, de ahora; pero yo sé que hay otro, y he estado pensando, pensando...» No consigue apoderarse de él porque mientras lo crea con sus propias improvisaciones, está metido en él; *él es tiempo*, y no tiene la capacidad de observarse como tiempo.

Sin embargo, cuando habla de su música y del tiempo, deja entrever que conoce la existencia de dos Johnnys: el de acá, maciento y con frío, «envuelto en una frazada», y el otro, «ese Johnny del otro lado», que envidia Bruno. El *jazzman* que cuando se pierde «en la creación continua de su música..., no está escapando de nada. Ir al encuentro no puede ser nunca escapar». También Picasso declaró un día: «Yo no busco, encuentro»: pero sabemos que el creador *provoca* el encuentro y eso es también un modo de buscar; si queremos, es «buscar el encuentro».

En el camino ascendente que lo lleva hacia lo desconocido (esa música que oye antes que nadie), Johnny *se realiza*, aunque él no se dé cuenta: se realiza en la entrega incesante de sus conquistas, sueños que «olvida al despertar cuando los aplausos lo traen de vuelta».

¿De vuelta de dónde? De ese lugar donde permaneció suspendido en el tiempo (también su existencia se realiza «suspendida» en el tiempo mundano).

La lucha sostenida con la creación, el lugar y el tiempo, resultó, en definitiva, el exponente del enfrentamiento de los dos seres que había en él. Su última intuición genial le aconsejó cubrirse el rostro, y pidió una *máscara*. De haberla podido elegir habría tenido con seguridad los rasgos de la creación y una mirada sin tiempo.

Los tres relatos escogidos —entre los muchos que se podrían analizar—, están amasados con un material extremadamente dúctil para las manos de Cortázar; el modelado de cada acontecer le permite ejercitarse en la maestría del oficio. Pero por debajo de este perfeccionamiento del hacer, se mantiene viva una preocupación espacio-temporal que se agiganta a medida que la «próxima conquista» amplía el horizonte. Cuando ya no exista el horizonte, el escritor —colocado en el centro—, podrá *ver* y *verse* «desde lo alto, como miran las gaviotas».

NOVELA Y ANTI-NOVELA

Los premios (1960) y *Rayuela* (1963) representan dos términos de una ecuación dual. El *ser* y *no ser* de lo que hasta hoy conocemos con el nombre de «novela».

Si en *Los premios* encontramos una cierta relación con el pasado inmediato (aunque ya apunten apariciones sugestivas), a partir de *Rayuela* —presente que se proyecta—, una revolución total anuncia y establece los cánones del nuevo sistema. Para llevar a cabo la empresa es imprescindible «poner todo entre paréntesis», único método de llegar a una verdad *pre-categorial,* donde quedan destruidas las categorías inoperantes de un sistema «sin vigencia actual», como dice un personaje del libro.

Los premios es todavía una novela. Tal como lo hicimos al considerar los cuentos, tratemos de saber *qué* es una novela, para luego incursionar más libremente por el texto.

Dice George Lukács que «la novela aparece como algo que deviene, como un proceso». Ese devenir está condicionado por las *situaciones* que se suceden en un tiempo ideal, de acuerdo con una dinámica impuesta por el escritor.

Situación es «encuentro de existencias», y novela será entonces encuentro encadenado (con los eslabones que convengan al autor), de situaciones que «devienen» (por esta razón resulta posible llevar al teatro muchos temas de novelas. El teatro es, en principio, «choque de voluntades»).

En la novela, el diálogo es un elemento fundamental; los personajes manejan un lenguaje que habla de su ser entendido como totalidad. Gracias al diálogo, la situación se hace «actuación viva»; en otros casos la misma puede aparecer en la forma de un relato (forma estrechamente relacionada con el cuento). Se podría decir ahora que en el primer caso la existencia se manifiesta en la transparencia de un proceso «activo» de la situación, y en el segundo, en el reflejo de un proceso «pasivo».

El sitio donde se desarrolla la acción exige que el lector cambie de lugar; pero mientras *se traslada* entra en otro tiempo; olvida el *suyo* para permanecer en el que le entrega el escritor.

El tiempo vive en mí, *yo soy tiempo;* lo concibo, lo tengo presente, dispongo de él, lo voy «gastando». Este «mi tiempo»» es el que suspendo para entregarme al tiempo de la novela. La «suspensión del tiempo», el paréntesis, se llena con un mundo y un tiempo inventados; cuando *vuelvo* (como Johnny Carter) a mi lugar y mi tiempo, tengo la sensación de continuar en el punto de partida. Sin embargo, acabo de vivir una experiencia que se cumplió en «otro tiempo». Si la experiencia es mía, seré dueño de ese factor que la hizo posible. Desde este instante, *yo soy* también *el tiempo del otro*. Para comprobarlo, entreguémonos al tiempo que nos «entrega» Cortázar, acompañando a una cabalgata de elegidos por la lotería, que van a ocupar los camarotes del «Malcolm».

«Los premios»

Un café de Buenos Aires es el escenario del primer encuentro entre los beneficiados con un premio de la lotería. La casualidad reúne a ocho células sociales de distinto protoplasma; un destino incierto va a provocar la separación. El premio consiste en una travesía en barco, cuyo itinerario se va cumplir, al parecer, de acuerdo con el criterio de un *conductor* desconocido.

En el mismo barco viaja también la fantasía de otra realidad (depositaria de un secreto nunca revelado), que tiene su puesto de comando del otro lado de una puerta que da acceso a la popa. La existencia de ese mundo alucinante que pesa y gravita sobre la vida de los pasajeros lleva el papel principal de la obra. Todo girará alrededor de este complicado foco que genera energías negativas, acelerando y precipitando la desintegración del tejido «octocelular».

Por su parte —fuera y dentro de la nave—, el autor arma la trama del «tejido novelesco» con el hilo existencial de determinados tipos humanos. La «visualización» de todo lo que ocurre antes, durante y después del viaje, hace pensar en un Cortázar, escritor «plástico». Maneja la pluma como si fuera un pincel, dibuja y colorea sus imágenes con la vibración que otorga a la materia de su palabra. Si Chejov lo hubiese conocido, le habría repetido lo mismo que le dijo a Gorki cuando quiso hacer el elogio de su obra: «Es usted un plástico; cuando describe una cosa la ve y la toca con las manos. Eso es escribir de verdad.»

Para satisfacer plenamente su necesidad de escribir «de verdad»,

Cortázar crea un personaje extraño: Persio piensa y reflexiona, se ve en el barco de la aventura empapado por una realidad que es incapaz de negar (realidad que transfigura en la que él consigue ver), pero al mismo tiempo contempla desde su sitial la realidad de la aventura de la vida (intuyendo, presintiendo con el deseo y la voluntad de descubrir), visión que materializa cuando pronuncia sus extensos soliloquios.

Persio es juez y parte, podría tomar la investidura del verdadero autor del libro, que se mete en el barrio de contrabando y está obligado a participar en la aventura para no coartar la espontaneidad de sus compañeros. Así puede observarlos cuando se enfrentan abiertamente con el enemigo en una partida de ajedrez que se va a definir con un jaque que amenaza a los dos reyes. Misterio, motín a bordo, muerte, culminan con el jaque mate.

Al dar la vuelta a la última página para abandonar a estos defraudados por la suerte, el lector tiene la sensación de haber participado en una representación dramática *sui generis*. Planteamiento, desarrollo y desenlace se cumplen siguiendo un orden riguroso y perfecto.

Los premios es un texto que tiene imagen y ritmo cinematográficos. La relación que se establece inmediatamente al hacer tal afirmación no plantea en absoluto ningún tipo de subordinación. Cuando las formas expresivas se «acercan» las unas a las otras es porque así lo solicita una urgencia del hacer, que desconoce la clasificación de los valores. Cada arte tiene su lenguaje propio, valioso, pero ello no excluye la intercomunicación de las voces.

En este caso, el espacio y el tiempo (el barco con un lugar tabú, y la duración del viaje que depende de cada circunstancia última) resulta en definitiva la «existencia» que más interesa, y el cine es, a no dudar, el arte que hace «visible» la presencia del *espacio-tiempo*. Y si Persio, con sus interpolaciones filosóficas atenta contra la buena marcha del «tiempo de cine», su *otro ritmo* no es una dificultad insalvable; también Hamlet altera el tiempo en la pantalla, cuando necesita explicarse el eterno problema del «ser o no ser».

Los premios no es cine, es novela, pero su *plasticidad* presentizada de continuo en el tiempo, su «capacidad de apertura» que hace posible un «continuarse» en el hacer y decir de otro arte, agrega a sus auténticos valores una nueva dimensión.

«Rayuela»

La tierra —desde la cual se decide la suerte—, una serie de cuadros que se van sorteando con un solo pie (o con los dos cuando se cae con la confianza que da lo seguro), y el cielo como meta, etapa final después de la cual «ya no hay más nada». Recorriendo el dibujo que se multiplica en arabescos inestables, una modesta piedrecita que avanza o retrocede obedeciendo al impulso de la punta de un zapato. Es juguete de una fuerza, cúmulo de energías que golpea siempre «hacia adelante», hacia el cuadro siguiente, hacia «otra cosa»...

Ésa es la rayuela de la vereda y ésta puede ser una imagen del devenir de la existencia, pequeña piedra que avanza sin descanso, sorteando los cuadros que forman la «rayuela» de la vida.

La novela de Cortázar apela al símbolo desde el principio. El título no lo «encontró» abriendo el diccionario en cualquier parte, como sucedió con *Dadá* en el café de Zurich. El juego que entretiene a los niños encierra un misterio y un significado; la *Rayuela* dibujada en 635 páginas propone un significado e intenta develar un misterio.

Partiendo del hombre como individualidad de una vida que se da «aquí y ahora», se aspira al logro de la posible captación de una realidad total. El soplo de «posibilidad» lo brinda el pensamiento. El protagonista (uno que sobresale entre todos los demás, uno que después será «dos»), piensa como posible el logro de esa «ilusión» que lo conduzca a la pérdida de la primera persona, para convertirse en persona sin numeración ordinal.

La fuerza del pensamiento se destaca del resto de sus energías vitales. A Oliveira —éste es su nombre— le «costaba mucho menos pensar que ser». Pero cuando piensa «se separa», no se integra en la totalidad; entonces lo que piensa es una parte de ella. Para *ser*, Oliveira no tenía que proponerse nada, debía abandonarse: y al abandonarse no puede abarcar la totalidad porque *está dentro*. Le pasa lo que a la piedra de la rayuela, que mientras corre del 4 al 5, y del 5 al 6, va dejando otros cuadros donde no puede estar; otros cuadros, una tierra y un cielo.

La contrafigura de Oliveira, la otra mitad que falta para completar el todo, se da en el personaje de la Maga, la mujer que él elige; ser humano que «formaba cuerpo con la duración, el continuo de la vida». A ella le resulta más natural *ser que pensar;* responde espontáneamente a los infinitos llamados del mundo que la rodea. Es una existencia integrada en la vida, mientras Oliveira resulta una vida que pretende «integrar» la existencia. La Maga simboliza en última instancia lo que él quisiera *ser* y *ver*.

Oliveira y la Maga constituyen la «pareja original» de la novela. Con ella se inicia un argumento «poliangular»: decimos poliangular, porque cada uno de los personajes que van apareciendo irradia desde su ángulo vital, un cúmulo de energías que aprovechan para mantener «viva» la imagen de la *existencia*.

Algunos personajes viven, otros viven y *saben* que viven; los encuentros y las separaciones van decidiendo el devenir de la existencia. Tienen en común la auténtica soledad que les pertenece. Por eso, a pesar de estar *con* los demás, no consiguen estar *en* los demás. Se está *incomunicado;* y en el momento que un individuo se esfuerza por mantener la secuencia de una vibración que recibe del *otro,* comprueba una vez más que se ha producido una falsa corriente entre dos polos que no se atraen ni se rechazan.

Esta incomunicación sin remedio, no se resuelve en el desaliento o el pesimismo. Los personajes viven sin preocuparse, en general, por «el puesto del hombre en el cosmos». Están cumpliendo una existencia que se realiza por ciclos, y cuando han cumplido el último, marchan al encuentro con la realidad inmediata.

Así acontece a Oliveira al separarse de la Maga. El ciclo se cierra con una despedida saturada de risas y el protagonista deja París para volver a Buenos Aires. El regreso lo enfrenta con otra *apariencia del ser que es Oliveira:* es Traveler, el «doble», el otro que se le asemeja, con el que Oliveira se ve y se reconoce. (¿No era acaso Luc —en el cuento «Una flor amarilla»— otra forma de ser de una existencia que ya se estaba cumpliendo en la persona de un jubilado de la municipalidad?)

Traveler des-oculta a Oliveira, y Talita «refleja» a la Maga; el juego dual, la relación de los términos semejantes, hace que cada una de las cuatro existencias se sienta comprometida en la otra. Hasta la Maga —que ha quedado en París— liga y se liga con los otros tres vértices del trapezoide; sin su presencia resultaría imposible trazar la «figura». Talita es *una* —ella— y es *dos* (ella y el recuerdo permanente de la Maga); Oliveira y Traveler son *dos* que van modelando —en este ciclo que nace con el encuentro— la imagen del *uno.*

El intrincado devenir de los estallidos existenciales de estos seres mono y polivalentes solicita la intervención del lector, para que invente los puentes de enlace que los organice en una «figura», cuya forma también elegirá *él.*

Siguiendo con el reflector a Oliveira, lo vemos primero en un circo (la fantasía riéndose de la supuesta realidad), y por último, incrustado en la realidad de un loquero, donde la lógica ha dejado su traje habitual en la puerta de calle.

Así se cumple el segundo ciclo del protagonista (segundo, *dos),* que lo lleva a la muerte o a la locura (una variante de la «metamorfosis», un paso hacia lo desconocido). El trazo final que completa la imagen de Oliveira es también dual; el autor no *cierra* la figura, no termina definitivamente el dibujo. De esta manera el personaje no desaparece, sigue «viviendo» en un indefinido *más acá* del silencio total.

La existencia-Oliveira debe estar presente, necesita continuarse. Mientras no se apague el fuego de las existencias será posible buscar la chispa de la esencia. «La existencia precede a la esencia», proclama

Sartre, pensamiento del que se hubiese sentido orgulloso Morelli, un personaje que atraviesa el escenario encarnando a un autor. Oliveira y Morelli tienen «mucho que ver» con Cortázar; ellos dos, y el resto de esa compañía de grandes intérpretes que el escritor ha seleccionado, para que representen «en la hoja de papel» un acto —complejo y completo— de la comedia de la vida entendida como existencia. Como en todos los casos, este acto —dividido en cuadros— es una parte de la realidad total; quedan otros muchos en la rayuela que juega la existencia.

En los cuadros que marcó Cortázar —saltando en un pie o apoyándose en los dos—, se yergue la figura del hombre integrado al acontecer de la existencia que se cumple en el tiempo. Con este *jugador universal* pretende tocar fondo, y por tanto, debe volver a la «pareja original», desnuda, porque en cuanto se cubra conocerá el alcance de las limitaciones, pero lamentará la pérdida de una visión totalizadora.

A pesar de todo, el tiempo es el enemigo de esa cosmovisión solicitada. Si la existencia se cumple en el tiempo, el permanente cambio modifica la realidad que se proyecta en el futuro a medida que se va «fijando» en el presente (eterno presente que no alcanza nunca su forma definitiva). La visión total presupone la ausencia del tiempo; éste determina un acontecer, lo sitúa, del mismo modo que el espacio entendido como «lugar», representa una parte de la totalidad. Tiempo y espacio son los ropajes que imposibilitan la visión de la existencia desnuda; ellos son los que van y vienen por las páginas de *Rayuela* buscando el desorden (y creando otro orden), para lograr apresarlos en su compleja totalidad existencial.

Los egipcios —cultura de oasis— no llegaron a concebir la «idea de espacio» porque en la inmensidad del desierto no alcanzaban a distinguir «su forma». Creyeron en la eternidad, que *es* siempre, escapando a las leyes del tiempo. Esta actitud del egipcio inmerso en la existencia, que fabrica el *doble* cuando muere el faraón (es decir, cuando pasa a «otro estado de la existencia»), está *más acá* de todo cambio, en el estado anterior a cualquier «concepción» referida al espacio y al tiempo. Se preocuparon por la «otra vida» y de este lado vivieron dejando fluir naturalmente la existencia.

La existencia de Julio Cortázar lleva adheridos «cinco mil años de hombres amontonados en un metro setenta» (todos los seres son cinco mil años de existencia). Eso lo distingue del egipcio, aunque es posible que se encuentren en el cruce del camino.

Cortázar pudo concebir un tiempo y un espacio, pero sabe que dentro de su propia concepción está tentándole un espacio-tiempo escurridizo que no consigue «alcanzar». El tiempo y el espacio de este autor están siempre «más allá», son permanente futuro. Escribe una vez más Morelli: «El hombre no es, proyecta ser»; la constante proyección es existencia que deviene. Oliveira cumple con la sentencia de Morelli; vive en futuro, buscando siempre, y mientras busca, fragmenta esa totalidad en la que no consigue *ser* en ella, *sabiéndose* en ella.

Todo comenzó cuando el hombre primitivo dejó de ser pura naturaleza, el día que miró el resto del mundo y se dio cuenta de que él *era él,* y lo demás quedaba del otro lado; entonces se inicia la marcha para recuperar la «totalidad» perdida, marcha que define la existencia del *futuro.* Por eso la existencia «es futuro», porque se va cumpliendo en función del incumplimiento que se repite irremediablemente en la búsqueda.

Cortázar, a través de sus personajes, sus mensajeros (él no cree en los mensajes, sino en los mensajeros), aspira a la visión total del oasis donde se manifiesta la existencia. Pero ese «más acá» —anterior a todo sistema determinativo— es una meta que debe aparecer después de recorrer el camino que está «a la vuelta» de todos los senderos. No es la pretensión de un superhombre; él (como muchos otros) quiere devolvernos aquella visión primera del hombre primitivo, que alcanzó a mirar el árbol y la bestia cuando «rozaban su epidermis», en el momento de empezar a perder el oasis sin límites, sin forma y por tanto sin tiempo.

Para conseguirlos, acepta el desafío «jugándose» en una partida de rayuela, donde presenta el proyecto —y la realización en parte— de un nuevo orden de cosas. Si todo está cambiando, la actitud del ser humano debe acusar esa mutación; si su existencia deviene otra, su conducta debe ser naturalmente distinta. Es el comportamiento frente al acontecimiento. En este acontecer está comprometido particularmente el creador, el individuo que *siente con antelación* y expresa su «sentimiento vital» en la concretización de una obra creada.

El escritor —Julio Cortázar, hoy, en este trabajo— siente la existencia, la suya y la de los demás. Pero ese «sentimiento» puede abarcar un horizonte más extenso: Cortázar *se* siente en los demás, formando una estructura que excede los límites de la individualidad. Para este autor, cada uno de nosotros está inscrito en una serie de «constelaciones humanas» que se organizan en la esfera de una otra realidad.

Nuestra existencia está comprometida en otras existencias (las conozcamos o no); según Morelli, es el orden de las puras coordenadas.

Las coordenadas dibujan las *figuras,* verdaderos esquemas de una existencia más global, de una «existencia de las existencias».

Cortázar inventa una constelación, un dibujo que se llama *Rayuela,* donde se pone de manifiesto el contenido de una «anti-novela». Pero la imagen no está completa; necesita que el lector intervenga en el trazado del dibujo, forme parte de la «figura». No estamos seguros de que resulte un copartícipe de la creación (como aspira el autor), pero lo que podemos adelantar sin hesitación, es que este «único personaje» que interesa al escritor va a emprender con entusiasmo el viaje hacia lo desconocido. Y siguiendo la constelación que bien lo guía, apresurará la llegada a un Nuevo Continente existencial y expresivo.

DEL «LADO DE ACÁ» AL «LADO DE ALLÁ»

Desde la obra, que está de este lado, Cortázar se entrega a la conquista de una realidad que «ya ve» del *otro lado*. La presiente con tal convicción que trata de anticiparla, de apresurar su llegada. Si la realidad «tiene que ser otra» (*la realidad no puede ser esto,* decía Johnny Carter), la evidencia de ella debe tomar la imagen formal que le corresponda; en consecuencia, será *otra* con respecto a esa que abandonamos y que refleja un modo distinto de ser de la verdad.

Cortázar alarga el brazo para atrapar la realidad que siente y presiente, y cuando la devuelve —movilizando la superficie del papel con una energía que se manifiesta—, la deja que fluya sin detenerse, sin llegar al final, a las definiciones últimas. Por eso *Rayuela* no termina, *se corta* cuando el lector dispone; pero en el corte está la promesa de un recomenzar. El librito encierra una existencia que se continúa, lo mismo que la existencia humana cuando «proyecta ser»; la antinovela aparece como el «doble» de esta materia primera que hizo posible su nacimiento.

El cuerpo material de *Rayuela* está confeccionado con palabras, y las palabras estructuran el «lenguaje», verdadero instrumento de la expresividad. Con respecto a esto, leemos en el libro: «Hay que revivirlo, no reanimarlo»; «Del ser al verbo, no del verbo al ser». Resulta aleccionador enfrentar estos dos axiomas con un par de pensamientos de Middleton Murry: «El lenguaje (como el dinero) tiende a gastarse y a perder aristas»; y este otro: «El literato creador inyecta una cantidad de percepciones frescas e intensas en el cuerpo del lenguaje de modo que éste vuelve a ser joven y vigoroso, capaz de adaptarse en el futuro a nuevas experiencias y contenidos».

Se hace imprescindible otorgar un valor nuevo a la palabra; será la palabra que corresponda a la vivencia particular y única del escritor, así como la pincelada que pone materia y color es distinta y única para cada pintor y para cada momento de su existencia.

La preocupación no se satisface con este primer paso. «No ya las palabras en sí..., sino la estructura total de un lenguaje» (la palabra, como el ser humano, no vive aislada, es parte constitutiva de una totalidad a la cual cede). Palabra y pincelada traen el recuerdo de Pollock; un cuadro suyo es un conjunto de manchas y *drippings* que organizan una estructura unitiva, exponente de una existencia *que se está manifestando.*

Pollock encontró el lenguaje nuevo, Cortázar lo anuncia ya en *Rayuela* y lo confirmará en ese contrato que firmó con el futuro, donde promete develar las incógnitas del teorema planteado. Y mientras cumple con las cláusulas va dejando su obra valiosa y significativa.

La producción de este escritor lleva la impronta trascendente de un *más acá,* en lo que tiene de obra que se satisface en el contenido axiológico de sí misma; pero existe una trascendencia que apunta a un *más allá,* porque, al atravesar el puente que une al autor con el mundo de la cultura, llega a las playas donde su presencia significa «cambio», revolución en el seno de las estructuras establecidas y fatigadas.

La pluma de Cortázar influye en la vida de la expresión; ese anticipo que es su obra se hará «verdad en el tiempo», cuando su revelación pertenezca al dominio de una nueva forma de «decir» a través de la palabra escrita. Será verdad de muchos hasta que aparezca otra «anticipación perturbadora».

¿Cuáles son los principios de esta revolución que Cortázar provoca? «La novela que nos interesa —dice Morelli en *Rayuela*— no es la que va colocando los personajes en la situación, sino la que instala la situación en los personajes.»

La nueva forma de novela comporta un método: «La ironía, la autocrítica incesante, la incongruencia, la imaginación al servicio de nadie.» Todo lo que se ha escrito hasta hoy con el nombre de novela (¿hasta *Los premios,* puente tal vez entre el ayer y el *hoy-mañana?*) pertenece a un pasado, imposible de repetir. Ahora corresponde —al decir de Cortázar— «Escribirla como antinovela porque todo orden cerrado dejará sistemáticamente afuera esos anuncios que pueden volvernos mensajeros».

Los «mensajeros» de esta expresión son «las palabras que, como nosotros, nacen con una cara»; el rostro que se ha quitado la máscara estereotipada (y de rasgos borrosos) para des-cubrir la existencia que les transmite el artista. Palabras que Cortázar sigue usando, pero que «cepilla mucho antes de ponérselas». Las trata con mucho cuidado, porque «Quizá envuelvan eso (pronombre de la existencia) como la servilleta el pan y dentro esté la fragancia».

PAN Y FRAGANCIA

Existencia y poseía. Cortázar es un poeta de alto vuelo; el número de frases y pensamientos poéticos que se deslizan en sus libros llenarían muchas páginas. Sus propias palabras, engarzadas en los ejemplos que tomamos al azar, serán más elocuentes que cualquier intento de alabanza. Baste recordar:

> ... yo andaba como salido, volcado en otra figura del mundo, piloto vertiginoso en una proa negra que cortaba el agua del tiempo y la negaba (*Rayuela,* capítulo 2).

> ... y la nada era eso, que no hubiera nunca más una flor (*Final del juego,* «Una flor amarilla»).

> Es imposible impacientarse con Johnny o con Art; sería como enojarse con el viento porque nos despeina (*Las armas secretas,* «El perseguidor»).

> ... para que al fin nazca una patria de hombres en un amanecer tembloroso, a orillas de un tiempo más limpio (*Todos los fuegos el fuego,* «Reunión»).

Y por último:

> Los cronopios lo saben, y cada vez que encuentran una tortuga, sacan la caja de tizas de colores y sobre la redonda pizarra de la tortuga dibujan una golondrina (*Historias de cronopios y de famas:* «Tortugas y cronopios»).

La sustancia poética no se explica ni se comenta; está allí para provocar el goce. Y sobre este estado tampoco podemos abrir juicio...

Lo poético en Cortázar se confunde con ese magma que no deja de latir en las entrañas de la existencia misma. Participa de ella lo mismo que el pensamiento metafísico, el deseo, la borrachera, el amor por el *jazz,* el ajedrez, Modrian, Klee.

Modrian, personaje singular al que hace referencia Cortázar. Él también buscó y persiguió un orden distinto que correspondiera al hombre que veía nacer, aunque el hombre mismo no se diera cuenta de ese nacimiento. La revelación de su visión profética la plasmó en sus obras, tan simples como lo son las verdades más grandes. Estaba convencido de que ese hombre del futuro (que vislumbra a lo lejos y entre la niebla) necesitaba otro arte; «pero con el material viejo no se puede crear arte nuevo», escribía en señal de protesta.

Julio Cortázar, desde su isla, escucha las voces del comienzo de un nuevo capítulo; quiere dirigir su palabra a los seres humanos que figurarán en las próximas páginas. Y mientras busca y encuentra los nuevos componentes de esa «teoría de la relatividad» que elabora y le promete la existencia, nos va dejando el fruto de su complicada alquimia de escritor, enriquecida por la multiplicidad de sustancias que desbordan su laboratorio. Crea proyectando y proyectándose en el futuro. Mirando hacia mañana se realiza hoy.

Hemos recorrido el mundo de Cortázar «a vuelo de pájaro»; incursionar por su interior, como corresponde, llevaría largas horas. Nos prometemos el viaje; pero entonces, teniendo como objetivo primero la posesión de esa mirada de la gaviota de sus sueños, para poder contemplarlo desde lo alto con «una especie de visión total y unificadora».

Y a medida que vayamos desplegando las alas para seguir adelante y acortar las distancias veremos aflorar seguramente en la lejanía «esa especie de isla feliz» que nos quiere regalar Julio Cortázar «en la que el hombre se encontrará consigo mismo en una suerte de reconciliación total y de anulación de diferencias».

Julio Cortázar

José Blanco Amor

Julio Cortázar empezó a escribir en una Argentina en la que la forma era todavía muy importante. El lenguaje de sus primeros trabajos es formalista y probablemente correcto (en sentido gramatical) para no desentonar con el ambiente. Sus colegas escribían también así, aunque la voluntad de emancipación de las reglas académicas era predicada y practicada. Cortázar pertenecía a una generación de jóvenes asqueados por el peronismo. Asco era la palabra. El existencialismo sartriano (*La nausée*) la había puesto de moda, y no era necesario hacer ningún esfuerzo especial para que todo diera asco. Borges demostraba obstinadamente que estaba por encima del medio, y los jóvenes seguían los pasos del maestro. Las primeras prosas de Cortázar no conocen el humor. El autor no había descubierto todavía la rica cantera del absurdo, no especulaba con el tedio de vivir y aún no sabía que la única manera de soportar los agravios que diariamente el mundo inflige a los mejores consistía en registrarlos y convertirlos en sátiras contra la civilización. Esas prosas primeras eran seriecitas, circunspectas. (El Cortázar de estos momentos de plenitud recuerda últimamente estos primeros escritos. Por eso tiene importancia.) Algunas de esas prosas están en *Sur* y otras en el suplemento literario de *La Nación*. Era entonces Cortázar un típico producto intelectual del medio argentino: había que situarse (ubicarse) literariamente para ocupar un lugar entre la élite intelectual, y esta élite era seria, circunspecta y solemne. El talento debía ser disfrazado de ingenio.

Resulta humorístico imaginar al Cortázar actual buscando ansiosamente un destino literario mediante concesiones al medio. De estos lamentables menesteres —en los que todos incurrimos de algún modo— lo salvó París. La imagen que hoy tenemos de Cortázar es la de un escritor que no dispone de lenguaje para hacer concesiones, con excepción de su *compromiso* personal con la izquierda. A aquel Cortázar formalista sólo se lo distingue si lo vemos como epígono de la generación martinfierrista: epitafios ingeniosos, crítica benévola y a creer en la leyenda áurea —la escuela primaria— de una grandeza argentina que la realidad destruye al salir del colegio.

UN ARGENTINO EN PARÍS

Cortázar es hoy el escritor más difundido entre los que escriben en español. Su editor me mostró un día un panel —todo un costado de su despacho— tachonado de telegramas de editores de todo el mundo pidiéndole los derechos para traducir las obras de Cortázar. Esto ocurre por primera vez en la historia de la literatura argentina. Por otra parte, aquí en el país donde se dio a conocer y triunfó, sus libros (todos sus libros) se reeditan varias veces, sus personajes son estudiados desde diversos ángulos, su temática es analizada en revistas y diarios y en estudios juveniles apasionadamente parciales y sus obras son leídas por un público cada vez más numeroso. Los lectores de Cortázar se amplían por capas que se van haciendo sólidas y van arrollando a vastos sectores de indiferentes y vencen a los reticentes, a los fríos y a los tímidos. Muchos lectores argentinos se inician en el conocimiento de la literatura con un Cortázar. (No es el autor más apropiado, es cierto, pero no es culpa suya.) Cortázar tiene en la Argentina un público fiel y leal, obediente y sumiso, que celebra cada uno de sus triunfos como un hecho propio, personal. Ésta es una secuela natural del éxito. Pero en este caso el fenómeno apunta en otra dirección: se celebra en él una difusa nostalgia que no se encuentra en los autores de entrecasa. De Cortázar saben sus lectores que reside en París, y no saben mucho más. ¿Será un exiliado? ¿No será él también uno de esos argentinos (los técnicos, los profesores, los intelectuales) que se marchan del país porque aquí no encuentran estímulo para su inquietud, ni el país está en condiciones de pagarles su gran capacidad creadora? ¿No será uno de esos argentinos que están deseando volver, pero que aquí no hay escenario para su talento superior? Esas referencias cálidas (el tango, el mate, los barrios, los patios de flores), ¿no son el símbolo del dolor secreto que el autor sufre por tener que vivir lejos de la patria?

Después de sus libros de cuentos y de sus dos novelas, Cortázar creyó indispensable acercarse al lector en forma directa: así nació *La vuelta al día en ochenta mundos*. En este libro hay cuatro poemas bajo el título de «Razones de la cólera». Él ama a la patria, quiere al país, le gustaría respirar el «viento y gelatina» que nos

echa encima el Río de la Plata, «andar solo por las esquinas» y
soportar los sueños envueltos en «baba del Río». También añora a
la Cruz del Sur y extraña «las esquinas con almacenes dormilones /
donde el perfume de la yerba tiembla en la piel del aire». Esto está
escrito en 1950, en Buenos Aires. Cinco años después, en París,
apostrofará —con más sentimentalismo que ira— al objeto de su
spleen:

> Pero te quiero, país de barro, y otros te quieren, y algo
> saldrá de este sentir. Hoy es distancia, fuga,
> no te metás, qué vachaché, daleque va, paciencia.
> La tierra entre los dedos, la basura en los ojos,
> ser argentino es estar triste,
> ser argentino es estar lejos.
>
> ....
>
> Te quiero, país pañuelo sucio, con tus calles
> cubiertas de carteles peronistas, te quiero
> sin esperanza y sin perdón, sin vuelta y sin derecho,
> nada más que de lejos y amargado y de noche.

Cortázar maneja muy bien los elementos difusos que nutren lo
sentimental del lector y le hacen suponer que el autor sufre y se
tortura por no estar aquí, al lado de la silla en que él está leyendo.
La gente lo lee sin poder olvidar que se trata de un argentino en
París. París aún sigue siendo, para la mentalidad del lector, el mejor
lugar del mundo para un artista. París nunca será un destierro, aunque el autor pueda ser un desterrado. París es un privilegio del destino, y Cortázar disfruta de este privilegio a costa de enviarnos en
sus libros el fruto de su difusa nostalgia y de su disconformidad
porque el país (la Argentina) no es Francia. *Canaro en París* es un
tango, y el triunfo de Gardel fue precisamente en París. Desde la
capital gala el tango se revertió como un alud triunfante en su propia cuna: aquí se impuso después en forma arrolladora. El éxito
venía de fuera, de un lugar fraterno que se llama París, nombre
mágico para el argentino de todas las clases sociales. El hecho de
que la élite argentina haya viajado siempre a Europa para enriquecer su cultura (versión oficial) creó en el pueblo un sentimiento de
admiración por todo lo proveniente de Europa. Si borramos Europa
y en su lugar ponemos París, el universo todo se nos ilumina de
pronto. La élite argentina —la élite del dinero, de la política, de la
cultura, de la moda— hizo el sagrado peregrinaje al centro del mundo. De París llegó directamente un argentino ilustre (Alvear) para
asumir la Presidencia de la República, y de París llegaban anual-
mente las mejores compañías de teatro y de espectáculos frívolos
para alegrar el corazón y agitar la mente de los habitantes del «país
de barro», víctimas de precoz acedia. La opinión pública argentina

no tiene ninguna duda de que París es arte, cultura, prestigio. Lo sabe desde los días de mayo. Echeverría, Alberdi, Sarmiento y después toda la generación del 80, con Mansilla a la cabeza, atrajeron hacia la esfera popular todas las manifestaciones de la cultura de Francia, además de su extendida leyenda de frivolidad. Nadie se pregunta hoy por qué Cortázar está en Francia o qué hace en París. Nadie investiga por qué está allí y no aquí, entre quienes lo admiran tanto. El hecho es que escribe desde París cosas argentinas, cosas que todos vemos y sentimos, y lo hace con el lenguaje que empleamos todos los días. (Es cierto que cuando utiliza palabras de la calle porteña, pertenecen a una calle que le cambiaron varias veces el asfalto, y entonces descubrimos que hace doce, quince, veinte años, esos términos que ahora nos remite Cortázar significaron algo alguna vez en las calles de Buenos Aires.) Él tiene la virtud de recordarnos a nosotros mismos que ya no somos sólo productores de ganado y de trigo, sino también de literatura procreada entre las nieblas del Sena. París, en manos de Cortázar, es también la Argentina o, por lo menos, uno de sus arrabales. Desde ese suburbio europeo, Cortázar habla de nuestras calles, de nuestro sol, de nuestro aire, de nuestras gentes. Esto es formidable. Y hace..., ¿cuántos años hace que está allá? Es admirable cómo este hombre mantiene vivo en su espíritu la imagen de la patria lejana, cómo recuerda los nombres, los lugares, las costumbres. Está absolutamente al tanto de lo que sucede entre nosotros, y hasta lleva contabilizados los golpes de Estado. ¡Es admirable!

En una palabra: Cortázar es *también* un argentino en París. Pero es mucho más que eso: él no fue a París para contarnos al regreso aventuras eróticas. Él es un conquistador de alturas: hizo de París un barrio porteño.

UN HOMBRE DE LA CLASE MEDIA

La revista madrileña *Índice* publicó a fines de 1967 un número triple (221-222-223), en el que dedica quince páginas a Julio Cortázar, «misterioso escritor argentino, casi desconocido en España». En ese número Cortázar anticipa algunos datos acerca de su vida que interesan especialmente ahora. Dice que desde muy niño era apasionado por la lectura y muy pronto intentó escribir. «Mi primera novela la terminé a los nueve años.» Vinieron después poemas inspirados en Poe, poemas de amor y seguidamente cuentos. Pero no los publicó. «Tenía clara conciencia de un alto nivel literario y estaba dispuesto a alcanzarlo antes de publicar nada.» Nunca pasó por la prueba de que le fuera rechazado un original por un editor. «Durante muchos años viví lejos de Buenos Aires. Soy maestro.»

Su madre lo crió con mucho esmero, y a los veinte años el muchacho abandonó Filosofía y Letras y aceptó un trabajo en el campo. «Allí pasé cinco años como profesor de enseñanza secundaria. Y allí empecé a escribir cuentos, aunque jamás se me ocurrió publicarlos.» Dice luego: «Me crié en una casa de gente medianamente instruida, que, como decía Chesterton, es siempre la peor. Esto no tiene nada que ver con el cariño, es un asunto de índole intelectual... Pero tuve suerte en un sentido. En la escuela normal donde estudié, que era una pésima escuela, una de las peores escuelas imaginables, conseguí, sin embargo, encontrar algunos amigos, cuatro o cinco. Muchos de ellos han hecho brillantes carreras en la literatura, en la música, en la poesía y en la pintura. Como era natural, formamos una especie de célula de defensa contra la mediocridad de casi todos los profesores y compañeros. Al terminar mis estudios seguí muy unido a esos amigos; pero después, cuando me fui al campo, viví completamente aislado y solitario. Resolví ese problema, si se puede llamar resolverlo, gracias a una cuestión de temperamento. Siempre fui muy metido para adentro. Vivía en pequeñas ciudades donde había muy poca gente interesante, prácticamente nadie. Me pasaba el día en mi habitación del hotel o de la pensión donde vivía, leyendo y estudiando. Eso me fue útil y al mismo tiempo peligroso. Fue útil en el sentido de que devoré millares de libros. Toda la información libresca que puedo tener la fundo en esos años. Y fue peligroso en el sentido de que me quitó probablemente una buena dosis de experiencia vital.»

He citado expresamente *in extenso* este párrafo de su autopresentación al público español porque él se presta a un análisis en que surgirían varias contradicciones en nuestra búsqueda de una verdad unificadora de la personalidad de Cortázar. ¿Por qué no dice los nombres de esos amigos que han hecho brillantes carreras en las letras, etc.? Son muy pocos los integrantes de una generación, de un núcleo de amigos del colegio, que logran premios tan altamente compensatorios en la lotería de los destinos brillantes. También sería interesante conocer el nombre de esos pueblos de provincia o alguno al menos. Se destaca, en cambio, el deseo de Cortázar de aparecer como buen hijo y estudiante agradecido. (La frase de Chesterton se apresura a pasarla por el tamiz del cariño familiar.) No trabajó hasta los veinte años; mejor dicho, *no tuvo necesidad de trabajar*. Quiere decirse que él formaba parte de una familia de la clase media, y la clase media argentina anterior al peronismo no concebía que sus hijos estudiaran y trabajaran al mismo tiempo. En las revistas populares de la época abundan los reportajes a *self-made-men* norteamericano que referían con estoico regocijo sus vidas ejemplares y victoriosas. El subconsciente colectivo argentino estaba indicando entonces a sus familias de la clase media y a los jóvenes holgazanes que vivían de ellas que era necesario mirarse en el espejo del Norte si queríamos edificar un gran país. En esas mismas publicaciones se hacía referencia a la posición argentina en el mundo, y no se ocultaba que podíamos ser el otro coloso de América si ajustáramos un poco nuestros resortes por los que se nos escapaban vitales energías. La aspiración existía. Había muchas similitudes: Buenos Aires bien podía ser Nueva York, y teníamos nuestros Chicago y Washington (Rosario y La Plata, respectivamente). Nadie negaba esta voluntad de ser un gran país, pero se subrayaba que no bastaba la voluntad: era necesario también el sacrificio.

Julio Cortázar forma parte de la clase media argentina, y la clase media argentina procuró siempre (como en todas partes, pero aquí más debido a su formación aluvional) parecerse lo más posible a la clase alta, cuyas fortunas tenían un origen prestigioso: eran los dueños de la tierra y fueron los pioneros de su progreso. Tenían prestigio y autoridad. Acercarse a estas dos cualidades era una aspiración de la clase media. La clase media argentina no poseía tierra ni ganado: era la poseedora del presupuesto del Estado. O sea que los abultados cuadros de profesores, funcionarios y empleados —además de casi todos los intelectuales— se nutrieron de la clase media, y muy especialmente después del triunfo del yrigoyenismo. Las columnas de *Sociales* de los grandes diarios y revistas eran más importantes que la sección *Editorial.* Tenían una nutrida clientela femenina que gravitaba, a través del magisterio (las maestras) y de las oficinas públicas, en sus maridos, hermanos, novios y en toda la sociedad masculina de un modo directo. La imitación y la ambición de la clase media argentina sirvieron a periodistas y dibujantes para descubrir el subconsciente a todo un sector importante de la vida nacional y volcárselo humorísticamente hacia afuera. Los errores de concepto y de pronunciación de la Nueva Rica, personaje importante de la sección humorística *Alma Torera,* hicieron reír durante veinte años a los lectores de *Crítica,* un diario (hay que decirlo) de la clase media.

La clase media era espectadora de la historia y sólo tenía una suprema aspiración: imitar lo más perfectamente posible a la clase alta y adquirir su moral. Y esta moral era virtuosa porque era alta. La clase media admiraba las fortunas sólidas, estables, y aspiraba a una moral que, una vez establecida, sirviera desde los abuelos a los nietos. Una moral para siempre. Los barrios entre el Sur fabril y sórdido y el Norte aristocrático y poblado de jardines soleados (Balvanera, Montserrat, San Cristóbal, San Carlos hasta Flores y de aquí hasta Liniers) se llenaban cada día de caras desconocidas: eran los recién llegados, los que iban trepando la escala social y abandonaban el conventillo o la pensión en busca de una vivienda que contribuyera a dignificar socialmente su nueva condición. De esta cantera salieron los doctores y la mayoría de los escritores argentinos. Esta clase perdió el equilibrio, la seguridad y el punto de referencia histórica con el estruendoso remolino que causó el peronismo, del que surgió una nueva burguesía industrial con origen en todos los sectores de la sociedad. La clase media tradicional, al perder a sus dioses, quedó a merced de todas las vicisitudes políticas y sociales de los últimos años.

Oliveira salió de esta clase. Morelli, Persio, Rastelli, Claudia y Jorge y muchos otros personajes de Cortázar tienen su cuna en esa clase indecisa, sin visión de su destino y sin pasión histórica. Y Julio Cortázar mismo, como estudiante, profesor en provincias, escritor principiante, formó parte de este esquema, y su mundo está de algún modo envuelto en él. No conozco en la obra de Cortázar un solo obrero o un personaje que piense y actúe como obrero. Y ello ocurre porque la Argentina del novelista es intelectual y pequeño-burguesa en su esencia.

UN REVOLUCIONARIO SIN PROGRAMA

Julio Cortázar era, hasta hace poco, un escritor disconforme. Ahora quiere ser también revolucionario. Después de sus últimas declaraciones, de su adhesión al Che y de lo que dice en su último libro, no cabe duda que ésa es su aspiración. Como Stephen Dedalus en su *Portrait of the Artist as a Young Man,* él también sintió necesidad de confesarse. Dice Dedalus (James Joyce): «No quiero servir a aquello en que ya no creo, sea hogar, patria o iglesia: quiero intentar expresarme de alguna manera en la vida o en el arte, y será con la mayor libertad que pueda y para defenderme no usaré otras armas que las que me permito usar: silencio, exilio, astucia.» Dicho esto, Dedalus se marchó al Barrio Latino de París dispuesto a cometer todos los pecados —incluso el de leso patriotismo irlandés— para ser un escritor libre. Y lo consiguió. Julio Cortázar tiene hasta ahora su propio *Portrait* en *La vuelta al día en ochenta mundos.* Ahí se puede leer: «Por eso le decía, señora, que muchos no entenderán este paseo del camaleón por la alfombra abigarrada, y eso que mi color y mi rumbo preferidos se perciben apenas se mira bien: cualquiera sabe que habito a la izquierda, sobre el rojo. Pero nunca hablaré explícitamente de ellos, o a lo mejor sí, no prometo ni niego nada. Creo que hago algo mejor que eso, y que hay muchos que lo comprenden.»

Ha hecho bien Cortázar en hacer esta declaración: su literatura no hablaba este lenguaje político, ni él da ahora la impresión de hacerlo con una fuerte convicción. Ésta es una declaración que sus lectores no le exigieron; pero él parece tener necesidad de hacerla, de apresurarse a decir que está a la izquierda de la izquierda. Entre los «muchos que lo comprenden» no están sus lectores, que lo leyeron hasta el presente con la seguridad de tener en las manos a un autor perteneciente a una categoría moral que Colin Wilson calificó tan acertadamente: el *outsider*, «un hombre que ve desde una mirilla», «una categoría social». En toda su literatura no hay nada heroico, nada definido políticamente como el fruto de un espíritu que toma resueltamente posición frente a los acontecimientos del mundo. Toda su literatura tiene una atmósfera en cierto sentido trivial y nada dramática, y todo parece ser creado por el autor y muy poco vivido por los personajes. Ahí está presente una condición nada desdeñable del escritor: hacer de los hechos triviales una serie de acontecimientos que van perfilando vidas y sucesos vividos. Ahora Cortázar quiere que esas obras de arte tengan también mensajes convincentes, poder para hacer derivar los acontecimientos del mundo hacia el costado en que el autor se coloca. Habla después el escritor de las contradicciones en que han incurrido Shelley, Pushkin, Aragón, y sin olvidar a Keast —su modelo, en cierto sentido—, arriba a estas conclusiones: «Todas estas cosas son sabidas, pero vivimos un tiempo latinoamericano en el que a falta de un verdadero Terror hay los pequeños miedos nocturnos que agitan el sueño del escritor, las pesadillas del escapismo, del no compromiso, del revisionismo, del libertinaje literario, de la gratuidad, del hedonismo, del arte por el arte, de la torre de marfil; la sinonimia y la idiotez son largas.» Ahora critica a los no comprometidos, y unas páginas antes dice que dejó plantado en una esquina de París a un escritor «comprometido (usted me entiende) que me señaló la necesidad de una ideología sin contradicciones». Nada de esto tiene la firmeza categórica de quien adopta una posición política frente a los hechos del mundo, o del mundo latinoamericano, si quiere parcializar su enfoque. Nada está claro, nada tiene esa claridad de quien lanza un desafío a sus lectores y se aventura a decirles su verdad última, siempre respetable cuando un escritor establece las razones de su proceder. Las izquierdas seguirán leyendo a Cortázar y desconfiando de él; las derechas desconfiarán de él sin leerlo. Hasta ahora lo leían y lo discutían todos los sectores.

Julio Cortázar se coloca a la sombra de Keast. Keast, viene a decirnos el autor de *Todos los fuegos el fuego,* fue un poeta cargado de humanidad que jamás se comprometió. Pero estaba comprometido como hombre, que es la forma en que siempre nos comprometemos los que nos confesamos escribiendo. Esto era lo que estaba claro en el autor argentino hasta el presente. La sombra de Keast le sirve a Cortázar para adelantar su figura al proscenio tumultuoso de la política del día y rechazar de plano el compromiso tal como lo practican los comunistas. «¿Para qué abundar en ejemplos que están en todas las memorias, en poemas que tantos célebres señores quisieran borrar de sus obras completas?» (¿Se refiere a Neruda?) «Frente a los comisarios que reclaman compromisos tangibles, el poeta sabe que puede anegarse en la realidad sin consignas, dejarse tomar o ser él quien tome con la soberana libertad del que tiene las llaves del retorno, la seguridad de que siempre estará él mismo esperándose, sólido y bien plantado en tierra, portaviones que aguarda sin recelo la vuelta de sus abejas exploradoras.» Así que aquello de sello marxista «habito a la izquierda», «sobre el rojo», puede trocarse en cualquier momento en esta declaración anarquista: «Habito donde me da la gana.» Era necesaria esta declaración de Cortázar para conocer la naturaleza dubitativa de sus ideales políticos. A una pregunta que se le hizo en La Habana sobre si creía en la «literatura politizada», respondió: «Creo que la visión política de un novelista puede ser tema o razón de una novela, pero nada es menos politizable que la buena literatura.» ¿Compromiso? Sí y no, según como lo aconsejen las circunstancias, «no prometo ni niego nada». Sin embargo, Cortázar parece dispuesto —como Keast— a no obedecer a ninguna consigna ni dejarse arrebatar la libertad que «supimos conseguir».

Después de estas declaraciones y escritos murió en Bolivia el Che Guevara. Cortázar envió un poema (débil, mediocre) a la revista española *La Estafeta Literaria* y una carta a la revista *Extra* de Buenos Aires. Cortázar se muestra en esta carta dolorido por la muerte del famoso guerrillero y le dice que use su mano, «hermano mío», para escribir esa carta. Porque esa carta no la escribe el escritor; la escribe el guerrillero. Es necesario proceder así porque «sólo así tendrá sentido seguir viviendo». La verdad es que ni en el poema ni en la carta el acento de Cortázar transmite ese aliento de solidaridad que exigen una entrega y una militancia revolucionarias. Cortázar es un intelectual surgido de la clase media argentina —la más definida de la América Latina—, y no sabe romper las barreras que se levantan entre su clase y las muchedumbres de campesinos de esta parte del mundo por los que el Che dio heroicamente su vida. Cortázar se ha declarado revolucionario y quiere ser consecuente con esa declaración. Pero no aprendió a utilizar el lenguaje que corresponde a sus deseos. No conoce a las clases que se debaten debajo de la suya con hambres de generaciones, ni siquiera a la clase trabajadora argentina de las zonas industriales. Sus experiencias en el mundo del trabajo no van más allá de un hosco aislamiento en pueblos de provincia.

Con estas declaraciones y adhesiones el escritor se ha colocado en una zona de continuos movimientos oscilatorios. Ahora estará siempre expuesto a que los *comprometidos* se consideren con derecho de exigirle una «ideología sin contradicciones». Si no la adopta, estallará en sus oídos el lenguaje de los comisarios. Cortázar es un escritor demasiado importante como para que su toma de posición no trascienda estas simples efusiones sentimentales. No es necesario ser profeta para saber que se le exigirá todo. Hasta ahora Julio Cortázar era un revolucionario sin programa. Ahora salió a la calle en busca de uno y se atreve a anunciar tímidamente que ya lo encontró.

HUMOR Y ABSURDO

Mientras la sociedad se mostró cautelosa con todo lo que significara innovaciones radicales en el mundo de la literatura y del arte, el humor era una cosa bastante lógica: el resultado de las contradicciones aparentes o reales de las cosas o de las ideas. El humorista hacía reír porque rompía los moldes *normales* de las reglas establecidas y se internaba en el caos para tantear su camino. Como procedimiento artístico, el humor mezclaba las formas y acumulaba alusiones literarias y humanas con la única finalidad de abarcar un cuadro más amplio de la realidad. Este humor era más reflexivo que ingenuo, y casi siempre moralizante. Tuvo que llegar Cervantes y comenzar a ver ambiguamente el mundo —es decir, que no lo veía únicamente como realista ni únicamente como humorista—, visión que «introduce una nueva época en la literatura», según afirma Arnold Hauser. «Hasta entonces —prosigue— había en ella solamente caracteres de buenos y de malos, salvadores y traidores, santos y criminales, pero ahora el héroe es santo y loco en una persona. Si el sentido del humor es la aptitud de ver al mismo tiempo las dos caras opuestas de una cosa, el descubrimiento de estas dos caras en un carácter significa el descubrimiento del humor en la literatura, del humor que antes del manierismo era desconocido en este sentido. No tenemos un análisis del manierismo en la literatura que se salga de las exposiciones corrientes del manierismo, gongorismo y direcciones semejantes; pero si se quisiera hacer tal análisis, habría que partir de Cervantes»[1].

Cortázar posee en grado muy desarrollado esa «aptitud de ver al mismo tiempo las dos caras opuestas de una cosa» y es dueño de un amplio registro del sentido del humor. Se ríe de todo y de todos y su risa no hiere. Su humor no participa de la sátira, sino de los contrastes. Pero este humor no surge de las personas o de su manera de comportarse en la vida. Este humor parte de la propia condición humana, algo mucho más importante que el simple comportamiento. El humor es siempre una categoría cultural definida. El escritor

---

[1] Arnold Hauser, *Historia social de la literatura y el arte.*

que sabe utilizar el humor y jugar con él no se da en pueblos primitivos, sin una buena dosis de civilización asimilada. En la Argentina hay antecedentes de importancia en este sentido. Cané, Payró y Laferrère fueron excelentes cultores del humor. También usan el humor con destreza y espíritu intencionado Borges y Bioy Casares cuando firman juntos Bustos Domecq. Pero ninguno de los mencionados tiene, a mi juicio, la visión cósmica —por así decirlo— de la función fundamental que puede desempeñar el humor en la literatura que tiene Cortázar. Las personas (permítase llamarlas así) que se mueven en sus cuentos y novelas son aparentemente normales. Se levantan y acuestan como todos, comen y beben como todos, hacen el amor o esperan hacerlo como todos, y, sin embargo, todas esas cosas tan naturalmente normales en personas que parecen normales nos causan risa en las personas de Cortázar. El novelista argentino maneja muy hábilmente los elementos de contenido humorístico que la misma vida ofrece. Es decir, los elementos cómicos y grotescos que incluye en sí la empresa de vivir. Esos elementos, expuestos por Cortázar, provocan en nosotros un estado de alerta y desconfianza que nos hacen *ver el otro lado* de las cosas como una parte integrante de la vida misma, o sea de la normalidad. Cuando los que se van a embarcar en el «Malcolm» se reúnen en el City Bar London empezamos a disfrutar de una serie de situaciones que nos producen la risa, aunque no sean específicamente cómicas (y en rigor no lo son). Ahí están el profesor secundario imbuido de solemnidad y trascendencia, su perturbado alumno, la maestra de escuela con su sentido de la sensibilidad patriótica, el poeta fracasado y otra serie de personajes con los que uno se encontró muchas veces en la vida. El autor los va presentando según se van agrupando y dándose a conocer: éste será el régimen de relación humana que después vivirá en el «Malcolm». Los une una sola cosa: el haber participado en una fantástica lotería y el ansia de realizar un viaje por primera vez. Los primeros capítulos de *Los premios* son un buen ejercicio gimnástico del humorismo porteño. Todo es pintoresco, abigarrado, extraño, singular, y a la vez próximo y normal. Lo que ellos hacen es muy lógico: todos esperan la hora de partir para el puerto y embarcarse en una excursión por los mares del mundo, sin mención de puntos de llegada, horarios, fechas y otras referencias normales. Hay un hecho lógico: un grupo de personas jugó y ganó y ahora va a recibir el premio. Todo es normal como el levantarse y acostarse. Pero lo que no es normal es la angustia del retraso en salir del café para el barco y la angustia mayor aún de la partida del barco. Como no hay más acción, el novelista crea en el barco otro nuevo motivo de angustia: la incertidumbre de quiénes son las autoridades del barco y la prohibición de pasar a proa. Entre incongruencias cometidas de exprofeso por el autor y otras que se le escaparon, los per-

sonajes aparecen como nuestros cercanos conocidos de todos los días
y se mueven entre ambiciones y emociones también familiares y cer-
canas. Y todos pertenecen, sobre poco más o menos, a la clase media. El autor lo sabe. Es consciente del material humano elegido y
le da un tratamiento especial: los vigila de cerca, observa cómo comen, se detiene en detalles de su individualidad, busca el contraste
entre el habla culta y el giro vulgar y los hace vivir a todos un hecho nuevo en sus vidas. Están inmersos en una excepción, y como
excepcional hay que ver su comportamiento. Por eso el autor no los
abandona, hecho que el lector percibe más de una vez. Cortázar no
dejar vivir a los viajeros del «Malcolm»: los obliga a vivir. Y aquí es
donde el cuadro abigarrado de un número grande de personas (de
personas que viven un hecho excepcional en sus vidas) se estanca
en la mano del autor y se hace pesado y bastante farragoso. El hecho
se prestaba, según la cuerda de Cortázar, para trazar un cuadro de
fresco humor porteño: todas esas personas están unidas por la ilusión
que viven miles de argentinos que juegan todas las semanas a las
carreras y a la lotería. Viajan por primera vez y se supone que han
entrevisto el mundo a través de una película o quizá de un libro
(uno solo y por casualidad, no por método ni por inquietud). Esta
clase media que se debate ahora en la cubierta del «Malcolm» no es
la clase media europea, heredera de sus padres y éstos de sus abuelos. Es una clase media hija de sí misma y descendiente de inmigrantes. Por eso estos personajes provocan un tipo particular de reacción en el lector: se mueven en un mundo que tienen que ir
conquistando con cautela y tino, suspicacia y astucia. Viven con la
atención puesta en sí mismos porque se saben débiles y mutuamente
estudiados. Ese mundo desconocido —un viaje— no les pertenecerá
del todo hasta que se instalen cómodamente en él. Por ahora hacen
lo que hacen los domingos de verano en los *pic-nics* (entonces había
pic-nics): comer mucho, tomar mate, charlar, decir muchos lugares
comunes y alterar el sentido de muchas palabras. A los de más abajo
se les escapan con frecuencia términos que provocan la risa en el
lector. Son conocidos. Son nuestros compañeros de viaje en ómnibus,
trenes, subterráneos y colectivos, de Buenos Aires. No nos gustan,
pero los soportamos. Y este sentimiento de resignación es lo que
mejor está presente en la novela como una característica sicológica
del porteño.

   Los premios es una estrafalaria mezcla de intelectuales sin dinero, hijos de inmigrantes y familias burguesas, aspirantes todos a
vivir algún tipo de grandeza o por lo menos a aparentarla. El lector
descubre pronto que nada tiene demasiada importancia, y que eso
que se llama *literatura* tampoco tiene demasiada importancia para
el novelista. El tiempo no existe y la realidad se integra y se desintegra varias veces a lo largo del volumen. Los recursos del género

fantástico, que Cortázar, como buen continuador de Borges en muchos sentidos, maneja bien, se aplican a las necesidades de la narración y sirven para enriquecerla. Los personajes, rabiosamente vulgares todos, se muestran aquí más vulgares aún, y el tratamiento que el autor les da es también vulgar. Lo importante —y a veces lo fundamental— está mezclado con lo vulgar, y para lograrlo Cortázar recurre al diálogo neorrealista. Todo es falso y a la vez todo puede ser verdadero. Ciertas escenas de *Los premios* recuerdan a ciertas escenas de *Crónicas de los pobres amantes,* de Pratolini. El autor parece decirle al lector que lo que está leyendo no tiene ninguna relación con la vida real y que, por otra parte, salga el primero y que le diga a él (al autor) qué es la vida real. Pero el lector argentino reconoce, aunque sea en forma fragmentada, que eso que esté leyendo salió de su mundo y se parece bastante a la realidad que él vive todos los días.

LAS LÍNEAS CONVERGENTES DE *RAYUELA*

Más ambiciosa que *Los premios* es *Rayuela*. La primera quiso ser un cuadro satírico de las ambiciones de figuración de la clase media, con un humor hundido en la calle de Buenos Aires, y en la segunda el autor se propuso escribir una obra maestra de la narrativa moderna. *Rayuela* no tiene línea argumental ni un desarrollo dramático. Toda ella está hecha de su propio vivir, de sus propias fuerzas. Es como si obligáramos a un ser humano a vivir sin imágenes visuales, sin oxígeno para respirar y sin ninguna relación entre la realidad y los sentidos, y al mismo tiempo le impusiéramos el deber de generar él mismo todo lo que nosotros le habíamos quitado o impedido alcanzar. Así es *Rayuela:* una tortuosa aventura que el arte del autor hace seductora. *Rayuela* está hecha de muchas líneas que van convergiendo, a veces en forma dolorosa, por lentas avenidas por las que se van acercando los personajes al lector en medio de escenas en que la nota humorística no es lo menos importante del libro. *Rayuela* no tiene asunto. Dos rioplatenses viven en París, no se sabe bien de qué. Él (argentino) se llama Horacio Oliveira; ella (uruguaya) es conocida por la Maga. Ella tiene un hijo de un hombre anterior. Con ellos forman tertulia un grupo de seres marginados por la normalidad, pero dentro de la normalidad de la vida artística de París. Son artistas, y el autor no especifica mucho de qué arte. Hay bohemia, pero no hay miseria. Se descubre rápidamente que el arte es lo más importante en sus vidas. El autor parece advertirnos que las condiciones en que viven los hombres deberán ser cambiadas si se quiere que la humanidad pueda disfrutar del arte y de la belleza, pero de un arte y de una belleza en pugna con lo que más circula por el mundo. El arte debe ser dirigido al pueblo, y acto seguido el lector descubre que Cortázar escribe para una minoría de gente culta, poliglota y con detenidas pausas en las universidades. El pueblo queda fuera de su literatura. Pero no vaya a creerse que *Rayuela* brota de la oposición a nuestra época, sino que, por el contrario, coincide con los gustos de una minoría intelectual. No es una obra revolucionaria. Es una obra destinada a un sector de la sociedad, generalmente el sector mejor instalado que abomina del tradicionalismo pequeñoburgués por aburrido y *démodé*. *Rayuela* está en esa corriente que quita cualquier característica de héroe a los personajes y borra los menores rasgos sicológicos para llegar a un total desamparo y deshumanización. *Rayuela* es un cuadro íntimo e intimista, arraigado en el sentimiento de originalidad individual y en la soledad. Cuantos deambulan por sus páginas se sienten solos, aislados del resto de la sociedad, y su refugio es el amor, el alcohol, el egoísmo y la degradación personal. Tienen importancia los datos de la conciencia, el intelectualismo y la cultura como un hecho antinatural, como un refugio frente al mundo. Los personajes de *Rayuela* viven envueltos en lo real, pero no en la realidad social. Por el contrario, huyen de la realidad hacia estadios mucho más altos y mucho más artificiales. La cultura, el arte que practican los personajes de Cortázar, participa del sentimiento de crisis, lo cual es un acierto del novelista. Sus personajes tienen conciencia de estar al final de un proceso y en presencia de la disolución de la civilización. Todos viven envueltos en un clima de ruina social, cultural, humana. El mundo se les deshace en las manos, y ellos lo rescatan a pedazos en las notas sincopadas del *jazz*. Son bohemios, y ya se sabe que la bohemia no se integra nunca con obreros o con simples trabajadores. El obrero que entra en la bohemia resbala insensiblemente por ella hasta caer en la mendicidad y en el abandono. Los bohemios de Cortázar pertenecen al género clásico: jóvenes artistas y estudiantes, hijos, en su mayoría, de gente adinerada, y su oposición a esta sociedad que se les deshace en las manos es pasiva y resignada. Son libres, pero están dispuestos a reintegrarse en la sociedad burguesa en cualquier momento. La más auténtica, la más pura en su género es la Maga, cuya profesión es no tenerla precisamente. Es toda gente de existencia insegura, gente que vive fuera de las fronteras de la sociedad y en la que está dispuesta a ingresar cuando le convenga. Oliveira, su personaje central, vive la extraña experiencia de un inaccesible aislamiento y no encuentra fórmulas que le permitan reunir sus fuerzas dispersas después que lo abandonó su amante. No sabe cómo salvar el último escollo que lo separa de los demás seres humanos, y recurre a diversos artificios para ir cayendo lentamente en la degradación. Es un mérito sobresaliente de Cortázar el haber logrado que el lector disponga de dos planos para ver a este personaje: Oliveira vive una existencia anodina y sin ningún dramatismo exterior, y, sin embargo, su situación interior es trágica. Esta tragicidad resulta de hechos exteriores irreconciliables con su intimidad de hombre. La vida (su vida personal) sin la Maga carece de sentido y de objetivo, y con ella al lado todo resulta claro y estimulante. El problema no es nuevo, pero está tratado en forma novedosa y original. Sin la Maga a su lado Oliveira es el símbolo de la perpetua tragedia y del hombre volcado hacia su hosca soledad frente al mundo.

En *Rayuela* no ocurre nada trascendental. Pero el lector sin inhibiciones se hunde en el libro y pronto descubre que la vida de esos rioplatenses que toman mate en París tiene sus raíces sólidas. Todos se tratan de vos y de che, incluso los centroeuropeos y los chinos, lo que parece un exceso de originalidad del autor. Cortázar no relata sus vidas. Esas vidas se relatan ellas solas, se mezclan en nuestras emociones de lectores con un fuerte lastre de cultura humanista y penetran en nuestra sensibilidad con su sensibilidad *diferente*. Nos sentimos moralmente inhibidos de juzgarlos nuestros iguales. Son distintos. Son gentes especiales. Asistimos a una especie de atonía moral progresiva en torno de hechos que hubieran conmovido la sensibilidad de personajes creados por un autor *tradicional*. Esa atonía se manifiesta de un modo categórico la noche en que muere el hijo de la Maga. La Maga cree que Rocamadour mejora y ocurre que empeora. Los contertulios divagan en torno de cosas abstractas (poesía, jazz, los amigos ausentes, la posibilidad de que la Maga traicione a Oliveira) y de cuando en cuando le ponen la mano en la frente al niño. Comprueban cómo lo consume la fiebre, pero nada hacen para evitarlo. Siguen hablando de sus cosas. Nada tiene explicación, y el lector descubre de pronto que todo está bien así. Si hubo un momento en que nos pudo desconcertar el destino de Joseph K. en *El proceso,* de Kafka, y el comportamiento del protagonista de *L'Étranger,* de Camus, frente a la muerte de su madre rozó nuestra sensibilidad hecha a una lógica humana nacida de los sentimientos cristianos, la atonía moral de quienes asisten impasibles a la muerte de un niño ya no nos sorprende por los mismos motivos. «Una sensibilidad absurda puede hallarse esparcida en la época», dice Camus en *El mito de Sísifo*. En efecto, esto es absurdo: si un niño está siendo consumido por la fiebre —hecho que comprueba nuestra mano—, lo lógico es echar a correr escaleras abajo en busca de un médico. Pero aquí no podemos esperar tal acción: sería una traición al mundo del absurdo en que se desarrolla el espíritu del libro. Los personajes de Cortázar no se sienten nunca tocados por «la lucidez frente al absurdo», que proclamaba el aludido Camus, sino que están sumidos en el absurdo como si hubieran ingresado en una categoría moral que no existía antes de estar ellos ahí. El absurdo es su realidad, el dato realista de sus vidas. Si la vida misma es absurda y el mundo es un gigantesco absurdo en el que los hombres intentan orientarse para encontrarle una explicación lógica a su existencia, ¿por qué no admitir que esos dedos que sienten el calor en la frente de Rocamadour no tienen la sensibilidad de nuestros dedos y que esa diferencia entre una sensibilidad y otra es la que hace que ellos estén también inmersos en su humana condición como nosotros en la nuestra? He hablado antes exprofeso de un lector con un fuerte arrastre de cultura humanista para subrayar el contraste entre este lector y la atonía humana de los personajes de Cortázar. En este contraste y en la forma de ir acercando al lector al desenlace de ese hecho (la muerte del niño), Cortázar demuestra una singular maestría de narrador. Éste es uno de los mejores capítulos del libro y tal vez un capítulo antológico de la narrativa moderna.

ANTECEDENTES DE *RAYUELA*

Rayuela es una novela moderna en el sentido cronológico en que su autor también lo es. O sea que Cortázar, aunque hubiera escrito una nueva *Salambó,* sería un autor de la segunda mitad del siglo xx. Con *Rayuela* Cortázar intenta, con un golpe estratégico (hay en varios lugares cortinas de humo para oscurecer el horizonte histórico de la literatura de hoy en relación con *Rayuela),* situarse más allá del presente. Y él, dígase lo que se quiera, es hijo del pasado, como todos. *Rayuela* no tiene por qué avergonzarse de un frondoso árbol genealógico: por sus venas corre sangre de *Punto y contrapunto, El amante de lady Chatterley, Mientras yo agonizo, Le temps du mepris,* de Camus y de Kafka antes citados y, por supuesto, del grande *Ulises.* No podían estar ausentes nuestros rebeldes papás surrealistas y nuestros abuelos impresionistas (técnicamente, el capítulo en que Oliveira se entretiene en impedir que Traveler entre en su reducto del loquero es impresionista). También anda por ahí Proust y su concepción del tiempo, y Alfred Jarry, el padre de *Ubu rey.* En cambio, no es fácil encontrar ninguna relación entre Sartre y Cortázar. Yo creo que esto se debe a que Sartre es marxista y Cortázar no lo es, a pesar de los esfuerzos que hace para parecerlo. En París, donde Cortázar reside desde hace más de dieciséis años, el absurdo se adueñó del teatro y convirtió lo que en Camus era metafísica torturada en un trozo de la vida real o en la realidad de toda la vida. El autor argentino ha sido espectador atento de esta victoria. Ionesco y Beckett, sobre todo, que no se dejaron contaminar por el existencialismo, han debido influir en Cortázar. En *Rayuela* se usan libremente todos los procedimientos, sin olvidar que lo fundamental es dejar que la novela, como la vida de sus agonistas, se vaya arquitecturando a sí misma con la complicidad inteligente del lector. Son las palabras y no las situaciones las que rescatan al libro del naufragio. Todo *Esperando a Godot*, de Beckett, es un antecedente sólido de *Rayuela*. En esta obra del autor irlandés no ocurre nada. Es una obra hecha de ausencias que se poblarían inmediatamente si llegara Godot. Pero Godot no llega. Los personajes hablan constantemente, y siempre van a dar en que están esperando a Godot. Imaginemos por un instante que ese fantasma tan mencionado y tan esperado aparece en escena. Llega Godot y comienza a hablar. ¿Qué ocurriría? Sólo una cosa: la desvirtuación de lo absurdo, cuyas leyes están magistralmente dadas y respetadas. Otro tanto ocurre en *Rayuela:* si esas vidas tuvieran explicación y el mundo en que se mueven respondiera a un criterio realista de la narración, habríamos asistido a la alteración violenta de la *lógica* absurda. Por eso los personajes del autor argentino van en busca de la palabra salvadora cuando la acción narrativa se detiene más tiempo del soportable por el lector. En la obra de Beckett hay muchos diálogos como éste:

—Di algo —dice Vladimir.
—Estoy buscando —dice Estragón.
—Di lo que sea —insiste Vladimir.
—¿Qué estamos haciendo ahora? —pregunta Estragón.
—Esperamos a Godot —dice Vladimir.

Este diálogo es como una secuencia de cine: al final todo vuelve a la nada, todo tiene que volver a empezar. Los personajes de Beckett necesitan algo concreto para tener la ilusión de que existen: necesitan que llegue Godot. Y Godot no puede llegar —pero esto lo sabe sólo el autor— porque entonces la espera no pasaría de una copia de un cuadro de la vida real y no de la vida absurda. (También Oliveira necesita la presencia de la Maga para tener la ilusión de que existe. Sin ella no existe ni vive.) Gracias a este diálogo absurdo los personajes de Beckett logran salvarse y *vivir* hasta el final. Se salvan de una vida que no tiene principio ni fin, no tiene tiempo de duración, no empieza ni termina, sino que está siempre en el mismo sitio. Uno de los personajes lanza de tanto en tanto alguna palabra fuera de la repetición incesante, y la empresa de vivir cobra de pronto aliento y sentido.

Los personajes de Cortázar recurren con frecuencia a las palabras para salvarse, y con su salvación logran salvar la novela. Esta forma de novelar y el hecho de incluir dos libros en uno dio argumento al autor para calificar su obra de «antinovela». Nada es más peligroso para un autor que fijar con alfileres en un mapa el carácter de sus obras en momentos en que nacen y deben ser calificadas previamente por el lector (crítico y público). La palabra «antinovela» aplicada a *Rayuela* está destinada a correr la suerte de las palabras que intentan catalogar y congelar antes de tiempo el libre movimiento de seres vivientes. *Rayuela* es, según mi parecer, una novela que se va haciendo automáticamente a sí misma con la colaboración del lector. La obra flota, cae, se levanta, se hunde, resurge, está a punto de morir y despierta milagrosamente a la vida. ¿Y cuál es la medicina que le suministra el autor? La palabra, que, como en el drama de Samuel Beckett, rescata del silencio de la muerte a los personajes. La voz humana se encarna aquí en seres abyectos y consumidos por el vicio, pero capaces de saltar de la tumba resucitados por el soplo vital de la palabra.

El lenguaje tiene en *Rayuela* un tratamiento deliberadamente arbitrario. Es verdad que la gramática es un elemento de empobrecimiento idiomático en manos de un escritor torturado por la búsqueda únicamente de la palabra registrada. Pero en manos de un escritor con dominio del lenguaje, la gramática es siempre vehículo de claridad. Cortázar domina el idioma e incluso posee riqueza lingüística que le permite escribir con dominio de los temas. Pero Cortázar forma parte de los «terroristas de la lengua», como los calificó Jean Paulhan. El surrealismo aconsejaba el lenguaje automático como una necesidad de empezar desde los cimientos, y en *Rayuela* asistimos a varias formas de automatismo como un afán de singularización. El resultado es el desorden y el caos y la oscuridad. Por eso recordamos al comienzo que Cortázar tuvo presente, en sus trabajos iniciales, las normas gramaticales con demasiada lealtad. Para destruir el lugar común y las formas tradicionales y los clichés expresivos, Cortázar procura refugiarse en la expresión pura y espontánea. Lucha (en su novela) contra toda consolidación de lo que fluye íntimamente de la mente por considerarlo tradicional y fruto de la cultura heredada. Pero sus lectores descubrimos que la escritura automática es mucho menos elástica que el trabajo vigilado por la razón y regido por la estética. La mente inconsciente es más pobre que la mente consciente. Si los terroristas del lenguaje continúan administrando su mortífera medicina al oficio del escribir, la generación de Cortázar ha de alcanzar a ver la esterilidad literaria como fruto de esa empresa. Se habrán suicidado intelectualmente y escribirán obras para ir a enriquecer la literatura del silencio, la literatura que no sabe comunicar nada al lector. Los grandes maestros del surrealismo, comprobado el autoengaño en que se habían enredado, terminaron escribiendo un francés cercano al lenguaje académico. Esto no significa negar la importancia transformadora del surrealismo. En otra parte he dicho que «hoy todos somos un poco surrealistas» [2]. El surrealismo sacó a la literatura del callejón sin salida en que se encontraba al terminar la Primera Guerra Mun-

---

[2] Véase mi novela *Duelo por la tierra pérdida*.

dial y le hizo volver la cara hacia la vida real. Cortázar busca la
realidad, pero se pierde en ella deliberadamente, y entonces recurre
a la colaboración del lector para encontrarse con él en un punto
impreciso del relato. El clima del libro es elevadamente intelectual:
Rayuela no podrá ser disfrutada por quienes no estén al tanto de los
problemas artísticos de nuestros días, por quienes no les guste el
jazz, por quienes no comprendan la metafísica del tango, por quienes
no estén familiarizados con el lenguaje porteño. Siendo un libro
valioso en sí mismo, *Rayuela* es, como novela, confusa y profusa,
lamentablemente confusa y profusa. Es evidente que hoy toda persona culta tiene que saber dos o más idiomas para informarse y
orientarse. Cortázar sabe, además del español, el francés y el inglés,
y se lo dice constantemente a sus lectores. El empleo de idiomas extranjeros en *Rayuela,* incluso con modismos, ha despertado la admiración de algunos críticos. Yo creo que es una de las causas que
contribuye a su confusión y le da un aire de cosa falsa. Oliveira es
un porteño antes que un erudito que piensa y dice sentencias o mal-
diciones en inglés.

Cortázar es un escritor formado en la corriente de la literatura
fantástica, que Roger Caillois ha codificado últimamente con acierto,
y que tiene en la Argentina un maestro de tanto talento como es
Borges. Lo fantástico es, según una visión ortodoxa, la irrupción de
la irrealidad dentro de la realidad cotidiana. El autor de *Rayuela*
conoce este secreto. Para Cortázar la realidad tiene dos facetas: una
—la que todos vemos— le merece un tratamiento común y normal
de acuerdo con las reglas artísticas de todo escritor realista. Otra es
la que el individuo proyecta de adentro afuera. Esta otra realidad
nunca es en Cortázar meramente sicológica: es un pedazo de absurdo que permanece vivo en nosotros y que se nos filtra por los
intersticios del subconsciente para nuestra propia sorpresa. En el
mundo de la literatura escrita en español, *Rayuela* es un libro enteramente original y realizado con talento literario de gran escritor.
Los reparos, que los suscita y deben hacérsele, no empañan esta
verdad fundamental. Los paisajes interiores a los que conduce la
obra son siempre paisajes del alma, paisajes del arte, paisajes de
la cultura. El conjunto de estos valores corresponde a un artista
de este siglo, a un escritor de este momento en que estamos escribiendo.

EL PERSEGUIDOR Y LA AUTOPISTA DEL SUR

Julio Cortázar es un cuentista admirable antes que un novelista
de éxito. Pero detrás de sus cuentos se ve la sombra de estatua de
Jorge Luis Borges como el maestro que tuvo la osadía de aventu-

rarse solo por caminos desconocidos en la literatura de nuestro idioma. Sin Borges, el Cortázar cuentista aparecería como una creación de sí mismo. Con el antecedente del maestro y la presencia de la literatura fantástica argentina, la literatura que cultiva Cortázar aparece con las raíces hundidas en tierra abonada, y su obra adquiere una explicable y normal prolongación de la de Borges. Esto no quiere decir que el autor de *El final del juego* será un continuador del autor de *El hombre de la esquina rosada*. Pero no debe olvidarse que Borges abrió una ruta a marchas forzadas por una selva virgen y que Cortázar, una vez descubierta la ruta, va por ella seguro en busca de su propia finalidad. Borges era el raro, el extranjerizante, el negador de los lugares comunes, el enemigo personal de la retórica en que estaba envuelto el idioma español, el perturbador por exceso de cultura y poliglotismo. Los lectores lo rechazaban porque los desconcertaba, y los críticos lo acusaban de importar temática y nombres y escenarios del extranjero. Treinta años después los lectores (y también los críticos) de Cortázar admiran en él como virtudes lo que sus compatriotas rechazaron en Borges como defectos. Pero el rechazado de ayer y el admitido de hoy están en el mismo camino de la literatura argentina.

Cortázar ha escrito cuentos magníficos, algunos sorprendentes por su originalidad y el dominio literario del proceso creador. Pero ninguno tan original y quizá tan novedoso como «La autopista del Sur». La autopista que conduce a París y que pasa por el aeropuerto de Orly lleva el nombre de su relato. Cortázar sitúa en ella una caravana de automóviles que regresan a la capital de Francia. La caravana se detiene. No hay apenas ningún dato que permita suponer que la realidad tiene algo que ver con lo que sucede. Todo es irreal, todo es ficción, en el sentido de creación que tiene esta palabra. Nadie sabe por qué los automóviles no pueden seguir. Las conjeturas determinan, como hubiera ocurrido en cualquier parte, la iniciación de algunos diálogos. No son muchos. Los diálogos pasan pronto de los labios de las personas a simbolizar las marcas de los autos. Entonces asistimos a una transposición literaria admirablemente lograda: quienes dialogan entre sí no son las personas, sino los vehículos. Esto no es verdad, pero la narración adquiere un inusitado vigor, y el lector ve, en primer término, al vehículo y, en segundo lugar, a quien lo ocupa. No importa mucho lo que dicen. Lo que importa es el clima de irrealidad que crea el autor y que esa irrealidad penetra enérgicamente en la sensibilidad del lector hasta hacerle olvidar lo que está viendo con sus propios ojos: una enorme fila de automóviles detenidos sin razón alguna. Aquí la fantasía del escritor es más poderosa que la realidad misma y sólo usa el dato real para acentuar aún más lo fantástico. El tiempo pasa y los vehículos no avanzan. Pasa el día, pasa la noche, pasan las estaciones.

Primero el sol es fuerte; después habrá de nevar. En medio de esta irrealidad fantástica, el dato realista: tiene que ser un norteamericano el que organice eficientemente el aprovisionamiento de la caravana. Este hecho está buscado con sagaz habilidad: en medio de las más inverosímiles catástrofes sólo los norteamericanos están mental y técnicamente capacitados para organizar su salvación o contribuir a su perdición. También asistimos a la manifestación de otro dato realista: la sordidez del campesino francés, que reedita, en actitud simbólica, el rechazo de sus compatriotas fugitivos cuando los perseguía la invasión nazi. Estos dos detalles, además de la factura perfecta del relato, demuestran el grado de atención que Cortázar presta a la realidad histórica y sicológica para lograr una obra maestra de literatura fantástica.

Un *jazzman* borracho y adicto a las drogas es el protagonista de «El perseguidor». En alguna parte se escribió que el protagonista había sido conocido y frecuentado por el autor: se trataba de un célebre hombre de *jazz* de los Estados Unidos. No interesa el nombre ni interesa la verdad del hecho en sí. Lo que importa es el clima de perfección que adquieren las manifestaciones artísticas a lo largo del relato. Cortázar escribe en primera persona. El narrador es amigo y promotor del famoso *jazzman*. Lo sigue, lo acosa, le exige que toque esto o aquello, que demuestre su maestría, que se posesione de su papel y que se vuelque en el arte de improvisar con el saxo, en que es maestro. Pero el *jazzman* vive permanentemente obnubilado por las drogas, y sólo de tanto en tanto tiene un momento de lucidez. Entonces, como todos los borrachos y caídos, se hunde en estados depresivos y entabla con el narrador este diálogo:

—Dédée me ha contado que la otra tarde estuve muy mal contigo.
—Bah, ni te acuerdes.
—Pero si me acuerdo muy bien. Y si quieres mi opinión, en realidad estuve formidable. Deberías sentirte contento de que me haya portado así contigo; no lo hago con nadie, créeme. Es una muestra de cómo te quiero. Tenemos que ir juntos a algún sitio para hablar de un montón de cosas. —Aquí saca el labio inferior, desdeñoso, y se ríe, se encoge de hombros, parece estar bailando en el sofá—. Viejo Bruno. Dice Dédée que me porté muy mal, de veras.

Éste es un cuento realista y un tanto sorprendente en la producción de Cortázar. La hipótesis de que conoció al protagonista probablemente sea cierta. Pero lo que hay detrás de este relato es un no muy disimulado resentimiento contra los críticos. El narrador es un crítico, un apéndice que acompaña al *jazzman* famoso para escribir un libro sobre él. Es el intérprete de un hecho artístico, un observador de cuanto hace el gran hombre, aunque sean locuras ridículas de pequeño hombre. La condición humana está dada aquí tal como se presenta en un ser elemental, primitivo, bárbaro, genial. Pero como el narrador es crítico, su función le permite anotar algunas observaciones sobre su destino. «Todo crítico, ay —dirá en un instante de introspección—, es el triste final de algo que empezó como sabor, como delicia de morder y mascar.» Y más adelante: «Pasarán quince días vacíos; montones de trabajo, artículos periodísticos, visitas aquí y allá; un buen resumen de la vida de un crítico, ese hombre que sólo puede vivir de prestado, de las novedades y de las decisiones ajenas.» Cortázar ironiza (no mucho) a costa de los críticos, pero no se atreve a llevar una carga frontal contra ellos. («No conozco ningún país que haya levantado una estatua a un crítico.» Hemingway.) De todos modos, quiere dejar establecido que no tiene un concepto demasiado admirativo para sus tareas. Tiene razón Cortázar. Los críticos casi siempre son autores frustrados, y entonces descargan su frustración en los autores que juzgan. Los que han elogiado en la Argentina a Cortázar sin hacerle el más mínimo reparo figuran también entre los autores frustrados. Me parece muy bien que Cortázar, en un futuro libro, acentúe sus burlas para los críticos, una clase social (en la Argentina) parásita de la literatura y del arte. Pero volvamos a «El perseguidor». Este relato (realista) no busca sorprender por la técnica novedosa, como ocurre en el anterior. Aquí estamos en presencia de un ser abyecto por pasión ascensional y perfeccionadora, y el narrador (un pobre crítico al fin) lo sigue en busca de su propia gloria a la sombra de la gloria del genio.

«La autopista del Sur» y «El perseguidor» son dos relatos originales en la literatura argentina y, creo también, en la de habla española, en general. Su atmósfera extraña es menos extraña que la de algunos relatos fantásticos de Borges. Los dos cuentos tienen por escenario a París, pero un París que resulta familiar para el lector argentino.

UNA LECCIÓN DEL MAESTRO

En uno de los artículos o capítulos de *La vuelta al día en ochenta mundos,* el juliovernismo deja paso a un análisis de la realidad argentina. Claro que es un análisis a distancia con la información que le suministran sus corresponsales, y a veces estos corresponsales no advierten demasiado claramente los cambios. Cortázar se lamenta de que le escriban cartas, de que le envíen libros inútiles, que no tiene interés en leer, y de que los jóvenes le demuestren que la iracundia y el informalismo literario son las bases filosóficas y técnicas de su cultura. Entonces el maestro les da una lección y les envía algunos mensajes en su idioma particular. Porque para qué vamos a hablar al *cuete* (cohete) y qué le *vachaché*, amigo. La verdad es que hoy nadie —ni siquiera los pintorescos, que todavía quedan algunos— usa en Buenos Aires esas entelequias idiomáticas. Nos hemos vuelto sumamente serios. En *Los premios* dice uno de los personajes: «Cállate o te meto un plomo en la buseca.» Cuando Cortázar se marchó de la Argentina, para un personaje como el Pelusa el estómago era «la buseca»; hoy es «la cocina». En 1930 una mujer hermosa era admirada en las calles de Buenos Aires como «una papa», en 1940 como «un budín», en 1950 como «un churro» (hoy este término pasó a boca de las mujeres para referirse a los hombres) y ahora es «una bomba» o «una pantera». El lunfardo de Cortázar está desactualizado. Esto demuestra que cuando se vive mucho tiempo en el extranjero es muy fácil quedarse dormido y despertarse en otro país. Nada hay en literatura más anacrónico que las palabras que se creen eternas porque nacen un día cualquiera en la calle. Cortázar sostiene, por el contrario, que «todavía me queda bastante oreja para nuestro hablar y nuestro escribir».

Julio Cortázar se burla de los escritores rioplatenses de ficción por su pobreza idiomática. Sus burlas están bien orientadas y tienen una finalidad de consejo y llamado de atención a quienes empobrecen el idioma por desconocimiento e incultura. Lo curioso es que todos los que desdeñan el lento aprendizaje de un lenguaje literario son furiosos defensores de la técnica que Cortázar emplea en sus dos novelas y en muchos de sus cuentos. Lo que sucede es que Cortázar tiene, sí, un lenguaje literario y hace con él lo que considera más oportuno para ponerlo al servicio de los temas y no al revés, y entonces el lector admite su idioma como admite lo absurdo y lo fantástico de muchos de sus relatos. El maestro se burla de los idiotismos de los narradores rioplatenses (cita frases) y dice que sus obras están escritas en un idioma «siniestramente empobrecido por la incultura y la consiguiente parvedad de vocabulario». Para los que, imitándolo a él, escriben sin respeto por el lenguaje, Cortázar tiene reservado este sermón: «Un Roberto Arlt escribía idiomáticamente mal porque no estaba equipado para hacerlo de otra manera; pero tener una cultura de primera fuerza como suelen tenerla los argentinos y caer en una escritura de pizzería me parece a lo sumo una reacción de chiquilín que se decreta comunista porque el papá es socio del Club del Progreso.» Éste es el lenguaje de un maestro sin contacto con el medio en que viven sus discípulos: nunca hubo en la literatura argentina (ni siquiera en el periodismo popular) «escritura de pizzería» porque la *pizzería* no admite referencias con nada escrito, ni siquiera con el tango. El Club del Progreso hace tiempo que ha dejado de ser paradigma de lo reaccionario. Las clases se mezclan, se influyen, se confunden y terminarán por desaparecer devoradas por una igualdad cuyo triunfo se festejará en una *pizzería* con vino y empanadas de Catamarca. Pero este banquete no podrá celebrarse nunca: esa unión va haciéndose en forma tan veloz que sólo los intelectuales expatriados no la ven. Cortázar tiene necesidad —desde su posición de escritor, se entiende— de regresar a la Argentina. Regresar y residir aquí el tiempo necesario para que los cambios que hubo y que está habiendo en el país no le dejen al margen. Claro que esta necesidad entraña un riesgo seguro: reducirse a la medida de lo porteño y sufrir la correspondiente quita de entidad universal que esto significa. Cortázar es hoy el escritor argentino de más dilatado renombre, y su obra es el símbolo de la moderna literatura argentina e hispanoamericana. Leerlo equivale a descubrir (todavía) en el viejo oficio de inventar ficciones e historias para el público una mano nueva, un enfoque original, un espíritu vigilante y responsable, un genuino narrador. Cada uno de sus cuentos tiene la individualidad de una ola fugitiva en la que uno sabe que no puede bañarse dos veces.

El 2 de marzo de 1968 di en el Ateneo de Madrid una conferencia sobre el siguiente tema: «Estructuras de un *best-seller* argentino: Julio Cortázar.» Este ensayo es la integración de aquella conferencia. No tuve entonces ni tengo ahora la vana pretensión de agotar el tema Cortázar. Cortázar es un escritor que anda suelto por el mundo de la novela y del cuento, y todos esperamos que dé alcance a cosas que todavía no fueron alcanzadas. Firmó un pagaré en blanco con la publicación de *Rayuela* y este documento deberá ser levantado en un futuro próximo. Entonces quizá volvamos a intentar un estudio unificador —o tal vez no, no sé— en torno de Cortázar.

Las transformaciones del yo

Malva E. Filer

En el mundo creado por Cortázar no hay garantías para la preservación del yo, así como tampoco las hay para el goce pacífico de la rutina. La pérdida de identidad por desdoblamiento se da muchas veces, produciéndose intercambios, como en «Lejana», «Axolotl» y «La noche boca arriba»; recreaciones del pasado, como en «Las armas secretas», o fusiones, como en «La isla al mediodía». En declaraciones a Hubert Juin, Cortázar se ha referido a algunos de los relatos en que se opera un desdoblamiento del yo: «Certain récits ont très nettement le poids du rêve: ce sont ceux qui font la part belle à l'échange, comme si l'espace se brouillait, et que d'avoir coincidé une seconde avec son double l'homme restait ensuite a jamais prisonnier du reflet»[1]. El tema es también tratado desde el punto de vista de la doctrina de la metempsicosis en «La flor amarilla» y se convierte en una confrontación amo-esclavo de tipo hegeliano en la pareja Oliveira-Traveler de *Rayuela*.

En *62. Modelo para armar*, Cortázar ha vuelto a dar expresión a su experiencia de la multiplicidad del yo; esta vez, sin embargo, sus personajes —Hélène y Juan sobre todo— y la trama —o proyecto de trama, si se prefiere— son mucho más complejos que los de sus obras anteriores. El individuo ya no está completamente solo en la confrontación con su *doppelgänger*. Por el contrario, «el otro cielo», ahora llamado «la zona» o «la ciudad», es una dimensión de vida habitada y compartida por un grupo. Pero es interesante señalar que también esa convivencia se hace a expensas del yo indi-

---

[1] Algunos cuentos tienen muy claramente la pesadez del sueño: son los que dan la mejor parte al intercambio, como si el espacio se volviera brumoso y habiendo coincidido un segundo con su doble, el hombre quedara para siempre prisionero de su reflejo. (*Les lettres françaises*, p. 3).

vidual, ya que los «elegidos» han delegado una parte de sí en «mi paredro», superentidad que, de algún modo, está fuera y dentro de cada uno de ellos. Los personajes pierden, así, su condición de seres únicos al entrar en «la ciudad» y se vuelven elementos intercambiables de una figura en constante transformación, parte de un proceso cuya clave desconocen, fantoches, como el mismo autor ya anticipara en *Rayuela*. (Cap. 62, p. 417.)

Por toda la obra de Cortázar desfilan seres enajenados, invadidos, forzados a cumplir incomprensibles designios dictados por sus «otros». Éste es un tema en el que el escritor argentino ha reincidido con insistencia obsesiva a partir de *Bestiario,* encontrándole cada vez nuevas posibilidades y ramificaciones, como atestigua su última novela. Seguiremos aquí a Cortázar en su empresa, al mismo tiempo expansionista y destructora de la conciencia individual; y, apoyados en el análisis de algunos ejemplos representativos, trataremos de ofrecer posibles claves para la interpretación de este aspecto tan importante y característico de su narrativa.

«LEJANA»

Alina Reyes, protagonista de esta historia, tiene una segunda vida que, probablemente, sea simultánea con su vida de todos los días, aunque también puede que le llegue del pasado o no haya ocurrido aún. La «lejana» es su otra personalidad, una mendiga de Budapest, de la que sabe que sufre, que la ultrajan. Se ve a sí misma en lugar de la mendiga, «cruzando un puente helado» *(Bestiario,* p. 37), con la nieve entrándole por los zapatos rotos. Allí, en Budapest, ama a alguien, Rod —o Erod, o Rodo—, y él la maltrata.

Alina Reyes no puede creer en lo que piensa. Y, sin embargo, ansía y teme a la vez encontrarse con su otro yo. Imagina una plaza y luego el puente donde encontrará a la mendiga. Les da nombres: plaza Vladas, el puente de los Mercados. Y, mientras escucha un concierto en el teatro Odeón de Buenos Aires, decide que pasará su luna de miel en Budapest. Allí enfrentará y triunfará sobre esa parte de su yo que la obsesiona. Ella es reina —piensa, jugando con su propio nombre— y podrá vencer «esa adherencia maligna, esa usurpación indebida y sorda» (p. 47). Si realmente es parte de ella, deberá incorporarse a su «zona iluminada». *(Ibid.)* Con esa confianza acude al encuentro. Pero el desenlace es bien otro. Lo que se produce es un intercambio de papeles, por el cual Alina se transforma en la mendiga y ésta a su vez se vuelve Alina Reyes.

Las imágenes pueden y, en efecto, cobran forma y vida propia en el mundo de Cortázar. Según este autor, los fantasmas, las sombras que forman parte de nuestra vida interior, pueden volverse contra nosotros mismos y destruirnos. El yo y el mundo cotidiano en el que éste vive están constantemente amenazados por los demonios que crea su imaginación.

«AXOLOTL»

Este relato completa el ciclo fantástico con animales, que Cortázar había iniciado en *Bestiario*. El protagonista imagina a unos extraños peces, los axolotl, como seres inteligentes condenados a la inmovilidad y el silencio. «Eso miraba y sabía. Eso reclamaba. No eran *animales*» (FJ, p. 164), no eran seres humanos tampoco; y, sin embargo, sentía que algo profundo lo ligaba a ellos. En la mirada ciega de esos ojillos de oro parecía percibir un mensaje, una súplica: «Sálvanos, sálvanos.» Observar al axolotl se vuelve obsesión. El protagonista llega a verse a sí mismo transformado en pez que lo mira desde el interior del acuario. Se cree prisionero en el cuerpo del pez, transmigrado a él con su pensamiento de hombre, enterrado vivo en él y condenado a moverse lúcidamente entre criaturas insensibles. A partir de ese momento, el autor opera un traspase completo de punto de vista. El narrador es el hombre-axolotl que describe la conducta del hombre visitante, a quien observa a través del vidrio. Pero la comunicación se ha roto. Lo que era axolotl en el hombre lo ha abandonado y ha cobrado existencia aparte. Ya no puede el axolotl comunicarle algo al hombre ni éste tratar de acercarse y comprender mejor a aquél. Se ha producido una ruptura de las barreras que separan lo interno de lo externo, y así el yo, en su triple función de hombre-axolotl-narrador, es personaje, espectador e intérprete al mismo tiempo, desde los dos lados del vidrio. El yo-narrador puede ir de dentro afuera o de fuera adentro del acuario; pero entre el hombre y el axolotl no hay comunicación posible, sólo contemplación silenciosa y estática.

«UNA FLOR AMARILLA»

La reencarnación es otra de las posibilidades de desdoblamiento utilizadas por Cortázar. «Una flor amarilla» tiene por tema la creencia en la metempsicosis. El narrador cuenta la historia de un hombre solo y fracasado que cree reconocer en un chico de trece años la reencarnación de sí mismo. El protagonista ve analogía entre algunos acontecimientos en la vida de ese niño y ciertos hechos que le habían sucedido a él mismo a esa edad. Tal paralelismo y la semejanza en la conducta presente le hacen pensar con angustia que su propia vida fracasada y sin sentido será repetida por el muchacho y por infinitas generaciones más. Esa vida joven no le parece válida de por sí. Es como si, de algún momento de su propio pasado, hubiera surgido anticipadamente una nueva versión de sí mismo, otorgándole una inmortalidad impersonal que no quiere. La presencia de ese «otro» le hace pensar que él mismo no existe más que como repetición de algún ser anterior, que no es más que una nueva versión de un modelo infinitamente repetido. Su propia vida, además de ser insignificante, no es siquiera única, verdaderamente suya. Puede que sólo sea una apariencia soñada, como la del protagonista de «Las ruinas circulares», de Borges, o que sólo exista como personaje de ficción, a la manera del Augusto que Unamuno crea de la nada en *Niebla*. Y, en efecto, el narrador de «La flor amarilla» se rebela muy unamunianamente afirmando su derecho a morir del todo, para siempre.

Decide impedir la repetición, cortar la serie. La muerte del niño, evidentemente provocada por él, lo hace feliz por un tiempo. Ahora se sabe mortal. Su vida no se repetirá *ad infinitum,* acabará completamente con él. Pero esa felicidad no perdura, porque una tarde, al sentir la belleza de una flor amarilla, se da cuenta de que la muerte que él había identificado con la paz, con «el término de la cadena» (p. 93), es en realidad la nada. «La flor era hermosa, siempre habría flores para los hombres futuros. ... Yo me iba a morir y Luc ya estaba muerto, no habría nunca más una flor para alguien como nosotros, no habría nada, ... y la nada era eso, que no hubiera nunca más una flor». *(Ibid.)* Desde entonces vive angustiado por la certeza de su futura aniquilación total y buscando desesperadamente una nueva reencarnación de su yo.

«LAS ARMAS SECRETAS»

Cortázar concibe el pasado, del mismo modo que el mito o la leyenda, como una fuerza misteriosa que puede, en todo momento, irrumpir e imponerse sobre el presente. El yo se encuentra entonces sometido al mandato de otras vidas, otros yos que de algún modo se posesionan de él y lo dominan. Este tipo de sojuzgamiento parece tener lugar en «Las armas secretas». Los personajes principales son Pierre y Michèle, aparentemente una pareja como tantas y, sin embargo, ambos con un pasado oscuro y obsesivo que los reúne y los separa a la vez. ¿Es Pierre aquel hombre, el «ario puro» que durante la ocupación nazi forzara a Michèle, aún niña? Sabemos por Roland y Babette que ese sujeto había sido ultimado.

Michèle ama a Pierre, pero lo rechaza al mismo tiempo. Hay temor en su conducta. Hacia el final del cuento tiene la intuición de que Pierre y aquel hombre son una sola persona. Pero descarta esa idea porque la cree producto de su recuerdo obsesivo. Pierre, por otra parte, actúa como si estuviera viviendo una segunda vida. Ama a Michèle. Sin embargo, hay un fondo de hostilidad hacia ella que él no puede explicar ni evitar. La escena de la violación lo persigue, como así también el temor de que Michèle lo delate, del mismo modo que había delatado al violador en aquella circunstancia pasada. Una melodía de Schumann, con palabras en alemán que casi no comprende, acompaña todos sus momentos con Michèle. Recuerda la casa de Enghien, donde ella vivió con unos tíos durante la ocupación. Pero ¿él mismo ha estado alguna vez allí? No logramos saber si fue Pierre quien cometió el acto brutal en Enghien y si, en el caso de que lo hubiera sido, tiene conciencia de ello. Por momentos parece como si no recordara el pasado, como si no comprendiera las imágenes obsesivas y pesadillas que tal vez le lleguen de una existencia previa, borrada de su conciencia. Otras veces, sin embargo, parece saber quién es, como en el final, cuando compara el presente, su regreso a Michèle después de un momento de crisis, y el pasado, la escena de la violación. El autor prefiere dejar sin resolver el enigma de Pierre. Tampoco nos aclara la conducta final de éste con respecto a Michèle, pues no sabemos si la mujer que enfrenta es la Michèle del presente o si vuelve a vivir con todo detalle la escena pasada.

Una interpretación realista, pero probablemente inadecuada por lo simplista, sería pensar que Pierre hubiera, en efecto, sobrevivido la ejecución a la que se refiere Roland, pero que hubiese olvidado su vida anterior. La casa de Enghien, la violación de Michèle, las hojas secas sobre las cuales cayó su cabeza al ser herido, volverían a su memoria en forma de imágenes aparentemente desconectadas de su realidad presente. Pero aun si así fuera, ¿cómo se explicaría que Roland, su convencido ejecutor, no lo hubiera reconocido? ¿Y la misma Michèle? También puede pensarse en una reencarnación o en fuerzas oscuras del pasado actuando sobre el presente. Por algún hueco invisible, Pierre ingresa en el pasado, de un modo que nos recuerda «El otro laberinto», de Adolfo Bioy Casares, aunque con la diferencia de que allí el concepto de la sucesión temporal es completamente negado. En «El otro laberinto», István Banyay, joven revolucionario húngaro del siglo xx, está obsesionado por el misterio de un hombre muerto en 1604, en la que es ahora su casa; por una serie de circunstancias y coincidencias inexplicables, Itsván acaba por ser él mismo el muerto desconocido de 1604. «Itsván solo entró en el pasado. Fue él quien llevó en el bolsillo de su capa la copia fotográfica del siglo xviii», con la cual quedaba probado que «el tiempo sucesivo es una mera ilusión de los hombres y que vivimos en una eternidad donde todo es simultáneo» [2].

---

[2] Adolfo Bioy Casares, «La trama celeste», *Sur*, Buenos Aires, 1967, p. 141.

Cualquiera sea la interpretación preferida, es interesante señalar que con «Las armas secretas» Cortázar se inicia en el manejo
de un recurso técnico que luego utilizará repetidas veces y de muchos modos en *Todos los fuegos el fuego*. Nos referimos a la superposición de planos temporales y espaciales, por medio de la cual se
persigue una visión omnipresente de la realidad. El pasado vive en
el presente; París y Buenos Aires, una alcoba parisiense y un circo
romano, se dan simultáneamente.

RAYUELA

En *Rayuela*, el desdoblamiento se presenta en forma de dos personajes que son como las dos caras de un mismo yo, Oliveira y Traveler. El primero, un ser desarraigado que lo ha probado y rechazado todo y que busca desesperadamente un equilibrio, una morada
a la que llama con nombres sacados de distintas lenguas y tradiciones: centro, *kibbutz, ygdrassil*, etc. El segundo, al que «le daba rabia
llamarse Traveler, él que nunca se había movido de la Argentina
como no fuera para cruzar a Montevideo» (p. 257), es el otro yo
de Oliveira, aquel que Oliveira hubiera podido ser, la otra posibilidad realizada. Traveler tiene una vida doméstica razonablemente
feliz; apegado a lo largamente conocido, no ha sufrido las crisis y
transformaciones por las que su amigo cosmopolita ha pasado. La
relación entre Traveler y Talita podría haber sido la de Oliveira y
la Maga; de ahí el irresistible impulso de Oliveira de ver en Talita
a la Maga, de suplantar a Traveler en la relación amorosa.

Hemos dicho antes que la confrontación entre Oliveira y Traveler tiene algo de la dialéctica hegeliana entre amo y esclavo. Efectivamente, la mera presencia de Traveler es vivida por Oliveira como
una negación de sí misma. La existencia de Oliveira queda desprovista de sentido ante su otro yo realizado. «Ante el doble encarnado», dice Carlos Fuentes, «sólo queda el asesinato o la locura; de
otra manera habría que aceptar que nuestra vida, al no ser singular,
carece de valor y de sentido; que otro, que soy yo, piensa, ama
y muere por mí y que acaso soy yo el doble de mi doble y sólo vivo
su vida» [3].

Ambos no pueden existir al mismo tiempo, una de las posibilidades debe quedar abolida en la otra, le dice Oliveira a Traveler.
Pero ¿quién es el yo existente y quién mero desdoblamiento? «Yo
estoy vivo —dijo Traveler, mirándolo en los ojos—. Estar vivo parece siempre el precio de algo, y vos no querés pagar nada. Nunca
lo quisiste. Una especie de cátaro existencial, un puro ... El verda-

---

[3] *La nueva novela latinoamericana*, p. XV.

dero *doppelgänger* sos vos, porque estás como descarnado, sos una voluntad en forma de veleta, ahí arriba» (p. 394).

Pero, para Oliveira, es Traveler el que carece de existencia autónoma. Traveler es su espejo, su punto de referencia. «Por eso siento que sos mi *doppelgänger*», le dice Oliveira, «porque todo el tiempo estoy yendo y viniendo de tu territorio al mío, si es que llego al mío, y en esos pasajes lastimosos me parece que vos sos mi forma que se queda ahí mirándome con lástima, sos los cinco mil años de hombre amontonados en un metro setenta, mirando a ese payaso que quiere salirse de su casilla» (p. 400).

¿Cuál de las dos caras es el hombre? ¿Quién de los dos es la versión original? ¿Cuál debe sobrevivir, Don Quijote o Alonso Quijano? El conflicto así planteado no puede tener solución y lleva a la alternativa de un refugio en la locura o la decisión de un acto suicida. Pero con el capítulo 56, en el que ocurre la confrontación Oliveira-Traveler, termina la novela propiamente dicha. Lo que sigue son los «capítulos prescindibles». Aunque sobre la base de dichos capítulos se puede conjeturar acerca de una recuperación de Oliveira, el hecho es que no sabemos cuál ha sido su decisión frente a la ventana abierta, ni parece que Cortázar crea necesario aclararlo. Lo que interesa es el conflicto existencial por sí mismo.

«LA ISLA A MEDIODÍA»

La realización imaginaria de distintas posibilidades es un recurso que Cortázar utiliza con frecuencia. En *Rayuela,* como hemos visto, se da por medio de un *alter-ego.* En «La babas del diablo», en cambio, se trata de la imagen captada por la cámara fotográfica, que cobra movimiento, permitiendo que los personajes cambien de posición como sobre un tablero de ajedrez. En *Todos los fuegos el fuego,* este recurso se observa particularmente en «La isla al mediodía» y en «Instrucciones para John Howell».

El protagonista de «La isla a mediodía» es Marini, un camarero de avión que sueña con Xiros, la isla pequeña y solitaria, rodeada de azul, que sobrevuela a diario en la línea Roma-Teherán. La isla lo fascina con su belleza y su misterio. Verla desde la ventanilla del avión se vuelve necesidad imperiosa; es el momento más importante del vuelo, lo único que da sentido a su vida de camarero de avión, de por sí artificial y fragmentaria. Marini pierde el sentido de la realidad. «Volar tres veces por semana a mediodía sobre Xiros era tan irreal como soñar tres veces por semana que volaba a mediodía sobre Xiros. Todo estaba falseado en la visión inútil y recurrente; salvo, quizá, el deseo de repetirla, la consulta al reloj pulsera antes de mediodía, el breve, punzante contacto con la deslumbradora franja al borde de un azul casi negro, y las casas donde los pescadores alzarían apenas los ojos para seguir el paso de esa otra irrealidad» (p. 119).

Visitar a Xiros termina por ser la obsesión de Marini. Los incidentes de su vida privada asumen un carácter borroso «y como reemplazando otra cosa, llenando las horas antes o después del vuelo, y en el vuelo todo era también borroso y fácil y estúpido hasta la hora de ir a inclinarse sobre la ventanilla de la cola, sentir el frío cristal como un límite del acuario donde lentamente se movía la tortuga dorada en el espeso azul» (p. 122).

Ya en «Axolotl» Cortázar había jugado con la idea del cristal separando dos esferas de la realidad y el protagonista pasando de una a otra mediante la fantasía transformada en realidad. Allí, el pasaje era de la condición humana a la de un pez que observaba al hombre desde el interior de un acuario. Aquí, el vidrio de la ventanilla es el límite del acuario, donde se mueve la isla como una «tortuga dorada». Y ya podemos anticipar rápidamente el resto. De este lado del vidrio Marini efectuará el salto al otro. Finalmente iba a conocer la isla.

Las páginas siguientes describen su arribo a Xiros, luego de un viaje que requiere varias etapas, su primer contacto con Klaios y su familia, los únicos habitantes de la isla, y su infinito gozo al contacto íntimo con el sol, el viento y el mar. Había realizado su sueño. «Estaba en Xiros, estaba allí donde tantas veces había dudado que pudiera llegar alguna vez» (p. 125). Sin embargo, el pasado lo persigue en la forma del avión, el mismo avión desde el cual observara tantas veces la isla. Éste cae inesperadamente sobre el mar, y Marini nada a rescatar a los pasajeros; pero la única víctima que aflora a la superficie muere frente a él, sobre la arena, sangrando por una enorme herida en la garganta.

Los hechos, tales como se describen hasta prácticamente el final del cuento, son en apariencia claros y no demasiados extraños. Pero, cuando leemos las últimas líneas, nos encontramos con una de las sorpresas favoritas de Cortázar. No hubo tal arribo ni tal paseo de Marini por la isla. Y el hombre que Marini había tratado de salvar del naufragio era Marini mismo, cuyo cadáver, tendido en la arena, es encontrado por Klaios y su familia. «Klaios miró hacia el mar, buscando algún otro sobreviviente. Pero como siempre estaban solos en la isla, y el cadáver de ojos abiertos era lo único nuevo entre ellos y el mar» (p. 127). Es decir, que Marini no había llegado con vida a la isla ni había conocido a sus habitantes.

Lo que nos ha relatado el cuento puede ser un caso de premonición. Marini imagina, tal vez, su visita a la isla, mientras está pegado a la ventanilla del avión. Y tanto el accidente como la escena final, en la que él mismo yace muerto sobre la arena, son anticipados por él con la más absoluta fidelidad. Esta posible interpretación hace recordar «El atentado», de Jorge Campos, donde el protagonista tiene una visión anticipada de un crimen político, aunque no se da cuenta de la parte que le está reservada en él.

Podría también pensarse, en el caso del cuento de Cortázar, en una vertiginosa serie de imágenes producidas en los pocos segundos que median entre la certidumbre de la caída y la muerte, como ocurre en «El milagro secreto», de Borges. En este cuento un escritor, condenado a muerte por los nazis, obtiene la gracia de vivir mentalmente un año para completar su drama en verso; este año transcurre entre la orden de hacer fuego y la ejecución de la misma. Tanto el personaje de Cortázar como el de Borges ven imaginariamente cumplido su deseo a través de una vivencia en la que el tiempo del reloj queda paralizado y es reemplazado por la duración pura.

La mayor parte de las veces, piensa Cortázar, elegimos lo que nos parece más lógico y claro y lo catalogamos como realidad, relegando lo absurdo o inexplicable al reino de lo fantástico. Pero puede ser que nuestra decisión deba ser precisamente la opuesta, como tantas veces sugieren sus cuentos. En «La noche boca arriba», por ejemplo, es la pesadilla la que se impone y vuelve irreal la realidad inofensiva de una sala de hospital. El desdoblamiento de Marini en dos personas, una que va a bordo del avión y es víctima del accidente y otra en la isla, «de espaldas entre las piedras calientes» (p. 125), ilustra nuevamente la técnica de dar vida a distintas posibilidades. A veces se trata de estar uno en distintos sitios o vivir en distintas épocas, como en «El otro cielo»; otras veces la escisión es mayor porque afecta la personalidad, como en «Las armas secretas». Cortázar encarna las distintas personas que viven en un individuo. Les da cuerpo y existencia autónoma, dentro de una esfera que podríamos llamar de imaginación realizada o de fantasía eficaz. Esto lo vimos particularmente en «Lejana». Pero, a diferencia de este relato, donde al confrontamiento sigue un intercambio de identidad, en «La isla a mediodía» lo que se produce es un retorno a la unidad. Marini se transforma en actor, víctima y espectador de su propia muerte, para volver a ser nuevamente uno, en la realización perfecta de la escena anticipada.

62. MODELO PARA ARMAR

Esta novela, cuya conexión con *Rayuela* el autor mismo se ha esmerado en destacar, es también una síntesis de todos aquellos recursos con los que Cortázar ha ido formulando su imagen de un yo múltiple y ubicuo. Sus personajes se mueven constantemente en dos planos: uno, el de las casas y calles de París, Londres y Viena; el otro, el de la ciudad, un mundo mágico al que sólo acceden los

elegidos y al que éstos logran entrar por puentes que sólo ellos perciben o crean. Cortázar vuelve a utilizar el recurso del escenario gira-
torio, como ya lo había hecho en «El otro cielo»; y, del mismo modo
que Alina Reyes, Hélène vive obsesionada por una misión que debe
cumplir en ese mundo misterioso, una misión absurda que la llevará
a la muerte. La imagen constantemente recreada en su mente es una
verdadera anticipación del destino, como lo es la imagen de la «lejana» cruzando el puente. Hélène fuma y bebe coñac a pequeños
sorbos y escucha hablar a Celia «mientras por detrás, en alguna parte
que forzosamente hay que situar y que la incertidumbre termina si-
tuando siempre detrás o en lo hondo, en todo caso en alguna región
diferente de lo que está sucediendo ahí» (p. 139), hay que esperar
un ascensor y subir a un piso, entrar en una habitación de hotel donde la están esperando y dejar un paquete que cada vez se hace más
pesado. La imagen se repite insistentemente (pp. 144-145, 165, 169,
177, 187, 257), está presente en todos los momentos de la vida de
Hélène y termina por empujarla hacia ese ámbito oscuro en el que
efectivamente cumplirá su misión y será destruida (pp. 265-266).
¿Quién ha decidido el destino de Hélène? ¿Qué fuerza la guía a esa
casa de un Buenos Aires fantasma para entregar una muñeca rota,
cuyo interior contiene algo horrible, pero jamás mencionado? Como
en las obras anteriores, una serie de coincidencias inexplicables conduce a los personajes a jugar un papel que de algún modo les ha sido
asignado.

La imagen que Juan tiene de Hélène está asociada con fantasías
sádicas de vampirismo y tortura. En su mente, Hélène, la condesa
y Frau Marta «se sumaban en una misma abominable imagen» (p. 41).
Tal vez sea éste un modo subconsciente de aceptar lo que en plena
lucidez se niega a ver, el lesbianismo de Hélène. Hay una agresividad
latente entre ambos. Ella identifica a Juan con un muchacho muerto
en la sala de operaciones, un paciente a quien había anestesiado.
Él, a su vez, vive anticipadamente la escena de Hélène muerta, con
los ojos abiertos, y termina contemplando la imagen realizada. Este
tipo de visión obsesiva ya la habíamos encontrado en el narrador
de «Relato con un fondo de agua». Allí la obsesión había llevado
al intento de realizar la imagen soñada por medio del crimen; aquí
también interviene una mano homicida, pero no la de Juan, sino la
de Austin, quien mata a Hélène por razones suyas propias, aunque
su acto sea consecuencia de una cadena de hechos a los que Juan
involuntariamente ha aportado el elemento decisivo: la muñeca de
monsieur Ochs.

En 62. *Modelo para armar*, Cortázar introduce por primera vez
un marco colectivo en el que los *alter-ego* se encuentran y establecen una peculiar convivencia, en la que se producen interacción
y conflictos. Y el ya mencionado super-yo múltiple y ubicuo a quien

cada uno de los personajes llama «mi paredro» y que su creador define como «una entidad asociada, ... una especie de compadre o sustituto o *baby sitter* de lo excepcional, y por extensión un delegar lo propio en una momentánea dignidad ajena, sin perder en el fondo nada de lo nuestro» (p. 23). «Mi paredro» había empezado por ser sólo un nombre puesto a la parte de vida de cada uno de ellos que pertenecía a «la zona». Sin embargo, leemos, «había veces en que sentíamos que mi paredro estaba como existiendo al margen de todos nosotros, que éramos nosotros y él, como las ciudades donde vivíamos eran siempre las ciudades *y* la ciudad; a fuerza de cederle la palabra, de aludirlo en nuestras cartas y nuestros encuentros, de mezclarlo en nuestras vidas, llegábamos a obrar como si él ya no fuera sucesivamente cualquiera de nosotros, como si en algunas horas privilegiadas saliera por sí mismo, mirándonos desde fuera» (p. 28). Y así «mi paredro» se transforma en una entidad de la que todos participan y, al mismo tiempo, una extensión de cada uno de ellos. La «zona» está en cualquier parte, allí donde el grupo de iniciados se encuentre. La «ciudad» es Londres, París, Viena y la Buenos Aires del recuerdo y la fantasía, la de una calle Veinticuatro de Noviembre en la que siempre habrá «paredones tranquilos y un blanco cenotafio» (p. 32). Lo que importa son las figuras que van dibujando esos seres-fantoches con sus encuentros, choques y desencuentros. El autor los junta, separa y distribuye, armando y desarmando el modelo e invitando al lector a que haga lo mismo con la más absoluta libertad.

ALGUNAS CONCLUSIONES

Recapitulando lo expuesto, podría decirse que en el mundo de Cortázar, el individuo suele perder, estrictamente hablando, su identidad, al ingresar en dimensiones físicas y temporales que le son ajenas; pero el yo gana, en cambio, en ese intento de realizar la otra posibilidad, aquella con la que está misteriosamente ligado. Por medio del «doble» se produce, pues, la expansión del yo, quien se libera de su individualidad para poder ser ambos, el yo y el otro, simultáneamente.

El espectro del «otro» como posibilidad que exige ser realizada está presente en todos los casos aquí analizados. También lo está en «Las puertas del cielo», en la reencarnación de Celina, pero no de la Celina que fue, sino de la que hubiera sido, si por amor a Mauro no hubiera renunciado a cumplir su destino de milonguera. Y una función semejante cumple, en «Cartas de mamá», la aparición en París de Nico, corporizado en un viajero desconocido. Nico viene a dar vida a una imagen que de él han creado Laura y su esposo

Luis; imagen muy distinta de la que había quedado como verdadera para los otros, en un pasado bonaerense que ambos querían olvidar. Pero el punto de vista de Cortázar no es sicológico, sino, podría decirse, metafísico. El mismo autor así lo ha sugerido, al referirse a su sentimiento de que «aparte de nuestros destinos individuales somos parte de figuras que desconocemos»[4]. Y, en la tercera parte de *Rayuela,* encontramos una explicación del concepto morelliano de «figura», en la interpretación de Oliveira. Según ésta, Morelli buscaba «una cristalización que, sin alterar el desorden en que circulaban los cuerpos de su pequeño sistema planetario, permitiera la comprensión ubicua y total de sus razones de ser, fueran éstas el desorden mismo, la inanidad o la gratuidad. Una cristalización en la que nada quedara subsumido, pero donde un ojo lúcido pudiera asomarse al calidoscopio y entender la gran rosa policroma, entenderla como una figura, *imago mundis* que por fuera del calidoscopio se resolvía en *living room* de estilo provenzal o concierto de tías tomando té con galletitas Bagley» (p. 533).

El concepto de individualidad quedaría superado a favor de la idea de un yo ubicuo, capaz de dar vida a otra existencia, fuera de la que aparentemente le ha tocado realizar dentro de su condición presente. Desde ese punto de vista, las transformaciones del yo que acabamos de analizar se explicarían como una contraposición de dos planos, el del yo individual, restringido a precisos límites físicos y temporales, y el del yo mágicamente expandido; este último supondría una transformación del primero y, al mismo tiempo, la reintegración a una estructura o constelación original de la que ambos forman parte.

Así comprendido, el concepto del yo de Cortázar parece estar inspirado en el Budismo Zen, del cual él mismo se ha declarado admirador. Pero hay una diferencia muy importante entre la enseñanza de esa doctrina oriental y la idea que se desprende de los personajes de Cortázar. El Budismo Zen lleva a la liberación del yo individual por medio de la identificación con todos los seres y objetos del universo y con el universo mismo como un todo. El yo individual es concebido por él como una realización parcial de un poder creador —a veces llamado *tristnā*— que puede asumir un infinito número de formas. Cortázar no sólo se limita a la presentación de dobles, sino que aun esta limitada expansión del yo individual termina, prácticamente en cada caso, con la destrucción del yo expandido y de la doble perspectiva que ella hiciera posible.

En realidad, las obras a que nos hemos referido en este capítulo son otras tantas historias de derrotas, ya que en cada una de ellas se le niega finalmente al yo la posibilidad de vivir en los dos planos.

---

[4] *Los nuestros,* p. 278.

Alina Reyes deja de ser ella misma y la mendiga, cuando se ve transvasada a esta última. Pierde la doble perspectiva en que se había desenvuelto su vida anterior. En este cuento se da, es verdad, la posibilidad de comenzar nuevamente el ciclo desde el punto de vista de Alina Reyes-mendiga, para quien la «lejana» sería aquella otra mujer que vive una vida burguesa y escucha conciertos en Buenos Aires. Pero esto no puede ocurrir en los otros casos. Hélène es destruida al encontrar finalmente el camino que la lleva a «la zona» en que debe cumplir su extraña misión. El axolotl que formaba parte del hombre lo abandona y se queda en el interior del acuario. El hombre ha perdido el axolotl que tenía en sí, no puede comunicarse con él, no puede comprenderlo; se ha empobrecido. Pierre queda aniquilado por la versión de su yo realizada ya en un momento pasado. Y algo parecido podría decirse del triunfo, más allá de la muerte, de la Celina original, contra la otra Celina que en vano había tratado de crear Mauro; o de la incapacidad del narrador de «El otro cielo» de encontrar el camino que lleva al París de 1870 y su derrota al quedar irremediablemente del otro lado, en el Buenos Aires deprimente de 1945.

En «La flor amarilla» y en *Rayuela*, la posibilidad de vivir el desdoblamiento es destruida por los protagonistas mismos. En el primer caso, el narrador de la historia mata la otra versión anticipada de su propio yo y decide quedarse dentro de los límites de su individualidad, aunque luego se arrepienta de ello. Y la confrontación entre Oliveira y Traveler es una lucha sin cuartel que sólo se comprende como defensa desesperada de una identidad estrictamente individual, que excluye toda forma de comunión o enriquecimiento de los yos respectivos. Fundamentalmente, Cortázar no puede liberarse del individualismo occidental, y sus personajes, lejos de entrar en el nirvana, deben elegir entre aniquilar al *doppelgänger,* dejarse aniquilar por él o destruirse, física o moralmente, como ocurre en *Rayuela*.

Cortázar parece obsesionado por la idea de que el yo —su yo— esté condenado a ser siempre él mismo, sin siquiera poder serlo del todo. Tener que resignarse a la vida de una sola dimensión, sin ser capaz de realizar más que una de sus múltiples posibilidades, y aun esto deficientemente, es la gran tragedia de la condición humana contra la que se rebela como escritor y como hombre, con tenaz desesperación. Y así surgen de su pluma estas extrañas criaturas, a las que Cortázar quiere dotar de una existencia enriquecida que incluya otras vidas, otros mundos, además de los que, en principio, les ha tocado vivir. Pero la corteza de la realidad es dura de roer, y el desaliento se apodera más de una vez de este aprendiz de brujo, como se observa en las primeras páginas de *Historias de cronopios y de famas,* donde se capta la tristeza de sentirse irremediablemente encadenado a la rutina de todos los días.

Sin duda, pues, la idea de un yo liberado de la individualidad y, por tanto, ubicuo y susceptible de diversas encarnaciones, ha atraído poderosamente a Cortázar. Pero su intento de darle vida y forma se ve frustrado por una evidente imposibilidad de llevar el concepto no individualista del yo hasta sus últimas consecuencias. Sus personajes se sienten habitados, invadidos, y luchan por reafirmar su identidad. Salen al encuentro de esos «otros», a cumplir un destino que se les impone inexplicablemente. Pero el encuentro con el «otro» acaba siempre con la destrucción concreta o simbólica del personaje.

Las transformaciones del yo en las obras de Cortázar tienen irrefutable validez y fuerza de convicción en el plano de la ficción, y esto es todo lo que debe pedírsele a un escritor. Pero también es cierto que, detrás de cada una de estas ficciones, queda un hombre obsesionado por el deseo de liberarse de sus propios límites, de vivir en un universo personal que abarque todos los mundos, saltando por sobre las barreras del tiempo y el espacio. Por eso, mucho de lo que ha escrito Cortázar, tanto en sus cuentos como en sus novelas —especialmente *Rayuela* y *62. Modelo para armar*—, puede interpretarse como un intento del autor de transformar su propio mundo; el fin de Cortázar no es imaginar mundos ficticios, sino crear la realidad en que vive, cumpliendo así la imagen, obsesiva y angustiante, de su propio sueño irrealizable.

Cotidianeidad y fantasía en una obra de Cortázar

Antonio Pagés Larraya

Hay en *Historias de cronopios y de famas* [1] algunas claves útiles para acercarnos a la cosmovisión y a los procedimientos literarios de Julio Cortázar. Estas notas procuran destacar algunas de ellas. La primera página, una suerte de prólogo, sirve de orientación a los cuentos que siguen. El intento de Cortázar es revolucionario: cambiar nuestro modo de ver el mundo. Lo consigue al pintar la realidad en sus proyecciones fantásticas. Vivimos dentro de un ladrillo, a veces de vidrio; otras veces tenemos los humanos la tarea de «abrirnos paso» a través de una «masa pegajosa» (p. 11). Esa masa pegajosa «es la costumbre, la fácil solicitud de la cuchara» (p. 12). El hábito en sí es fatal; en la manera que se lo vive está el equívoco. Se lo sabe por el resultado: la condición del hombre contemporáneo. El hombre se ha encerrado dentro del orden para evitar lo maravilloso. Cortázar expresa esa situación mediante una imagen elocuente: «Pero como un toro triste hay que agachar la cabeza del centro del ladrillo de cristal, empujar hacia afuera, hacia lo otro tan cerca de nosotros, inasible, como el picador tan cerca del toro» (p. 12). La desesperación muda del toro bajo la lanza del picador, capaz de ver, pero no de alcanzar una salida a otros planos más amplios de la realidad, es el lado inexpresado de esta colección de cuentos, en la cual se presenta la descripción de actores y acciones asombrosos, un mundo dentro del cual la fantasía es un fin en sí. El remedio que Cortázar propone surge de los cuentos. Lo ejemplifica así: «Cuando abra la puerta... sabré que abajo empieza la calle, no el molde ya aceptado..., la calle, la viva floresta donde cada instante puede arrojarse

---

[1] Julio Cortázar, *Historias de cronopios y de famas* (Buenos Aires, Ed. Minotauro, 1962).

sobre mí como una magnolia, donde las caras van a nacer cuando las mire..., juegue mi vida mientras avanzo» (pp. 12-13).

La vida, desde la perspectiva del narrador, es una aventura, una manera creativa de existir. Lo fantástico de los cuentos asombra y compromete al lector. El lector se divierte porque abundan elementos humorísticos o francamente cómicos. Aunque sea imposible e inútil reducir a términos lógicos los cuentos, se vislumbra el comentario sobre la pobreza de la vida cotidiana de orden y hábitos, explícito en las páginas ya comentadas e implícito en los cuentos que siguen.

El elemento fantástico de los cuentos de la sección «Manual de Instrucciones» está más bien en la concepción que en la materia. Son instrucciones acerca de actos habituales («Instrucciones para llorar», «Instrucciones para subir una escalera»), sobre estética («Instrucciones para entender tres pinturas famosas»), sobre actos fantásticos («Instrucciones para matar hormigas en Roma»). Cortázar ha prescindido del interés tradicional de la narrativa —los motivos, el porqué—, para describir los cómo. De esta suerte se quiebra la trayectoria lógica de causa y efecto. Para cantar: «Empiece por romper los espejos de su casa» (p. 15). Entre el impulso de cantar y el de romper espejos, la relación es ilógica.

Siguiendo a los surrealistas, Cortázar muestra una manera de lograr un cambio en la naturaleza del hombre: alterar su modo de percibir las cosas mundanas que le rodean; por ejemplo, una escalera: «Nadie habrá dejado de observar que con frecuencia el suelo se pliega de manera tal que una parte sube en ángulo recto con el plano del suelo...» (p. 25).

Un procedimiento dadaísta-surrealista que Cortázar ha empleado es burlarse de las obras de arte más veneradas («Instrucciones para entender tres pinturas famosas»). Del retrato de Enrique VIII de Inglaterra por Holbein, dice: «Se ha querido ver en este cuadro una cacería de elefantes, un mapa de Rusia, la constelación de la Lira..., o ese pólipo dorado que crece en las latitudes de Java, y que bajo la influencia del limón estornuda levemente y sucumbe con un pequeño resoplido» (p. 20). Esta irreverencia hacia el pasado señala la búsqueda de una nueva orientación respecto al presente. Los cuadros son cosas; al destruirse el hábito de veneración se los puede percibir de una manera distinta.

El tema del reloj aparece en dos cuentos: «Preámbulo a las instrucciones para dar cuerda al reloj» e «Instrucciones para dar cuerda al reloj», y coloca a Cortázar otra vez en relación con los surrealistas (los cuadros de Salvador Dalí). En el primer cuento el reloj funciona como una «imagen de la irracionalidad concreta», del que habló Dalí en *La Conquête de l'irrationel*. Una persona recibe de regalo un reloj que en vez de regalo es un «pequeño infierno», porque el reloj exige toda una serie de consideraciones: «... te regalan un nuevo pedazo frágil y precario de ti mismo... Te regalan la necesidad de darle cuerda... para que siga siendo un reloj; te regalan la obsesión de atender a la hora exacta en las vitrinas de las joyerías... Te regalan el miedo de perderlo...» (p. 27). El hombre está a merced de la cosa: «a ti te ofrecen para el cumpleaños del reloj» (p. 28). Visto desde esta perspectiva, el acto de regalar un reloj es irracional.

En «Instrucciones para dar cuerda al reloj», el reloj es un objeto concreto que contiene la muerte. Se puede comprender la imagen miméticamente. El latido de los dos señala que funcionan. De la misma manera, el hombre es un reloj: «El miedo herrumbra las áncoras, cada cosa que pudo alcanzarse y fue olvidada va corroyendo las venas del reloj» (p. 29). A la vez que el reloj se humaniza, el hombre se cosifica.

Al contrario de las ficciones anteriores, los de «Ocupaciones raras» tienen personajes y ambiente: una familia de treinta y dos personas que vive en la calle Humboldt. Es una pequeña isla de locura dentro del orden general. El narrador dice: «Somos una familia rara. En este país, donde las cosas se hacen por obligación o fanfarronería, nos gustan las ocupaciones libres, las tareas porque sí, los simulacros que no sirven para nada» (p. 33). La novedad consiste en actuar sin un fin determinado o práctico: «Para luchar contra el pragmatismo y la horrible tendencia a la consecución de fines útiles» (p. 42). Un procedimiento es presentar una acción ilógica: tomar un pelo, hacer un nudo en el medio, dejarlo caer por el agujero del lavabo y seguirlo en sus consecuencias lógicas, buscar el pelo con nudo por los caños de todos los departamentos hasta llegar al caño maestro o sencillamente encontrar el pelo a pocos centímetros de la boca del lavabo.

La ironía inherente en la perspectiva de Cortázar se ve en el cuento «Simulacros». Las acciones en sí no son fantásticas ni originales. El defecto de esta familia, según el narrador, es justamente que le falta originalidad: «Casi todo lo que decidimos hacer está inspirado —digamos francamente, copiado— de modelos célebres» (p. 33). Las variantes son el tiempo y el espacio. Construir una horca en otro espacio y otro tiempo (por ejemplo, en Francia mediado el siglo XIX) no tendría nada de irregular. Postular tal acontecimiento en pleno siglo XX en la calle Humboldt es fantástico. De esta suerte ataca Cortázar la idea fija, arbitraria, que se tiene de la realidad. Plantea el concepto de la relatividad del orden usual o, mejor dicho, el sentido del equilibrio por medio del cual se lleva a sus últimos extremos la fórmula-acción en un espacio y en un tiempo fijo.

Otro procedimiento del escritor es introducir un elemento extraordinario en el plano ordinario y mirar cómo gira el mecanismo. Procede de esta manera en «Los posatigres». La irrupción de un tigre en la casa de la calle Humboldt se lleva al cabo casi como experimento científico. El estímulo surge de la curiosidad. Es cuestión de ajustamiento entre los diversos elementos: «Tanto el dispositivo como las diferentes funciones que debemos desempeñar todos, desde el tigre hasta mis primos segundos, parecen eficaces y se articulan armoniosamente» (p. 50). El fin del experimento es una especie de confrontación de absolutos donde se ha alcanzado un ajuste perfecto entre las partes: «El equilibrio depende de tan poco y lo pagamos a un precio tan alto que los breves instantes que siguen al pasado y que deciden de su perfección nos arrebatan como de nosotros mismos, arrasan con la tigredad y la humanidad en un solo movimiento que es vértigo, pausa y arribo.» El cuento presenta un simulacro de orden genérico, complicadísimo; el equilibrio logrado al final muy raras veces puede realizarse.

Las relaciones entre hombre y animal, tema que aparece mucho en los cuentos cortos de Cortázar, se articulan de dos maneras: o se introduce un animal dentro de un orden ya establecido («Los posatigres») o se subraya la semejanza interna entre hombre o animal, o sea el tema del hombre biológico («Tía en dificultades», «Tía explicada o no»). El animal tiene un valor positivo; lo compara al hombre no para degradar a éste, sino para quitarle algunas pretensiones mal fundadas respecto a su naturaleza.

Ejemplificaré el segundo modo de tratar este tema. La tía tiene miedo de caerse de espaldas. Este temor afecta a las treinta y dos personas de la familia que deben acudir a su auxilio. Nadie alcanzaba a entender su manía hasta que una noche el narrador y su hermano miraron la lucha de una cucaracha para enderezarse. Desde ese momento la familia se dedica a aliviarle a la tía su miedo. Luego el narrador analiza minuciosamente el significado de estar tendido de espaldas: «Para mí, por ejemplo, estar de espaldas me parece comodísimo. Todo el cuerpo se apoya en el colchón o en las baldosas del patio, uno siente los talones, las pantorrillas, los muslos, las nalgas, el lomo, las paletas, los brazos y la nuca que se reparten el peso del cuerpo y lo difunden, por decir así, en el suelo, lo acercan tan bien y tan naturalmente a esa superficie que nos atrae vorazmente y parecería querer tragarnos» (p. 48). Además de destacar otra vez lo arbitrario y falso de las distinciones entre el reino humano y el animal, la descripción anterior sirve como ejemplo de los procedimientos de Cortázar como cuentista. En primer lugar, describe, no explica. Se sitúa afuera y ejerce su imaginación sobre una actitud, un objeto o una acción en apariencia de uso cotidiano; después de entregar al lector el objeto de su interés mediante una descripción detalladísima, éste queda transformado. Es un tipo de magia o de fantasía que se ejerce sobre la plena vida cotidiana.

El material plástico es para Cortázar cualquier cosa sobre la cual ejerce su imaginación el escritor. El título de un cuento sirve muy bien de prólogo a los demás de esta sección: «Pequeña historia tendente a ilustrar lo precario de la estabilidad, dentro de la cual creemos existir, o sea que las leyes podrían ceder terreno a las excepciones, azares o improbabilidades, y ahí te quiero ver» (p. 72). El objeto de investigación es la realidad exterior; el instrumento, la imaginación; el resultado, una mezcla de lo imaginario y de lo llamado real, hecho concreto. Por ejemplo, en «Conducta de los espejos en la isla de Pascua», el pasado y el futuro de un hombre, Salomón Lemos, un antropólogo, están concretados en los espejos —el pasado en los espejos del oeste de la isla, el futuro en los del este—. No hay utilidad en este fenómeno. Los espejos también «adolecen de distintos materiales y reaccionan según les da la real gana» (p. 67). De la misma suerte, no hay ningún fin útil en esta mezcla de lo usual y de lo imaginado. Es sólo para maravillar.

El narrador de «Posibilidades de abstracción» expresa esta idea. Le gusta abstraer. Esto le ayuda a soportar el tedio de su trabajo. Su secretario llora mientras él se divierte, abstrayendo sus lágrimas, porque: «La vida está llena de hermosuras así» (p. 70).

El lenguaje se encuentra entre las categorías generales de los objetos concretos de uso cotidiano. El hombre se sirve de él para encarnar «las cosas invisibles». Cortázar lo destaca: «Lo verdaderamente nuevo da miedo o maravilla... El resto es la comodidad, lo que siempre sale más o menos bien; los verbos activos contienen el repertorio completo» (p. 83).

El hábito destruye el impulso hacia la novedad. En «¿Qué tal, López?», un señor cree que saluda a su amigo, pero: «... el saludo ya está inventado, y este buen señor no hace más que calzar en el saludo» (p. 82). Las palabras se ven, según ya he anotado, como objetos concretos. Y como el diario en «El diario a diario» (un montón de hojas impresas hasta que alguien lo lea), su valor, en este caso su experiencia, depende de que alguien lo use.

El sentido trascendental del lenguaje se subraya mediante una especie de parábola titulada irónicamente «Cuento sin moraleja». Un hombre que vende gritos y palabras por la calle se presenta ante el tiranuelo del país para venderle sus últimas palabras. Antes de que logre comprárselas, sus generales le pegan un tiro. Después matan al vendedor porque no les dice cuáles eran las últimas palabras del dictador. Uno de los gritos comprado del vendedor y gritado por otros vendedores callejeros hace que la gente se subleve y acabe con los generales: «Y se fueron pudriendo todos..., pero los gritos resonaban de cuando en cuando en las esquinas» (p. 105).

En el mundo ficticio de Cortázar, donde hay una constante vacilación entre lo cotidiano y lo irreal, el lenguaje es de suma importancia para crear la situación imaginada. Cortázar tiene que ganar la confianza del lector antes de arrojarlo al plano fantástico. El narrador de «Trabajos de oficina» dice: «Las palabras, por ejemplo, no hay día en que no las lustre, las cepille, las ponga en su justo estante, las prepare y acicale para sus obligaciones cotidianas» (p. 61). Y una de esas obligaciones cotidianas es usarlas para quebrar la lógica y dar forma a lo inexpresable. En «Retrato del casoar», Cortázar expresa el poder de creación del lenguaje a la vez que plantea una duda sobre quién inventa a quién. El casoar «se limita a mirar sin moverse, a mirar de una manera tan dura y continua que es casi como si nos estuviera inventando, como si gracias a un terrible esfuerzo nos sacara de la nada que es el mundo de los casoares y nos pusiera delante de él, en el acto inexplicable de estarlo contemplando» (p. 100). Se puede sugerir aquí otro vínculo entre Cortázar y los surrealistas. André Breton ha dicho: «La poesía mantiene felizmente la ambigüedad entre el lenguaje de la *verdad* y el lenguaje de la *creación*.» Si se acepta que la «verdad» expresa lo real, lo existente, y que «creación» significa lo imaginado, lo no existente sin el lenguaje, luego Cortázar ha logrado, mediante un vaivén entre los dos extremos, la ambigüedad esencial que caracteriza a sus ficciones.

Los cuentos de *Historia de cronopios y de famas* resultan los más fantásticos del conjunto. En ellos aparecen tres órdenes de criaturas: cronopios, famas y esperanzas. Aunque los protagonistas sean desconocidos, viven en Buenos Aires (van a Luna Park, toman café en el Richmond de Florida), hablan español y su comportamiento se asemeja al de los hombres. Tienen relaciones con los humanos (en «El almuerzo» los convidados son una fama, una esperanza y un profesor de lenguas). En suma, Cortázar los ha ubicado dentro del mundo real. El lector puede así proceder de lo conocido para descifrar lo desconocido, siguiendo el sistema en el cual se funda el hecho de que el *Jabberwocky,* de Lewis Carroll, tenga sentido. Tal cual sabemos que «brilig» («Twas brilig and the slithy troves») es probablemente una estación por su posición, de igual suerte inferimos que «tregua y catala» son bailes. «Espera» debe de ser el baile de las esperanzas y de los cronopios.

El punto de referencia es siempre la realidad que conoce todo el mundo. Pero a lo largo de los cuentos se van acumulando detalles sobre la naturaleza de estas criaturas imaginarias, de modo que es posible tener una idea de cómo son. Hay constantes descripciones breves, acciones características de cada una de las tres especies. Las esperanzas son microbios relucientes. Los cronopios son verdes, húmedos y erizados. Los famas son la burguesía, por decirlo así, los más dados a las convenciones, a la rutina establecida (cuando los boletines de las ocho se difunden en rumano, los famas se ponen furiosos —«Inconvenientes en los servicios públicos»—). Los cronopios corresponden a la familia de «Ocupaciones raras». A ellos les gusta romper el orden (fueron los cronopios quienes hicieron traducir los textos, avisos y canciones en rumano). Se oponen las fuerzas de siempre: el orden contra la novedad.

Porque hay semejanza entre los famas y los hombres. Cortázar puede satirizar a éstos por medio de aquéllos. En «La cucharada estrecha» un fama descubrió que la virtud era un «microbio redondo y lleno de patas». Le dio una cucharada a su esposa y a su suegra y se tomó otra. La conclusión: «No se atreven ni siquiera a hablarse, tanta es su respectiva perfección y el miedo que tienen de contaminarse» (p. 133).

El hecho de que los cronopios, los famas y las esperanzas estén dotados de características humanas es un aspecto fundamental en el efecto humorístico de los cuentos. Un fama que se recibe de médico hace reír, porque aunque no se sepa con seguridad lo que es, se sabe lo que no es: un hombre. La segunda función de la forma de expresarse el elemento humorístico está bien caracterizada por Max Eastman: «Nonsense humor is only effective if it pretends to make sense»[2].

Esta estratagema es fundamental en elementos de algunos relatos y en otros cuentos enteros. He aquí un diálogo («Alegría del cronopio»):

—Buenas salenas, cronopio, cronopio.
—Buenas tardes, fama. Tregua, catala, espera.
—¿Cronopio, cronopio?
—¿Hilo?
—Dos, pero uno azul (p. 116).

El narrador añade, para insistir en que haya sentido en lo aparentemente desatinado: «El fama considera al cronopio. Nunca hablará hasta no saber que sus palabras son las que convienen...» (página 116).

Por medio de sus criaturas, Cortázar logra plantear en su terreno más fantástico la relativa pobreza de la lógica para encarnar la riqueza de la realidad. Lo hace explícitamente en *Su fe en las ciencias*. Una esperanza decidió clasificar, según tipos fisonómicos como los ñatos, los de cara de pescado, los cetrinos, a los demás. Al intentarlo, descubrió que entre los subgrupos existían tantos rasgos que acercaban a los miembros a otro subgrupo como rasgos que los distinguían de este grupo. Las categorías resultaban inútiles.

Se llega a lo maravilloso al quebrar la lógica con la imaginación. En «Relojes», un cronopio tiene un «reloj-alcachofa». Para saber la hora, saca una hoja: «Al llegar al corazón el tiempo ya no puede medirse, y en la infinita rosa violeta del centro el cronopio encuentra un gran contento, entonces se la come con aceite, vinagre y sal y pone otro reloj en el agujero» (p. 124).

---

[2] Arthur Koestler, *The Act of Creation* (New York, Laurel, 1967), p. 79.

Al yuxtaponer el concepto abstracto del tiempo a un objeto concreto que ilógicamente lo representa, se ha llegado a lo maravilloso por medio de la «folle du logis», que, según los surrealistas, es el verdadero comienzo de la expresión poética.

Al hacer irrumpir los animales en todas sus proyecciones imaginarias, la literatura de Cortázar reactualiza, con un sentido distinto y contemporáneo, la tradición de los Bestiarios.

La materia en que consisten los Bestiarios llegó a los cristianos de los paganos. Para éstos los datos sobre los animales servían al intento de describir y clasificar el mundo natural en el que se mezclaban lo fabuloso y lo natural. Por ejemplo: «This is called a 'Griffin' because it is a winged quadruped. This kind of wild animal is born in Hyperborean parts, or in mountains. All its bodily members are like a lion's, but its wings and mask are like an eagle's. It is vehemently hostile to horses. But it will also tear to pieces any human beings which it happens across»[3]. Los hombres de la Edad Media añadieron un valor simbólico a las descripciones de los griegos: «The unicorn is a beast so savage that it can only be caught by the help of a young maiden. When he sees her the creature comes and lies down in her lap, and yields to capture. The Unicorn is Christ, and the horn in the midst of its forehead is a symbol of the invincible might of the Son of God. He took refuge with a Virgin»[4].

Por medio de la imaginación, la materia de los Bestiarios sirvió para explicar el Cristianismo a los hombres. En el arte de esta época, en particular en las grandes catedrales góticas de Francia, los animales de los Bestiarios funcionaban como una especie de alfabeto sagrado, cada uno con un significado, para exaltar a Dios.

A principios del siglo xx, cuando se estudiaba directamente a los animales por medio de la teoría darwinista, el punto de vista era comparatístico. A partir de los descubrimientos de Ivan Pavlov sobre las acciones reflexivas de los perros, los sicólogos behavioristas estudiaron la filosofía de los animales para aprender comportamientos del hombre. El comportamiento del animal explicaba el del hombre, porque se concebía al hombre como nada más que un conjunto de acciones reflexivas.

Los animales en los cuentos cortos de Cortázar funcionan en tres maneras: 1) Aparecen como paradigma del hombre. Es una orientación behaviorista, digamos. Por ejemplo, el comportamiento de las hormigas representa el de los hombres. La manera de ver la distinción entre el mundo de los animales y el de los hombres es relativa. En «Geografía», Cortázar plantea esta idea: «Probado que las

---

[3] T. H. White: *The Book of the Beasts* (London, Jonathan Cape, 1956).
[4] Emile Mâle, *The Gothic Image* (New York, Harper and Brothers, 1958), página 40.

hormigas son las verdaderas reinas de la creación (el lector puede tomarlo como una hipótesis o una fantasía...)» (p. 84). Desde esta perspectiva se logra una visión irónica del llamado mundo cotidiano. 2) Actúan como algo que estorba el orden establecido y que hace que el hombre agrande su concepto de la realidad. En «Los posatigres» plantea una cuestión de equilibrio entre «la tigredad» y «la humanidad». 3) Cuando el autor les permite hablar, sus animales llegan a ser fantásticos. Las *Historias de cronopios y de famas* representan, en un nivel a la vez fantástico y real, una pequeña sociedad con los elementos cotidianos entremezclados con los maravillosos. Este mundo es un simulacro. Como tal, la fantasía es un fin en sí que sirve a la vez como espejo que no deforma ni representa, sino amplifica la vista que uno tiene de lo real.

Irracionalismo, humor, cierta piedad encariñada por lo cotidiano, inserción del inquietante mundo animal en un contexto imaginario, son los rasgos unificados de estas ficciones breves, rápidas, que renuevan creadoramente y con un perfil bien porteño (¡esa familia de la calle Humboldt!) la fértil tradición surrealista.

«Los premios»: *Una tentativa de clasificación formal*

Alfred J. Mac Adam [1]

[1] Princeton University, Princeton, New Jersey, U. S. A.

Julio Cortázar añadió al final de *Los premios* [2] una «Nota», mitad apología, mitad manifiesto, que revela que hasta para él la forma de su novela era un problema. El autor dice que algunos amigos «a quienes les gusta divertirse en línea recta» se quejaron de los soliloquios interpolados del personaje Persio porque estorbaban el desarrollo fluido de la trama. Cortázar les contesta que los soliloquios dan «una suerte de supervisión de lo que se iba urdiendo o desatando a bordo» y que su lenguaje «insinúa otra dimensión o... apunta a otros blancos». Dice también el autor que *Los premios*, escrito sin un plan fijo, rompe con lo que había escrito antes y que él mismo fue el primero en sorprenderse de lo que resultó. En verdad el autor no contesta la crítica de sus amigos y sólo explica lo que para él significan los soliloquios en vez de explicar por qué sintió la obligación de usarlos o por qué tuvo que incluir una «supervisión» dentro de la acción.

En el ensayo-entrevista publicado por Luis Harss [3], Cortázar dice de *Los premios*: «Los críticos tendieron a ver en *Los premios* una novela alegórica o una novela satírica. No es ni una cosa ni la otra» (Harss, p. 276). Es imposible discutir el punto con el autor, pero el crítico tiene que tener en cuenta otras posibilidades, exteriores quizá a la obra, pero imprescindibles para su comprensión. Cortázar llama «novela» a *Los premios* sin indicar exactamente lo que quiere decir. Sabe que su obra tiene múltiples dimensiones y se niega a escoger una sola porque el libro abarca todas

---

[2] Julio Cortázar, *Los premios* (Buenos Aires, 1960). Todas las referencias a *Los premios* y su «Nota» son de esta edición.
[3] Luis Harss, *Los Nuestros* (Buenos Aires, 1966). Las referencias a este texto son de esta edición.

y no es una cosa exclusiva de otras. Pero el crítico, si no el autor mismo, tiene que ser explícito al hablar de una obra y darle una clasificación que indique o que legítimamente se puede exigir de ella y lo que necesariamente no se puede pedir.

Una primera consideración de *Los premios* entonces no debe ser un análisis de sus aspectos alegóricos o satíricos, sino una investigación de su género y una tentativa de identificación. Empleando las clasificaciones del crítico Northrop Frye [4], se ve que hay cuatro tipos generales de narración en prosa: novela, confesión, anatomía y «romance» (Frye, p. 312). Sólo en sus ejemplos paradigmáticos existen estos géneros en su forma pura y casi todas las obras que se demuestran de una clase tienen también rasgos de las otras. La novela se distingue del «romance» en que (Frye, p. 308) tiende a concentrarse en el carácter humano tal como se revela en la sociedad. El novelista puede entrar en la siquis de un personaje, pero el escritor de «romances» no puede hacerlo porque no crea personajes que se asemejan a «verdaderas personas» (Frye, p. 304), sino figuras arquetípicas que no están necesariamente en un ambiente que refleja la sociedad fuera del libro. La novela (Frye, p. 307) trata de mostrar una serie de figuras en un contexto miméticamente fiel a la realidad y está ligada a un momento histórico exacto, mientras los protagonistas del «romance» están libres del tiempo y un contexto rígido. El ejemplo máximo de la fusión de ambos géneros es *Don Quijote* (Frye, p. 306), donde la novela tiene como asunto una situación típica de un «romance» y el resultado es un compuesto irónico.

La confesión es un género conocido, pero la anatomía o sátira menipea designa un grupo de obras antes difíciles de clasificar. La anatomía comparte con la confesión o autobiografía (Frye, p. 309), ejemplificada por las confesiones de San Agustín, Rousseau o Félix Krull, el poder dedicarse a ideas abstractas y teorías. La diferencia entre los dos géneros es que la sátira (Frye, p. 309) maneja actitudes mentales, tipos como pedantes, virtuosos, hombres profesionales, en vez de personajes arquetípicos o verosímiles. En su manifestación concentrada, *Candide,* por ejemplo, la sátira (Frye, p. 310) muestra una visión del mundo desde un solo punto de vista intelectual y puede distorsionar la lógica narrativa, dando una impresión de descuido o ineptitud. Otra tendencia de este género es el de acumular información erudita, como ocurre en la *Anatomía de la Melancolía* (1621), de Robert Burton, o quizá en *El Criticón,* de Baltasar Gracián. Influencias de este género se ven también en obras como

---

[4] Northrop Frye, *Anatomy of Criticisms, Four Essays,* «Rhetorical Criticism: Theory of Genres» (Princeton, 1957), pp. 243-337. Las referencias a la obra de Frye son de esta edición y este ensayo.

Tristram Shandy, muchos *roman à these* y la novela proletaria de los treinta (Frye, p. 312).

Con estas consideraciones teóricas en cuenta es posible averiguar el género de *Los premios* por medio de una investigación de sus personajes, su ambiente y su manera de narrarse. A primera vista, los personajes se dividen sólo en principales y menores, figuras más desarrolladas, más verosímiles en el sentido de que tienen historias particulares y el poder de cambiar o madurar, y otras, la señora de Trejo o la madre de la Nelly, por ejemplo, que no sólo no poseen esa apariencia de relieve, sino que son figuras de dos dimensiones, representantes de una faceta peculiar de la sociedad argentina. Pero las distinciones no son tan sencillas porque el autor mismo dice que el personaje Persio tiene otra función en la novela —aparte de su papel activo—, ser «la visión metafísica de esa realidad corriente» (Harss, p. 277), el que puede observar el desarrollo de la vida en el «Malcolm» e interpretarlo como si fuera la aplicación de una fórmula química.

Pero si Persio tiene esta otra dimensión, los otros personajes principales también tienen una dimensión aparte de sus papeles novelescos en *Los premios.* Según Frye, el ambiente de la novela refleja el mundo externo, y está conectado profundamente a un período histórico. Aceptada esta idea, se ve que Cortázar ha creado una segunda realidad y que el ambiente de *Los premios,* el «Malcolm», es la reflexión de una Argentina que es también una imagen de la verdadera Argentina. Cortázar emplea un microcosmos, pero el macrocosmos que da origen a su ambiente creado es también una ficción, porque la Argentina de la novela aparece antes y después del viaje, está reflejada en el barco y es a la vez una derivación de la Argentina real de los años cincuenta.

Vista así, la relación entre los personajes y su ambiente empieza a asumir aspectos no característicos de la novela. El autor abandona la estructura real de la sociedad en que se arraiga la novela (Frye, página 310) y recurre a una representación no-mimética de la sociedad externa a la obra. Entonces los personajes también tienen otro aspecto, porque si empiezan como figuras novelescas, pronto reaccionan frente al ambiente no-novelesco y participan en una acción que pertenece a otro género. Si al principio la acción se desarrolla en torno al tema del crucero, en seguida empieza a fluctuar entre un viaje y una serie de ataques y contraataques entre un barco que se convierte en otra cosa, y unos pasajeros que se convierten en partícipes de otro drama.

En qué se cambian el barco y los pasajeros puede parecer un problema de interpretación, pero si se entiende que un cambio fundamental de enfoque sólo puede significar un cambio radical de género, se notará por qué es necesario fijar cuáles son las oscilaciones que sufren el ambiente y los personajes. Al entender las mutaciones formales de la obra es posible intentar establecer sus múltiples significados. Sólo a través de una confrontación con el texto se pueden encontrar estas mutaciones de técnica, pero si se lee el libro con una previa idea de lo que es, es imposible juzgarlo debidamente.

La interpretación de géneros se manifiesta a lo largo de la obra en la didáctica jugada entre las interrelaciones de los pasajeros y las interrelaciones entre el barco y un grupo de pasajeros. El barco deja de ser parte del ambiente y se convierte en actor. Los personajes no pueden quedar como personas verdaderas actuando dentro de una sociedad, porque al hacerse agente el barco, ellos están fuera de su ambiente y en conflicto con él. Este fenómeno aparece cada vez que los pasajeros, que después vienen a ser los revolucionarios, tienen contacto con el barco o sus representantes: al principio del libro, cuando ciertos pasajeros sienten que hay algo sospechoso detrás del crucero, luego en la manera en que los pasajeros son separados del país, encerrados primero dentro del «London», luego en el autobús que los lleva a oscuras al barco y finalmente dentro de un sector reducido del «Malcolm».

En el barco forman alianzas, primero a base de intereses culturales y después a base de una reacción común a las circunstancias. Hay un enredo novelesco de vidas, pero cada vez que hay contacto con el barco —la necesidad de un médico, el querer saber el itinerario, el querer saber por qué no se puede pasar a popa—, el tono cambia. Las vidas novelescas ceden frente a otra acción y los personajes principales se convierten en figuras sin historia que tratan de establecer contacto con una personalidad hostil que controla y se esconde en su ambiente. Ellos entonces no son lo que eran, porque hay otro grupo de pasajeros que se queda en un nivel distinto y no confronta la agresión de su nuevo ambiente y el nexo entre este microcosmos y la Argentina de la novela: el inspector de Fomento. La realidad de los revolucionarios viene a ser la vida del microcosmos y tratan de romper el misterio, reflejo del misterio del país afuera del microcosmos, luchando contra el enigma. En los momentos en que el barco deja de ser barco, algo real dentro del ambiente real del país, el ambiente novelesco se destruye y la obra se separa de un tiempo y un lugar concretos para desenvolver otro drama dentro de un laberinto marino.

Para poder explicar por qué *Los premios* es un mezcla de géneros habría que investigar las relaciones entre el autor y lo que escribe. Si se acepta que el novelista representa miméticamente a una realidad verdadera para combinar dentro de ella las vidas, también verosímiles, de sus personajes, habría que preguntar por qué Cortázar no podía sostener una visión realista en su obra y por qué tuvo que abandonar la realidad mimética para crear una ficticia. El crítico George Lukács[5] opina que hay momentos históricos que no permiten una presentación realista de la realidad, cuando la situación parece tan caótica que la visión subjetiva del autor se sustituye por la realidad objetiva y la obra literaria sólo puede reflejar lo real en una representación irreal. Es esta realidad que los revolucionarios viven y en que Gabriel Medrano muere, y es esta realidad que entiende, comenta y sufre Persio en los monólogos.

Los soliloquios tienen la doble función de romper definitivamente el aspecto novelesco de *Los premios* y dejar entrar la tercera realidad, la del autor. Como sostenían los amigos de Cortázar, los soliloquios o monólogos estorban el recto fluir de la trama. Son digresiones, pero no las que dan más información sobre los personajes o que se apartan completamente de la narración, sino que discuten el significado de la acción en un plano abstracto o genérico. Los soliloquios representan una influencia de la anatomía a causa de su contenido teórico y también porque acaban con la verosimilitud novelesca que contiene la acción. El proceso a que somete Persio la acción en el barco produce lo que Cortázar llama una «figura», porque establece nexos, temporales y espaciales, entre fenómenos que en sí parecen heterogéneos y principios teóricos o sistemas arquetípicos.

Los nombres «soliloquios» y «monólogo», que Cortázar usa para describir las secciones en que Persio se separa de la novela, pueden decepcionar porque no son en general ni el uno ni el otro. De las nueve digresiones sólo tres están en parte narradas en primera persona, y las otras están en tercera persona con un narrador que apostrofa a Persio, describe lo que está pensando o habla al lector. Si son soliloquios, no son los de Persio, sino del narrador que puede en estos momentos olvidarse de su objetividad y expresarse sobre el estado de la acción. Son entonces el abandono completo del realismo literario y una confrontación intelectual entre el narrador y los principios detrás de su historia. Semejante fenómeno ocurre en el capítulo XXXIII *(Los premios,* p. 264), en que el narrador empieza a describir una escena en la cubierta del «Malcolm» y se interrumpe, diciendo: «Pero ¿quién estaba mirando y sabiendo todo eso?» La respuesta, igual que la identidad del que está monologando en los «soliloquios», es que es el autor mismo que no puede dejar de entrar en su novela porque lo que está tratando de decir no cabe dentro de un solo género literario.

Sin embargo, los soliloquios siguen el desarrollo de la trama y son como un coro que reacciona frente a lo que sucede. En los primeros tres soliloquios el problema central es el de averiguar la

---

[5] George Lukács, *Realism in Our Time,* «Franz Kafka or Thomas Mann?» (Nueva York, 1964), 52.

manera en que se podría acercarse a la acción. El narrador dice que Persio está tratando de enfocar la «figura» que seguramente está formándose de la aglomeración heterogénea de pasajeros. Estos tres soliloquios se relacionan con las etapas de la trama que llevan el grupo desde el «London» hasta el «Malcolm». En el último, Persio tiene que incluir el barco dentro de la «figura» y decidir cómo va a enfrentarse con el problema. En los soliloquios cuarto y quinto, Persio y también el narrador asumen el papel del observador de un movimiento que no pueden influir o cambiar, un ritual inútil y trágico.

En los últimos cuatro soliloquios, Persio se horroriza frente al doble espectáculo de la acción en el «Malcolm» y su significado arquetípico. Primero, en el soliloquio F, se preocupa por el problema de la comunicación de su conocimiento a los demás, pero luego se da cuenta de que toda comunicación es imposible y grita al país: «Oh, Argentina, ¿por qué ese miedo al miedo, ese vacío para disimular al vacío?» (Los premios, p. 253). Entonces Persio se disgusta con su visión, «harto de una lucidez que no le ha dado más que otro retorno y otra caída, asiste Persio a la danza de los muñecos de madera, al primer acto del destino americano» (Los premios, p. 358). Pero si Persio queda derrotado, seguro de que «el rito obsceno» (Los premios, p. 402) de la historia argentina se ha repetido una vez más, el narrador rompe con su gemelo literario al decirle en una nota optimista: «Cuando los muñecos muerdan su último puñado de ceniza quizá nazca un hombre. Quizá ya ha nacido y no lo ves» (Los premios, p. 359).

El significado de los varios planos de la narración es una cuestión para el intérprete. Si hay una alegoría incluida en Los premios es justificable indicarla, no porque alguien la «ve» allí, sino porque una parte de la forma de la obra, una resonancia arquetípica del «romance», anuncia que un aspecto del libro no tiene nada que ver con su aspecto novelesco. Los amigos del autor criticaban la presencia de los soliloquios de Persio, pero no se daban cuenta de que un segundo género, la anatomía, había penetrado en Los premios y que estas digresiones no debilitaban la estructura de la novela, sino que incorporaban en ella las posibilidades de un género que facilita discusiones teóricas. Una obra polidimensional como Los premios no representa el producto de un autor que empezó a escribir una novela y decidió hacer algo distinto a mitad del camino, sino el esfuerzo logrado de crear un vehículo expresivo que pudiera satisfacer a la vez sus exigencias literarias e intelectuales.

Temas y técnicas del taller de Julio Cortázar

Richard F. Allen [1]

[1] Department of Spanish, University of Houston, Houston, Texas 77004.

Julio Cortázar llama la atención del lector por su prosa revolucionaria y difícil que ha alcanzado resonancia internacional durante los últimos seis años: el crítico se encuentra ante un audaz experimentador de técnicas literarias. Cortázar trata sobre la búsqueda de lo insólito en un reino de fantasía pura, dominado por una inteligencia irónica, fría y elegante. Su obra se caracteriza por su estilo, que aparenta oscuridades, incoherencias y ambigüedades. Sin duda alguna, Cortázar es un escritor universal que, aunque poseyendo un matiz borgiano, ha llegado a crear una completa metafísica novelesca propia.

Cortázar, autor de cuentos y de novelas, prefiere los temas que confrontan al hombre contemporáneo: el conflicto por la búsqueda del significado de la vida; el problema de la realidad contrapuesta al sueño, y el contraste violento, la metafísica en contra de lo material-real. En su técnica evolucionaria, Cortázar prefiere la estructura en torno a un motivo que con frecuencia se convierte en símbolo. Por ejemplo, en *Los reyes* [2] (1949), un poema de tipo mitológico en el que el autor da su interpretación de la leyenda del Minotauro, es introducida una imagen que llega a constituir el más importante instrumento literario de Cortázar, el laberinto. El autor atribuye un significado más profundo a este símbolo arquetípico, creando en torno a la estructura una realidad que culmina en el desenlace fantástico o enigmático. El juego laberíntico reaparece, ya en mayor escala, en la novela *Los premios* [3] (1960), donde los pasajeros desorientados de un misterioso barco ven cortado el

[2] Julio Cortázar, *Los reyes*, Gulab y Aldahor, Buenos Aires, 1949.
[3] Julio Cortázar, *Los premios*, Edit. Sudamericana, Buenos Aires, 1960.

acceso a la popa y para llegar a ella deben bajar por sinuosas escalerillas hasta el fondo del barco, en la oscuridad y la confusión. No es fácil salir del otro lado. Se multiplican los obstáculos, que van creciendo con el argumento de la novela. Hay puertas cerradas a cada vuelta del camino. También el barco es una especie de mandala. «En un sentido existencial —dice Cortázar—, el hecho de querer llegar los personajes a toda costa a la popa, de querer cumplir cada uno de ellos un trayecto predeterminado, significa en cada caso buscar la propia realización personal, humana. Por eso unos llegan y otros no. Es un proceso más pueril que en *Rayuela,* menos complejo» [4].

En *Los premios* la búsqueda de una salida —caprichosa a veces, hasta bufona, pero sin perder nunca de vista la meta final— adquiere una nueva dimensión: ya no sólo constituye el tema y el argumento de la novela, sino que se incorpora al mismo proceso creador. Hay menos cálculo y teorema que en los cuentos, y un mayor acercamiento a la realidad sicológica y social. La tendencia estetizante que ha marcado toda la obra anterior de Cortázar ha comenzado a disimularse. Aquí, como en *Rayuela,* el novelista aparece en forma indirecta, en la hipersensibilidad de algún personaje o alguna conversación erudita e insólita sobre el arte, la música o la literatura. «Cortázar dice que se puso a escribir *Los premios* durante una larga travesía en barco, cuando se aburría como una ostra, dice 'para entretenerse', improvisando al azar, y añade 'vi la situación novelesca en su conjunto, de una manera muy poco definida'. No sabía con seguridad, de un capítulo al siguiente, por dónde agarraría, y le esperaba una sorpresa en cada página. Las primeras cien páginas se desparraman, un poco desorientadas. Pero después hay una concentración de energías, y un envión, y la inercia se encarga de lo demás. Dice Cortázar: 'Me empecé a divertir con el dibujo paulatino de los personajes en los primeros capítulos —que son demasiado largos—, pero no tenía la menor idea de lo que iba a suceder después y ya llevaba escritas mucha páginas. Me resultó fascinante, a la larga, ser yo también uno de los personajes del libro; es decir, que no les llevaba ventaja, no era el demiurgo que decide los destinos a su gusto. Respeté fielmente las leyes del juego.' Eran leyes complicadas que a veces le fallaban. Hasta que a medio camino calzaron los engranajes y se puso a funcionar una maquinaria inexorable que precipitó un brillante desenlace» [5].

El tema, en el plano de la anécdota, es el de un crucero en barco que, por pura coincidencia, hace un grupo de personas que

---

[4] Luis Harss, «Cortázar, o la cachetada metafísica», *Mundo Nuevo,* núm. 7, enero 1967, p. 62.
[5] Harss, *ibid.,* p. 65.

no se conocen, simplemente porque se han ganado el viaje en una lotería. En un plano simbólico primario, es un viaje interior de cada pasajero hacia la confrontación consigo mismo. Pero es también el viaje interior del autor en busca de su propia verdad. Los obstáculos son numerosos. El fin permanece equívoco e inalcanzable. Su representación física es la popa del barco, que ha sido misteriosamente cerrada a los pasajeros. Este misterio infecta y envuelve toda la vida a bordo. A popa no llegará nadie indemne, ni siquiera el autor, que como los demás pasajeros ignora las razones de la interdicción. «Me hallaba en la misma situación que López, Medrano o Raúl», dice Cortázar. «Tampoco yo sabía lo que había en popa. Hasta hoy no lo sé» [6].

En *Los premios,* la sátira de los tipos criollos condimenta la narración, particularmente porque tiene el filo punzante de la autosátira. El propósito satírico es secundario y Cortázar afirma: «Toda vez que los episodios me iban poniendo frente a aspectos ridículos o desgradables de las relaciones sociales, los mostré francamente. No tenía por qué no hacerlo. Pero la novela no fue imaginada para eso ni mucho menos. Los críticos tendieron a ver en *Los premios* una novela alegórica o una novela satírica. No es ni una cosa ni la otra» [7].

En 1959 Cortázar nos presentó *Las armas secretas,* en donde el cuento «El perseguidor» auguraba todo un nuevo tema y estilo que se convirtieron en realidad en su novela *Rayuela* [8], publicada en 1963. El tema de *Rayuela* no es ni fantástico ni monstruoso; es el de los hombres con sus acciones y pasiones, con sus problemas e imaginaciones, y también los productos de lo que piensan, la literatura y el arte, sin olvidar el análisis, la pasión o la burla sobre ese mundo de hechos y de objetos mágicos que su actividad creadora ha producido.

En *Rayuela,* al contrario del perseguidor en *Las armas secretas,* Horacio Oliveira es un intelectual en grado extremo, que todo lo problematiza y a la vez se burla y denuncia los límites de la razón. Él busca por todos los medios un camino iluminado por una crítica negativa, poniendo en tela de juicio además los instrumentos del conocimiento, especialmente el lenguaje y la literatura. De esta manera, Cortázar destruye las formas novelísticas convencionales y el lenguaje tradicional, aunque las sustenta en la práctica de su propia novela. También hay un intento de lenguaje nuevo y limpio de asociaciones y musgo.

Paralelamente queda incorporado al libro por boca de sus

[6] Harss, *ibid.,* p. 65.
[7] Harss, *ibid.,* p. 66.
[8] Julio Cortázar, *Rayuela,* Edit. Sudamericana, Buenos Aires, 1963.

personajes, por otros textos intercalados, el comentario sobre la búsqueda del sentido de la vida y del arte, volviendo una y otra vez a la radical dificultad de comprensión del universo o a las traiciones del lenguaje, que es el instrumento de esa comprensión y el trasmisor inapto. En *Rayuela,* el mundo de los personajes y la técnica narrativa se conjugan en sabia y compleja unidad estética bajo la apariencia del caos. El caos se realiza para llegar a lo esencial, la multiplicidad de líneas tendidas y la apertura de formas para señalar a través de ellas ese absoluto buscado. Anticonformismo y anticonvención en la vida como en la literatura son la relación íntima entre lo que se dice y como se dice.

Cortázar logra crear esta impresión caótica por medio de un trastorno tipográfico que obliga a saltar de un capítulo a otro, a leer en un orden diverso del ordinario, dándole al lector la posibilidad de elegir dos o más órdenes de lectura. También interpola textos extraños a la historia narrada y malabarea con el lenguaje, lo cual sorprende al lector. Dentro de un cosmos estético que quiere «ser el caso», la organización del relato y la invención idiomática cumplen una función y se justifican en el dibujo total.

El mundo que presenta *Rayuela* es un mundo sin sentido, porque el hombre erró el camino desde sus orígenes; absurdo infinito al que el hombre occidental ha intentado —inútilmente— encontrarle sentido apoyado en la razón, en el sentimiento, en el pragmatismo; mundo que oculta un misterio, quizá percibido al ingresar en él, en la infancia, pero que luego vamos olvidando, parcializados y fosilizados por capas de convenciones, de hábitos de familia, de trabajo, de estudio, de lenguaje, por los engranajes de las diversas rutinas que nos apresan.

Pero ese mundo emite por momentos algunas señales del misterio: sensación de compartir dos lugares y dos tiempos en una unidad (Buenos Aires y París; infancia y vida adulta) con el énfasis puesto en (Buenos Aires, o sea la infancia); signos, como algunos gestos de la Maga o el saltito del niño, sueños y vigilias que se intercambian, sentido de excentración que permite vivir y verse vivir, o interpretar la vida como símbolo de «otra cosa», mensajes ininteligibles como el que Traveler oye a través del relato de Talita, ambos con la sensación de estar habitados por otro, empujados a una aventura que amenaza arrebatarlos. Esta existencia se desenvuelve desgarrada entre opuestos: rebelión y conformismo, individuo y especie, acción y contemplación, racionalidad e irracionalidad, cuerpo y espíritu, tiempo y eternidad, memoria y olvido, soledad y comunión, realidad e irrealidad, anhelando siempre una unidad nunca alcanzada y una armonía quizá inalcanzable.

Los permanentes juegos de palabras que aparecen en *Rayuela* encuentran su significación en el conflicto que se establece entre el poder creador del hombre, que nombra e instituye la realidad, y los estrechos límites con que aparece la realidad a través del lenguaje que la incorpora a la existencia del hombre. Jugar con las palabras es algo más o menos como jugar con la realidad, deformarla, rehacerla por propia decisión. Buscar formas de decir lo que el lenguaje cotidiano no alcanza a hacerlo.

La novela es la historia de la persecución de un absoluto que debería darse en esta tierra y en este momento, un absoluto que no puede precisarse (ni conviene estéticamente que se precise) y que toma diversos nombres. Se llama *mandala, camino, vedanta, viaje, puente, ventana,* cuando acentúa el carácter de movilidad, de búsqueda, de ir hacia un más allá; es decir, cuando imaginativamente se presenta en su devenir o cuando se ve en ella el instrumento y la mediación. Se llama *centro, unidad, armonía, cielo de la rayuela, más allá,* cuando visto en la dinámica que desemboca en la meta o en el reposo alcanzado, se acentúa el fin al cual se tiende, el sentido de esencialidad y totalidad que la búsqueda se propone como ideal.

La idea de algo (un destino, un camino hacia, una luz en) que da sentido a la vida, que es, aunque no se muestre cada día, y la búsqueda infatigable de ese sentido, aparece sugerida desde la primera página de *Rayuela* cuando Horacio Oliveira recuerda la presencia perturbante de la Maga: «Andábamos sin buscarnos, pero sabiendo que andábamos para encontrarnos.» Este saber que se quiere, y a la vez no obrar en el sentido que realice, por acto voluntario, esta tendencia, va a ser un motivo intranquilizante a lo largo de la obra. También desde la primera página se dibuja el inexplicable dolor que recorre como telón de fondo la novela y que a veces se expresa como un chisporreteo de vida, de alegría que irremediablemente se acaba, un tanto porque sí, y que ofrece una sensación inquietante, vitalmente angustiosa: una seguridad de que al lector lo están jugando a cada minuto: «... y nos reíamos como locos».

El constante monologar interior donde se realizan aquellas ideas, funciona con un mecanismo semejante al siguiente: una palabra evoca un hecho que expresa una totalidad; un microcosmos que se resuelve en un cosmos: la vida entera de cada personaje (y ocultamente de cada lector). Luego un girar luminoso que estalla y un lento meditarse que siempre concluye en tristeza. Como si sobre la tristeza se organizara el mundo: la alegre tristeza de existir, de recordar.

Las cosas más profundas salen a veces de una broma o de una bofetada, dice Cortázar; no lo parece, pero se está buscando el fondo mismo de la cosa. En *Rayuela,* así como en *Historias de crono-*

pios y de famas [9], hay una gran influencia de esa actitud satírico-burlona, incluso digamos de esa técnica de decir algo sin importancia que implica lo esencial.

Cito como ejemplo el capítulo del tablón, símbolo de paso de una dimensión a otra. Donde se habla metafóricamente de un puente, claramente definido en el tablón tendido entre las ventanas de Traveler y Oliveira, en el que Talita hace equilibrios para llevarle un paquete de yerba y unos clavos, y elige —tironeada por uno y por otro— entre Oliveira y Traveler, entre el absoluto y esta tierra de los hombres, que quizá sea el único camino posible hacia el absoluto. Según Cortázar, este episodio del tablón es uno de los momentos más hondos del libro, en la medida en que allí se deciden destinos. Sin embargo, es una broma desaforada todo el tiempo. Luis Harss describe la hilaridad de Cortázar «como la pataleta que precede al síncope» [10].

En *Rayuela* la broma, el chiste y la burla no son sólo condimento, sino parte de la dinámica de la obra misma. Con ellos Cortázar construye escenas enteras, preparándonos una sorpresa y un chasco en cada página. Explota con brillo lo grotesco, la ironía, el retruécano, la obscenidad y hasta el clisé, que saborea con apetito carnívoro. En *Rayuela,* donde se cita la frase de Gide: «No aprovechar nunca el impulso adquirido», cada capítulo es una dislocación. La farsa alterna con la fantasía, el vulgarismo y el lunfardo con la erudición. La hipérbole, las indirectas, las transiciones súbitas, todos los recursos del arte cómico se suceden en su obra con un virtuosismo deslumbrante [11].

En la teoría y en la práctica, Julio Cortázar postula una renovación total, no por el deseo de la originalidad, sino por una necesidad interna: destrucción de los caracteres, de las situaciones, del estilo literario, de las fórmulas del lenguaje. Se pronuncia contra la engañosa facilidad narrativa («novela rollo»), contra la literatura de relleno, contra los clisés verbales, y pide una literatura «lo menos literaria posible», una antiliteratura en suma, que se atreva a transgredir el hecho literario total, el libro. Quiere hacer estallar el orden literario cerrado e instaurar un orden abierto que ofrezca perspectivas múltiples y aún más, que sea el desorden central, rompiendo la articulación lógico-discursiva en un relato desconectado y fragmentario.

---

[9] Julio Cortázar, *Historias de cronopios y de famas,* Ediciones Minotauro, Buenos Aires, 1962.
[10] Harss, *op. cit.,* p. 72.
[11] Harss, *ibid.,* p. 68.

Cortázar finalmente define su arte de esta manera: «Sí, se sufre de a ratos, pero es la única salida decente. Basta de novelas hedónicas, premasticadas, con sicologías. Hay que tenderse al máximo, ser *voyant* (clarividente) como Rimbaud. El novelista hedónico no es más que un *voyeur* (observador). Por otro lado, basta de técnicas puramente descriptivas, de novelas del comportamiento, meros guiones de cine sin el rescate de las imágenes» [12].

---

[12] Cortázar, *Rayuela,* p. 544.

Cortázar y el cuento en uno de sus cuentos

Flora H. Schiminovich

> *... ese hombre que en un determinado momento elige un tema y hace con él un cuento será un gran cuentista si su elección contiene —a veces sin que él lo sepa conscientemente— esa fabulosa apertura de lo pequeño hacia lo grande, de lo individual y circunscrito a la esencia misma de la condición humana.*
>
> Julio Cortázar

A través del desarrollo de su carrera literaria, el escritor argentino Julio Cortázar ha demostrado tener siempre una actitud crítica e introspectiva en cuanto al quehacer literario. Su preocupación por aclarar la esencia de la empresa literaria, por analizar el lenguaje como herramienta del escritor, su interés por definir la situación de la novela contemporánea o el papel que la poesía tiene dentro de la nueva narrativa hispanoamericana, han quedado expresados en una serie de ensayos y entrevistas publicados desde los comienzos de su carrera y, de cierto modo, han cristalizado en sus cuentos y novelas.

Es notable que muchos de esos lúcidos ensayos precediesen a su obra de ficción, indicando un lento proceso de desarrollo interno, y que los temas de la problemática literaria aparezcan insistentemente en sus cuentos y novelas, en especial su novela *Rayuela*.

La trayectoria del pensamiento de Cortázar respecto al cuento puede seguirse a través de su ensayo «Algunos aspectos del cuento», la entrevista que publica Harss y algunos paisajes de *Último round*. Intentaremos, pues, resumir estas concepciones, para fundamentar nuestra interpretación del cuento «Las babas del diablo». Pensamos que este cuento reúne los temas centrales de la problemática del escritor en lo que respecta al género literario cuento, tal como *Rayuela* lo hace en cuanto al género literario novela.

EL CUENTO, SEGÚN CORTÁZAR

Al referirse al cuento, Cortázar trata de dilucidar la relación que este último tiene con la novela, de la cual difiere sobre todo en la extensión. ¿Es el cuento un género literario menor? Ante esta pregunta él responde:

> Cada experiencia comunicable reclama su forma, es su forma. ¿Y qué quiere decir «género literario menor»? Hay obras buenas y obras malas. ¿Hasta cuándo vamos a creer en los manuales de preceptiva, en los índices por materias, en las tarjetas perforadas? [1].

Con todo, sin considerarse el cuento como un género literario menor, la diferencia esencial entre éste y la novela reside, según este autor, en la escala diferente que se empleará al escribirlos y en la técnica, siempre sujeta a cumplir su «misión narrativa con la máxima economía de medios». En ese sentido son los cuentos largos los que pueden considerarse como al margen del género, mientras que «las narraciones arquetípicas de los últimos cien años han nacido de una despiadada eliminación de todos los elementos privativos de la *nouvelle* y de la novela, los exordios, circunloquios, desarrollos y demás recursos narrativos» [2].

Lograr un cuento, dice Cortázar, supone una implacable carrera contra el reloj. Carrera que potencia vertiginosamente un mínimo de elementos y le da esa particular tensión, que es una de las características esenciales del cuento. Esto lleva a Cortázar a intuir el género como una forma esférica, simbolizándose el extremo de esa tensión y la perfección formal resultante en esa pura esfericidad. Por un lado, «la novela se desarrolla en el papel, y por tanto es el tiempo de lectura, sin otros límites que el agotamiento de la materia novelada; por su parte, el cuento parte de la noción de límite, y en primer término de límite físico» [3]. Los límites espaciales y temporales que se impone el cuento exigen del cuentista la transmisión de vivencias con una intensidad y una tensión mayores que las requeridas del novelista, que procede más bien por acumulación. Es importante darse cuenta que esta imaginería formal no implica una restricción exterior al narrador o al lector, sino que se presenta más bien como

---

[1] «Sobre las técnicas, el compromiso y el porvenir de la novela», *El escarabajo de oro*, Buenos Aires, VI, núm. 1 (noviembre 1965), 3.

[2] *Último round* (México, Siglo XXI, 1969), p. 36.

[3] «Algunos aspectos del cuento», *CAH*, *II*, pp. 15-16 (noviembre 1962), 8.

una fueza interna, pues «el sentimiento de la esfera debe preexistir de alguna manera al acto de escribir el cuento, como si el narrador, sometido por la forma que asume, se moviera implícitamente en ella y la llevara a su extrema tensión» [4].

Esta interpenetración entre el narrador y lo narrado dentro de los límites de la pureza formal convertirá la narración en «una síntesis viviente a la vez que [en] una vida sintetizada, algo así como un temblor de agua dentro de un cristal, una fugacidad en una permanencia» [5].

En «Algunos aspectos del cuento» Cortázar nos dice que la intensidad exigida por el género requiere que el tema del cuento esté cargado de un «significado» peculiar. El carácter significativo del tema no implica que los acontecimientos relatados sean extraordinarios. Por el contrario, los temas más triviales forman a menudo la trama de los mejores cuentos. Lo que los hace significativos es la vinculación con todo un mundo complejo de vivencias, porque «son aglutinantes de una realidad más vasta que la de su mera anécdota, y por eso han influido en nosotros con una fuerza que no haría sospechar la modestia de su contenido aparente, la brevedad de su texto» [6].

Según propia confesión de Cortázar, los temas de sus cuentos se le han aparecido, frecuentemente, de manera imprevista, imponiéndosele irremediablemente, empujándolo a escribir:

> En mi caso, la gran mayoría de mis cuentos fueron escritos —cómo decirlo— al margen de mi voluntad, por encima o por debajo de mi conciencia razonante, como si yo no fuera más que un médium por el cual pasaba y se manifestaba una fuerza ajena [7].

Durante la entrevista sostenida con Harss, Cortázar nos dice que sus cuentos fantásticos han sido al principio más bien indagaciones terapéuticas que metafísicas y que tenían el carácter de autoanálisis o exorcismos. Que cuentos como «Circe» fueron escritos bajo el influjo de neurosis: «Y cuando lo escribí, por cierto que sin proponérmelo como cura, descubrí que había obrado como un exorcismo porque me curé inmediatamente» [8].

Vemos que, al menos en Cortázar, se produce a través del cuento una transmisión de vivencias, que está en razón directa a la tensión interna, la cual es, a su vez, proporcional a la fuerza persuasiva del cuento:

---

[4] *Último round*, p. 35.
[5] «Algunos aspectos del cuento», p. 5.
[6] *Ibid.*, p. 8.
[7] *Ibid.*, p. 7.
[8] Luis Harss, «Cortázar, o la cachetada metafísica», en *Los nuestros* (Buenos Aires, Sudamericana, 1966), p. 270.

No puedo explicar cómo se consigue esa transmisión de vivencias...,
pero sé en todo caso que sólo se logra mediante una ejecución despiadada
del cuento; es decir, un máximo de rigor potenciado por un máximo de
libertad. La tensión no es una tensión de ejecución, aunque naturalmente
queda prisionera en la trama del relato; y actúa luego sobre el lector.
La tensión en sí es previa al cuento. A veces hay seis meses de tensión
para que después en una noche se escriba un largo relato. Yo creo que
eso se nota en algunos de mis relatos. En los mejores hay una carga, una
especie de dinamita[9].

Una descripción más detallada y personal sobre cómo muchos
de sus cuentos han sido concebidos la encontramos en *Último
round*. Allí se recalca el estado de trance bajo el cual muchos de
sus relatos han sido escritos después de habérsele presentado como
masas o bloques amorfos: las angustiosas, desesperadas, maravillosas y excitantes sensaciones que, aboliendo la realidad circundante,
acompañaron su ejecución, la forma en que el cuento se desarrolló
«por sí mismo», el desenlace ya implícito en la amorfa masa inicial.
Escribir es, en esos momentos de trance —dice Cortázar—, un acto
de exorcismo, un rechazo catártico de la criatura ya autónoma, pro-
vista de una vida y una organización propias.

De este modo Cortázar ve una similaridad genética entre el acto
poético y la escritura del cuento, en especial del cuento breve. La diferencia con la poesía propiamente dicha está en que ésta trata de
alcanzar un conocimiento esencial, trata de llegar a una posesión
ontológica. El cuento también comparte, según nuestro autor, una
similaridad estructural con la poesía. El poema y el cuento no sólo
son concebidos en circunstancias análogas, sino que ambos son formas organizadas, cerradas, vivientes, con «esa *libertad fatal* que no
admite alteración sin una pérdida irrestañable»[10].

En su ensayo ya citado, Cortázar establece un esclarecedor paralelismo entre las relaciones del cuento y la novela con la fotografía
y el cine. El pasaje es importante para entender la concepción cortazariana del cuento y el carácter peculiar que esta forma literaria
asume a través de su obra:

La novela y el cuento se dejan comparar analógicamente con el cine
y la fotografía, en la medida en que una película es en principio un «orden abierto», novelesco, mientras que una fotografía lograda presupone
una ceñida limitación previa, impuesta en parte por el reducido campo
que abarca la cámara y por la forma en que el fotógrafo utiliza estéticamente esa limitación. Fotógrafos de la calidad de un Cartier-Bresson o de
un Brassaï definen su arte como una aparente paradoja; la de recortar un
fragmento de la realidad, fijándole determinados límites, pero de manera

---

[9] *Ibid.*, p. 271.
[10] *Último round*, p. 42. El subrayado es del autor.

tal que ese recorte actúe como una explosión que abre de par en par una realidad mucho más amplia, como una visión dinámica que trasciende espiritualmente el campo abarcado por la cámara [11].

Esta concepción de la naturaleza del cuento está muy ligada a la noción de «significado del tema» que hemos discutido anteriormente. Nos dice al respecto el escritor argentino:

> ... el fotógrafo o el cuentista se ven precisados a escoger y limitar una imagen o un acaecimiento que sean *significativos*, que no solamente valgan por sí mismos, sino que sean capaces de actuar en el espectador o en el lector como una especie de *apertura*, de fermento que proyecta la inteligencia y la sensibilidad hacia algo que va mucho más allá de la anécdota visual o literaria contenidas en la foto o en el cuento [12].

Estas citas son particularmente reveladoras de la naturaleza de muchos de los cuentos de Cortázar, en especial los de la serie *Todos los fuegos el fuego*. En algunos de estos cuentos la acción parece tener lugar en un instante muy corto, un instante excepcional, es cierto, pero de la brevedad de un relámpago. El tiempo está suspendido en una serie de instantáneas que se reflejan unas en otras a través de enormes distancias espacio-temporales. Esto da a esa suspensión el carácter de apertura a todo un mundo complejo de situaciones y de relaciones.

LAS BABAS DEL DIABLO, UN CUENTO SOBRE EL CUENTO

Consideramos «Las babas del diablo» como una de las expresiones más completas de la concepción que Cortázar tiene del cuento. Fundamos nuestra presunción en que el personaje principal de «Las babas del diablo» es indudablemente un narrador, ya sea de oficio o de afición, que continuamente presenta ante el lector —durante el desarrollo del relato— la problemática de la ejecución literaria del cuento. Completando esa exposición, Cortázar ha utilizado en este relato todos los recursos que mejor expresan esa posición suya frente al género.

La clave de nuestra idea está dada no sólo en el hecho de que Roberto Michel sea traductor, fotógrafo, protagonista y narrador de la historia, sino en que se nos dice explícitamente que «aquí el agujero que hay que contar es también una máquina (de otra especie, una 'Cóntax' 1. 1.2)» [13]. En efecto, lo que hay que contar es una

---

[11] «Algunos aspectos del cuento», p. 6.
[12] *Ibíd.*
[13] «Las babas del diablo», en *Las armas secretas*, 6.ª ed. (Buenos Aires, Sudamericana, 1968), p. 77. Todas las citas se hacen por esta edición.

máquina, el instrumento mediante el cual se trata de captar y comunicar un suceso; es un agujero, la apertura hacia una realidad insospechada, íntimamente entrelazada con el momento instantáneo captado por la emulsión fotográfica. El *film* de Antonioni *Blow-up*, basado en este cuento de Cortázar, subraya ya en su título que el motivo central es esa apertura, ese continuo buscar en la sucesión desesperada de ampliaciones, que tratan en vano de aprehender un hecho que se nos aparece tanto más confuso e indistinguible cuanto más cercanos creemos estar del mismo.

Ya en el párrafo inicial Cortázar nos confronta con la problemática del cuento:

> Nunca se sabrá cómo hay que contar esto, si en primera persona o en segunda, usando la tercera del plural o inventando continuamente formas que no servirán de nada [14].

En *Último round* encontramos algunos testimonios anecdóticos de la preocupación del mismo Cortázar por el uso de la primera o tercera persona [15]. En «Las babas...» el problema se resuelve por un continuo e imprevisible fluir del «yo» al «él» verbal. Uno de los mayores méritos del escritor argentino está en poder hacer tal cosa sin despertar en el lector una sensación de incongruencia artificiosa o banal. Inclusive Cortázar invoca el lenguaje poético, decidido como está a expresar esa problemática de la lengua que tanto le preocupa:

> Si se pudiera decir: yo vieron subir la luna, o: nos me duele el fondo de los ojos, y sobre todo así: tú la mujer rubia eran las nubes que siguen corriendo delante de mis tus sus nuestros vuestros sus rostros. Qué diablos [16].

Que Michel, el protagonista y narrador de «Las babas del diablo», ha optado por el lenguaje poético se hace evidente en el siguiente pasaje:

> ... delante de sus ojos negros, sus ojos que caían sobre las cosas como dos águilas, dos saltos al vacío, dos ráfagas de fango verde. No describo nada, trato más bien de entender. Y he dicho dos ráfagas de fango verde [17].

Aquí se reconoce la forma analógica de aprehender la realidad, propia del lenguaje poético, tan bien analizada por Cortázar en su ensayo «Para una poética» [18].

---

[14] *Ibid.*, p. 77.
[15] *Último round*, «Del cuento breve y sus alrededores», pp. 35-45.
[16] «Las babas del diablo», p. 77.
[17] *Ibid.*, p. 84.
[18] «Para una poética», *La Torre*, Puerto Rico, II, núm. 7 (julio-septiembre 1954), pp. 121-138.

El tema del exorcismo, del rechazo de la obra que se quiere crear, queda expuesto en el pasaje en que Michel se explaya buscando motivos adecuados para proseguir su narración y que finaliza así: «... Siempre contarlo, siempre quitarse esa cosquilla molesta del estómago.»

El tema de la problemática narrativa se reitera todavía una vez más, en especial en lo referente a la relación entre el suceso y lo narrado, entre protagonista y narrador, cuando Michel piensa:

> Ya sé que lo más difícil va a ser encontrar la manera de contarlo, y no tengo miedo de repetirme. Va a ser difícil porque nadie sabe quién es el que verdaderamente está contando, si soy yo o eso que ha ocurrido, o lo que estoy viendo (nubes, y a veces una paloma), o si sencillamente cuento una verdad que es solamente mi verdad, y entonces no es la verdad salvo para mi estómago, para estas ganas de salir corriendo y acabar de alguna manera con esto sea lo que fuere [19].

Se hace luego un intento de comenzar por el principio, por instituir cierto orden dentro de la narración; pero el lector se dará cuenta, al finalizar la lectura, de que no se puede hablar de un comienzo dentro del tiempo cortazariano, de que la narración puede haber tenido lugar... ¿ahora mismo? «Ahora mismo, qué palabra, *ahora,* qué estúpida mentira», se nos dice un poco más adelante, sólo para prevenirnos. Posiblemente todo tiene lugar varios días después de ocurrido el episodio principal de la historia: el encuentro casual —cuya naturaleza desconocemos— entre una mujer y un joven y, quizá, un hombre de sombrero gris, sorprendidos los tres en la instantánea tomada por Michel. Ocurre tal vez, en el cuarto de Michel, cuando el negativo ha sido revelado y sus ampliaciones están colgadas en las paredes. Pero quizá también ocurra en el momento mismo en que se está sacando la foto o, simplemente, es el lente de la cámara el que narra. Es posible, sin embargo, que el cuento sólo sea la narración congelada en los ojos de un muerto, de Michel muerto por el hombre del sombrero gris. La mirada fría y fija de Michel que refleja únicamente las nubes que pasan por el cielo azul, empujadas por el viento de noviembre:

> ... [si es que esto va a ser contado]. Mejor que sea yo que estoy muerto, que estoy menos comprometido que el resto; yo que no veo más que las nubes y puedo pensar sin distraerme, escribir sin distraerme (ahí pasa otra, con un borde gris) y acordarme sin distraerme, yo que estoy muerto [20].

Aun si aceptamos la hipótesis de esta supuesta muerte de Michel, no está claro cuándo es que ella ha acontecido, si en su cuarto del

---

[19] «Las babas del diablo», p. 79.
[20] *Ibid.,* p. 78.

quinto piso de una casa parisina o en la isla donde sorprendió a la
pareja. El único segmento de realidad del que podemos estar seguros,
el que forma el núcleo de esta narración, es el momento en que
Michel toma su instantánea de la mujer y el joven en el extremo
de la isla parisina, lugar aislado y silencioso al borde del Sena. La
situación en sí es insignificante y vale más que nada como apertura
hacia otras realidades. Cortázar no nos lo oculta:

> Curioso que la escena (la nada, casi: dos que están ahí, desigualmen-
> te jóvenes) tuviera como un aura inquietante. Pensé que eso lo ponía yo,
> y que mi foto, si la sacaba, restituiría las cosas a su tonta verdad [21].

Michel tiene con todo cierta confianza en que sabe mirar, aunque
reconoce los peligros:

> De todas maneras, si de antemano se prevé la probable falsedad, mi-
> rar se vuelve posible, basta quizá elegir bien entre el mirar y lo mirado,
> desnudar a las cosas de tanta ropa ajena. Y, claro, todo esto es más
> bien difícil [22].

Por eso, finalmente, confía en haber atrapado la realidad con su
concepción de la fotografía, a lo Cartier-Bresson:

> Levanté la cámara, fingí estudiar un enfoque que no los incluía, y
> me quedé al acecho, seguro de que atraparía por fin el gesto revelador, la
> expresión que todo lo resume, la vida que el movimiento acompasa, pero
> que una imagen rígida destruye al seccionar el tiempo, si no elegimos
> la imperceptible fracción esencial [23].

El final del cuento es una coda alucinante, de matices muchas
veces kafkianos, en que los temas de la apertura y de la autonomía
de lo narrado respecto a su narrador se trastocan en vivencias angustiosas, cargadas de emoción. Todas estas posibilidades y alternativas
potenciales, todo este complejo mundo entrecruzado de acciones y
de irrealidades, envuelto en el tejido tenue de «babas del diablo»,
aunque no por ello menos eficaz y del que no podemos escapar;
todo esto es muy distinto de las meras fantasías y especulaciones
que Michel hacía al principio, que no eran otra cosa que literatura.
Nada más molesto a la sensibilidad de Cortázar que la literatura
como fin en sí misma:

> Michel es culpable de literatura, de fabricaciones irreales. Nada le gus-
> ta más que imaginar excepciones, individuos fuera de la especie, mons-
> truos no siempre repugnantes [24].

---

[21] *Ibid.*, p. 87.
[22] *Ibid.*, p. 88.
[23] *Ibid.*, p. 88.
[24] *Ibid.*, p. 89.

Lo que ocurre al final del cuento es muy distinto. Tenemos la diferencia entre «posesión y cocina literaria», en la que el buen lector puede distinguir «entre lo que viene de un territorio indefinible y ominoso y el producto de un mero *métier*» [25].

En *Último round,* a propósito de «Una flor amarilla», Cortázar dice que «el poeta y el narrador urden criaturas autónomas, objetos de conducta imprevisible, y sus consecuencias ocasionales en los lectores no se diferencian esencialmente de las que tienen para el autor, primer sorprendido de su creación, lector azorado de sí mismo» [26]. Si comparamos esta cita con el siguiente pasaje de «Las babas del diablo»:

> La foto había sido tomada, el tiempo había corrido... De pronto, el orden se invertía, ellos [los de la foto] estaban vivos, moviéndose, decidían y eran decididos, iban a su futuro; y yo desde este lado, prisionero de otro tiempo, de una habitación en un quinto piso, de no saber quiénes eran esa mujer, y ese hombre y ese niño, de ser nada más que la lente de mi cámara, algo rígido, incapaz de intervención [27].

notamos que este tema de la autonomía de lo narrado concluye el cuento en un contrapunto con el tema inicial de la narración:

> ...lo que tenía que pasar, lo que tenía que haber pasado, lo que hubiera tenido que pasar en ese momento [28].

A pesar del intelectualismo de este relato —que nosotros hemos interpretado como un cuento sobre el cuento—, Cortázar, en el acto mismo creador, encuentra y revela suficiente misterio, suficientes claves para esa continua búsqueda de la esencia de la naturaleza humana, que es su preocupación fundamental. El resultado es el haber creado un relato perdurable, que se salvará del olvido, de acuerdo con lo que él mismo ha dicho:

> ...la verdad es que en mis cuentos no hay el menor mérito *literario,* el menor esfuerzo. Si algunos se salvan del olvido es porque he sido capaz de recibir y transmitir sin demasiadas pérdidas esas latencias de una psiquis profunda, y el resto es una cierta veteranía para no falsear el misterio, conservarlo lo más cerca posible de su fuente, con su temblor original, su balbuceo arquetípico [29].

City University Graduate Center.

---

[25] *Último round,* p. 38.
[26] *Último round,* p. 44.
[27] «Las babas del diablo», p. 96.
[28] *Ibid.,* p. 95.
[29] *Último round,* p. 42.

*Emociones y fragmentaciones:
técnicas cuentísticas
de Julio Cortázar en
«Todos los fuegos el fuego»*

Germán D. Carrillo

Todos los fuegos el fuego, de Julio Cortázar, es a la vez el penúltimo cuento de una colección de ocho, como el título mismo de dicha colección [1]. Hay en ella relatos tan valiosos y novedosos como el que ahora nos intriga y que merece destacar aquí, a juzgar por el número de referencias críticas alusivas a ellos, así como por la frecuencia con que se les ve en las antologías modernas del cuento hispanoamericano. Sobresalen tres: «La autopista del sur», con toda su carga dramática basada en las posibilidades-realidades del hecho y la alucinación, el *antes* y el *después* del acontecimiento y el presentimiento que no alcanza a definirse ni optimística ni pesimísticamente; «La isla al mediodía», con el problema metafísico de la realidad y corporeidad del anhelo cuando éste es más fuerte que el hecho ordinario y cotidiano; y, finalmente, «El otro cielo», con sus estupendas dualidades y ambigüedades de tiempos idos y recobrados y vueltos a hacer realidad a base de imaginación y nostalgia potentes y capaces de transformarlo todo.

En este estudio nos limitaremos al análisis del *cuento* y no de la colección que lleva dicho título por obvias razones de extensión y contenido, con el ánimo de dilucidar algunos de los procedimientos técnicos utilizados por el autor y la manera —novedosa y moderna— con que dichos procedimientos aparecen integrados dentro del relato.

Fundamentalmente se trata de un cuento con dos historias entrelazadas que concluyen en incendios tanto *accidentales* como *fatales* en cada caso, a la manera en que el título omnímodo lo da a enten-

---

[1] Julio Cortázar, *Todos los fuegos el fuego.* Buenos Aires: Editorial Sudamericana, 1968, p. 197. [El relato propiamente dicho va de la página 149 a 166. Todas las alusiones a este relato provienen de esta edición.]

der. Tanto el lugar como el tiempo de estas historias son distintos:
la primera —si es que se puede hablar de prioridades aquí— acontece en un circo, en una arena de juegos en la época del Imperio
romano; la segunda es una conversación telefónica en cualquier ciudad de hoy. Además del incendio, las dos tienen otro aspecto abstracto en común: son historias de infidelidad, crueldad sicológica
entre seres humanos y confrontamiento indirecto e incompleto salido del deseo frustrado de alcanzar algún tipo de comunicación-
comunión entre almas condenadas a la incomunicación. ¿Por qué
ha juntado Cortázar estas dos historias? ¿Por qué no? Cabe más
bien preguntarse cómo lo logra, a pesar de la aparente disparidad
circunstancial. El relato contiene dieciocho (18) cambios de escena,
repartidos entre nueve y nueve, tanto para la historia *antigua* como
para la *moderna*. Hay, además, cambios frecuentes de punto de vista
de los personajes de cada historia; como resultado de esta fragmentación, cada escena ofrece una visión o corte parcial diferente; pero
para complicar el esquema un tanto más, las escenas no son solamente puntos de vista de personajes distintos en cada historia, sino
que son también puntos de vista formulados sobre la marcha o progresión del relato y a distintas alturas de éste. De tal suerte, el punto
de vista cambia cada vez que la acción cambia y la acción se fragmenta porque se trata de dos grandes historias entrelazadas de alguna
manera en la perspectiva del narrador.

Lo que Cortázar utiliza en esta compleja operación de títeres,
cuyas truncas intervenciones se desplazan ante los ojos del lector-
espectador, podría llamarse «omnisciencia neutral» para seguir a
Norman Friedman en sus delicadas penetraciones al punto de vista
en la ficción [2]. Con este tipo de narración, el autor tiene las manos
y la pluma libres para decirnos los pensamientos y los sentimientos
de los personajes, aunque con sus propias palabras y no las de aquéllos. Al dar cuenta de los puntos de vista de varios personajes, lo
hace como si estuviera frente a ellos y fuera de ellos y no como se
ve el personaje ante sí mismo. Puede así decirnos, por ejemplo, lo
que acontece en la mente del procónsul sin inmiscuirse:

> El procónsul mira atentamente el muslo lacerado, la sangre que se
> pierde en la greba dorada; *piensa casi con lástima que a Irene le hubiera
> gustado acariciar ese muslo, buscar su presión y su calor, gimiendo como
> sabe gemir cuando él la estrecha para hacerle daño.* Se lo dirá esa misma
> noche y será interesante estudiar el rostro de Irene buscando el punto
> débil de su máscara perfecta, que fingirá indiferencia hasta el final, como
> ahora finge un interés civil en la lucha que hace aullar de entusiasmo
> a una plebe bruscamente excitada por la inminencia del fin (pp. 159-160).

---

[2] Norman Friedman, «Point of View in Fiction: The Development of a
Critical Concept», *PMLA,* vol. LXX, núm. 5 (December), 1955.

O puede relatarnos una acción escogiendo detalles que indiquen la actitud del personaje, aunque sean estos detalles a los que probablemente no haga caso el personaje mismo:

> «Hola», dice Roland Renoir, *eligiendo un cigarrillo como una continuación ineludible del gesto de descolgar el receptor...* «Soy yo», dice la voz de Jeanne. Roland *entorna los ojos, fatigado, y se estira en una posición más cómoda* (pp. 150-151).

También puede darnos descripciones con comentarios sumarios y editoriales que no pueden ser exclusivamente del personaje en cuestión:

> Marco va al encuentro de la red con el escudo en alto, *y es una torre que se desmorona contra una masa negra,* la espada se hunde en algo que más arriba aúlla; la arena le entra en la boca y en los ojos, *la red cae inútilmente sobre el pez que se ahoga* (p. 161).

El autor, desde luego, puede escoger apartes de lo que otros personajes dicen e incluirlos en el relato que él atribuye al personaje cuyos pensamientos rastrea. Todo lo cual prueba que en el punto de vista de cada interventor hay *alguien* más: la presencia, difícilmente detectable, del autor, que escoge, ordena y entrega lo que reciben los ojos del lector.

Cortázar se vale de la narración omnisciente para acentuar el tono emotivo de las historias. Porque las dos están colmadas de muchas y discrepantes emociones que el autor enfoca con intermitencia creciente, cuya resultante lógica es la *tensión* que se crea en el lector por desentrañar el desenlace pendiente. Basta con que entrelace las historias en la manera en que lo efectúa, interrumpiendo la una con la otra en un incesante contrapunteo, para que logre *retardar* la progresión inevitable de ellas, enfatizando de paso el anguloso contenido emocional que embarga al lector.

La alternación entre las historias no rompe de ninguna manera la tensión emocional porque las dos historias, a pesar de sus diferencias ya discutidas, tienen niveles de tensión iguales o similares: la posibilidad latente de que la comunicación «imposible» en un nivel físico y tangible, logre salvarse en un nivel espiritual, que equivalga al mutuo entendimiento. Se mantiene también dicha tensión mediante el uso sistemático y casi exclusivo del *tiempo presente,* excepción que se hace sólo cuando un personaje medita en algo ya pasado, como Jeanne cuando recuerda la visita de Sonia, su perfume y el roce de su mano (p. 158) mediante el *vistazo retrospectivo;* o en aquella ocasión en que Irene se ensimisma y se bifurca en esa realidad inerme que es su presencia física externa mientras su mente calcula:

Como siempre, como desde una ya lejana noche nupcial, Irene se repliega al límite más hondo de sí misma, mientras por fuera condesciende y sonríe y hasta goza; en esa profundidad libre y estéril siente el signo de muerte que el procónsul ha disimulado en una alegre sorpresa pública, el signo que sólo ella y quizá Marco pueden comprender, pero Marco no comprenderá, torvo y silencioso y máquina, y su cuerpo que ella ha deseado en otra tarde de circo (y eso lo ha adivinado el procónsul, sin necesidad de sus magos lo ha adivinado como siempre, desde el primer instante) va a pagar el precio de la mera imaginación, de una doble mirada inútil sobre el cadáver de un tracio diestramente muerto de un tajo en la garganta (p. 153).

O las «probables» meditaciones de Marco enfrentado al gigante nubio:

Necesitaría más tiempo, las horas tabernarias que siguen a los triunfos, para entender quizá la razón de que el procónsul no vaya a pagarle con monedas de oro. Hosco, espera otro momento propicio... (p. 155).

Todo lo cual hace pensar que lo que Cortázar quiere efectivamente es evocar el contenido emocional de una acción, de una escena, de una historia; que pretende comunicar el drama de lo que está *aquí* y *ahora,* de lo que es una realidad inmediata. Ello explica el sobrepeso del presente como tiempo de la acción que ahora es realidad vivida, y por qué los recuerdos y las especulaciones son respuestas a estímulos actuantes en los personajes de momento a momento. Explica, además, que no es la historia de un solo individuo lo que interesa, sino la totalidad de los sentimientos de todos los personajes influenciados por una acción. En suma, que, a pesar del cambiante punto de vista que fragmenta y adelgaza la secuencia de sucesos descritos en forma tan novedosa, Cortázar propone que comprender una historia es comprender todas las emociones que conlleva ésta. La emoción es así común denominador de toda experiencia descrita en las historias, a pesar de que con ello se sacrifique la individualidad del personaje y de su experiencia.

Con esta concentración en la experiencia impersonalizada consigue Cortázar nivelar dos secuencias dispares y concluirlas con el mismo fuego accidental que acarrea consigo implicaciones de acto justiciero o de una justicia poética en el peor de los casos.

El relato alude al tortuoso asunto de la *infidelidad* como concepto y como actitud. Hay de ella dos ilustraciones bien definidas aquí: una es *verdadera,* y otra es *imaginaria* o inventada; en cada una, sin embargo, hay un personaje que *sufre* siendo *inocente* o libre de culpa: en una es el gladiador Marco, que tiene que morir en este combate a muerte que el procónsul secretamente ha preparado, sin comprender que ha sido *sentenciado* de antemano por poderes mayores y fuera de su fortaleza física y por sutiles razones que están más allá de su limitado modo de ver y comprender la conducta humana; o es Jeanne en la otra historia, mujer tan inocente e ingenua que, aun frente a la revelación (confesión) de la infidelidad de Roland, cree que se trata de una broma y que su abandono es solamente un espejismo de su mente. En ambas hay un *hombre duro* ejecutando actos de gran crueldad sicológica: el procónsul que arregla un juego-exhibición para que Irene, su mujer, tenga que presenciar —impasible— la muerte de Marco; Roland, que, habiendo engañado a Jeanne, evita que se discuta el asunto, que se le recrimine.

Hay, además, en toda esta gama de emociones un punto *crucial* en el que el personaje inocente tiene la oportunidad de *evitar* sus sufrimientos con una sola intervención, que debe ser *oportuna* y que a la postre no sabe utilizar: en un caso, Marco yerra y se autocondena al no aprovechar de un instante de debilidad (error) de su contendor cuando arroja la red sin atinar:

> ... Un río de escamas brillantes parece saltar de las manos del gigante negro, y Marco tiene el tiempo preciso para hurtar el cuerpo a la red. Otras veces —el procónsul lo sabe, y vuelve la cabeza para que solamente Irene lo vea sonreír— ha aprovechado de ese mínimo instante, que es el punto débil de todo reciario, para bloquear con el escudo la amenaza del largo tridente y tirarse a fondo, con un movimiento fulgurante, hacia el pecho descubierto (p. 154).

O Jeanne, quien, habiendo podido evitar un confrontamiento con Roland, no lo evita y acarrea sobre sí su consiguiente humillación y abandono:

> ... y bruscamente Jeanne ha sentido una sensación de ridículo, de que va a decirle a Roland eso que exactamente la incorporará a la galería de las plañideras telefónicas con el único, irónico espectador fumando en un silencio condescendiente..., negándose a creer que la mano que ha alzado y vuelto a dejar el tubo de pastillas es su mano, que la voz que acaba de repetir: «Soy yo», es su voz, al borde del límite. Por dignidad, callar, lentamente devolver el receptor a su horquilla, quedarse limpiamente sola. «Sonia acaba de irse», dice Jeanne, y el límite está franqueado, el ridículo empieza, el pequeño infierno confortable (pp. 153-154).

De aquí en adelante el desarrollo de los incidentes no puede ni alterarse ni detenerse porque el relato ha adquirido un *momentum* inusitado. La caracterización es mínima aquí. Los personajes vienen caracterizados por sus posiciones, por sus papeles o funciones en estos triángulos amorosos y no por sus actitudes ni sus pensamientos íntimos e individuales. Están entonces en un nivel que raya en el *estereotipo* y, en el mejor de los casos, en el *arquetipo,* aunque lo que pierden en la caracterización lo ganan en la profundidad y variedad de la emoción, como ya fuera aclarado. El procónsul es el *modelo* del hombre poderoso, celoso, consciente de su poder y de su insaciable capacidad para la crueldad refinada y estilizada. Irene es la *mujer excepcional,* fuerte y culta, a quien repugna el olor vulgar de la sangre con que se trafica y se deleita el ruin, o el estiércol que abunda en el ruedo; es el tipo de mujer que puede admirar y desear el cuerpo viril de un gladiador inculto y a la vez soportar con máscara impasible la torturante venganza del marido, a quien empieza a odiar y a quien quisiera ver abajo en la arena en reemplazo de Marco. Marco, *prototipo* del guerrero profesional y asalariado, vive en un esquema circunstancial bastante reducido: el oro de la recompensa y la sonrisa complaciente de la mujer del procónsul. Aquí le vemos luchando contra un reciario gigante y temible, dejando a los hados que decidan su destino. El mundo de Marco se percibe a través del *sentido* agudizado: bien sea que la arena está floja y resbaladiza o que la muchedumbre, por haber desperdiciado una oportunidad irrepetible, lo abandona dándole por perdido. Roland es el *hombre irónico,* terso, brutal con las mujeres, y con muy pocas dosis de moralidad o de compasión. Jeanne *personifica* la mujer ingenua, fiel, emotiva, capaz de amar hasta el sacrificio y el ridículo, humillando su dignidad de esposa ofendida al telefonear a Roland. Sonia, arquetipo de la hembra audaz, sensual, dominante y que no puede tolerar la inocencia de otra mujer engañada y siente sumo placer en desengañarla.

Los métodos de caracterización de Cortázar vienen envueltos en nimios detalles, pero bien escogidos y oportunamente ubicados, y que revelan la sicología en bulto de los *tipos* presentados: el procónsul medita impaciente en su futura estatua; Irene bebe vino para disipar los malos olores del circo; Marco se intriga pensando si se le va a pagar más o menos oro esta vez; Jeanne palpa con nerviosismo el tubo que contiene las pastillas, mientras Sonia hojea despreocupadamente las revistas literarias que tengan ilustraciones y dibujos.

La acción que alterna con el punto de vista zigzagueante del relato, básicamente está reducida a dos secuencias: en una, a la lucha de los gladiadores, y a la conversación de Jeanne y Roland, en la otra. Hay aquí, sin embargo, sutilezas técnicas en el manejo del punto de vista: la lucha del gladiador se cuenta desde su perspectiva de hombre con espada en mano, esperando que la suerte se decida en favor o en contra (el lector es el espectador de las acciones de Marco aquí); existe también la perspectiva de los espectadores que, presenciando lo que Marco hace ante ellos, hacen comentarios y apuestas. En la otra historia, el principio de la charla telefónica le corresponde a Roland, quien contesta la llamada, y desde la de Jeanne, quien llama mientras vacila entre devolver o retener el auricular.

Existen otros puntos de vista en el relato que, por ser extraños o poco frecuentes, nos parecen curiosos: el *gato* de Jeanne, por ejemplo, resulta tan indiferente ante el estado emocional de su ama que nos hace pensar en la indiferencia de Roland; o el de los bomberos y curiosos que llegan a la casa de Roland, devorada por el fuego. La *voz* que en el teléfono dice cifras y cifras sin sentido para el oyente (lector) puede ser símbolo inequívoco de la incomunicabilidad de dos almas, a pesar del teléfono (medio) que los acerca; la *voz* es el arma que le resta a Jeanne en caso de que Roland cuelgue; y es símbolo de la ira de Roland al oír el *click* del aparato al otro lado de la línea. Está también el *sueño* de Marco con peces, redes y poca paga, cuyo sentido lato no se le revela sino hasta el final, cuando cae en la red (trampa) del reciario nubio, y con lo que se concluye ese pre-sentimiento nebuloso que lo atormentara en su último día. La muerte de ambos gladiadores (pescador y pez), el *brazo* espasmódico de Marco, moribundo, clavado en la arena, y que Irene contempla desde las graderías mientras se consuela pensando que ojalá fuera el *brazo* de su marido y no el de Marco; es el *brazo* del procónsul, cuyo más ligero movimiento basta para que se salve o se condene un vencido; es también un brazo *libre* para la *acción,* pero corrompido para la *emoción.* Es también el *brazo* que enrolla y arroja la red o, en fin, el que mantiene en alto la corta espada.

El final del relato requiere hipótesis: es verdad que los fuegos arrasadores ocurren a una altura del cuento que complace y alienta al lector, ya cansado de presenciar crueldades; con ello el relato se reviste de una solución que, además de ser emocional, es artística y justiciera: el fuego que consume y elimina. Jeanne, la inocente, es la única que no se quema, aunque se sugiere que se suicida con las pastillas, puesto que el gato advierte su inmovilidad, atributo de la muerte. Resulta irónico que el cigarrillo de Roland, siempre encendido, sea sinónimo de su indiferencia y frialdad y, a la vez, la causa directa de su muerte. El fuego aquí, actuando a manera de motivo magicorrealista, es ambiguo, polivalente, ya que más se trata de proponer situaciones que de resolverlas aquí; puede ser un símbolo del azar o, a la manera en que lo maneja Mario Benedetti en *Gracias por el fuego* [3], como única solución expiatoria, puri-

---

[3] Mario Benedetti, *Gracias por el fuego.* Montevideo: Editorial Alfa, 1968, página 310. [Hay muchas escenas que apuntan hacia el sentido del fuego como castigo —imagen de Sodoma— y como purificación. Entre todas, valen dos: aquella en que el viejo Budiño cuenta a su amante, entre sollozos y recriminaciones, que por primera vez no son fingidos, cómo quiso, anheló y esperó a que su hijo, Ramón, le matara para poder así solucionar su problema de carroña moral, aunque perfumada y alabada por los súbditos miedosos o sin ideas (páginas 133-134); o aquella otra en la que Ramón, sintiéndose incapaz de este acto parricida que viene preparando con toda intensidad y con todo el odio que siente por su padre, se confiesa incapaz de llevarlo a cabo. Está así frente al dilema existencialista del suicidio o la locura. Y se suicida para corroborar la tétrica sentencia de Cesare Pavese: «I suicidi sono omicidi timidi» (p. 292).

ficadora, para no decir higiénica. Y en un último nivel, cuyas implicaciones preliminares ya hemos discutido aquí, el fuego es la pasión, el sentimiento, que sugerimos puede ser el verdadero asunto del relato.

Por otra parte, vale reflexionar y admitir la posibilidad de que el fuego sea una preocupación estéril, desprovista de todo sentido discernible y aplicable. En el supuesto de que así fuera, la intención del autor sigue siendo y no ha sido otra que la de juntar y yuxtaponer dos historias de contenidos emocionales semejantes. Así vistas, concluir la escena con incendios que borren toda vivencia, no es más que igualarlas y nivelarlas.

El relato de Cortázar es entonces *experimental* en esencia y en accidente y está desprovisto de *un* mensaje claro, que, por otra parte, no se requiere ni se pretende justificar aquí. Porque tal como en *Rayuela,* lo que Cortázar vuelve a hacer aquí es fragmentar historias en trozos para exponerlos en lo que tienen de valor emocional más que de acción y sentido, a fin de alcanzar el fondo afectivo e inmediato del ser humano, de sus personajes y de sus lectores.

Todos los fuegos el fuego resulta de méritos indiscutibles, no sólo por la economía léxica, la selección de detalles significativos, a veces sueltos, otras yuxtapuestos, sino en especial por el interesante manejo de nuevas técnicas en el punto de vista.

El personaje y su doble en las ficciones de Cortázar

Marta Morello-Frosch

Antes de publicar *Rayuela* (1963), Julio Cortázar era conocido principalmente como cuentista, ya que su primera novela, *Los premios* (1910), fue considerada un genial, pero malogrado ensayo. *Rayuela* lo convierte en figura literaria mundial y suscita una serie de comentarios y controversias con su audacia, con sus deliberadas dificultades y, en especial, con las teorías novelísticas que ilustra y discute. Es en esta obra donde Cortázar utiliza en forma más obvia y dominante el tema del doble, del *doppelgänger* [1] literario, personificado por Oliveira y Traveler, la Maga y Talita. Interesa anotar que este recurso, de antigua tradición literaria, aparece desde sus primeros cuentos de *Bestiario* (1951), y reaparece como una fidelidad sorprendente en las colecciones de relatos que le siguen: *Final de juego* (1956), *Las armas secretas* (1959) y, con posterioridad a *Rayuela*, en *Todos los fuegos el fuego* (1966).

En general, podría decirse que Cortázar no utiliza el doble en el sentido usual de duplicación de la personalidad, ni de confusión entre lo que podría llamarse el personaje real o su imagen. Tanto el original como el reflejo tienen similar importancia, no hay subordinación de uno al otro, y no importa a menudo clarificar, porque a menudo no existe diferencia definitiva, cuál es el personaje principal y cuál el advenedizo [2]. En casi todos los casos, la imagen doble permite

---

[1] Usamos el vocablo en el sentido en que E. T. A. Hoffmann lo usó, y de acuerdo en la definición de Jean Paul Richter: «So heissen Leute, die sich selbst sehen» *(Siebenkäs) Werke*, Hist.-krit. (Weimar, 1927), Abt I, vol. VI, p. 54.
Véase también el artículo sobre «Doppelgänger», en *Trübners Deutsches Wörtebuch*, ed. A. Götze (Berlín, 1939) y la abundante bibliografía sobre el tema en la literatura romántica alemana, en especial sobre E. T. A. Hoffmann.

[2] Con el título de «Doubles» hay un excelente artículo sobre el origen y naturaleza del doble, por división o multiplicación, en la *Encyclopedia of Religion and Ethics*, Ed. Hastings, Scribner's (New York, 1951), vol. V.

posibilidades de enriquecimiento vital, asomarse a zonas ignoradas o remotas como si las viviéramos, no como mera visita extraña y ajena a esa atmósfera. Un ejemplo de esto y un caso común en las ficciones de Cortázar es la aparición del actor-lector, el personaje que está dentro y fuera de la ficción, tal como aparece en sus relatos «Continuidad de los parques» y «Lejana». No se trata de una rebelión pirandelliana o unamunesca del personaje: al contrario, es una verdadera función doble, en la que el personaje se ve como tal desde fuera de la narrativa, como un director que conoce el guión escénico y sabe muy bien lo que ocurrirá después, no como ser enajenado. Conviene destacar ya que no se trata de una pérdida de conciencia: el personaje, una vez ausentado de la narración, no deja de pensar al mismo tiempo como personaje y como director. Tal es el caso del personaje de «Continuidad de los parques» [3], que se sienta a leer una novela en la que aparece un triángulo amoroso y es testigo de la reunión de una esposa infiel y su amante. Luego de presenciar los preparativos de asesinato que hace el último, lo ve avanzar a espaldas de un sillón en el que yace sentada su víctima: el lector-espectador-marido. El personaje está dentro y fuera de la novela que lee en la continuidad de un parque de naturaleza ya metafísica que lo lleva de personaje a testigo en una presentación de vida y destino que no cesa ni tiene divisorias: va de la realidad a la ficción y pareciera que ésta triunfase en la imagen del asesino que avanza sigilosamente, al final del relato, hacia el lector-víctima.

En «Lejana» se revelan las visiones que tiene una mujer que vive aparentemente en Buenos Aires, y que a menudo sueña, despierta, con una doble que vive en Hungría. Se trata no sólo de ensoñaciones diurnas, sino que son anotadas posteriormente en un diario, y no se pueden considerar alucinaciones, pues son verdaderos momentos de comunicación, durante los cuales el personaje llega a sentir la nieve en los zapatos que hace tiritar a su doble en Hungría. Siente físicamente el frío y los cardenales de remotos castigos que sufre la otra. El ambiente en que existe el personaje principal, Alina Reyes, tiene un aire tan afantasmado como el de la doble de Hungría [4]; quizá más aún, porque está totalmente traspasado por las comunicaciones

---

[3] En el *Boletín de literatura hispánica de la Facultad de Filosofía y Letras de la Universidad del Litoral*, núm. 6, Argentina. Rosa Boldori, en su artículo «La irrealidad en la narrativa de Cortázar», habla de «confusión del plano literario con el real» al comentar este cuento. Nos parece que los planos no se confunden en el sentido lato, sino que el personaje vive en ambos, guardando conciencia, pero manteniendo separadas las dos vivencias correspondientes.

[4] Alina comenta sobre sus visiones mientras asiste a un concierto. «... vengan a decirme de otra que le haya pasado lo mismo, que viaje a Hungría en pleno Odeón. Eso le da frío a cualquiera che, aquí o en Francia». (*Bestiario*, Buenos Aires, 1951), p. 35.

—por así decirlo— con la doble, que se insinúan entre fragmentos de la vida del personaje.

Alina Reyes es una especie de anagrama vivo: dentro de su yo pueden darse otras combinaciones, como la otra de Hungría. Su nombre, Alina Reyes, puede ser, en la otra: «y es la reina»; sugiriendo vagamente la idea, finalmente negada, de la soberana y la impostora. Pero el final del relato trae una unión verdadera y física, cosa no muy corriente en Cortázar, y en un abrazo que se dan la viajera de Argentina y la húngara, se unen en un puente a menudo soñado, en Budapest. Pero la unión es breve; después de la breve fusión, la otra se vuelve la una, se traspasa al cuerpo de Alina en su elegante traje gris, y Alina se queda en la doble, tiritando mientras siente el frío, ya familiar, de la nieve que le entra en los zapatos.

Vemos cómo el personaje siente al otro simultáneamente y sigue siendo él mismo, como si, además de su función normal, conocida, participara de otro destino, a ratos y fragmentariamente. No se trata entonces del problema de la división de la personalidad, y la consiguiente esquizofrenia, sino de un verdadero enriquecimiento de posibilidades vitales, luego negadas al participar de dos destinos, o de un orden personal y otro ampliado, que incluye a otros seres vagamente conocidos, y pertenecientes a un orden que comparten con el personaje. Esta participación en más de un destino, se asemeja a un juego en el que el movimiento de una pieza puede afectar la posición o la suerte de otra. De allí la preferencia de Cortázar por ciertos tipos de juegos en los cuales las combinaciones o jugadas pueden ser múltiples y diversas, dentro de un orden o reglas fijas, como el ajedrez, las damas, el billar, la misma rayuela y los anagramas. Vale decir, dentro de una figura, muchos posibles aspectos. James Irby ha anotado con acierto la presencia de estas «figuras» en la obra de Cortázar [5]. Dichas figuras, como los dobles, consisten en posibles aspectos o ampliaciones del yo [6].

Una variante de este juego aparece en los cuentos que tratan de un avatar no consecutivo, sino semi-simultáneo, que permite a un personaje del relato «La flor amarilla» encontrar a un niño en el autobús, que es su futura imagen. Esto le da conciencia de su inmortalidad y se asocia obsesivamente con el chico y su familia. Pero la muerte imprevista y no muy sentida del joven, lo devuelve a la noción de la nada y vuelve a frecuentar los autobuses en busca de un nuevo avatar. La originalidad del relato consiste en que con la conciencia de la mortalidad se produce un estado de paz, al que

---

[5] James E. Irby: «Cortázar, *Hopscotch* and Other Games», *Novel*, vol. I, número I, Fall 1967, pp. 64-70.
[6] Ver las declaraciones del propio Cortázar en el libro de Luis Harss *Into de Mainstream* (New York, 1967).

sobreviene una ansiedad febril al descubrir nuevamente que debe existir en alguna parte, otro avatar que lo devuelva al mundo de los inmortales, aunque más no sea para poder perpetuar el goce por la belleza por esa «flor amarilla» que inesperadamente restaura sentido a la inacabable cadena.

En *Las armas secretas* nos encontramos con otro tipo de avatar: un joven francés que repite, sin saberlo, pero recordando vagamente, algo ya hecho: los actos de un soldado alemán que violó, siete años atrás, a la que es ahora su novia. El joven no conoce este episodio, su novia no lo ha mencionado jamás, pero desde el principio de sus relaciones comienza a recordar y a asociar la letra en alemán de una canción de Schumann, cada vez que piensa en la muchacha. Aunque su realidad es otra, lo imaginado por él coincide con lo vivido por el alemán, como si se tratara de una porosidad de conciencias, y eso explica su convencimiento de que ella, la novia, lo va a delatar, como hiciera de chiquilla, siete años atrás, con el violador. El muchacho está dentro de su personaje y, vagamente y a ratos, en el otro. Es los dos; seductor ahora y violador que fue. Tampoco se trata de actos opuestos, sino de que la seducción y la violación parecen confundirse en un único acto amatorio, con una diferencia mínima de detalles. El muchacho no se siente enajenado, compara su memoria o sus imágenes mentales —recuerdos de otra conciencia— y comprueba que la realidad desdice, en muchos casos, sus vagas intuiciones. Se trata de una repetición de actos no exactamente iguales, tan sólo similares; está hundido en dos realidades al mismo tiempo: es Michel y el alemán. En el cuento es también los dos para la novia, en quien reaviva recuerdos muy penosos, así como para los amigos de ella, que ven en él al que puede corregir o enmendar, con su amor, el acto de siete años atrás. En rigor, él es, en este doble esquema simultáneo, un personaje doble, que juega su papel a plena conciencia, y el del otro, con creciente intuición del mismo.

El joven francés, al encontrarse en circunstancias similares —aunque no idénticas—, comienza a repetir los actos del otro, a cavilar sobre pensamientos que le son ajenos, pero no extraños. Esta gradual identificación interior es quizá el rasgo más notable del personaje, que en el acto final de la seducción ha dejado de ser él mismo, y se admira de la falta de resistencia por parte de su novia.

En el cuento «El río» también aparece una imagen doble en la esposa que ha amenazado ahogarse en el Sena. Las imágenes las ve el marido, entre dormido y despierto, con la vaga memoria de que ella acaba de marcharse para arrojarse al río. Él recuerda la visión anterior de la ahogada, siempre hipotética, ficción urdida por ella en sus frecuentes amenazas: así la ve aún en la cama como en el fondo de un sueño:

... porque te habías ido diciendo alguna cosa, que te ibas a ahogar en el Sena, o sea que has tenido miedo, has renunciado y de golpe estás *ahí* casi tocándome, y te mueves *ondulando*... [7].

El sueño nos deja con la duda de si la figura de la mujer ahogada en el río es realidad o ficción, pero lo mismo ocurre con la imagen de la mujer en el lecho, quien, descrita y recargada de nimios detalles familiares, repetida y revista por el marido durante años, se nos impone con su realidad. Pero gradualmente las expresiones del narrador-marido establecen que la imagen final de la mujer ahogada en el río es la real:

> ... voy doblando los *juncos* de tus brazos, me ciño a tu placer de manos crispadas, de ojos enormemente abiertos, ahora tu ritmo al fin se ahonda en movimientos lentos de muaré, de profundas *burbujas* ascendiendo hasta mi cara, vagamente acaricio tu pelo derramado en la almohada, en la *penumbra verde* miro con sorpresa mi mano que *chorrea,* y antes de resbalar a tu lado sé que acaban de sacarte del agua, demasiado tarde, naturalmente... [8].

En este final, la figura de la mujer dormida y de la ahogada se confunden en una misma situación, en una cama-río, desde la que desafían la lucidez del marido-narrador.

En «La noche boca arriba» sucede algo similar. La víctima de un accidente de motocicleta espera la acción del cirujano que se le acerca con un objeto en la mano. En las sucesivas noches de fiebre se intercalan sueños episódicos y progresivos de un tolteca que es atrapado y condenado al sacrificio durante la guerra florida. Este sueño es interrumpido por momentos de plácida vigilia en el hospital, pero gradualmente al enfermo le cuesta más y más ahuyentar la pesadilla que lo posee, y se nos revela que ésta es la realidad, mientras que la situación del accidentado en el hospital, con la rutina de febrífugos, calmantes y visitas médicas, es sólo un sueño, boca arriba, de esa víctima que, en efecto, marcha al sacrificio, no de la sala de operaciones, sino del «teocalli», donde le espera, en vez del cirujano con el bisturí, el sacerdote con el cuchillo de obsidiana [9]. La dificultad en determinar sueño y realidad queda acentuada mediante el natural impulso por identificar la pesadilla con lo horrible, lo pasado y conocido; pero aquí se trata de un sueño realista y de una realidad horripilante, pesadillesca.

---

[7] *Final del juego* (Buenos Aires, 1964), p. 19. [El subrayado es nuestro.]
[8] *Loc. cit.,* p. 22. [El subrayado es nuestro.]
[9] James E. Irby, *loc. cit.,* difiere en su interpretación de este cuento: «... a young man injured in a traffic accident repeatedly slips, as he lies in the hospital, into the ninghtmare of being a sacrifical victim in ancient Mexico, *which finally engulfs him as the only reality*». [El subrayado es nuestro.]

La imagen de un ser desaparecido ya, que retorna para cumplir su destino verdadero de un ser cualquiera que se le parece vagamente, aparece en «Cartas de mamá» y «Las puertas del cielo». En el primer cuento la pareja ha hurtado su felicidad al cuñado, posteriormente muerto de tisis. Sintiéndose culpables, marido y mujer mantienen y crean la idea de que Nico, el cuñado, vive aún, y en realidad él sobrevive en los silencios que omiten su nombre, en la lejanía geográfica de los lugares familiares que la pareja se ha impuesto, y en las pesadillas de ella, la ex novia del desaparecido.

Por un desliz, real o verdadero, en una carta de la madre lejana, Nico entra abiertamente otra vez en sus vidas: se anuncia su partida de Buenos Aires a París. La madre no revela ningún otro indicio de enajenación mental, y la realidad del anuncio se implanta en la conciencia de la pareja. La mujer, su ex novia, lo va a esperar a St. Lazare; el marido la sigue, y ambos ven, por separado, una figura semejante a Nico que baja del tren, una especie de doble a quien dejan pasar sin hablarle. Luego, de nuevo en la soledad de su casa, marido y mujer admiten haberlo reconocido con un trivial:

—A vos, ¿no te parece que está mucho más flaco?
—Un poco..., uno va cambiando... [10].

que desdice la irrealidad del encuentro. Pero esto no es tal. Si pensamos en la extraordinaria vitalidad que la memoria de Nico ha tenido en estas dos vidas, acrecentada por los silencios, la deliberada omisión de los recuerdos comunes y los desengaños del matrimonio. El Nico, reconocido en un viajero que se le parece, está cumpliendo su destino verdadero de intruso, de víctima convertida en victimario, según reina en la conciencia de los esposos. Esta imagen es mucho más real que la del novio rechazado y resignado que se murió de tisis sin hacer un reproche. El doble es ese Nico que ellos comenzaron a fraguar en Buenos Aires y acabaron de dar forma en sus silencios de París.

Caso semejante se presenta en «Las puertas del cielo», en el personaje de Celina, la ex bailarina de milonga, canalla que después de haberse escapado a la vida decente en un matrimonio no exento de ternura, y una vez muerta, reaparece, como Nico en el cuento anterior, para cumplir su verdadero destino. La reconocen el viudo y un amigo una noche que van a la milonga y ven brevemente a una bailarina que se le parece. Celina, reencarnada, es la que debió ser, si pudiera haber cumplido su destino de milonguera, sin canalla, gozando este paraíso de arrabal que le brindaba el tango.

Para finalizar, mencionaremos otros dos cuentos: «Las cícladas» y

---

[10] *Las armas secretas* (Buenos Aires, 1959), p. 36.

«Axolotl», en los cuales se produce la identificación con algo no humano, con la cultura —a través de un ídolo— y con un ser entre pez y batracio. El narrador descubre en ambos casos una extraordinaria afinidad espiritual con un ser con el que no tiene ni la más remota similitud física ni circunstancial. Al contrario, cuanto más distante en apariencia tanto más angustiosa la similitud de la condición espiritual. En los dos relatos se trata de una identificación con otra existencia como acto de voluntad. Los personajes siguen, como en los casos ya vistos, siendo ellos y lo otro hasta que se produce un traspaso final de existencia, sin que se pierdan totalmente algunos elementos de una conciencia, al fundirse con otra. En «Las cícladas» se trata de los esfuerzos de un arqueólogo neurótico que quiere establecer contacto efectivo con el ídolo que ha excavado, y en el otro cuento, de establecer contacto con los axolotl —peces batracios— en lo que se podría llamar una verdadera licantropía espiritual. Estos seres casi anfibios revelan, en la impasibilidad de unos ojos dorados, irrevertiblemente no-humanos, la posibilidad de un mundo espiritual vasto y desconocido. Insistamos en el hecho de que contacto no implica comunicación, y el narrador-personaje deliberadamente omite las explicaciones racionales o seudocientíficas. Acepta el hecho consumado de una afinidad espiritual, de un estado de «simpatía» que facilita una comunicación supra-lógica[11]. En ambos casos no se verifica una pérdida de conciencia, pues esto implicaría una mera transferencia. Los personajes viven o ven y aceptan la dualidad como una forma de posible enriquecimiento vital, no siempre logrado, o de rectificación de un destino desviado o falso.

En los cuentos mencionados, el yo de los personajes se difunde, o trata de hacerlo, con otros destinos, a veces elegidos, presentidos o vagamente intuidos como parte de un legado atávico. El resultado inmediato es que el yo se observa a sí mismo, se ve como actor y espectador, se sitúa, en suma, fuera de la materia literaria en la enajenación más total; no obstante, retiene su facultad observante y narrativa, de una realidad a la que indefectiblemente ya no pertenece, pero que quiere conocer, pues lo que jamás pierde es el impulso de establecer contacto con esos otros posibles *yo,* de tocar fondo en esas realidades tan similares y, sin embargo, remotas.

En todos los casos la presencia del doble implica una ampliación de la experiencia, no una deformación de la misma, pero esta ampliación no es por agregado de situaciones totalmente nuevas, sino vagamente intuidas o recordadas como cosa recobrada, como intento de

---

[11] En este sentido Cortázar se acerca mucho a las teorías anímicas de los mesmeristas, que influyeron tanto en los románticos alemanes, pero parece totalmente alejado de los conceptos «mágicos» atribuidos a las sombras —y los dobles— en las culturas primitivas, según las analizan Frazer (*The Golden Bough*) y I. Lévy-Bruhl (*The Soul of the Primitive*).

establecer puentes [12] —tan frecuentes en la obra de Cortázar— no con todas las criaturas, sino con algunas en cuyas vidas participamos como estrellas que forman parte de una constelación.

El tema doble, en estos relatos, no sirve para presentar la conocida escisión de la personalidad, ni el problema de discernir la imagen verdadera entre las adventicias; se trata de vidas en dos planos, el personal, restringido, y uno más amplio, mágico [13], pero aceptado como cosa natural, a menudo buscado en acto de voluntad en un esfuerzo por reintegrarse a un orden misterioso y trascendente del cual forman parte estos juegos de destinos múltiples que sólo en ciertos momentos se nos revelan.

---

[12] Véase el interesante artículo bajo el título de «Bridge» sobre el valor mítico de los puentes que aparece en E. and M. A. Radford *Encyclopedia of superstitions* (London, 1961).

Recuérdese el comentado pasaje de *Rayuela* en el que Talita trata de establecer un puente, sobre un precario tablón, entre Traveler y Oliveira.

[13] Cortázar en sus declaraciones a Luis Harss, *loc. cit.*, habla de «constelaciones».

La búsqueda de las figuras en algunos cuentos de Cortázar

Joan Hartman

La interacción entre el tiempo subjetivo (interior al hombre) y el objetivo (exterior o de la naturaleza) ha preocupado a gran parte de la literatura contemporánea. Hans Meyerhoff, en *Time in Literature* [1], indica diversas razones que pueden justificar esta tendencia, pero la más obvia parece ser el fracaso del concepto medieval de eternidad y el paso a la dimensión secular e histórica que fragmenta la realidad del mundo moderno.

Hoy, más que nunca, la vida humana parece consistir en fragmentos de experiencia, y a menudo es difícil formular relaciones entre los fragmentos. Con la pérdida de los valores y las normas tradicionales, el hombre busca un sentimiento de orden, continuidad y permanencia más allá del mundo externo. Frecuentemente, el escritor reacciona contra el mundo fragmentado y caótico, creando su propia realidad en una dimensión extra-temporal. O se imagina un mundo en que el hombre fácilmente puede ir y venir entre un tiempo objetivo y «verdadero» y otro tiempo subjetivo e imaginario.

A Julio Cortázar le preocupa el problema del tiempo en sus relaciones con la realidad síquica o interior del hombre. Esta preocupación la vemos en la presentación del tiempo y de la realidad en

---

[1] Condensamos los puntos principales de Hans Meyerhoff, en *Time in Literature*, Berkeley, University of California Press, 1965, acerca de la fragmentación del concepto del tiempo en el mundo moderno: el fracaso del concepto medieval de la eternidad y la comprensión consecuente del tiempo en la dimensión secular e histórica: el cambio inexorable e interminable como la única lección de la historia; el desarrollo explosivo del espacio físico a expensas de la ceñidura del tiempo, acompañado de la contracción de la dimensión del espacio mental al presente momentáneo; y la definición social del tiempo como una unidad de la producción, como una mercancía o comodidad, i.e., la valoración del mérito de un hombre en la sociedad por lo que produce y por lo que puede consumir en el tiempo, y no por lo que él es en sí.

ciertos cuentos que figuran en tres libros del autor: *Final del juego,* 1956, 1964; *Las armas secretas,* 1959; y *Todos los fuegos el fuego,* 1966. En estos cuentos se puede ver tanto la evolución como la constancia en su tratamiento del tiempo y de la realidad, así como la búsqueda de una teoría de unidad en un mundo múltiple y variado. La constancia de esta búsqueda se manifiesta en una continuada utilización del tema del doble, y la evolución se ve en el desarrollo de lo que Cortázar llama su noción de las «figuras» [2]. Veamos los cuentos.

En *Final del juego* el autor utiliza con frecuencia recursos oníricos para facilitar el movimiento de sus personajes entre una realidad externa y objetiva y una realidad interna y fantástica. Por medio de sueños los personajes de Cortázar llegan a ser viajeros en el tiempo y en el espacio, participando así de una realidad y un tiempo que son dobles. Muchas veces el mundo fantástico de un tiempo y de una realidad subjetivos viene a ser el mundo verdadero para el protagonista. Ejemplo de esto se ve en «La noche boca arriba», de la edición de 1956 de *Final del juego.* Aquí un hombre en un hospital, recuperándose de un accidente de motocicleta, se convierte, en sus pesadillas, en el protagonista de un drama doble. Salta fuera del tiempo y del espacio de su realidad cotidiana para volver al mundo primitivo de una existencia previa. En su encarnación primitiva, indígena de América, muere en un altar de sacrificio bajo el cuchillo de un sacerdote azteca. Al mismo tiempo, en su reencarnación moderna, muere en una mesa operatoria bajo el bisturí de un cirujano. Los tiempos se han juntado, y el hombre contemporáneo y su doble onírico de una época pasada vienen a ser la misma persona y mueren la misma muerte. Y aunque el protagonista muere en dos mundos simultáneamente, siente que su existencia primitiva es más verdadera que su existencia moderna. Siente que muere en su encarnación anterior y no en la presente, «que el sueño maravilloso había sido otro» [3]. En otras palabras, el final del cuento revela que la auténtica realidad es el reverso de la realidad ordinaria del mundo actual. Se convierte en un sueño la realidad cotidiana de la configuración contemporánea del protagonista, y su pesadilla fantástica de lisiado; es decir, su vida

---

[2] Véase Luis Harss, «Cortázar y la cachetada metafísica», en *Los nuestros,* Buenos Aires, Editorial Sudamericana, 1966. Las declaraciones hechas por Cortázar en esta entrevista, en particular referentes a las figuras, me permitieron relacionar mejor al hombre con su obra. Véase también el interesante estudio de Marta Morello-Frosch, «El personaje y su doble en las ficciones de Cortázar», en *Revista Iberoamericana,* XXXIV (julio-diciembre de 1968), pp. 323-330.

[3] Julio Cortázar, *Final del juego,* Buenos Aires, Editorial Sudamericana, 1964, página 179. Las referencias subsiguientes a las páginas citadas del texto se harán entre paréntesis después de la cita. Los textos incluirán la edición ya citada y las siguientes: *Las armas secretas,* Buenos Aires, Editorial Sudamericana, 1966, y *Todos los fuegos el fuego,* Buenos Aires, Editorial Sudamericana, 1966.

y muerte indígena se transforman en una realidad única, la realidad de su verdadera muerte y también de su verdadera vida.

«Una flor amarilla», publicado en la edición de 1964 de *Final del juego,* señala un avance de Cortázar en la presentación del tiempo y de la realidad por medio de los sueños y del doble, y alcanza su presentación en la forma de las «figuras» cíclicas. La idea que Cortázar viene a expresar de las «figuras» es que el destino de cada hombre, sin que él lo sepa, está unido en el tiempo y en el espacio al destino de otros hombres, o figuras, en una serie infinita de concatenaciones [4]. «Es como el sentimiento... de que aparte de nuestros destinos individuales somos parte de figuras que desconocemos» [5]. Esta noción de las figuras proporciona a Cortázar una visión metafísica y estructural de las relaciones humanas. Es significativo que Cortázar, en «Una flor amarilla», no emplea recursos oníricos para introducir su idea de las figuras, ni para diferenciar decisivamente entre un mundo fantástico y el mundo «real». Al contrario, el mundo fantástico y el mundo «real» se funden del mismo modo en que se entrecruzan el mundo subjetivo y el mundo objetivo en el proceso normal de la percepción y la conceptualización humanas. Veamos cómo son las figuras de este cuento:

El protagonista, hombre de vida fracasada, descubre de un modo casual, en un autobús, a su doble, el joven Luc, y se da cuenta de que él y Luc son «figuras» en un mundo estructurado cíclicamente de destinos humanos infinitamente repetidos. Descubre, por tanto, que, a pesar de que no existe la identidad individual ni el libre albedrío, el hombre, como parte de un ciclo de dramas humanos continuamente reproducidos, sí participa de la inmortalidad. Y, a través del tiempo, resulta ser él no una persona o dos, sino muchas. Según este concepto, la vida o la existencia mundana de un individuo se extiende más allá de los límites de su propia mortalidad. El protagonista de «Una flor amarilla», sin embargo, quiere terminar la repetición del fracaso de su vida, y por eso mata a su continuación o figura, Luc.

> ... lo peor de todo no era el destino de Luc; lo peor era que Luc moriría a su vez y otro hombre repetiría la figura de Luc y su propia figura, hasta morir para que otro hombre entrara a su vez en la rueda. Luc ya casi no le importaba...
> Terminaron por admitirme como enfermero de Luc, y ya se imagina..., nadie se fija mucho si los síntomas finales coinciden del todo con el primer diagnóstico... ¿Por qué me mira así? ¿He dicho algo que no esté bien? (91-92).

---

[4] Harss, pp. 288-289.
[5] Harss, p. 278.

Así el protagonista se convierte en el único mortal en un mundo de inmortales. Pero después se arrepiente de su propio suicidio, y anhela vivir otra vez eternamente como el resto de la humanidad.

> Una tarde, cruzando el Luxemburgo, [él] vio una flor..., una flor amarilla cualquiera..., la flor era bella, era una lindísima flor. Y yo estaba condenado, ya me iba a morir un día para siempre. La flor era hermosa, siempre habría flores para los hombres futuros. De golpe comprendí la nada, eso que había creído la paz, el término de la cadena... En la plaza salté a un autobús que iba a cualquier lado y me puse absurdamente a mirar..., pensando en la flor y en Luc, buscando entre los pasajeros a alguien que se pareciera a Luc, a alguien que se pareciera a mí o a Luc, a alguien que pudiera ser yo otra vez... (93-94).

No obstante de que el protagonista es un fracasado miserable que llega a destruir su propia inmortalidad, en este cuento Cortázar presenta una visión positiva de la existencia humana. Porque se necesita solamente la hermosura de una «flor amarilla» ordinaria para hacer que el protagonista se arrepienta de su renunciación a la vida y desee compartir otra vez el renacimiento cíclico de los demás, tanto de los fracasados como de los exitosos.

La concepción que Cortázar tiene de las figuras cíclicas refleja su interés en la filosofía oriental, particularmente en el Budismo Zen y el Vedanta indio [6]. Como hemos visto ya en «La noche boca arriba» y en «Una flor amarilla», el interés de Cortázar en el tiempo y en la realidad se relaciona íntimamente con su preocupación por la muerte. Cortázar no cree en la muerte como un final escandaloso, interpretación occidental de la muerte, según cree él y «como tan bien lo vieron Kierkegaard y Unamuno» [7]. Rechazando tanto la idea de la muerte como un fin traumático, así como la creencia judeocristiana en una vida después de la muerte, Cortázar busca la solución en la filosofía oriental. Como otros occidentales, Cortázar se siente atraído por el pensamiento oriental porque éste con su concepto de un tiempo eterno más allá del tiempo transitorio, proporciona un sentido de orden y continuidad al mundo externo que cambia constantemente. En la filosofía vedántica, por ejemplo, la muerte es una metamorfosis, no un fin. La muerte se concibe como un salto fuera del tiempo hacia la inmortalidad [8]. De manera semejante, las teorías cíclicas de la vida son también un método para resolver la progresión del tiempo hacia la muerte, porque forman el concepto de una dimensión infinita de la vida fuera del tiempo secular, más allá de la marcha histórica del tiempo [9]. La teoría de la vida y el

---

[6] Harss, p. 267.
[7] Harss, p. 268.
[8] Harss, pp. 267-268.
[9] Meyerhoff, p. 79.

renacimiento cíclicos y el concepto Vedanta de la inmortalidad son componentes complementarios de la noción cortazariana de las figuras cíclicas. Ambos implican la negación de la progresión del tiempo y la búsqueda de una inmortalidad más allá del tiempo humano.

En *Las armas secretas,* 1959, los cuentos «Cartas de mamá» y «Las armas secretas» abren y cierran respectivamente el libro en un comienzo y un fin cíclicos. Son relatos, ambos localizados en París, en que la influencia de los sucesos pasados y los recuerdos de la vida presente se muestran por la introducción caótica del tiempo pasado en el tiempo presente. En «Las armas secretas», el cuento que da título al libro, el tiempo se describe como elástico. En el momento en que los novios, Pierre y Michèle, se acercan más a un encuentro cabal; es decir, a reconciliar el pasado con el presente. «El tiempo se estira como un pedazo de goma» (p. 211). Como veremos, ésta es una idea que Cortázar desarrollará más adelante en el cuento que lleva el mismo título del libro *Todos los fuegos el fuego.* En «Las armas secretas», cuando el pasado aparece en el presente, Pierre ve por un momento su propio yo verdadero en un espejo y grita con horror ante la identidad escondida dentro de sí (pp. 215-16). Pierre se revela como la existencia metamorfoseada, o la figura, de un hombre que previamente violó a Michèle. Y la forzará otra vez, y otra vez será asesinado por los amigos de ella. En «Las armas secretas» Cortázar muestra las implicaciones horripilantes de su noción de las figuras, de la creencia vedántica en la muerte como una metamorfosis, ideas que él antes presentó de una manera positiva en «Una flor amarilla».

El desenvolvimiento de la concepción de Cortázar del tiempo y de la realidad puede ser trazada desde «La noche boca arriba» de *Final del juego* (1956), «Las armas secretas» del libro del mismo título (1959) y «Una flor amarilla» de *Final del juego* (1964), a su presentación de las figuras en el cuento que da su título al libro *Todos los fuegos el fuego* (1966). Esbocemos la progresión: vemos en «La noche boca arriba» la idea de un retorno a un doble anterior; en «Las armas secretas», la idea de un doble anterior que existe dentro del yo actual, y en «Una flor amarilla», la de las figuras cíclicamente repetidas. Estos conceptos se amplían en «Todos los fuegos el fuego» con la idea de que la vida del hombre, fuera del tiempo y del espacio y más allá de los límites de su propia conciencia y razón, se vincula estructural y geométricamente a las vidas de una «constelación» de otros seres [10]. Cortázar reconoce que el término, si no la idea, de una «constelación» de figuras se toma de la discusión de Cocteau sobre el hecho de que las estrellas individuales no saben que son parte de una constelación más gran-

---

[10] Harss, pp. 278, 288-289.

de, como la Osa Mayor, por ejemplo [11]. Es la premisa de Cortázar, como él sugiere en el título del cuento, que todos los fuegos son un fuego, y que el destino de un hombre es también el destino de todos los hombres de todos los tiempos. Al efectuar la unión de dos momentos separados (presente y pasado) en una serie temporal, Cortázar, en «Todos los fuegos el fuego», repudia el concepto lineal y convencional del fluir del tiempo. Más bien, como él sugiere ya en «Las armas secretas», el tiempo es elástico. El pasado se junta al presente en un tiempo eternamente actual y sin tiempo, y el hombre, eternamente unido a través del tiempo y del espacio con una constelación de otros hombres, participa de la inmortalidad.

La concepción del tiempo y de la realidad así presentada por medio de las figuras en «Todos los fuegos el fuego» no sólo representa un paso más allá de «La noche boca arriba», «Las armas secretas» y «Una flor amarilla», sino que el punto de vista es diferente. El protagonista de «La noche boca arriba» sufre el horror de la muerte en otro tiempo desconocido. El Pierre de «Las armas secretas» está perplejo y perturbado por su intuición de la presencia actual de su vida previa. En «Una flor amarilla» el protagonista sufre remordimiento y angustia después de haber matado su propia inmortalidad. En «Todos los fuegos el fuego», sin embargo, dos dramas humanos separados en dos mundos temporales, repentinamente se unen en una sola muerte ardiente. Al contrario de «La noche boca arriba», «Las armas secretas» y «Una flor amarilla», los protagonistas de «Todos los fuegos el fuego» ignoran por completo la existencia de las figuras a las cuales están inexorablemente ligados en el tiempo y el espacio. Las vidas y las muertes en «Todos los fuegos el fuego» no se presentan en términos de sufrimiento personal, como en los otros tres cuentos; en cambio, los personajes son llevados impersonal y mecánicamente a un fin predestinado y colectivo. Si el lector tiende a identificarse con la angustia personal en «La noche boca arriba», «Las armas secretas» y «Una flor amarilla», encuentra difícil identificarse con la aniquilación impersonal de «Todos los fuegos el fuego». No obstante, implícita en cada uno de estos cuatro cuentos está la pérdida de la individualidad humana y de libre albedrío. La diferencia en el punto de vista entre «Todos los fuegos el fuego» y los tres cuentos anteriores es que en aquél, Cortázar retrocede, por así decirlo, para trazar el cuadro estructural o metafísico completo, el drama colectivo, en vez del específico. «Todos los fuegos el fuego» intenta presentar una perspectiva comprensiva del tiempo y de la realidad.

Como hemos visto, la pérdida de la individual identidad humana

---

[11] Harss, p. 278.

y de la voluntad libre en el concepto de las figuras se presenta tanto negativamente, en «Las armas secretas», como positivamente, en «Una flor amarilla». No obstante, la idea de las figuras parece tener para Cortázar la implicación positiva de romper las barreras del tiempo y de la realidad convencionales. Y en «Una flor amarilla» y «Todos los fuegos el fuego» las figuras simbolizan el logro no de la identidad personal, sino de la identificación con la humanidad en general. No es tanto la pérdida de la identidad y el libre albedrío individuales como la pérdida del *ego* particular, que es una parte intrínseca de la idea cortazariana de las figuras. Como el mismo Cortázar explica, «... cada vez me sé más conectado con otros elementos del mundo, cada vez soy menos egoísta y advierto mejor las continuas interacciones de mí hacia otras cosas o seres y de otros hacia mí» [12]. Por medio de las figuras Cortázar busca una «especie de isla final en la que el hombre se encontraría consigo mismo en una suerte de reconciliación total y de anulación de diferencias [13]. En «Todos los fuegos el fuego» Cortázar bromea irónicamente acerca del egoísmo humano. Más allá del conocimiento del individuo, él se conecta con los destinos de otras personas. Si es que llega a comprender el parentesco de su destino con el de los demás, esto ocurre sólo cuando se enlaza a los otros seres humanos en el momento de la muerte. En «Todos los fuegos el fuego», Cortázar sugiere que el *ego* del hombre muere eternamente en una muerte única y ardiente.

La concepción de las figuras, tal como la elabora Cortázar en «Todos los fuegos el fuego», es una síntesis personal y ecléctica de ciertos aspectos de varias filosofías e ideas occidentales y orientales. Las figuras en «Todos los fuegos el fuego» no se derivan de una teoría cíclica de la vida, ni del concepto vedántico de la muerte como una metamorfosis. Por el contrario, una pérdida del *ego* por parte de Cortázar, unida a la idea de Cocteau de una «constelación» de figuras, le permite hacer un salto nirvánico fuera del tiempo hacia una creencia en la unidad eterna de la humanidad. Y mientras que la pérdida del *ego,* que Cortázar relaciona a la idea de las figuras, puede parecer semejante a la pérdida del *ego* en el Nirvana, hay diferencias fundamentales. En la filosofía budista el Nirvana no implica necesariamente la unión con otros hombres. Significa la libertad y la iluminación espirituales [14]. Y en la filosofía vedántica el Nirvana específicamente quiere decir la unión con Brahma o Dios [15]. El Budismo y el Vedanta se preocupan con la revelación individual y con la unión individual con Dios. A esta visión Cortázar añade

[12] Harss, p. 289.
[13] Harss, p. 267.
[14] *Encyclopedia Britannica,* volume 16, London, 1967, p. 531.
[15] *Ibid.*

la noción de la figura-constelación, i. e., sugiere una unión trascendental de la humanidad como parte de la experiencia espiritual. El hombre, estando metafísicamente enlazado a otros seres a través del tiempo y del espacio, participa de la inmortalidad, de una «duración» o continuación de la humanidad, así como de una duración bergsoniana del tiempo.

Si «Todos los fuegos el fuego» representa un cambio en la presentación que Cortázar hace del tiempo y de la realidad, tal como es simbolizado en las figuras, se ve la constancia en el uso del tema del doble en «El otro cielo», el cuento final de *Todos los fuegos el fuego*. En «El otro cielo» un hombre, sólo por desear estar en un segundo mundo fantástico, puede ir y venir entre una existencia burguesa banal en el Buenos Aires actual y una vida romántica y bohemia en el París *fin de siècle*.

«El otro cielo» parece tener su precursor directo en otro cuento de la existencia doble, publicado diez años antes, el de «La noche boca arriba». En este cuento, cuando en el otro mundo aterrador de la previa existencia indígena del protagonista los aztecas le llevan al altar de sacrificio, Cortázar escribe: «... de la altura una luna menguante le cayó en la cara donde los ojos no querían verla, desesperadamente se cerraban y abrían buscando *pasar al otro lado,* descubrir de nuevo *el cielo* raso protector de la sala (del hospital)» (página 179, lo subrayado es mío). Ya había aparecido en «La noche boca arriba» la idea de vivir bajo el cielo de un tiempo y/o el cielo de otro. Hay, además, una asociación reveladora de olores que relaciona «El otro cielo» a «La noche boca arriba». Un aviso de la utilización cortazariana del olor se encuentra en «Las babas del diablo», un cuento de *Las armas secretas:* «... todo mirar rezuma falsedad, porque es lo que nos arroja más afuera de nosotros mismos, sin la menor garantía, en tanto que oler...» (p. 83). El olfato —sugiere Cortázar— es un método más exacto de percibir y comprender que la vista. En «La noche boca arriba» el protagonista huele el terror de la «guerra florida» en el otro tiempo en que muere. Es su olfato, en vez de su vista, lo que le indica la realidad de este mundo aterrorizador. En «El otro cielo» el día en que el protagonista se da cuenta de que su mundo fantástico de las *galéries* de París, en la época de Lautréamont, va llegando a un fin, los olores cambian. Aquel día al protagonista le impresiona el olor fuerte del café en el Pasaje Güemes de su mundo burgués y mundano de Buenos Aires. Después todos los olores parecen ser más intensos, y la sombra del estrangulador Laurent causa un terror creciente en el mundo de las *galéries*. Este mundo deja de ser un refugio para el protagonista. En cambio, el olor de una guirnalda fúnebre se filtra por las *galéries*. Cuando las flores de la guirnalda se entretejen en un círculo completo, el ciclo de la vida del protagonista en las *galéries* se cierra, y él vuelve para siempre al «menguado consuelo» de un mundo de «normalidad burocrática» (páginas 194, 191). Pero no es el terror en sí, sin embargo, lo que obliga a que el protagonista vuelva a su actual vida burguesa, porque antes de que las últimas flores de la guirnalda se cierren, el estrangulador Laurent es capturado y asesinado, y el terror ya no pesa sobre las *galéries*. Al fin y al cabo la existencia burguesa predomina en la vida del protagonista.

El hecho de que Cortázar termine *Todos los fuegos el fuego* con «El otro cielo» y no con el cuento que lleva el mismo título del libro, como él hace en todos los otros libros, puede indicar que se da un significado especial a este cuento. En «La noche boca arriba» y «El otro cielo» el mundo cotidiano y actual es aquél en que el protagonista se siente más seguro y más libre de terror. Quizá estos cuentos reflejen el miedo que el mismo Cortázar ha encontrado en su búsqueda de otras dimensiones más allá de la realidad y el tiempo externos. Por otra parte, en contraste con el cuento anterior, es el mundo burgués, en vez del mundo fantástico, el que reclama al protagonista de «El otro cielo». La «mentira infinita» (p. 179) de «La noche boca arriba» es el mundo «real» y actual. En «El otro cielo» es lo opuesto. Aquí la «trampa de flores» (p. 188) es el mundo fantástico del tiempo pasado. El contemporáneo mundo burgués de «El otro cielo» no es solamente más seguro, sino más poderoso que el mundo imaginario de otro tiempo. «El otro cielo» puede reflejar la desilusión de Cortázar con su búsqueda de las super-realidades y del significado más allá del mundo externo.

Esta interpretación se sustenta también por medio de una comparación entre el uso de la imagen de la flor en «El otro cielo» y en «Una flor amarilla». El lector recordará que la flor en «Una flor amarilla» es un símbolo del renacimiento eterno y de la *vida* futura del hombre fuera de la progresión regular del tiempo hacia la muerte. En «El otro cielo», sin embargo, las flores constituyen parte de una guirnalda funeraria que simboliza la *muerte* de la vida del protagonista fuera del tiempo y de la realidad convencionales. En «El otro cielo» Cortázar sugiere que tal vez la realidad banal es simplemente la única inevitable e ineludible realidad del hombre. Pero mientras que «El otro cielo» representa las limitaciones de la ordinaria existencia humana, «Todos los fuegos el fuego» representa la visión cosmológica e idealista de las figuras humanas enlazadas a través y más allá del tiempo y del espacio en una unión eterna de la humanidad. Cortázar se ha descrito a sí mismo como un «pobre shamán blanco con calzoncillos de nylon» [16]. «Todos los

---

[16] Julio Cortázar, *Rayuela*, Buenos Aires, Editorial Sudamericana, 1965, página 458.

fuegos el fuego», por un lado, es la expresión del deseo ideológico del autor como un «pobre shamán blanco»; «El otro cielo», por el otro, la influencia penetrante de la cotidiana realidad burguesa de los «calzoncillos de nylon».

Como hemos visto, el tratamiento del tiempo y de la realidad en *Final del juego, Las armas secretas* y *Todos los fuegos el fuego* se relaciona entre sí. Los cuentos que hemos discutido constituyen efectivamente una recreación artística de la interpenetración dinámica del tiempo subjetivo y objetivo en la percepción humana de la realidad. Cada cuento representa fragmentos de dicha percepción. Considerados en conjunto estos fragmentos comprenden un panorama evolutivo de la lucha de Cortázar por resolver el problema del tiempo y de la realidad. El uso prolongado que Cortázar hace del doble y el desarrollo de las ideas de las figuras cíclicas y de la figura-constelación, simbolizan su búsqueda, más allá de los fragmentos del tiempo y de la realidad convencionales, de un sentido de la unidad y de la permanencia de un mundo caótico e insensato que está en un estado constante de cambio. Para Cortázar, las figuras, en particular la figura-constelación, parecen expresar la noción de la continuidad y unidad estructural del yo del hombre moderno perdido en una sociedad caótica y sin normas. Por añadidura, las figuras son una manera de reconciliar los límites ineludibles de la condición humana. La muerte es una presencia constante en los cuentos que hemos discutido, pero según el concepto de las figuras, la muerte es vencible. El hombre participa de la inmortalidad porque más allá del tiempo y del espacio él se une a una fraternidad eterna de la humanidad. Cortázar, en su persistente lucha por una visión totalizadora y unificadora del hombre como parte de un sistema cósmico de supra-relaciones, es un nuevo Pitágoras en busca de la armonía en un mundo fragmentado.

Todos los juegos el juego

Wolfgang A. Luchting

El crítico alemán Günter W. Lorenz ha dicho que Jorge Luis Borges es «un experimento brujo literario y archipreste especialista en darle la vuelta a la cabeza de sus lectores, lo que, por supuesto, les produce estrabismo literario». Borges emplea problemas filosóficos y los disfraza de ficción, de narración.

Julio Cortázar hace exactamente lo mismo, sólo que los problemas no son filosóficos, sino problemas de brujo irónico. En otras palabras (las de Cortázar mismo), él se esfuerza en ser antirracionalista: «... quise *saber,* invariable y funesto *fin de toda aventura*» [1]. Habla, por ejemplo, de los «intersticios de la realidad», que es una expresión felicísima: habla de «constelaciones», de «figuras», ambos términos de la astrología [2].

Cortázar quiere mejorar el mundo, pero sabe que este impulso misionero está mal visto o, por lo menos, visto con escepticismo. Además, tal impulso contradice sus prédicas contra la seriedad.

Siendo muy inteligente, se esconde detrás de las columnas de la sofisticación (que en un latinoamericano siempre parece conllevar un desprecio por lo latinoamericano) y de la iniciación reservada a los adeptos de la cronopiedad.

¿Y qué es la cronopiedad? Pues una predilección por el *juego.* Me refiero al juego intelectual con la realidad. La felicidad está en «el baile de tregua y catala».

Sin duda alguna es justamente este espíritu juguetón —sobre todo la irresponsabilidad lógica (calificativo vedado en el mundo

[1] Julio Cortázar, *La vuelta al día en ochenta mundos* (México y Buenos Aires, 1967), p. 168. [Los subrayados son míos.]

[2] Luis Harss y Bárbara Dohmann: *Los nuestros* (Buenos Aires, 1966), páginas 252-300.

cortazariano)— lo que hace muy simpático y decididamente entretenido leer los cuentos de Cortázar. Sépalo este Mefalda exiliado o no lo supiere, con su espíritu de juego él se sitúa en una tradición antiquísima: la de Schiller en cuanto a la justificación filosófica del juego, y en la de los románticos alemanes, los únicos tal vez en la historia intelectual de Alemania que sí sabían jugar.

¿Cómo se manifiestan en la obra de Cortázar su seriedad antirracionalista, pero misionera, y su espíritu juguetón? De dos maneras: *a)* por medio de una seriedad asombrosa en cuanto a la estructura conceptual de muchos de sus cuentos; *b)* en la irresponsabilidad frente a las implicaciones que conllevaría esa seriedad. Un perfecto ejemplo de esto lo encontramos en su cuento «Todos los fuegos el fuego».

El «truco» del cuento es éste (y lo es para la mayoría de sus cuentos): la confrontación de dos realidades. Donde hay una confrontación de esta índole, necesariamente hay aquellos «intersticios de la realidad» en los que tanto le gusta a Cortázar insertar su pluma.

Hay otra consecuencia de una confrontación tal de dos realidades, sobre todo si son heterogéneas: la de la comicidad. Esto lo ha investigado y dilucidado a la perfección Arthur Koestler en su libro *Insight and Outlook*.

Creo que puede haber poca duda de que existe, hasta en las obras más «serias» de Cortázar, siempre algo discretamente o pronunciadamente cómico. Tan sólo un ejemplo: «Todos los fuegos el fuego» comienza con un saludo del procónsul: «'Así será un día su estatua', piensa irónicamente el procónsul mientras alza el brazo, lo fija en el gesto del saludo, se deja petrificar por la ovación de[l] público...» (p. 149). La parte parisiense del cuento también comienza con un saludo, pero es menos estatuario: «'Hola', dice Roland Renoir, eligiendo un cigarrillo como una continuación ineludible del gesto [!] de descolgar el receptor» (p. 150).

Ahora bien, ¿cuáles son las dos realidades que se enfrentan en «Todos los fuegos el fuego»? Comencemos con sus dimensiones más simples: *a)* la del espacio, y *b)* la del tiempo.

Ad a) El cuento tiene dos lugares de acción. Uno es una provincia del Imperio romano. El otro es París [3].

Ad b) El cuento también tiene, análogamente, dos tiempos de

---

[3] Una polaridad semejante la encontramos en toda una serie de cuentos de Cortázar, sobre todo en *Final del juego*. El más famoso es, hasta ahora, el cuento «El otro cielo» (*Todos los fuegos el fuego*, Editorial Sudamericana, Buenos Aires, quinta edición, 1967, pp. 167-197. «Todos los fuegos el fuego» figura en este libro, pp. 149-166. Las indicaciones de páginas están tomadas de esta edición). En «El otro cielo», sin embargo, Cortázar utiliza tan sólo a *un* protagonista en *ambos* lugares, si bien sucesivamente.

acción. Uno es difícil de determinar con precisión, pues Cortázar apenas si nos da algunas indicaciones. Es de suponer, sin embargo, que tenemos que ver con la época precristiana del Imperio romano, puesto que los gladiadores no son cristianos. El otro tiempo es más fácil de reconocer, pues dice el teniente de los bomberos en la penúltima línea: «[El incendio] es en el décimo piso» (p. 166). En otras palabras, nos encontramos en el París de estos años, ya que antes no había allí edificios de diez pisos [4].

Ambos escenarios —París, Roma— están subdivididos, temporal y espacialmente, en dos (si se quiere, hasta tres) entidades: en el circo romano las acciones descritas son: a) las del procónsul y su *entourage* al lado de las de los espectadores; b) las de Marco y su adversario en la arena del circo. En París, las acciones descritas son: a) aquéllas en el departamento de Roland Renoir; b) las de Jeanne en el departamento de ella. Escribí que «si se quiere» se puede hablar de «hasta tres» subentidades, pues existe tanto en los personajes en París como en los de la provincia romana una dimensión interior: las reflexiones de Jeanne y de Roland, por un lado; los recuerdos que Marco tiene de su sueño, las reflexiones del procónsul y las de su mujer, Irene, por el otro.

El doble escenario temporal y espacial, histórico y geográfico, está poblado por los personajes partícipes y causantes de dos acciones.

Un breve comentario sobre estas acciones. Es interesante, a mi ver, si bien yo no sabría qué significado depararle, el hecho de que la acción de la parte romana del cuento se desarrolla, en cuanto es acción visible, en público; mientras la acción parisiense —mínima por lo que concierne al consumo de energía si la comparamos con la acción romana, tan intensamente física— es privada. Por un lado, la acción se desenvuelve en un circo, lugar público por definición; por el otro, la acción se despliega entre dos departamentos y por intermedio de la red telefónica.

El posible significado de esta diferencia en la ambientación de las respectivas acciones —diferencia que, como veremos, sirve también el afán de Cortázar de evitar simetrías demasiado obvias— puede ser el pensamiento —algo banal— de que hoy, en lo que se considera una época civilizada, los crímenes por celos tienden a cometerse en privado, posiblemente a larga distancia. Así, Roland le dice a Jeanne: «... al fin y al cabo somos gente *civilizada*» (página 160; el subrayado es mío); mientras en aquellas épocas menos mecanizadas, menos tecnológicas, en fin, menos «civilizadas», fueron cometidos espectacularmente. Justificaría esta suposición el

---

[4] Este tipo de polaridad —oponiendo dos épocas— también se da en una serie de cuentos del autor, y otra vez es «El otro cielo», el cuento que en este contexto es el más famoso.

hecho de que, en el circo romano, el personaje-que-ha-de-ser-asesinado lo es por intermedio de otro ser humano, el nubio, y de que está presente una cierta *fairness* sangrienta: el adversario también muere. En el departamento de Jeanne, por el contrario, el adversario inmediato es un tubo de píldoras; pero Jeanne no arrastra a nadie tras ella hacia la muerte, a no ser al gato negro que posiblemente muere de hambre.

Volvamos a los personajes, a los elencos que se producen sobre los dos escenarios espaciales y temporales.

A) En la provincia romana tenemos, entre las figuras principales:

1) al procónsul;
2) a su mujer, Irene;
3) a Marco, el gladiador;
4) a la comparsa: el nubio, Licos el viñatero y su mujer Urania, y por supuesto el público.

B) En París tenemos, entre las figuras principales (y casi no hay otras):

1) a Roland Renoir;
2) a Jeanne, su querida, en el proceso de convertirse, formalmente, en ex querida;
3) a Sonia, que está en el proceso de convertirse, formalmente, en la querida de Renoir;
4) al comparsa: el gato negro, las voces en el teléfono —primero, la que dicta cifras; segundo, la que pregunta por la «estación del Norte» [5]—, los bomberos.

Salta a la vista, me parece, que hay ciertas correspondencias entre los dos elencos que acabo de mencionar. Representan, pues, la «constelación» tan querida por Cortázar. Lo más evidente es que, en ambos casos, tenemos que ver con tres personajes principales; forman el antiquísimo triángulo amoroso. Pero esta correspondencia, que se levanta cual un arco a través de algo como veinte siglos, no valdría en sí la pena de que Cortázar la empleara para un cuento. Debe haber más, pues es impensable que un escritor de tan extraordinario refinamiento intelectual y estético nos ofreciera tan sólo la banalidad de que, desde que comenzó el tiempo, ha habido desenlaces fatales causados por el amor.

Entonces, ¿qué condujo a Cortázar a yuxtaponer dos épocas y dos lugares tan dispares como una provincia durante la época romana y el París de esta década o la anterior? ¿Qué vio Cortázar tanto en el triángulo Marco-procónsul-Irene como en el otro Sonia-Jeanne-Roland?

---

[5] ¿Es el mismo «Norte» de las palabras del teniente de bomberos «hay viento del norte»?

Pues bien, aparte de los factores formales mencionados que tienen en común, los une por supuesto el hecho de que, en ambos casos, dos de los principales mueren a causa de «todos esos fuegos», por un incendio; en fin: por «el fuego». De ahí: «todos los fuegos el fuego».

La tercera persona integrante de los respectivos triángulos muere antes del incendio: Marco, el gladiador, en el curso de la lucha con su rival; Jeanne, después de ingerir las píldoras.

Hasta aquí se podría llegar a la conclusión de que Cortázar, tentado por la estructura de su material, simplemente había levantado, bajo algo como un arco de fuego, un edificio construido según estricta simetría. En cierta manera ésta es por supuesto la verdad, aunque Cortázar, si leyese esta aseveración, posiblemente protestaría contra la aplicación de un término tan racional. ¡Simetría a él!

La simetría se daría, para citar tan sólo algunos ejemplos, en estas observaciones:

1) de los dos que mueren antes del incendio, una persona es un hombre; la otra, una mujer;

2) en ambos triángulos hay una atracción erótica. En el triángulo de París esta atracción existe entre Sonia y Roland; en el del circo romano existe entre Marco y la mujer del procónsul, Irene. En otras palabras: en un triángulo la persona que hace peligrar la elación formal existente es un hombre, Marco, que desea a Irene y es deseado por ella; en el otro triángulo, la persona que pone en peligro la relación formal existente —que, en efecto, acaba por su intromisión— es una mujer, Sonia;

3) en los dos triángulos hay un personaje que, al menos sicológicamente en la parte romana, pierde a otra persona querida, a la parte formalmente ligada al personaje (en París este personaje es Jeanne, en la provincia romana es el procónsul), o sea otra vez tenemos la simetría de los sexos;

4) en ambos triángulos hay —como ya dije— una atracción erótica, pero en la parte romana la atracción no llega a ser una relación consumada, pues Marco muere; en París, la atracción sí se realiza, ya que Sonia se acuesta con Roland.

Habría aún toda una serie de tales correspondencias cuasi simétricas, pero quisiera elegir sólo aquellas que, por un lado, me parecen notables en sí; por el otro, las que contribuyen a llevar esta interpretación al punto al que quiero hacerla llegar:

A) Marco, rumiando sobre el sueño que tuvo la noche antes de su actuación en el circo, se acuerda solamente de algunos detalles para él indescifrables, a los que, de tanto en tanto, intenta comprender, por ejemplo, en la página 151: «Un pez, columnas rotas; sueños sin sentido claro, con pozos de olvido en los momentos en que hubiera podido entender.»

Roland, en su departamento, en París, contestando al teléfono la llamada que Jeanne, escucha durante la conversación entera a alguien dictando cifras. Roland se irrita cada vez más con esas cifras y las comenta con Jeanne. Y leemos esto: «... alguien dicta cifras, de golpe un silencio todavía más oscuro en esa oscuridad que el teléfono vuelca en el ojo del oído» (p. 150). Me parece evidente que las cifras en el teléfono corresponden a los ingredientes en el sueño de Marco, y que los «pozos de olvido» se relacionan con los «silencio[s] todavía más oscuro[s] en esa oscuridad». En cuanto a las cifras mismas, no es por nada que Jeanne dice para nosotros, mejor dicho, *piensa* para nosotros esto: «Jeanne ha creído siempre que los mensajes que verdaderamente cuentan están en algún momento más acá de toda palabra; quizá estas cifras digan más, sean más que cualquier discurso para el que está escuchando atentamente, como para ella el perfume de Sonia —el roce de la palma de su mano en el hombro antes de marcharse ha sido tanto más que las palabras de Sonia» (p. 158). Las cifras son, pues, augurios; lo mismo que son augurios para Marco lo del pez y el camino solitario entre columnas rotas, augurios más importantes que las palabras del colega de Marco «que lo armaba» y le había dicho «que el procónsul no le pagará con monedas de oro» (p. 151).

Sin embargo, los lectores sabemos, por supuesto, que fueron, en ambos casos, en verdad *las palabras* dichas, tanto las de Sonia cuanto las del colega de Marco, las que contenían, para Jeanne y para Marco, la *crux* de sus respectivos destinos.

El ejemplo de las cifras y del sueño ya deja entrever qué método usa Cortázar para disfrazar sus simetrías (puesto que las simetrías serían manifestaciones de un sistema intensamente racional, lógico): las disfraza por medio de un juego de analogías. Y el *juego* de *analogías* para disfrazar correspondencias fáciles es el «truco» conceptual en una larga serie de cuentos de Cortázar.

Veamos algunos ejemplos más:

B)   El nubio reaparece en París con el disfraz de un gato negro.

C)   El procónsul *causa* en cierta manera la muerte de Marco (de todos modos la *desea)* por medio del nubio, y éste ejecuta la muerte merced a una red; en París, Sonia, en cierto modo, *causa* la muerte de Jeanne (aunque probablemente *no desea que* ésta muera) por medio de Roland, y éste es el causante penúltimo, por decirlo así, pues se sirve también de una red: la red telefónica.

D)   En el circo romano, Irene, la mujer del procónsul, reflexiona en un momento: «El veneno», se dice Irene, «alguna vez encontraré el veneno, pero ahora acéptale la copa de vino, sé la más fuerte, espera tu hora» (p. 157). Este veneno, que a Irene no le llega todavía, *sí* le llega a Jeanne: «... su mano sigue inmóvil junto al gato y apenas si un dedo busca todavía el calor de su piel, la recorre brevemente antes de detenerse otra vez en el flanco tibio y el tubo de pastillas que ha rodado ahí», y «al gato no parece gustarle la inmovilidad de Jeanne, sigue tumbado de espaldas esperando una caricia; después, como si le molestara ese dedo contra la piel del flanco, maúlla destempladamente y da media vuelta para alejarse, ya olvidado y soñoliento» (pp. 162-163).

Y así por el estilo. Se ve, pues, que a Cortázar le gustan los juegos. Y más que nada le gusta jugar con analogías.

Pero es también un juego que es *necesario;* pues en el París de nuestra década se necesitan circunstancias muy diferentes para vestir y revestir una idea narrativa, muy diferentes de las que es lícito emplear para vestir y revestir la misma idea narrativa en la época romana.

Si intentamos ahora representar gráficamente los dos triángulos se ofrecen dos maneras de hacerlo.

Primera:

$$\text{procónsul} \underset{\text{Marco}}{\overset{\mid (-)}{=\!=\!=\!=}} \text{Irene} \qquad \text{Jeanne} \underset{\text{Sonia}}{\overset{\mid (+)}{=\!=\!=\!=}} \text{Roland}$$

La relación entre Irene y Marco no se consuma. Por el contrario, entre Sonia y Roland sí llega a consumarse. En ambos casos hay una relación establecida, formal, que es puesta en peligro por la existencia de una tercera persona. En Roma, la relación establecida, formal, es entre Irene y el procónsul; en París es entre Roland y Jeanne.

Segunda:

Si vemos los triángulos desde el punto de vista del personaje que, a causa de la existencia de una tercera persona, en un caso *está por perder* ($=\!=\!=\!=$) y en el otro caso efectivamente *pierde* ($=\!=\!=\!=$) a la persona ligada a él por un vínculo establecido, entonces tenemos esta representación:

$$\text{Marco} \overset{\overset{\text{procónsul}}{\mid\mid}}{\dots\dots} \text{Irene} \qquad \text{Sonia} \overset{\overset{\text{Jeanne}}{\mid\mid}}{\dots\dots} \text{Roland}$$

Tanto la primera como la segunda representación gráfica permiten ahora descubrir un *desarrollo,* si comparamos las tramas análogas colocándolas en dos secciones de un *continuum* temporal. Es un *desarrollo* porque está en contraste con lo estático de los otros factores de las tramas análogas, factores que podrían denominarse «utensilios» de las respectivas tramas, por ejemplo:

— la red telefónica y la red del nubio;
— las cifras dictadas y el pez, las columnas.

Ninguno de estos «utensilios» se desarrolla, motivo por lo cual los llamo precisamente «utensilios». Ninguno representa algo que haya *comenzado* en la parte romana del cuento y que *termine* en su parte parisiense.

No sucede así en las relaciones humanas; en ellas —al menos en las principales— sí hay un movimiento de la trama que comienza en la época romana y termina en la época de hoy, en París. Este movimiento constituye, pues, el *desarrollo* que he mencionado.

Éste está limitado, en cada caso, a dos relaciones entre dos seres humanos. Una relación se deshace ($=====$), la otra se hace ($\underline{\hspace{3cm}}$), y ambas lo hacen a través de unos veinte siglos.

La relación que comienza a deshacerse en la provincia romana es la establecida entre el procónsul y su mujer, Irene. Pero la ruptura permanece inconclusa, porque interviene el incendio en el que mueren ambos. De manera que flota en el aire de la historia, del tiempo, por decirlo así, una ruptura comenzada, pero no completada. Se completa sólo unos veinte siglos más tarde: Jeanne toma aquel «veneno» (probablemente pastillas somníferas) que Irene no «encontró», del que dijo que «alguna vez [lo] encontraré». Ahora, en París, probablemente en estas décadas lo encontró, en su reencarnación en Jeanne.

Esta es *una* de las constelaciones —o «figuras», como prefiere decir Cortázar— que, cual lazos, amarran los dos episodios del cuento, y la atadura consiste en el proceso del *devenir;* pero es un *devenir* que no crea algo, sino que deshace algo.

La *otra* «figura» —conformada, como ya no puede sorprender, análogamente— es la relación que sí se hace, se crea: comienza en la época romana y se consuma en París. Me refiero a la atracción erótica que ha venido formándose entre Irene y Marco. Esta relación —y es una relación de *atracción*— tampoco llega a realizarse dentro de su época, como tampoco se completó la *separación* entre Irene y el procónsul. La relación de este modo también flota, suelta, inacabada, no-realizada, en el aire de la historia, del tiempo. Encuentra su satisfacción sólo unos veinte siglos más tarde, en París, con Sonia «cediendo a las manos [de Roland] que buscan torpemente el primer cierre» (p. 163).

Como vemos, otra vez hay una constelación, una «figura», cuya construcción y completación, cuyo *devenir,* abarcan y amarran dos épocas decididamente dispares.

Creo que ahora podemos contestar las preguntas que hice al comienzo: ¿Qué condujo a Cortázar a yuxtaponer dos épocas y dos lugares tan disímiles? ¿Qué esencia filosófica (si bien, aparentemente, no racional) lo atrajo en la estética de este juego con dos tiempos y dos sitios?

La respuesta que quisiera proponer sería doble:

1) Eso de terminar en el presente algo que había comenzado muy en el pasado es una versión estéticamente satisfactoria del concepto de la reencarnación, concepto que proviene de una filosofía que se basa en la mística no racional (en contraste con la mística cristiana que, si es una mística verdadera, pretende ser una intensificación de la intelección de Dios). Lo que correspondería en la filosofía occidental a ese concepto de la reencarnación, sería el concepto de la inmortalidad, o sea la victoria sobre el tiempo como poder destructor de la vida (y el amor, la atracción erótica, después de todo, son impulsos *creadores* de vida).

No se nos escapará ahora que con estas preocupaciones —y sabemos por lo menos desde que salió *La vuelta al día en ochenta mundos* que lo antirracional (y con ello la refutación del tiempo, de la mortalidad, de lo perecedero de la vida individual humana) figura entre las preocupaciones que más esenciales le parecen a Cortázar, si bien las disfraza con humor, ironía, con la estética del juego—; no se nos escapará, repito, que con todo esto hemos entrado en el terreno de Jorge Luis Borges, uno de cuyos ensayos, típicamente, se titula «Nueva refutación del tiempo».

Hago esta referencia a Borges porque me parece que, por ejemplo, en el cuento que acabo de analizar se demuestra con claridad convincente que en el fondo Cortázar muchas veces no hace sino lo que Borges viene haciendo desde hace muchos años: viste propósitos filosóficos (de una multitud de sistemas filosóficos) con el saco de la estética y el pantalón de la invención narrativa.

2) La segunda parte de la respuesta está constituida por un juego mío, para subrayar lo que he venido diciendo sobre los juegos de Cortázar: mi juego consiste en citar textos de otro juego de Cortázar, uno que se llama «Una flor amarilla» [6].

Es la historia de un señor algo fracasado en la vida que un día «en un autobús de la línea 95 había visto a un chico de unos trece años» que «se parecía mucho a él» (p. 85). El señor, por varios motivos (y, por supuesto, debido a cierta predisposición, muy semejante a la de Cortázar mismo, para percibir tales cosas y concebir tales ideas), llega a la conclusión de que por «un pequeño error en el mecanismo, un pliegue en el tiempo, avatar simultáneo en vez de consecutivo» (p. 87), Luc, el chico, no es otra persona que él mismo, mejor dicho, una reencarnación, y que este Luc «hubiera tenido que nacer después de mi muerte» (p. 87). El descubrimiento

---

[6] *Final del juego* (Editorial Sudamericana, Buenos Aires, quinta edición, 1966), pp. 87-94.

«fue una especie de seguridad total, *sin palabras*» (p. 87; este subrayado y todos los que siguen en los textos que voy a citar son míos e indican la repetición o una semejanza de temas trabajados en «Todos los fuegos el fuego»).

«Luc era yo, lo que yo había sido de niño, pero no se lo imagine como un calco. Más bien una *figura análoga,* comprende, es decir, que a los siete años yo me había dislocado una muñeca y Luc la clavícula, y a los nueve habíamos tenido respectivamente el sarampión y la escarlatina, y además *la historia intervenía* [veinte siglos de historia en «Todos los fuegos el fuego»] [...], a mí el sarampión me había durado quince días, mientras que a Luc lo habían curado en cuatro, los progresos de la medicina y cosas por el estilo. *Todo era análogo,* y por eso, para ponerle un ejemplo al caso, bien podría suceder que el panadero de la esquina fuese un avatar de Napoleón, y él no lo sabe porque el orden no se ha alterado [...], si de alguna manera llegara a darse cuenta de esa verdad, podría comprender *que ha repetido y que está repitiendo* a Napoleón, que pasar de lavaplatos a dueño de una buena panadería en Montparnasse es *la misma figura* que saltar de Córcega al trono de Francia, y que escarbando despacio en la historia de su vida encontraría los momentos que *corresponden* a la campaña de Egipto, al consulado y a Austerlitz, y hasta se daría cuenta de que algo le va a pasar con su panadería dentro de unos años, y que acabará en una Santa Elena que a lo mejor es una piecita en su sexto piso, pero también vencido, también rodeado por el agua de la soledad, también orgulloso de su panadería, que fue como un vuelo de águilas» (páginas 88-89).

«Pero lo peor de todo no era el destino de Luc: lo peor era que Luc moriría a su vez y *otro hombre repetiría la figura* de Luc y [la] figura [del que narra todo esto al narrador de Cortázar], hasta morir para que otro hombre entrara a su vez en la rueda [...], otros que se llamarían diablos *repitiendo la figura sin saberlo,* convencidos de su libertad y su albedrío» (p. 91).

Luc, efectivamente, muere *antes* de aquel hombre que, como dice Cortázar, «tenía el vino triste, no había nada que hacerle» (página 91), y esta muerte —¿puede decirse «prematura»?— lo afecta profundamente:

«... estaba como abnegado por la certidumbre maravillosa de ser el primer mortal, de sentir que mi vida se seguía desgastando día tras día, vino tras vino, y que al final se acabaría en cualquier parte y a cualquier hora, repitiendo hasta lo último el destino, de algún desconocido muerto vaya a saber dónde y cuándo, pero yo sí que estaría muerto de verdad, sin que un Luc entrara en la rueda para repetir estúpidamente una estúpida vida» (p. 92).

Es superfluo, creo, ocuparme del significado simbólico y oriental de la rueda, especialmente si nos acordamos del tema de la reencarnación. Sin embargo, en el primer instante, al leer la última cita, quizá resulte un poco misterioso el que de repente el señor amante del vino se sienta tan feliz —«envídieme tanta felicidad», dice el narrador (p. 92)— de que con él la «rueda» sí llegue a pararse, la «figura» *no* se repita. Sólo si nos acordamos de que su «avatar», el chico Luc, se ha muerto *antes,* su alegría parecería justificada, pues si el «avatar» muere antes de su predecesor, obviamente no puede haber sucesor.

En conclusión, «Todos los fuegos el fuego» no es otra cosa que una variante más del mismo tema predilecto de Cortázar; una variación más sobre el tema estético del tiempo. No es sino otra versión del mismo juego de siempre: quitarle a la realidad su consistencia por medio de la eliminación o distorsión de una o más de sus coordenadas, por ejemplo, el espacio o el tiempo.

Juegos con recreaciones; y es por el énfasis que Cortázar pone en que hay que jugar —como un siquiatra preocupado por el estado nervioso de su paciente (cf. el hombre-cosa de E. Sábato)—, es por su afán misionero de sanar a la humanidad, que Julio Cortázar me parece muy... ¡serio!

Su «juego», su tipo de proceder poético, su técnica narrativa, depende, narrativamente, de la *aceptación* de la mismísima lógica, del mismo racionalismo que Cortázar suele mirar con tanto desdén.

«... así como el más frenético ateísmo puede ser utilizado como *ultima ratio* para demostrar la existencia de Dios, así también esa *antirrealidad* [en la obra de Cortázar] depende en última instancia de la fuerza y las prerrogativas de lo real» (Mario Benedetti: *Letras del continente mestizo,* Arca, 1967, p. 61, nota 4). Ángel Rama, en su admirable ensayo sobre la obra de Onetti *(El pozo,* Bolsilibros Arca, 1967, pp. 49-100), escribe más severamente: «La poderosa fluencia de estos sueños compensatorios no sería tal si no estuvieran secretamente alimentados, en la conciencia, por la convicción que la realidad es inmodificable, que se mueve con leyes invariables que el hombre no puede cambiar y que, por tanto, ellos no pueden proyectarse en la materia como entes reales» (p. 84).

PD: Una vez terminado este texto salió el último número de la *Revista Iberoamericana* (núm. 66, julio-diciembre 1968). Contiene un espléndido artículo de Marta Morello-Frosch, «El personaje y su doble en las ficciones de Cortázar», pp. 323-330, que complementa a la perfección lo que traté de exponer en este trabajo.

*Julio Cortázar y un modelo para
armar ya armado*

Martha Paley de Francescato

62. *Modelo para armar*, de Julio Cortázar, tiene como base el capítulo 62 de *Rayuela*, en el que se habla de un libro que Morelli había pensado, del cual sólo quedaron notas sueltas. *62* es el resultado de la elaboración en torno a esas notas del escritor que Cortázar creara en *Rayuela*. Según una de las notas, era la intención de Morelli «postular un grupo humano... que no representa más que una instancia... de las infinitas interacciones de lo que antaño llamábamos deseos, simpatías, voluntades, convicciones...: fuerzas habitantes, extranjeras, que avanzan en procura de su derecho de ciudad; una búsqueda superior a nosotros mismos como individuos y que nos usa para sus fines, una oscura necesidad de evadir el estado de *homo sapiens* hacia..., ¿qué *homo*?»[1]. No es necesario, sin embargo, el conocimiento de este capítulo para entender la obra de Cortázar. El capítulo referido sirve para remitirnos a la teoría (si es que consideramos indispensable saberla de antemano) de lo que Cortázar lleva a cabo en su obra posterior. Sirve también para mostrar su preocupación con el tema, que ya existía entonces. Dice Morelli: «Si escribiera ese libro, las conductas *standard* (incluso las más insólitas, su categoría de lujo) serían inexplicables con el instrumental psicológico al uso. Los actores parecerían insanos o totalmente idiotas» (p. 418). No sospecharían «que a cada sucesiva derrota hay un acercamiento a la mutación final, y que el hombre no es, sino que busca ser, proyecta ser, manoteando entre palabras y conducta y alegría salpicada de sangre y otras retóricas como ésta» (página 418).

Cortázar llama «relato» a *62*, y también explica él mismo el sub-

---

[1] Julio Cortázar, *Rayuela* (Buenos Aires, 1963), p. 417. En adelante, la paginación indicada se refiere a esta edición.

título, «Modelo para armar», en unas palabras que preceden a la obra: «El subtítulo 'Modelo para armar' podría llevar a creer que las diferentes partes del relato, separadas por blancos, se proponen como piezas permutables. Si algunas lo son, el armado a que se alude es de otra naturaleza, sensible ya en el nivel de la escritura donde recurrencias y desplazamientos buscan liberar de toda fijeza causal, pero sobre todo en el nivel del sentido donde la apertura a una combinatoria es más insistente e imperiosa. La opción del lector, su montaje personal de los elementos del relato, serán en cada caso el libro que ha elegido leer»[2]. Efectivamente, no se trata de piezas permutables. Las diferentes partes del relato no presuponen que podemos quitarlas de su lugar y colocarlas donde mejor nos parezca, cosa que, por otra parte, el libro permite hacer. El «armado» se refiere a una visión total del conjunto, cuando finalmente acabamos de leer todas las partes. El orden existente está determinado por asociación de ideas, por la expresión de efectos antes que las causas. Tampoco se trata de una disposición arbitraria por parte del autor. Todo resulta lógico después de un análisis final. El sentido de la obra se da perfectamente de la manera en que está escrita. Los cristales del calidoscopio quedan fijos en una figura final. Cuando Cortázar dice que será el lector el que elija la manera de leer el libro, se refiere a que es el lector el que tendrá en sus manos el calidoscopio, pudiendo así hacer girar el tubo y cambiar la imagen. En este sentido, estamos en desacuerdo con la opinión de Carlos Alberto Gómez cuando dice que los recursos empleados por Cortázar en esta obra «han resultado insuficientes para traducir por sí solos las intenciones del autor»[3]. La obra no es fácil de seguir y a veces nos da la impresión de que algo se nos escapa, pero al concluir la lectura y recapacitar sobre los hechos, todo se aclara con facilidad. El hermetismo del relato es relativo. En realidad, las mayores dificultades residen en gran parte en aparentes enigmas que, por otro lado, no afectan fundamentalmente a la comprensión del libro si no se resuelven. Uno de estos enigmas se relaciona con el vampirismo, que tiene un papel de gran importancia en la obra. Se habla de una condesa legendaria a quien le gustaba la sangre, especialmente «el sabor de la sangre de una muchacha retorciéndose atada de pies y manos» (p. 18). Esta condesa es un personaje histórico real, que vivió en Hungría a fines del siglo XVI y principios del XVII. Se llamaba Erszébet Báthory y se pueden encontrar varios escritos sobre sus

[2] Julio Cortázar, *62. Modelo para armar* (Buenos Aires, 1968), p. 7. En adelante, la paginación indicada para esta obra se refiere a esta edición.
[3] Carlos Alberto Gómez, «Literatura y antropología. *62. Modelo para armar*, por Julio Cortázar», *La Nación* (domingo 8 de diciembre de 1968), suplemento literario, p. 5.

acciones truculentas y siniestra figura [4]. La condesa afecta la acción en que se le relaciona con Frau Marta (objeto de sospechas en cuanto a su naturaleza de «vampiro»), y Frau Marta a su vez es un eslabón imprescindible. También otro enigma consiste en la botella de vino Sylvaner que Juan pide sin reflexión previa, y cuyo nombre «contenía en sus primeras sílabas como en una charada las sílabas centrales de la palabra donde latía a su vez el centro geográfico de un oscuro terror ancestral» (p. 24). Cortázar explica que la palabra aludida es *Transilvania,* patria tradicional de los vampiros. La condesa, la botella de vino Sylvaner, Frau Marta, un castillo sangriento, el hotel Rey de Hungría, un retrato en un museo inglés, un libro, una muñeca rota, monsieur Ochs, un joven muerto en una mesa de operaciones, también abierto como las muñecas, son algunos de los eslabones que ayudan a armar la cadena; pero insistimos, el orden de cada uno de estos eslabones ya está dado de manera irreversible. Aun Juan, personaje de la obra, cuando debe confrontarse con estos eslabones, se da cuenta que están a punto de formar un coágulo «que cuajaba y huía simultáneamente» (p. 10); «que toda ordenación de los elementos parecía impensable» (p. 27). A menudo, Juan tiene la impresión de que todo está a punto de explicarse, pero se disuelve «en el acto de cuajar» (p. 13). El no lo puede resolver; tampoco lo podemos hacer nosotros. Por eso, si bien toda explicación puede ayudar, cada lector debe tratar de componer su propia cadena.

En esta obra hay un grupo central de personajes: Tell, danesa; Austin, inglés; Polanco, Calac y Juan, argentinos; Hélène, Celia, Nicole, Marrast, Feuille Morte, franceses. De las relaciones e interacciones entre ellos surge la acción. Hay varios personajes secundarios, pero no prescindibles, de los cuales algunos no aparecen físicamente, sino que se mencionan. Son en general de carácter fantasmal, o reencarnaciones de figuras legendarias como la ya mencionada condesa, o monsieur Ochs, fabricante de muñecas a las que pone «sorpresas» en su interior. Los personajes que componen el núcleo se reúnen físicamente en el café Cluny, que se convierte entonces en la «zona». «La zona es una ansiedad insinuándose viscosamente, proyectándose» (p. 16). Esta definición de la «zona» coincide con una figura: el caracol *Osvaldo,* que uno de los personajes guarda en su bolsillo y lleva siempre consigo, y en quien se refugian cuando necesitan dis-

---

[4] Sobre este tema consultar: Valentine Penrose, *Erszébet Báthory la comtesse Sanglante* (París, 1965), y Alejandra Pizarnik, «La libertad absoluta y el horror», *Diálogos,* vol. 1, núm. 5 (julio-agosto 1965), pp. 46-51; para el tema del sadismo en general y las torturas ver Severo Sarduy, «Del Yin al Yang (sobre Sade, Bataille, Marmori, Cortázar y Elizondo)», *Mundo Nuevo,* núm. 13 (julio 1967), pp. 4-13.

[5] Umberto Eco, *Obra abierta* (Barcelona, 1965), p. 10. Traducción del original italiano *Opera aperta* (Milán, 1962), por Francisca Perujo.

tracción, haciéndolo correr carreras. La ansiedad y el caracol se arrastran dificultosamente para tratar de llegar a donde quieren ir. Irónicamente, los esfuerzos del caracol por llegar a la meta se ven siempre frustrados por la aparición de la autoridad (el mozo en el café, el inspector en el tren).

No hay personaje principal en este libro, aunque algunos parezcan sobresalir más que otros. Son todos igualmente necesarios para que los demás sientan los efectos de las reacciones que se van produciendo en cadena. Pero los eslabones de esta cadena no se suceden en línea recta, sino que se entrecruzan en cualquier momento y van en distintas direcciones —hacia adelante, hacia atrás, hacia los costados. Hay un «personaje» en otro nivel, «mi paredro», definido así: «Mi paredro era una rutina en la medida en que siempre había entre nosotros alguno al que llamábamos mi paredro, denominación introducida por Calac, y que empleábamos sin el menor ánimo de burla, puesto que la calidad de paredro aludía como es sabido a una entidad asociada, a una especie de compadre o sustituto o *baby sitter* de lo excepcional, y por extensión, un delegar lo propio en esa momentánea dignidad ajena, sin perder en el fondo nada de lo nuestro» (página 23). Nadie podía saber cuándo era o no el paredro de los otros. «La condición de paredro parecía consistir, sobre todo, en que ciertas cosas que hacíamos o decíamos eran siempre dichas o hechas por mi paredro, no tanto para evadir responsabilidades, sino más bien como si en el fondo mi paredro fuese una forma del pudor» (p. 27). A Cortázar no le bastan las manifestaciones del mundo conocido y visible, y así como en *Bestiario* crea las mancuspias, pasando luego a los cronopios, famas y esperanzas, ahora es «mi paredro» que aparece como muestra de lo pobre que es nuestro vocabulario (y nuestra imaginación), para expresar en el lenguaje corriente algo que va más allá de las palabras existentes, y que necesita de un término diferente para poder materializarse.

Como ya lo hiciera en su obra anterior, Cortázar demuestra su constante preocupación por las formas de expresión. En *62*, los personajes mantienen diálogos absurdos, «sesiones de infantilismo» (página 63): «'Guti, guti, guti', dice mi paredro. 'Ostás ostás fetete', dice Tell... 'Poschos toquetoque sapa', dice Polanco... 'Tete tete fafa remolino', dice Marrast con un dedo admonitorio. 'Bisbis bisbis', dice Feuille Morte» (p. 63). Mayormente se recurre a este tipo de diálogo cuando quieren irritar a alguien, y lo hacen en contadas ocasiones, por lo cual no llega a cansar.

También Cortázar hace uso del lenguaje en ese estilo tan suyo, adjetivando sustantivos y viceversa, usando términos fuera de sus corrientes formas gramaticales: «estaba tan cansado y húmedo y Sylvaner y nochebuena» (p. 52); «Sigo estando sola y Juan no llega y todo es tan rey de Hungría...» (p. 89); «avergonzados y temblando y cigarrillo» (p. 168); «Nadie iba a Viena sin visitar la *Figaro Haus* con ayuda de la guía Nagel y emocionarse de nueve a doce y de catorce a diecisiete, entrada cinco chelines» (p. 78). Este último giro final que encontramos frecuentemente sirve para introducir toques irónicos, humorísticos o inesperados, aunque el contexto no sea demasiado serio, y que funcionan de manera muy efectiva.

El relato se desenvuelve en torno a diferentes narradores. Cortázar ya había usado esta técnica del cambio de punto de vista, aún dentro de una misma frase («La señorita Cora»), que cumple aquí una función de importancia, al recalcar el interés de cada uno de los personajes, partes componentes del gran calidoscopio que es el libro. El humor está logrado mayormente a través de las palabras y diálogos y de las situaciones ridículas en que aparecen algunos personajes, en especial Calac y Polanco. El episodio donde los dos, junto con mi paredro, «naufragan» en una «isla» de una laguna donde el lugar de mayor profundidad es de casi un metro cincuenta y rehúsan ir hasta la orilla, a sólo cinco metros de ellos, para no mojarse los zapatos; con las operaciones de salvataje consiguientes, es uno de los más logrados humorísticamente (pp. 198-218).

Una y otra vez Cortázar pone en boca de los personajes la idea central de la obra. Hélène la expresa en una conversación con Juan: «Todo esto pertenece a otra cosa que ocurrió sin que tuvieras nada que ver directamente. Y, sin embargo, estás aquí por eso, y otra vez tenemos que pensar que nos usan, que servimos vaya a saber para qué» (p. 235). Y más adelante, reafirmando la idea, agrega: «Mi paredro tiene razón cuando dice que Sartre está loco y que somos más la suma de los actos ajenos que la de los propios» (p. 246). Según Juan, «de alguna manera... todo se cumpliría sin que lo quisiéramos ni lo impidiéramos, en la interminable libertad de elegir lo que de nada nos serviría» (p. 233). Y Marrast, en una carta a Tell, escribe: «¿Cuántas combinaciones habrá en esa roñosa baraja que el tipo de cara de pescado está mezclando en la mesa del fondo?» (página 192). Esta idea de la baraja la expresa también Juan al principio del libro: «Sabemos demasiado de algo que no es nosotros y juega estas barajas en las que somos espadas o corazones, pero no las manos que las mezclan y las arman, juego vertiginoso del que sólo alcanzamos a conocer la suerte que se teje y desteje a cada lance, la figura que nos antecede o nos sigue, la secuencia con que la mano nos propone al adversario, la batalla de azares excluyentes que decide las posturas y las renuncias» (p. 38). En relación a este juego de naipes —y no olvidemos la predilección de Cortázar por los juegos— podemos ver las distintas partes de la obra, cada una de las cuales constituye un naipe y el total la baraja que Cortázar ha manejado y dispuesto. Hélène trata de reordenar los hechos, se da cuenta que para poder lograr lo que quiere «hubiera sido necesario otro orden» (p. 117). Si pudiéramos reordenar los hechos en base a los componentes existentes tendríamos diferentes combinacones, del mismo modo que sucede con el calidoscopio: se agita el tubo y se arma una nueva figura, pero entonces, como piensa Marrast, «ya no se podría ser a la vez la mano y la figura» (p. 50). Al ingresar en el juego, en la vida, nos convertimos en una de las partes, y giramos, componiendo figuras que cambian, pero que ya están determinadas y que dependen de la posición de los demás componentes.

Esta idea se hace extensiva a un medio de transporte que en el relato adquiere una categoría especial: el tranvía. Las vías por donde va componen una figura en su trayectoria. Los pasajeros cambian; cada vez que alguien sube o baja se altera el contenido del tranvía, pero esto no afecta su ruta. Más que el ómnibus, el tranvía no puede apartarse de su camino, por depender de los rieles. Tell hace notar a Juan: «¿No sabías que son Némesis, no los has *visto* nunca? Son siempre el mismo tranvía, cualquier diferencia se anula apenas se sube, no importa la línea, la ciudad, el continente, la cara del guarda. Por eso cada vez hay menos..., los hombres se han dado cuenta y los están matando, son los últimos dragones, las últimas gorgonas» (página 189). Este tranvía del relato se da en la «ciudad», otro componente de importancia en el juego; la ciudad que todos «conocen y temen y a veces recorren» (p. 20). Es el lugar donde pueden reunirse libremente, ser lo que verdaderamente son, sin tener que fingir. «La ciudad podía darse en París, podía dársele a Tell o a Calac en una cervecería de Oslo... La ciudad no se explicaba, era; había emergido alguna vez de las conversaciones en la zona, y aunque el primero en traer noticias de la ciudad había sido mi paredro, estar o no estar en la ciudad se volvió casi una rutina para todos nosotros...» (páginas 22-23). Hay un poema sobre la ciudad donde se dan todos los elementos importantes que ella contiene, y que reaparecerán cada vez que los personajes entren en ella: un canal que la corta por el medio; el mercado con portales y tiendas de fruta; pescaderas; un hotel («hoteles infinitos y siempre el mismo hotel»); ascensores que suben y se deslizan horizontalmente también; puentes cubiertos; galerías; una calle de aceras altas (pp. 32-36). Aunque la acción transcurra simultáneamente en París, Londres y Viena, en cuanto se hace referencia a alguno de estos elementos sabemos que hemos entrado en la «ciudad». Y así, aunque los personajes no estén en el mismo país en ese momento, pueden encontrarse en la ciudad, atraídos por el imán que ha ordenado que los cristales del calidoscopio formen una determinada figura. En la ciudad hay desencuentros: Juan trata de alcanzar a Hélène dentro del tranvía, pero ella baja en otra esquina; hay misiones que cumplir, aunque no se sepa bien en qué consisten: el paquete que le lleva Hélène, que pesa cada vez más a medida que se va cargando de podredumbre, y que ella debe entregar a alguien en alguna parte de la ciudad; hay homicidios y hay suicidios. Cuando los personajes vuelven de la ciudad, «acaban por sospechar que detrás de esos torpes, sucios itinerarios se ha estado escondiendo otra cosa, un cumplimiento, y que tal vez sea en la ciudad donde realmente va a ocurrir lo que aquí les parece abominable o imposible o *never more*» (p. 88). Ese «tal vez» adquiere un alto grado de posibilidad en el desarrollo posterior del relato. Los personajes alcanzan el «derecho de ciudad» que mencionara Morelli.

62 es un relato fascinante. Si bien no producirá la conmoción literaria que causara *Rayuela,* es sobresaliente por sus valores propios.

Estructura de un cuento de Julio Cortázar: «Todos los juegos el juego»

David Lagmanovich

En su libro *Todos los fuegos el fuego* (Buenos Aires, Editorial Sudamericana, 1966), Julio Cortázar ofreció la quinta colección de sus cuentos [1]. Varias de las piezas allí reunidas son notables en uno o en otro sentido. Así, «La autopista del Sur» es una penetrante visión de algunos aspectos de la tecnificada y complicada vida contemporánea en la que subyacen fantásticas posibilidades de acceso a un mundo extraño e irreal: «La isla a mediodía» propone también un tipo de salida irracional para el hastío de la civilización actual; «La salud de los enfermos», «La señorita Cora» y, hasta cierto punto, «el otro cielo» —enigmática narración esta última, necesitada de un estudio detallado [2]— son una admirable aleación de observación directa de la realidad social, de ironía (que a veces evoca páginas antológicas de *Rayuela*) en el tratamiento de determinados personajes y de certera adecuación en el análisis sicológico; «Reunión», un cuento de también considerable complejidad

---

[1] Los cuatro libros de cuentos anteriormente publicados por Cortázar son: *Bestiario* (Buenos Aires, Editorial Sudamericana, 1951), *Final del juego* (México, Editorial Los Presentes, 1956), *Las armas secretas* (Buenos Aires, Editorial Sudamericana, 1958) e *Historias de cronopios y de famas* (Buenos Aires, Minotauro, 1962).

[2] Un excelente trabajo en esa dirección, que abunda en inteligentes observaciones, es el artículo de Alejandra Pizarnik «Nota sobre un cuento de Julio Cortázar: *El otro cielo*», en Tirri, Sara Vinocur de, y Néstor Tirri, *La vuelta a Cortázar en nueve ensayos*, Buenos Aires, Carlos Pérez, editor, 1968, pp. 55-62. El ámbito al que Pizarnik circunscribe su trabajo es el de la interpretación temática, cuya tesis queda así planteada en el primer párrafo: «En *El otro cielo* las discontinuidades de tiempo y espacio son afrontadas por un solo personaje. De esta suerte aparecen el tema del doble y el tema del confinado a un exilio imaginario que, al convertirse en un espacio híbrido, decidirá el ingreso definitivo del errante en un tercer exilio real».

intrínseca, interesa subsidiariamente porque él se hace explícita la condenación de la sociedad burguesa, que muchas otras páginas de Cortázar contienen implícitamente; «Instrucciones para John Howell» es, como dice una de sus líneas iniciales, «un pacto con el absurdo», que simbólicamente formula importantes intuiciones sobre la existencia, en forma que evoca la idea shakespeariana —y calderoniana— del «teatro del mundo». Posiblemente el más ambiguo de todos los cuentos del volumen, sin embargo, es el que le da el título: «Todos los fuegos el fuego» [3].

La noción de ambigüedad que acaba de mencionarse se refiere, por supuesto, a un rasgo de fundamental importancia en los resultados de la creación artística: su mutua irreductibilidad con los productos del pensamiento lógico. Ambiguos son todos los grandes creadores de literatura, y en la medida en que lo son pueden seguir constituyendo motivos de incitación a lo largo de los siglos. La multiplicidad de posibles interpretaciones de las obras clásicas no es más que ambigüedad desplegada a lo largo del tiempo; pero junto a esta ambigüedad diacrónica la obra de arte posee una ambigüedad sincrónica; es decir, manifestada en un momento determinado. En el caso del cuento que comentamos, tal ambigüedad comienza con el título mismo [4]; el único en esta colección cuyo título incluye cierto elemento de sorpresa gramatical es, en efecto, «Todos los fuegos el fuego» [5]. Esa sorpresa gramatical —que, sin

---

[3] Para una lectura del cuento en la que no pesa especialmente este elemento de ambigüedad, véase el resumen que ofrece Graciela de Sola en su valiosísimo libro *Julio Cortázar y el hombre nuevo* (Buenos Aires, Editorial Sudamericana, 1968), pp. 68-69: «Dos situaciones análogas, alejadas en tiempo y en espacio, son aproximadas en *Todos los fuegos el fuego*. A través de ellas se insinúa con fuerza el tema de los desencuentros humanos, de la soledad irrenunciable, de la *casi imposibilidad del diálogo*. Marco 'ha soñado con un pez, con un camino solitario entre columnas rotas'. Irene también está sola: 'Como desde una ya lejana noche nupcial, Irene se repliega al límite más hondo de sí misma'. Una fatalidad separa a Marco de la fugaz, y apenas entrevista felicidad que le ha ofrecido una sonrisa, una mirada. 'Todo es cadena, trampa'. También entre Jeanne y Roland se interpone una voz inflexible, ajena, que dicta números con impasibilidad. Roland y el procónsul, indiferentes, buscan en el amor su propia y brutal satisfacción. Cortázar insiste en detalles crueles. Son incapaces de amar realmente, actúan como victimarios y son a su vez arrasados por el fuego. La imagen alcanza el valor de un restablecimiento justiciero, vindicatorio».

[4] O inclusive antes, en la elección del motivo de la tapa: una galería, cuyo final se ve (o parece verse) claramente, mientras que en la contratapa la misma galería parece perderse en el infinito. La tipografía del título es en la contratapa su reverso, pero la imagen del ámbito no lo es. El libro es una galería que va de lo real a lo imaginario o viceversa, una galería por la cual Cortázar se mueve y nos lleva.

[5] Después de escuchar la presentación oral de una primera versión de este trabajo, Emilio Carilla objetó esta observación, indicando que, a su juicio, tal «sorpresa gramatical» no existe y que una construcción como *Todos los fue-*

embargo, es descifrable— se amplía cuando accedemos al interior de la composición, repercute en una vasta serie de sorpresas. También estas sorpresas son descifrables, aunque no sin análisis. Cuando éste se realiza, encontramos que «Todos los fuegos el fuego» —el cuento de este nombre— tiene una estructura precisa; vale decir, recibe gran parte de su eficacia del hecho de constar de una serie

---

gos el fuego no es básicamente distinta de algunas otras ya incorporadas a la lengua, por ejemplo, *El mejor alcalde, el rey*. La objeción de Carilla, cualquiera sea su relevancia en relación con el problema general de la estructura del cuento, se puede contestar en procura de un mejor entendimiento del nivel de sutileza idiomática en que se maneja Cortázar. Para ello, sin embargo, es preciso incidir en una quizá árida nota gramatical, que procuraremos enunciar tan sucinta y ordenadamente como sea posible.

En primer lugar, la existencia en la lengua de expresiones, tales como *El mejor alcalde, el rey* obliga a incorporar a la gramática una regla transformativa que haga posible la eliminación de la cópula. Nótese, al respecto, que la única otra regla que elimina la cópula, y que la gramática debe enunciar antes que la que ahora consideramos, es la transformación facultativa «aposición», la que a su vez opera sobre los resultados de la transformación obligatoria «relativización»; en otras palabras, la transformación «aposición» cambia la secuencia «Este hombre que es el rey es muy famoso» en «Este hombre, el rey, es muy famoso». (Ejemplo de Claire E. Stevens, *A Characterization of Spanish Nauns and Adjectives,* Seattle, University of Washington, 1966.) Para *El mejor alcalde, el rey,* como para *América, tierra firme* (título de un libro de Germán Arciniegas) y para *Los Estados Unidos, un país inconcluso* (título de la traducción española de un libro de Max Lerner) hace falta, como se ha dicho, una regla (facultativa) que permita la eliminación de la cópula en oraciones que *no son* el resultado de un proceso de relativización. La simple observación indica que la aplicación de esta regla tiene serias restricciones de tipo estilístico; es decir, el hablante no la usará más que en contextos como los que sugieren los ejemplos citados más arriba; si alguien utilizara esta posibilidad sobre la base de una oración como «Ese señor es mi tío», la transformación resultante («Ese señor, mi tío») podría aceptarse como probable título de una novela o comedia, pero difícilmente como una respuesta a la pregunta «¿Quién es ese señor?» en la conversación corriente.

En segundo lugar, debe anotarse que si bien, superficialmente, todas las oraciones mencionadas hasta ahora tienen la misma estructura FN Cop FN (donde FN puede leerse 'frase nominal' y Cop 'cópula'), en cambio difieren en la subcategorización de los sustantivos contenidos en los segmentos identificados como FN. En *El mejor alcalde, el rey,* tanto el sustantivo a la derecha de Cop como el que está a la izquierda de ese elemento comparten los rasgos distintivos [+Común, +Numerable, +Animado, +Humano, +Profesional], y posiblemente esa identidad de rasgos distintivos (es decir, el hecho de que *alcalde* y *rey* pertenecen exactamente a la misma subcategoría de sustantivos) hace posible aceptar con menor extrañeza la eliminación de la cópula. Pero no es ese el caso en *Todos los fuegos el fuego,* donde los sustantivos a la izquierda y a la derecha de Cop tienen distinta subcategorización. En efecto (siguiendo las definiciones propuestas por el *Diccionario general ilustrado de la lengua española* «Vox»), el sustantivo fuego situado a la derecha de Cop, que llamaremos *fuego*$_1$, responde a la definición 'desprendimiento de calor y luz producidos por la combustión de un cuerpo', mientras que el que está situado a la izquierda de Cop es o bien *fuego*$_2$ ('cuerpo en estado de combustión', como en *echar algo al fuego)* o bien corresponde a la glosa 'incendio', que llamaremos *fuego*$_3$. Hay,

precisa —o finita— de elementos, dispuestos de una manera particular. Identificar esos elementos y advertir los modelos mediante
los cuales se disponen y organizan será conocer la estructura de
este cuento. De esta forma llegaremos a eliminar algunos de los
motivos de ambigüedad, es decir, obtendremos una mayor comprensión en la obra; subsistirá, sin embargo, cierta indeterminación en
el plano de los valores que, como se sugiere más arriba, es inevitable en toda obra artística.

Lo que hace necesario estudiar en detalle la contextura de este
cuento de Cortázar es que, en cierta medida, incluye dos narraciones, cada una de las cuales se podría narrar como una historia independiente. El escritor va mostrando, en constantes desplazamientos de foco, trozos sucesivos de una línea narrativa que acontece
en algún rincón provincial de la Roma imperial, posiblemente antes
de la era cristiana, junto con otra narración cuyo lugar y tiempo
de desarrollo son el París contemporáneo. Las alternativas de estas
dos historias —la trama A y la trama B, se las podría llamar—
están inextricablemente unidas durante todo el transcurso del cuento. Tal unión, sin embargo, no es arbitraria: al final, el lector va
a verificar por sí mismo el enunciado del título, la identificación
—más allá de toda frontera temporal o espacial— de ciertos aspectos básicos de la existencia humana.

Dijimos que el procedimiento de mostración consiste en constantes desplazamientos de foco. Puede considerarse, en consecuencia, que las unidades estructurales de este cuento son «escenas» o
«secuencias», según que se prefiera una terminología teatral o ci-
nematográfica. Cada uno de los segmentos de la narración, durante
el cual la atención está fija en la trama A o en la trama B, constituye una unidad. Hay dieciocho unidades de este tipo, y es posible resumir brevemente su contenido argumental:

1. La fiesta en el circo: el procónsul; Irene, su mujer; Licas
el viñatero y su mujer, Urania, asisten al momento en que el primero cumple con la promesa de ofrecer una sorpresa al público.
La sorpresa consiste en hacer pelear al gladiador Marco (hacia el

pues, dos lecturas posibles de la expresión «Todos los fuegos (son) el fuego».
Una es «Todos los fuegos$_2$ (son) el fuego$_1$», en donde el sustantivo a la izquierda de *Cop* puede describirse mediante los rasgos distintivos [+Común, +Nu-
merable, —Animado, —Acontecimiento]; la otra es «Todos los fuegos$_3$ (son)
el fuego$_1$», en cuyo caso el sustantivo a la izquierda de *Cop* puede describirse
mediante los rasgos distintivos [+Común, +Numerable, —Animado, +Aconte-
cimiento]. En cualquiera de los dos casos, el sustantivo a la derecha de *Cop*
(*fuego$_1$*) puede responder a la caracterización [+Común, —Numerable, —Abs-
tracto]. He ahí por qué, aunque tanto *El mejor alcalde, el rey* como *Todos
los fuegos el fuego* son construcciones infrecuentes (según se mostró en el párrafo anterior), el título de Cortázar, sin dejar de ser gramatical, es, si se quiere, más insólito que el de Lope de Vega.

que Irene se ha sentido una vez físicamente atraída) contra un enemigo cuidadosamente seleccionado.

2. Una casa en París: Roland Renoir recibe una llamada telefónica de Jeanne, a quien él acaba de sustituir por Sonia. Jeanne le dice que Sonia acaba de ir de su casa.

3. Marco, en la arena, recuerda premoniciones agoreras, mientras entra su oponente, un inmenso y feroz reciario nubio. Irene, mientras finge indiferencia ante la cruel premeditación del procónsul, intuye que Marco «va a pagar el precio de la mera imaginación, de una doble mirada inútil».

4. Jeanne, en el teléfono, mientras una voz lejana en las recargadas líneas telefónicas dicta una serie de números a alguien que no habla, intenta hablar con Roland. Sabemos ahora que tiene a su lado un gato, y en la mano, un tubo que contenía las pastillas que acaba de tomar.

5. Prosigue la lucha en la arena del circo, y la conversación en el palco, donde están el procónsul y su grupo.

6. Roland y Jeanne tratan de proseguir la conversación telefónica.

7. La pelea comienza a volverse contra Marco; éste hace un esfuerzo desesperado para volver la lucha en su favor.

8. En el teléfono, Jeanne evoca el momento —reciente— en que Sonia le ha comunicado su relacción con Roland. Éste quiere concluir la conversación con las menos palabras posibles.

9. Marco resulta herido en el muslo; la plebe presiente la inminencia del fin.

10. Mientras la conversación telefónica prosigue entre los reproches de Jeanne y las disculpas corteses de Roland, llega Sonia a reunirse con éste. Jeanne corta la comunicación.

11. Marco y el nubio están en el momento decisivo de la lucha. Marco hiere a su contendor y a la vez cae en la arena.

12. En la casa de Jeanne el gato es el único espectador de los últimos momentos de su ama.

13. El nubio ha sido alcanzado por la espada de Marco, pero a la vez clava el tridente en el cuerpo de éste. Irene piensa que «lo único que queda por hacer es sonreír, refugiarse en la inteligencia».

14. Mientras el gato espera inútilmente una caricia de Jeanne, ya muerta, en la casa de Roland, Sonia y éste conversan y hacen el amor.

15. Irene, el procónsul y el resto del grupo se aprestan para irse del estadio.

16. Sonia y Roland duermen, mientras el pañuelo de gasa de ella arde y da comienzo a un incendio.

17. En el circo, el público vocifera y se amontona en procura

de ganar las salidas; ha comenzado un incendio que alcanza al aceite almacenado en los depósitos subterráneos. Irene advierte que no hay salvación.

18.   Sonia y Roland agonizan en medio del incendio, mientras en la calle, diez pisos más abajo, se produce la inútil llegada del carro de bomberos.

¿Qué características tienen estos episodios? En cuanto a la extensión, la misma es variable, desde unos setenta y cinco renglones de texto en el caso del segmento número 3 hasta apenas once renglones en la sección número 12. Pero el factor de variación más importante no es ése, sino el que se refiere a su autonomía o independencia. En los momentos iniciales de las dos historias, cada sección constituye un párrafo aparte; luego, en cambio, es dentro de un mismo párrafo donde se produce el desplazamiento de atención de la trama A a la trama B o viceversa[6]. Así, las secciones 1, 2 y 3, así como 6, constituyen párrafos (o secciones de más de un párrafo) independientes. Pero la sección 4, que comienza en párrafo aparte, se continúa en la 5; más adelante, en las secciones 7 a 11 los cambios de foco se producen siempre en el interior de los párrafos respectivos; lo mismo acontece desde la sección 12 hasta la 14, y nuevamente desde el comienzo de la seción 15 hasta el final de la narración.

Más que la mecánica misma del traspaso (del antiguo mundo romano al París de hoy y viceversa) interesa apreciar la sutileza con que este desplazamiento está realizado. Lo que hace Cortázar en cada uno de estos casos es, precisamente, quitar todo énfasis a la operación, eliminando todas las señales secuenciales (nada de «entonces», «en cambio», «mientras tanto», etc.) que pudieran haber servido para configurar una anatomía más estrictamente estructurada. La consecuencia de este procedimiento es, por supuesto, un refuerzo de la ambigüedad en la narración. No es el autor quien anuncia que la escena va a cambiar: es el lector quien se ve obligado a establecer el marco espacial-temporal de referencia. Como ejemplo de ese procedimiento basta con citar el trozo en el cual se produce la transición entre las secciones 4 y 5, o sea de la trama B a la trama A:

> «Ah», dice Roland, frotando un fósforo. Jeanne oye distintamente el
> frote, es como si viera el rostro de Roland mientras aspira el humo,

---

6 Se aplica así a este cuento lo que Alejandra Pizarnik, en el ensayo citado más arriba, dice de *El otro cielo:* «Desaparecidos los límites, maltratados el yo soy, resulta 'simple como una frase musical' deambular de una época a otra, de uno a otro país. Cuando el traslado sobreviene a mitad de la frase, ésta adquiere la función de una escena giratoria». Y más adelante: «El esquema de la narración participa de la singular estructura del laberinto».

echándose un poco atrás con los ojos entornados. Un río de escamas brillantes parece saltar de las manos del gigante negro, y Marco tiene el
tiempo preciso para hurtar el cuerpo a la red (154).

Podrían citarse varios ejemplos más del mismo tipo, pero basta
con formular el principio general de que, en este cuento, impera
la *transición brusca* (es decir, no apoyada en elementos que cum-
plan un papel relacionante) como método para establecer la vinculación entre los sucesivos elementos narrativos. Algo que contribuye especialmente a este efecto es el uso exclusivo del presente
de indicativo como tiempo de la narración: de esa manera la totalidad de la acción —en las dos tramas— es presentada simultáneamente a la vista del lector, despojada de referencias de identificación en lo que se refiere al sistema verbal. La identificación del
«tiempo» de cada trozo se realiza entonces a nivel léxico, y en este
orden es importante, por supuesto, el nombre del personaje.

La referencia constante y completa, dentro del mismo cuento, a
dos órdenes de narración, a dos historias, es un rasgo estructural
de extraordinario interés, porque como tal tiene que ver con las
bases mismas del género cuento. Según la ortodoxia del mismo,
en efecto, la eficacia del cuento depende en gran medida de que
el autor haya obtenido la máxima concentración posible sobre un
reducido número de elementos: la economía es connatural al sistema del cuento, por lo menos en su formulación clásica [7]. De ello
se sigue que todo lo que amplíe ese limitado marco, por ejemplo,
multiplicando los personajes, desdoblando los puntos de vista o
diversificando la línea argumental, es parte de una actitud de ex-
perimentación; en términos históricos, esas tentativas se relacionan

---

[7] Son bien conocidos los pronunciamientos de Horacio Quiroga al respecto,
muy influidos por la teoría y la práctica del cuento en Poe. Resume este aspecto
Luis Leal *(El cuento hispanoamericano,* Buenos Aires, Centro Editor de América
Latina, 1967, p. 9) en la siguiente forma: «La influencia de Poe sobre el desarrollo del cuento moderno ha sido preponderante. Basado en su teoría artística
de la unidad de impresión, consideraba al cuento como género esencialmente
artístico. El principio de la 'unidad de impresión' ha determinado, por tanto,
la extensión del cuento, lo mismo que otras de sus características. El mismo
principio obliga al cuentista a limitar la fábula —esencial en toda obra de ficción— a un solo suceso aislado, lo mismo que a crear un ambiente único en el
cual se mueve un solo personaje o un número muy limitado de personajes. La
impresión única —resultado de la estructuración artística de la fábula— y el
empleo de un solo episodio son, por tanto, las características esenciales del
cuento. Podríamos, en pocas palabras, decir que el cuento literario es una narración breve, fingida (o que parezca fingida), que trata de un solo asunto,
crea un solo ambiente, tiene un número limitado de personajes e imparte una
sola impresión (emoción) por medio de la elaboración artística de la fábula».
Esta caracterización, claro está, no se adapta a los cuentos de Cortázar, sino que
indica más bien el punto de partida que ofrece al narrador la tradición literaria
en la que viene a colocarse.

genéticamente con los procedimientos de renovación de la novela que se impusieron durante la primera mitad del corriente siglo. Cortázar plantea abiertamente la estructura bitemática del cuento, y en ese sentido es claro que está intentando la construcción de un cuento distinto.

Por otra parte, la rebelión contra el tema único acarrea una consecuencia de carácter más amplio, que tiene que ver, en cierta medida, con las características más generales del lenguaje. Éste es, en efecto, un fenómeno lineal; las lenguas naturales operan siempre con símbolos que se dan en la sucesión; si exceptuamos fenómenos concomitantes, tales como la entonación y los elementos que algunos llaman «calificadores vocales», en ellas no se da nunca la simultaneidad. Diversos chistes y bromas sobre el lenguaje tratan de negar esta característica fundamental; desde el punto de vista visual, ciertas composiciones poéticas de E. E. Cummings logran alterar en alguna medida tal mecanismo; de la misma manera, este cuento de Cortázar instaura un tipo especial de discurso, en el cual la linearidad que el lenguaje contagia a la mayor parte de los productos de la literatura sufre una importante modificación. Esta actitud se verifica también en un plano que podemos llamar estilístico; así, por ejemplo, juega con las posibilidades de simultaneidad el siguiente pasaje, en el que la conversación telefónica de los protagonistas se mezcla con el rumor de números dictados por alguien en un lugar remoto de la línea:

> Desde muy lejos la hormiga dicta: ochocientos ochenta y ocho. «No vengas», dice Jeanne, y es divertido oír las palabras mezclándose con las cifras, no ochocientos vengas ochenta y ocho, «no vengas nunca más, Roland» (160).

Si en el transcurso general del cuento hay una bipolaridad, originada en la interacción de dos órdenes argumentales, que resulta en la alternancia de episodios de las que hemos llamado trama A y trama B (de forma que todos los episodios impares, de 1 a 17, corresponden a la primera, y todos los pares, de 2 a 18, a la segunda), por otra parte también resulta posible encontrar, en la contextura interior de cada uno de esos episodios, una tensión bipolar. No se trata ya de una separación material, de un desmembramiento en subsecciones, sino de una situación temática: en casi todos los momentos argumentales se describe a los personajes en ambos extremos de una oposición; es decir, radicalmente separados. Entre el grupo que forman el procónsul, Irene, Licas y Urania, por una parte, y Marco y su adversario por la otra, hay una división tajante; lo mismo ocurre, en la otra historia, entre ambos protagonistas de conversación telefónica. Lo que falta es comunicación. Y posiblemente relacionado con ese rasgo está el hecho de que los personajes aparezcan como algo «visto». Así, en un caso: «En un brusco silencio de expectativa que lo recorta con una precisión implacable, Marco avanza hacia el centro de la arena; su corta espada brilla al sol, allí donde el viejo velario deja pasar un rayo oblicuo, y el escudo de bronce cuelga negligente de la mano izquierda» (página 150); o bien: «Irene ve moverse el brazo de Marco, un lento movimiento inútil, como si quisiera arrancarse el tridente hundido en los riñones» (p. 162). Análogamente, Jeanne es vista (en el episodio 14) a través de los ojos del gato. Tan sólo en un limitado número de episodios —todos ellos cruciales— se anula esa distinción de planos. Así, por ejemplo (episodio 11), cuando se intensifica el ataque en la arena del circo; también cuando la muerte de Jeanne (episodio 12), y, por último, en las dos paralelas escenas del fuego (episodios 16 y 17): en todos esos casos los protagonistas están solos frente a sí mismos. En el episodio final vuelve a aparecer la incomunicación, esta vez entre dos de los protagonistas y quienes podrían haberlos salvado:

> Entonces Sonia grita, queriendo desatarse del abrazo ardiente que la envuelve desde el sueño, y su primer alarido se confunde con el de Roland, que inútilmente quiere enderezarse, ahogado por el humo negro. Todavía gritan, cada vez más débilmente, cuando el carro de bomberos entra a toda máquina por la calle atestada de curiosos (165-166).

Todas las consideraciones anteriores tienen que ver con los aspectos que podríamos llamar físicos, o quizá arquitectónicos, de la narración que estamos estudiando. Sin embargo, no es en ellos donde podremos encontrar una explicación para el efecto de conjunto del cuento, que es absolutamente unitario a despecho de las polarizaciones externa e interna que hemos señalado más arriba. Habremos de admitir, en consecuencia, que la unidad interna del cuento, aunque no indiferente a la organización del material que hemos tratado de describir, depende de otro factor o factores. Y como no es posible encontrar rastros conducentes a ese efecto ni en la estructura fonológica ni en la estructura gramatical de la obra, parece razonable concluir que la razón de la característica que buscamos ha de encontrarse precisamente en el ámbito temático, que es el que mayor vinculación tiene con el dominio de la estructura léxica.

Si recorremos ahora, para corroborar esa intuición, las páginas de «Todos los fuegos el fuego», encontraremos que hay en este cuento cuatro motivos temáticos íntimamente entrelazados: el amor, la lucha, la muerte y el fuego. El amor se transfigura en lucha (física en el caso de una de las historias, lucha de Marco para salvar su vida, y lucha sin violencia física, pero de gran tensión espiritual en el otro caso); la lucha engendra la muerte, que aniquila a los amantes desdichados (Marco enviado a la muerte por el procónsul, Jeanne que se quita la vida voluntariamente); a la muerte sucede el fuego, que es también muerte y que alcanza como una expiación a los demás protagonistas de ambas historias. Los episodios 1 a 3 de la narración proporcionan los datos necesarios sobre el tema del amor. En el episodio 4 Jeanne comienza su lucha de palabras, y en el 5 Marco está ya en medio de la lucha física. (Marco, incidentalmente, va a ser herido por primera vez por el nubio en el episodio 9; en el 10, Jeanne asiste desde lejos a la llegada de Sonia a casa de Roland, lo que en la semántica profunda de la obra equivale también a una herida semejante.) La muerte de Jeanne se verifica en el episodio 12; las de Marco y el nubio, en el episodio 13. El fuego, por último, estalla en la casa de Roland en el episodio 16 y se consuma en el 18, mientras que la última visión del circo incendiado, con sus ocupantes condenados, la tenemos en el episodio 17.

Posiblemente, el hecho de que las unidades estructurales que estamos llamando episodios no están destacadas de su contexto en ninguna forma especial, sino confiadas a la inteligencia del lector, disimula en alguna medida esta impresionante serie de paralelismos y ecos entre los dos sectores de la narración. A la mención escueta de los mismos debe agregarse también una referencia sobre la habilidad con que estos cuatro motivos temáticos están presentes siempre, aunque sea en forma potencial. Amor, lucha, muerte y fuego rondan siempre a los personajes; y quizá quien más lúcidamente asume esta convicción es Marco, el menos inteligente de todos, cuando descubre que

> Todo es cadena, trampa; enderezándose con una violencia amenazante que el público aplaude mientras el reciario retrocede un paso por primera vez, Marco elige el único camino, la confusión y el sudor y el olor a sangre, la muerte frente a él que hay que aplastar; alguien lo piensa por él detrás de la máscara sonriente, alguien que lo ha deseado por sobre el cuerpo de un tracio agonizante (157).

Resumiendo, entonces podemos decir que la estructura del cuento de Julio Cortázar «Todos los fuegos el fuego» puede considerarse en dos niveles. Uno de ellos es el de la narración o argumento, caracterizado por la alternancia de episodios correspondientes a dos tramas distintas; la transición entre cada episodio y el siguiente es brusca, y como domina el uso del presente, puede decirse que la narración es presentada simultáneamente a la vista del lector. Sobre esta retícula bipolar se desplazan los elementos de un segundo nivel, el de los temas en sentido estricto, que implican la presencia y el juego mutuo de cuatro nociones: el amor, la lucha, la muerte y el fuego. La progresión de estos elementos temáticos y su permanente resonancia en los episodios del primer nivel afirman de manera definitiva la forma del cuento e impiden que éste pierda unidad, a pesar del riesgo implícito en la construcción de un cuento con dos tramas y dos distintos conjuntos de personajes.

Georgetown University

Julio Cortázar y su pequeño mundo
de cronopios y famas

Manuel Durán

La obra en prosa del argentino Julio Cortázar atrae al crítico a la vez que por su importancia intrínseca y por la resonancia que ha alcanzado en estos últimos años, por las dificultades —las oscuridades, ambigüedades, aparentes incoherencias— de sus textos. No cabe dudar de que nos hallamos frente a un autor influyente, en boga tanto en los países de lengua española como fuera de ellos [1]. Y que —distinto en este punto, como en tantos otros, de Jorge Luis Borges, al que parece aproximarlo cierto parecido superficial de temas y a veces incluso de estilo— ha sabido mantenerse cercano a las nuevas promociones literarias de su país. Y ello sin abandonar su actitud reservada, más allá de grupos y cenáculos literarios: «Me dolía un poco —escribe acerca de uno de sus personajes en un fragmento que parece tener ribetes autobiográficos— no estar del todo en el juego, mirar a esa gente desde fuera, a lo ontomólogo. Qué le iba a hacer, es una cosa que me ocurre

---

[1] Ana María Barrenechea y Emma Susana Speratti Piñero, en su libro sobre la literatura fantástica argentina publicado en México en 1954, fueron probablemente las primeras en ocuparse con extensión de la obra de Cortázar. «En México —escribe José Durand en 'Los cuentos del gigante' (*Américas,* abril de 1963)— la aparición de *Bestiario* (publicado en 1951) fue muy aplaudida por Augusto Monterroso, José Arreola y Ernesto Mejía Sánchez». El éxito de su novelita *El perseguidor,* que apareció primero en la *Revista Mexicana de Literatura,* de sus novelas, *Los premios* y *Rayuela,* las traducciones al francés de algunos cuentos y de *Las armas secretas,* el aplauso de algún crítico europeo, como Jacques Sternberg, la filmación de *Cartas de mamá,* han contribuido en gran medida a la creciente fama de Cortázar. En el citado artículo, Durand sitúa a Cortázar entre los primeros escritores de Hispanoamérica, al lado de Borges, Carpentier, etc.

siempre en la vida, y casi he llegado a aprovechar esta actitud para no comprometerme en nada»[2].

Quizá sus largos años en Europa —Roma, París— al alejarle de la vida literaria porteña le han dado cierta ecuanimidad, cierta serenidad para juzgar a sus contemporáneos y le han evitado el peligroso juego de alianzas y enemistades en que se basa con frecuencia el crítico para clasificar a un autor, afiliándolo a uno u otro grupo. Procedimiento tan fácil como peligroso, y en todo caso inaplicable a Cortázar, que con especial sutileza parece empeñado en un complicado juego: el de despistar a sus lectores, deparándoles nuevas sorpresas en cada obra suya. Apenas nos atrevíamos a considerarlo como cuentista fantástico, en la tradición de Guillermo Enrique Hudson, Lugones, Enrique Anderson Imbert —más que lo maravilloso metafísico le interesa lo maravilloso biológico: muchos de sus cuentos fantásticos giran en torno a animales— cuando algunos audaces relatos realistas —de un realismo minucioso, lento, poético— llegan a desvirtuar esta primera impresión. Le hemos juzgado hombre de «torre de marfil», alejado de todo partidismo, y enamorado de la actitud estética, purista, que los simbolistas pusieron de relieve, cuando nos ofrece uno de los relatos más «comprometidos» —para ser más claros: políticamente comprometidos— de estos últimos años: «Reunión», acerca de la Cuba de hoy[3].

Sutil, delicada, zigzagueante, contradictoria, la obra de cuentista de Cortázar nos deslumbra, pero su sentido parece escapársenos entre las manos, como arena brillante, como agua inquieta y huidiza. Las dificultades ofrecidas por sus primeros cuentos resultan, sin embargo, casi insignificantes si las comparamos a los problemas que plantean algunos relatos, especialmente «abstractos», de su segunda época. Nos referimos a los cuentos de Cortázar que aparecieron primero en revistas literarias (algunos de los más interesantes y significativos, en *Ciclón,* de La Habana) y que más tarde fueron agrupados, casi todos, por el autor, para formar la segunda parte de un volumen al cual dan el título *Historias de cronopios y de famas*[4].

---

[2] «Las ménades», *Final del juego.* Es curioso observar que uno de los mejores cuentos de esta colección, «La noche boca arriba», puede haber influido en el excelente relato de Elena Garro. «La culpa es de los tlaxcaltecas» (*Revista Mexicana,* marzo-abril 1964). El aislamiento de nuestras literaturas hispánicas es quizá menor de lo que creíamos.

[3] Véase la revista *Universidad de México,* mayo de 1964. El cuento narra un desembarco en Cuba, bajo el fuego del ejército, descrito por un argentino que participa en la aventura. Únicamente hacia la mitad del cuento descubrimos que el argentino no puede ser otro que el Che Guevara.

[4] Buenos Aires, Ed. Minotauro, 1962. Los cuentos de este volumen parecen haber sido agrupados según un *crescendo* de elementos fantásticos: los primeros, de un realismo aparentemente no problemático —pero no falta en ellos al-

Humorismo, amor al detalle exacto enraizado en la vida cotidiana de Buenos Aires, imaginación irónico-fantástica, creación de palabras nuevas («Los posatigres»), se entremezclan desde las primeras páginas. «Trabajo desde hace años en la UNESCO —nos confiesa el autor en «Posibilidades de la abstracción»— y otros organismos internacionales, pese a lo cual conservo algún sentido del humor, y especialmente una notable capacidad de abstracción; es decir, que si no me gusta un tipo lo borro del mapa con sólo decirlo, y mientras él habla y habla yo me paso a Melville y el pobre cree que lo estoy escuchando» [5]. Pero al llegar a la serie de relatos que da el título a la colección, y que lleva el largo subtítulo de «Primera y aún incierta aparición de los cronopios, famas y esperanzas. Fase mitológica», las características del estilo de Cortázar parecen acentuarse. Y en primer lugar la más visible y sorprendente: la creación de neologismos. El primer párrafo del primer cuento de la serie («Costumbres de los famas») introduce seis palabras totalmente desconocidas del lector (o por lo menos desconocidas de sus nuevas acepciones): «Sucedió que un fama bailaba tregua y bailaba catala delante de un almacén lleno de cronopios y esperanzas. Las más irritadas eran las esperanzas porque buscan siempre que los famas no bailen tregua ni catala, sino espera, que es el baile que conocen los cronopios y las esperanzas.»

La incorporación a un texto literario de un número tan considerable de palabras inventadas por el autor, hasta llegar a un grado que podríamos llamar de saturación —el lector puede tratar de descifrar la primera, de imaginar una posible traducción de la misma al lenguaje ordinario; pero cuando son tantas, se siente desbordado y abandona el esfuerzo— no es, en sí, cosa nueva; son numerosos los antecedentes históricos de este procedimiento, ya sea en la literatura española (recordemos, por ejemplo, el soneto de Quevedo, *Sulquivagante, pretemor de Estolo*), ya en la inglesa (el famoso poema *Jabbewocky*, de Lewis Carroll) o en la francesa (el *lettrisme* de la segunda posguerra. *Le Paralloïdre des Corfes*, de André Martel, etcétera). Con frecuencia son textos de intención paródica, humorística. Tal intención no aparece claramente en este texto. Es cierto que el título «Costumbres de los famas», da al relato cierto tono

---

gunos motivos inquietantes—, se contraponen a las historias de cronopios y famas situadas al final.

[5] En efecto, según la entrevista hecha por José Durand (art. cit.), Cortázar señala que Melville es uno de los autores preferidos. Otros autores admirados por Cortázar: Alejo Carpentier, Juan Rulfo, Miguel Ángel Austrias, Juan José Arreola, Carlos Fuentes, Borges, Virginia Woolf, James Joyce. (Este último puede haberle inspirado no solamente su interés por el monólogo interior, sino su amor a la creación de palabras.) De Borges admira sobre todo su perfección estilística. (Véase «Borges et la nouvelle genération», por Abelardo Castillo, página 204 del número especial de *L'Herne* dedicado a Borges, París, 1964.)

semi o seudo-científico, y nos hace sospechar que nos hallamos frente a un tratado de sociología y zoología *sui generis*.

Pero esta impresión queda rápidamente contrarrestada debido a otra característica del estilo, también evidente desde el primer momento: el tono explicativo «normal», que da por supuesto que el lector sabe de qué trata el texto. Lo más misterioso y sorprendente, pues, no resulta la introducción de los extraños cronopios, de los famas y de las esperanzas, sino el que estos seres sean considerados por el autor como de sobra conocidos por todos, lo cual hace innecesaria toda definición previa. En efecto: no sólo están ausentes de este texto, y de los siguientes, las definiciones de los *héroes* y *heroínas* de los relatos, sino que cuando por casualidad, como de paso, llegamos a una descripción de alguno de ellos, por ejemplo, el cronopio, la definición resulta irritante por insuficiente y sumaria. Así, por ejemplo: «Los cronopios vinieron furtivamente, esos objetos verdes y húmedos.» En el siguiente relato, «El baile de los famas», reaparece, ligeramente modificada, la definición: «... los cronopios (esos verdes, erizados, húmedos objetos)...» Tenemos que aguardar hasta otro relato, «Alegría del cronopio», para hallar una descripción de las esperanzas. Sabemos ya, desde el primer relato, que las esperanzas se irritan cuando ven que los famas bailan tregua o catala. Sabemos también, por el mismo texto, que las esperanzas van siempre acompañadas por otros seres no menos extraños: «Una de las esperanzas dejó en el suelo su pez de flauta —pues las esperanzas, como el Rey del Mar, están siempre asistidas de peces de flauta—...» Por fin llega la descripción, también incidental, como por casualidad: «El fama... nunca hablará hasta no saber que sus palabras son las que convienen, temeroso de que las esperanzas siempre alertas no se deslicen por el aire, esos microbios relucientes, y por una palabra equivocada invadan el corazón bondadoso del cronopio.»

Sin prisa, mediante toques sucesivos, mediante acumulación de pequeños detalles, de pequeños incidentes dramáticos, Cortázar nos va haciendo penetrar en el extraño mundo de cronopios, famas y esperanzas. Los personajes reaparecen una y otra vez, siempre en acción, en una serie de viñetas dramáticas: poco a poco empezamos a comprender que nos hallamos ante un mundo estable, bien definido, con relaciones sociales, con sus fórmulas para el saludo, sus alegrías y sus peligros. Quizá el mayor interés que estilísticamente presentan estos relatos reside en la utilización por parte del autor de dos estilos diferentes —incluso opuestos—, pero íntimamente enlazados y complementarios. El primero es un estilo que pudiéramos definir como «normal», «lógico-científico», destinado a establecer la coherencia del ambiente descrito, *a ganar la confianza del lector* ante lo que está leyendo. El segundo es un conjunto de fórmulas fantásticas, irracionales, imposibles de reducción a términos de experiencia cotidiana.

Así, por ejemplo, en el primer relato abundan los elementos lógicos estabilizadores, a pesar de los efectos de sorpresa, los neologismos y el ambiente de misterio, estableciendo una sólida articulación por debajo de los elementos absurdos que, por contraste, realza aún más la presencia del misterio. El título mismo combina ambos estilos, ambas posiciones contradictorias: «Costumbres de los famas»; *costumbres* nos anuncia que estamos frente un texto que describe fenómenos de tipo social, o por lo menos relativos a seres vivos; en cambio, la palabra *famas* nos desconcierta y nos inquieta por sernos desconocida. El adverbio *siempre* adquiere en este texto y en otros siguientes una importancia estabilizadora especial: nos recuerda que nos encontramos frente a una descripción de hechos que se repiten, observables, comprobables, regulares: «... las esperanzas... buscan *siempre* que los famas no bailen tregua...» Relaciones lógicas, causales: es natural que a las esperanzas les irrite el que los famas bailen tregua, ya que es un baile desconocido para ellas; el que les agrada, aquél a que están acostumbradas, es el *espera*, que es precisamente el que los famas no quieren bailar, para irritarlas. Sigue un pequeño incidente callejero, fácilmente comprensible para el lector: las esperanzas se reúnen y atacan al fama que se ha burlado de ellas, que «bailaba y se reía para menoscabar a las esperanzas». Lo dejan caído, sangrando, y los cronopios —que primero «formaron corro para ver lo que pasaría», otra frase «estabilizadora» y normal— acuden a consolarlo. Al final del cuento, Cortázar pasa del contraste a la síntesis: en lugar de oponer los elementos absurdos a los normales establece un puente entre los dos. El fama yace en el suelo, herido («caído al lado de un palenque»), y los cronopios lo rodean, lo compadecen, y tratan de animarlo, «diciéndole así: 'Cronopio, cronopio, cronopio. Y el fama comprendía, y su soledad era menos amarga'». Al principio la invocación tres veces repetida con que los cronopios se dirigen al fama y le llaman cronopio nos desconcierta: parece un ejemplo más de lenguaje absurdo. Después comprendemos que la frase puede tener una traducción al lenguaje lógico normal, puede querer decir, por ejemplo: «Tú eres como nosotros, te acompañamos en tu dolor.» La frase que suponíamos absurda se convierte en mensaje de fraternidad.

Muy variados son los procedimientos que emplea Cortázar para dar al lector una sensación —con frecuencia una sensación inicial, desmentida bien pronto— de estabilidad, orden, vida cotidiana normal. Entre ellos se encuentra la descripción de actividades lógicas y comúnmente aceptadas; de objetos usuales; de productos comerciales; de lugares conocidos por el lector argentino, y, finalmente, el uso del lenguaje hablado con los giros corrientes en Buenos Aires. Los cronopios y las famas, por ejemplo, van de compras a las tiendas («Alegría del cronopio»), se pasean en automóvil *(ibidem)*, viajan («Viajes») y pernoctan en hoteles. Los famas organizan sociedades filantrópicas («Filantropía»). Un cronopio es nombrado director general de Radiofusión («Inconvenientes en los servicios públicos»). Tres cronopios y un fama llevan a cabo una excursión espeleológica («Los exploradores»). Las esperanzas envían telegramas («Telegramas»). Un cronopio se recibe de médico y abre un consultorio («Terapias»). Los famas ponen una fábrica de mangueras y dan trabajo a numerosos cronopios («Comercio»). Los objetos usuales aparecen constantemente: «Un fama tenía un reloj de pared y todas las semanas le daba cuerda...» («Relojes»). «Un cronopio va a abrir la puerta de la calle, y al meter la mano en el bolsillo lo que saca es una caja de fósforos...» («La foto salió movida»). Los productos o nombres comerciales aparecen también repetidas veces: Thos. Cook & Son («Pegue la estampilla en el ángulo superior derecho del sobre»), las pastillas Valda («Fama y eucalipto»), la colonia Jean-Marie Farina («Cóndor y cronopio»), etc. Los lugares conocidos que aparecen en los textos contribuyen también a crear un sentimiento de familiaridad y estabilidad: el Luna Park, el café Paulista de la Avenida San Martín, la Plaza de Mayo, etc. (Ello, naturalmente, en vez de tranquilizar al lector, lo alarma, ya que nos señala claramente que el universo que habitan los misteriosos cronopios y famas es la propia ciudad de Buenos Aires.) Finalmente, en las conversaciones aparecen a veces giros porteños: «Desde sus puestos (en las sociedades filantrópicas) los famas ayudan muchísimo a los cronopios, que se ne fregan» («Filantropía»). «Este cartel anula todos los anteriores, Rajá, perro» («Haga como si estuviera en su casa»). La forma típica del imperativo en la región del Plata aparece también: «Si te las dejan a menos comprá dos pares...» («Telegramas»).

Pero frente a cada situación lógica, normal, familiar, el autor nos ofrece el «contraveneno» de la fantasía desbordante y absurda: sus personajes parecen «luchar contra el pragmatismo y la horrible tendencia a la consecuencia de fines útiles» («Pérdida y recuperación del pelo», uno de los cuentos más silenciosamente absurdos del volumen, que, situado antes de la serie de historias de cronopios y famas, ayuda a preparar al lector para la lectura de estas últimas). Así, por ejemplo, el saludo es una actividad eminentemente social, reglamentada por costumbres, y que aceptamos como muy normal; pero el saludo entre cronopios y famas posee sus ritos propios que el autor describe, pero no explica. Vemos, por ejemplo, que un cronopio puede ser «evitado» (¿apaciguado, propiciado?) si nos dirigimos a él con una fórmula muy precisa, siempre la misma, una especie de fórmula mágica para aplacar cronopios: el autor nos la proporciona en «El baile de los famas», texto tipográficamente presentado como poema:

> Si todavía los cronopios (esos verdes, erizados, húmedos objetos) anduvieran por las calles, se podría evitarlos con un saludo: —Buenas salenas cronopios cronopios.

A los famas hay que saludarlos según otra fórmula precisa: en «Alegría del cronopio» asistimos al principio ritualizado de una conversación entre un fama y un cronopio:

> —Buenas salenas cronopio cronopio.
> —Buenas tardes, fama. Tregua catala espera.
> —¿Cronopio cronopio?
> —Cronopio cronopio.

Después de tan misterioso principio volvemos a la trivialidad: nos encontramos en una tienda, y el cronopio compra hilo. Sin embargo, el autor vuelve casi en seguida al mundo de la fantasía, de lo maravilloso, al recordarnos la importancia de la fórmula mágica del saludo y de las palabras en general; una palabra inadecuada puede exponernos al peligro: «El fama considera al cronopio. Nunca hablará hasta no saber que sus palabras son las que convienen, temeroso de que las esperanzas siempre alertas no se deslicen en el aire, esos microbios relucientes, y por una palabra equivocada invadan el corazón bondadoso del cronopio.» El autor establece así un constante vaivén entre lo cotidiano y lo mágico, en el curso del cual los efectos de sorpresa de este universo maravilloso se destacan continuamente; los puentes entre lo cotidiano y lo maravilloso resultan a veces en extremo difíciles de explicar, ya que —a pesar de la actitud seudo-científica de algunas descripciones, a pesar de que comenzamos a conocer bastante bien algunas de las características de la vida privada y pública de cronopios, famas y esperanzas— el autor nos ha ocultado algunos de los rasgos decisivos de estos extraños seres, o cuando nos revela algún dato importante lo hace en forma tal que la confusión del lector aumenta en vez de disminuir. El tamaño de estos seres es tan misterioso como el origen de los mismos. Sabemos que las esperanzas son microbios relucientes, pero, sin embargo, dialogan con los cronopios... y con los seres humanos: «El cronopio en su casa recibía a un fama, una esperanza y un profesor de lenguas... A la hora del almuerzo este cronopio gozaba en oír hablar a sus contertulios, porque todos creían estar refiriéndose a las mismas cosas y no era así» («El almuerzo»).

Un procedimiento de abolengo dadaísta y superrealista que

Cortázar utiliza repetidas veces es presentarnos un objeto, en apariencia de uso corriente, que ha sido radicalmente transformado y no cumple ya con sus funciones normales o si las hace utiliza para ello materiales o técnicas diferentes a las normales. El autor nos proporciona un mínimo de explicaciones en algunos de estos casos. (Picabía, Duchamp y Dalí nos habían ofrecido numerosos objetos cuya finalidad inicial y lógica había sido hábilmente transformada o pervertida (recordemos las tazas y cucharas recubiertas de pieles o el teléfono-langosta de Dalí). Cortázar nos ofrece el pez de flauta, el cronopio-cabrestante, el termómetro de vidas («El almuerzo») y el reloj-alcachofa («Relojes»). Este último relato, centrado por completo en la descripción de un objeto mágico-práctico, nos ofrece un ejemplo muy claro de lo que podríamos llamar «técnica de vaivén»: nos desplazamos de lo cotidiano a lo absurdo y sobrenatural, y después, en un verdadero salto mortal, regresamos al mundo práctico. El texto empieza con una descripción normal, no problemática: un fama posee un reloj de pared y todas las semanas le da cuerda con gran cuidado. Pero pasa un cronopio (sabemos por el relato «Louis enormísimo cronopio», publicado en *Buenos Aires Literaria* e inspirado por Louis Armstrong, que los cronopios representan encarnaciones de fuerzas naturales, que son imaginativos, que sus actos son inesperados, absurdos, locos) y el cronopio inventa el reloj-alcachofa o alcaucil, «que de una y otra manera puede y debe decirse», señala Cortázar, parodiando el estilo de los viejos manuales, de los antiguos libros de gramática. El artefacto es sumamente sencillo: «Un alcuacil de la gran especie, sujeto por el tallo a un agujero de la pared.» Sus numerosas hojas marcan la hora presente y además todas las horas, «de modo que el cronopio no hace más que sacarle una hoja y ya sabe una hora.» (Falsa lógica: el reloj-alcachofa no es, en rigor, un verdadero reloj, pero tal cosa no parece importarle mucho al cronopio; incluso en el absurdo se mantiene un mínimo de orden, de rigor: «Como las va sacando de izquierda a derecha siempre la hoja da la hora justa...») El final es una brusca transición de efectos desconcertantes y humorísticos: pasamos de una sensación seudo- o cuasi-metafísica («Al llegar al corazón el tiempo no puede ya medirse, y en la infinita rosa violeta del centro el cronopio encuentra un gran contento») al prosaísmo más descarnado: el reloj-alcachofa sigue siendo una alcachofa, su corazón, que ha sido descrito líricamente como una infinita rosa violeta, sigue siendo un corazón de alcachofa, y el cronopio obra en consecuencia: «Entonces se la come con aceite, vinagre y sal y pone otro reloj en el agujero.»

Sencillez, concentración, efectos de sorpresa, son posibles en parte debido a que Cortázar no tiene que malgastar tiempo estableciendo un ambiente irreal: la presencia de cronopios y famas basta por sí sola. De ahí la extraordinaria brevedad de los relatos. Buscar un sentido simbólico a estos relatos resulta tan tentador como peligroso. ¿Podrían acaso resultar los cronopios, «esos seres desordenados y tibios» («Conservación de los recuerdos»), personificación de los artistas, los famas un símbolo de la burguesía, las esperanzas de las masas inquietas y envidiosas? Pero recordemos que los cronopios «no son generosos por principio». Y los famas bailan por la calle («El baile de los famas»). Todo intento de reducir arbitrariamente la desordenada fantasía de Cortázar a un esquema lógico, a una descripción sociológica, ha de fracasar. Los cronopios y los famas no pertenecen a nuestra sociedad, no son de este mundo, aunque vivan en Buenos Aires (recordemos, por otra parte, que también viven en los Andes y se pasean por el desierto). Cortázar parece haberse precavido en su propio texto contra todo intento de interpretación lógica. La única frase que ha subrayado resulta, quizá, significativa en este sentido: «Gran idiota —dice el fama—, *no había que preguntar*» «(Pañuelos»). Como a Picasso, como a muchos pintores de la escuela abstracta, lo que más puede irritar a un autor como Cortázar es la pregunta lógica, directa, brutal: «¿Y esto qué significa?»

Interesa subrayar el carácter general cómico de estos cuentos. Nos hallamos en un universo irreal, poblado por monstruos extraños y por animales que hablan («Sus historias naturales»): es el mundo maravilloso de las fábulas o de las películas de dibujos animados, no de los cuentos de terror según la tradición del siglo pasado (*Le Horla,* de Maupassant, por ejemplo) o según la corriente de *science fiction* del presente. La falta de ambiente de angustia, de sentimiento trágico, se debe principalmente a dos factores: 1) Cronopios, famas y esperanzas parecen tener con el hombre un contacto muy limitado; no son, por tanto, monstruos amenazadores. (En «El almuerzo» comen juntos un cronopio, un fama, una esperanza y un profesor de lenguas. En algunos otros cuentos, los personajes identificados vagamente pueden o no ser humanos, pero en casi todos los casos su contacto con cronopios y famas no les acarrea ningún inconveniente.) 2) Si bien no llegamos a enterarnos de todos los detalles en cuanto a la vida de cronopios, famas y esperanzas, lo que sabemos nos demuestra que no se trata de monstruos malvados o peligrosos. Nos los imaginamos pequeños, verdes, casi transparentes, no agresivos y bastante torpes. Lo extraño, misterioso y desconocido puede ofrecer dos vertientes: si nos creemos amenazados nos inspira terror; si nos creemos libres de toda amenaza, nos inspira curiosidad: se despierta nuestro interés por «lo exótico». En casi todos estos relatos aparece un tipo de absurdo no amenazador, amable, curioso, grotesco e inesperado. Por ejemplo: los descubrimientos seudo-científicos de los famas nos llevan al terreno de lo absurdo risible: «Un fama descubrió que la virtud era un microbio redondo y lleno de patas. Instantáneamente dio a beber una gran cucharada de virtud a su suegra. El resultado fue horrible: esta señora renunció a sus comentarios mordaces, fundó un club para la protección de alpinistas extraviados, y en menos de dos meses se condujo de manera tan ejemplar que los defectos de su hija, hasta entonces inadvertidos, pasaron a primer plano con gran sobresalto y estupefacción del fama.» Vemos aquí lo absurdo en acción: una idea en sí grotesca y absurda (la virtud como microbio redondo y lleno de patas) es, en forma muy rápida, *instantáneamente,* utilizada como punto de partida para una acción irónica —no trágica—. Estamos muy lejos de la utilización simbólico-trágica de lo absurdo en, por ejemplo, *Metamorfosis,* de Kafka. El adverbio *instantáneamente* ayuda a desrealizar aún más una situación en principio irreal y cómica, en la cual lo abstracto —la virtud— se ha hecho grotescamente concreto.

La ambigüedad en las relaciones entre cronopios y seres humanos —relaciones posibles, probables incluso, pero nunca descritas en detalle— contribuye también poderosamente a suprimir toda sensación de angustia y a avivar nuestra curiosidad. Los cronopios, etcétera, forman y no forman parte del mundo de los hombres. En «Inconvenientes en los servicios públicos» encontramos un claro ejemplo de la aplicación de una especie de «doble norma» a estas relaciones. Por una parte, existen, son descritas —o más bien sugeridas—, por otra parte, no parecen tener consecuencia, se proyectan en un plano irreal. Un cronopio ha sido nombrado director general de Radiofusión: «Este cronopio llamó a unos traductores de la calle San Martín y les hizo traducir todos los textos, avisos y canciones al rumano, lengua no muy popular en la Argentina. A las ocho de la mañana los famas empezaron a encender sus receptores, deseosos de escuchar los boletines, así como los anuncios del Geniol y el Cocinero, que es de todos el primero. Y los escucharon, pero en rumano, de modo que solamente entendían la marca del producto.» La broma pesada del cronopio parece, en principio, tener lugar en la ciudad de Buenos Aires: alusiones a la calle San Martín, a productos comerciales bien conocidos —el *slogan* de uno de ellos es incorporado al texto, con el natural efecto de sorpresa, por intromisión en una narración que se supone objetiva de una frase de propaganda comercial. Es, por otra parte, una broma difícil, si no imposible, de llevar a cabo dentro de un ambiente lógico cotidiano. Parece más bien el sueño de un dadaísta; nos recuerda también un famoso cuento de E. B. White en que Uruguay se asegura la supremacía del poder político mundial a base de emisiones radiodifundidas y transmitidas desde un avión que subvierten totalmente la mentalidad de los demás países. Pero finalmente debemos subrayar los efectos limitados de la misma: no se aplican al porteño típico, sino a los famas que viven en Buenos Aires. Una vez más el brusco movimiento de vaivén nos lleva a la realidad cotidiana para arrancarnos de ella antes de que el lector pueda identificarse con el ambiente o los personajes. Son los famas que se asombran al escuchar la versión rumana de «Esta noche me emborracho». Los cronopios encargados de fusilar al autor del escándalo disparan sobre la muchedumbre congregada en la Plaza de Mayo, pero ni aún en esta forma conseguimos instalarnos en una realidad concreta y trágica. (Los seis oficiales de marina —extraordinaria coincidencia, ya que en una multitud agrupada en una plaza los oficiales no suelen hallarse juntos— y el farmacéutico que caen bajo las balas, ¿son hombres, cronopios o famas?)

Los relatos de Cortázar que nos presentan a cronopios y famas son, pues, tan irreales como los de una fábula o un cuento infantil; todo didactismo, alegorismo o simbolismo, por otra parte, ha quedado sustituido por un claro sentido del humor. Nos hallamos ante un mundo de imaginación pura, no encaminada a fines prácticos, y en el cual no se plantean problemas de tipo fisiológico o metafísico. Si es válida esta interpretación, resulta inoportuno señalar como punto de partida de la elaboración artística del autor fuentes literarias exclusivamente —o predominantemente— argentinas, como se han propuesto para otros relatos suyos. Ni el influjo de Borges ni el de Roberto Arlt resultan suficientes en este caso.

Estos relatos, si nos vemos forzados a colocar ante ellos una etiqueta clasificadora, pueden ser descritos como miniaturas fantástico-humorísticas. La fantasía como fin en sí, no como reveladora de profundidades existenciales o metafísicas, engendra en ellos, a través de lo absurdo de personajes y situaciones, un sentimiento de asombro; la falta de identificación entre lector y personajes, lo absurdo de las acciones de los personajes y la falta de un sentimiento de peligro o de angustia determinan que las situaciones absurdas se resuelven en sonrisa o en franca risa. Todo ello nos aleja de los cuentos de Borges, incluso de los cuentos fantásticos breves de este autor [6], y nos aparta también de la corriente del humorismo «negro» surrealista o de sus posibles antecedentes en Apollinaire (Le poète assassiné). Estamos mucho más cerca del humor blanco surrealista que del «negro». Más cerca también de las producciones teatrales inspiradas por este «humor blanco»: más cerca del Ionesco de La leçon [7] o de La cantatrice chauve que del Ionesco de Les chaises. En suma, parece más plausible buscar los orígenes literarios

---

[6] Habría que señalar una posible excepción: ciertos textos de El Hacedor, como «Argumentum Ornithologicum», en que Borges utiliza «lógica» y erudición con fines que parecen humorísticos.

[7] Por lo menos, de la primera parte de esta obra.

de estos cuentos de Cortázar en la tradición francesa —mejor dicho, en la literatura francesa del siglo XX, que tan bien conoce Cortázar— que en sus antepasados o contemporáneos argentinos.

Cortázar, en efecto, que descubrió su afición por la literatura después de leer la versión española de un libro de Cocteau, *Opium, Journal d'une Désintoxication,* que impartió en Mendoza cursos de literatura francesa, conoce a fondo la literatura francesa de hoy. Su interés por la corriente superrealista lo revela, entre otros detalles, la dedicatoria de uno de sus cuentos en *Final del juego:* «A la memoria de René Crevel, que murió por cosas así» [8]. (Hasta tal punto llega el bilingüismo de Cortázar que pronuncia el español con la *r* francesa, por haber nacido en Bruselas y haber pasado buena parte de su infancia en Bélgica) [9].

De todos los posibles antecedentes de estos cuentos en la literatura francesa de nuestro siglo, el más plausible es, quizá, Henri Michaux, el poeta llamado por Maurice Blanchot «L'ange du bizarre», alabado por André Gide en *Découvrons Henri Michaux* (1941), y que, por extraña coincidencia, pasó también su juventud en Bruselas. En sus poemas y sus relatos en prosa (sobre todo en *Plume)* Michaux crea un mundo irreal, entre trágico e irónico, de continua evasión. En *Mes Propriétés* experimenta con su fuerza mental y con los objetos que posee, transformándolos mágicamente.

---

[8] El poeta surrealista René Crevel se suicidó en 1935. (Véase: «René Crevel: Surrealism and the Individual», por Marie-Rose Carré, *Yale French Studies,* 31, número especial sobre el surrealismo, New Haven, 1964.) Crevel era uno de los fundadores del movimiento. Su suicidio se debió en buena parte a un sentimiento de futilidad ante lo absurdo. El movimiento surrealista se ha movido desde el principio entre dos polos opuestos: la visión gloriosa de un mundo mejor, liberado por una revolución integral, que convertiría al hombre-masa en poeta, y un amargo nihilismo. «Creo —afirma Yves Bonnefoy, testigo de excepción— que la intuición esencialmente visionaria que entregó a los surrealistas las maravillas sobrerreales creó siempre una confusión, en sus imágenes y sus arranques de entusiasmo, entre un deseo de participación en lo sagrado y un secreto amor de la nada, si bien este segundo ingrediente no fue percibido por la intuición filosófica del grupo y en todo caso no habría sido aceptado por él». («The Feeling of Transcendency», número citado de *Yale French Studies.)*

[9] Lo esencial, sin embargo, es que se siente argentino sin reservas, y escribe siempre en castellano. (Jules Supervielle, nacido en Montevideo, es, en cambio, un poeta típicamente francés.) Cortázar nació en 1914. Se halla así a medio camino entre la generación de 1924 y la de 1954, tal como las define J. J. Arrom (véase el importante estudio de J. J. Arrom, *Esquema generacional de las letras hispanoamericanas,* Bogotá, Instituto Caro y Cuervo, 1963). De la generación de 1924 tiene el afán innovador en el estilo, el deseo de experimentar a toda costa; de la generación de 1954, el interés por la sociedad y la política (ver nota 3). Pertenece a la subgeneración de 1940. Henri Michaux, que puede haber influido en Cortázar, nació en Namur (Bélgica) en 1899. Lautréamont y Supervielle son influencias poderosas para Michaux, quizá también han influido en Cortázar.

Describe también animales fantásticos, visiones delirantes, transformaciones súbitas y maravillosas. Es un mundo de magia cotidiana, en que lo usual y lo fantástico se entrecruzan constantemente. Y en que la fantasía del poeta crea constantemente las palabras que necesita:

> Jarrettes et Jarnetonsí avançaient sur la route débonnaire.
> Darvises et Potamons folâtraient dans les champs.
> Une de parmegarde, une de tarmouise, une vieille paricardelle ramiellée et foruse se hâtaient vers la ville.
> Garinettes et Farfalouves devisaient allégrement.
> S'eboulissant de groupe en groupe, un beau Ballus de la famille des Bormullacés recontra Zanicovette. Zanicovette sourit, ensuite Zanicovette, pudique, se detourna...
>
> («Dimanche a la campagne») [10].

A diferencia de otros autores de poemas o cuentos fantásticos, Michaux introduce cierta continuidad en algunos de sus textos haciéndolos girar en torno a un héroe, monsieur Plume, especie de Chaplin kafkiano, víctima de increíbles aventuras sobrenaturales en que lo absurdo es con frecuencia utilizado con fines cómicos. (También con la presentación repetida de cronopios y famas adquieren continuidad los textos de Cortázar a los que nos hemos referido.) Pretendemos con esto *situar* los textos de Cortázar, no despojarlos de su evidente originalidad; las diferencias que separan a Cortázar de Michaux son tan visibles como sus semejanzas; en Cortázar es menos evidente la amargura y la crueldad, sus personajes no se sienten desesperadamente solos, como Plume, porque Cortázar ha creado toda una sociedad de seres irreales; su mundo es así más alegre, más inofensivo que el de Michaux, más variado y menos trágico. «Aventuras dolorosas, guiadas por un enemigo implacable», así define el propio Michaux las de Plume [11]. Cronopios, famas y esperanzas habitan bajo el cielo más benigno de la región de Plata; la sociedad fantástica de Cortázar nos ofrece una visión más amable. Los personajes de Michaux se arrancan las cabezas para jugar con ellas; los cronopios de Cortázar se acuestan bajo flores y se identifican con ellas; en las torres del invisible reino ondean invisibles banderas de esperanzas.

Yale University

Publicado en *Revista Iberoamericana*, núm. 59, enero-junio de 1965, Pittsburgh.

---

[10] *Plume précédé de Lointain Intérieur*, París, Gallimard, 1938. Los textos principales relativos a «Un Certain Plume» son de 1930; cuatro textos suplementarios, de 1936.

[11] *Ibid.*, p. 147.

*Interpretación de «El río», cuento de
Julio Cortázar*

Roberto Hozven V.

INTRODUCCIÓN

«El río», cuento de Julio Cortázar que forma parte de su libro *Final del juego,* aparecido en 1956, nos ha interesado porque condensa dos constantes expresivas de su narración: *una aprehensión del mundo por la vía analógica y simpática* [1] *y una vivencia atemporal de su narrador.* Que esta atemporalidad se resuelva luego en una temporalidad efectiva no niega la validez del trabajo, la corrobora. Sabemos que en sus últimas raíces la existencia humana siempre es temporal; considérese la afirmación anterior en calidad de previsora hasta no completar el desarrollo totalizado de la idea que la valida y justifica.

Creo que las dos constantes se dan en la totalidad de la obra de Cortázar, pero he escogido este breve relato por considerar que ambas constantes realizan en él su fusión más cumplida. «Lo bueno, si breve, dos veces bueno.»

El desarrollo más amplio de esta doble intuición en un trabajo de mayor envergadura será una actividad que espero cumplir en futuro cercano.

PRESENTACIÓN

A continuación transcribimos el relato «El río», de Julio Cortázar, para proceder posteriormente a su interpretación.

---

[1] Es decir, «esa relación no poco privilegiada, que permite sentir como próximos y conexos elementos que la ciencia considera aislados y heterogéneos; sentir, por ejemplo, que belleza (es igual) encuentro fortuito de un paraguas y una máquina de coser». J. Cortázar, «Para una poética», en *La Torre,* número 7, 1954, Puerto Rico.

«EL RÍO» [2]

Y sí, parece que es así, que te has ido diciendo no sé qué cosa, que te ibas a tirar al Sena, algo por el estilo, una de esas frases de plena noche, mezcladas de sábanas y boca pastosa, casi siempre en la oscuridad o con algo de mano o de pie rozando el cuerpo del que apenas escucha, porque hace tanto que apenas te escucho cuando dices cosas así, eso viene del otro lado de mis ojos cerrados, del sueño que otra vez me tira hacia abajo. Entonces está bien, qué me importa si te has ido, si te has ahogado o todavía andas por los muelles mirando el agua, y además no es cierto porque estás aquí dormida y respirando entrecortadamente, pero entonces no te has ido cuando te fuiste en algún momento de la noche antes de que yo me perdiera en el sueño, porque te habías ido diciendo alguna cosa, que te ibas a ahogar en el Sena, o sea que has tenido miedo, has renunciado y de golpe estás ahí casi tocándome, y te mueves ondulando como si algo trabajara suavemente en tu sueño, como si de verdad soñaras que has salido y que después de todo llegaste a los muelles y te tiraste al agua. Así una vez más, para dormir después con la cara empapada de un llanto estúpido, hasta las once de la mañana, la hora en que traen el diario con las noticias de los que se han ahogado de veras.

Me das risa, pobre. Tus determinaciones trágicas, esa manera de andar golpeando las puertas como una actriz de *tournées* de provincias, uno se pregunta si realmente crees en tus amenazas, tus chantajes repugnantes, tus inagotables escenas patéticas untadas de lágrimas y adjetivos y recuentos. Merecerías a alguien más dotado que yo para que te diera la réplica, entonces se vería alzarse a la pareja perfecta, con el hedor exquisito del hombre y la mujer que se destrozan mirándose en los ojos para asegurarse el aplazamiento más precario, para sobrevivir todavía y volver a empezar y perseguir inagotablemente su verdad de terreno baldío y fondo de cacerola. Pero ya ves, escojo el silencio, enciendo un cigarrillo y te escucho hablar, te escucho quejarte (con razón, pero qué puedo hacerle), o lo que es todavía mejor, me voy quedando dormido, arrullado casi por tus imprecaciones previsibles, con los ojos entrecerrados mezclo todavía por un rato las primeras ráfagas de los sueños con tus gestos de camisón ridículo bajo la luz de la araña que nos regalaron cuando nos casamos, y creo que al final me duermo y me llevo, te lo confieso casi con amor, la parte más aprovechable de tus movimientos y de tus denuncias, el sonido restallante que te deforma los labios lívidos de cólera. Para enriquecer mis propios sueños donde jamás a nadie se le ocurre ahogarse, puedes creerme.

---

[2] Julio Cortázar, *Final del juego*, Buenos Aires, Sudamericana, 5.ª edición, 1966, pp. 19-22.

Pero si es así me pregunto qué estás haciendo en esta cama que habías decidido abandonar por la otra más vasta y más huyente. Ahora resulta que duermes, que de cuando en cuando mueves una pierna que va cambiando el dibujo de la sábana, pareces enojada por alguna cosa, no demasiado enojada, es como un cansancio amargo, tus labios esbozan una mueca de desprecio, dejan escapar el aire entrecortadamente, lo recogen a bocanadas breves, y creo que si no estuviera tan exasperado por tus falsas amenazas admitiría que eres otra vez hermosa, como si el sueño te devolviera un poco de mi lado donde el deseo es posible y hasta reconciliación o nuevo plazo, algo menos turbio que este amanecer donde empiezan a rodar los primeros carros y los gallos abominablemente desnudan su horrenda servidumbre. No sé, ya ni siquiera tiene sentido preguntar otra vez si en algún momento te habías ido, si eras tú la que golpeó la puerta al salir en el instante mismo en que yo resbalaba al olvido, y a lo mejor es por eso que prefiero tocarte, no porque dude de que estés ahí, probablemente en ningún momento te fuiste del cuarto, quizá un golpe de viento cerró la puerta, soñé que te habías ido mientras tú, creyéndome despierto, me gritabas tu amenaza desde los pies de la cama. No es por eso que te toco, en la penumbra verde del amanecer es casi dulce pasar una mano por ese hombro que se estremece y me rechaza. La sábana te cubre a medias, mis dedos empiezan a bajar por el terso dibujo de tu garganta, inclinándome respiro tu aliento que huele a noche y a jarabe, no sé cómo mis brazos te han enlazado, oigo una queja mientras arqueas la cintura negándote, pero los dos conocemos demasiado ese juego para creer en él, es preciso que me abandones la boca que jadea palabras sueltas, de nada sirve que tu cuerpo amodorrado y vencido luche por evadirse, somos a tal punto una misma cosa en ese enredo de ovillo donde la lana blanca y la lana negra luchan como arañas en un bocal. De la sábana que apenas te cubría alcanzo a entrever la ráfaga instantánea que surca el aire para perderse en la sombra y hora estamos desnudos, el amanecer nos envuelve y reconcilia en una sola materia temblorosa, pero te obstinas en luchar, encogiéndote, lanzando los brazos por sobre mi cabeza, abriendo como en un relámpago los muslos para volver a cerrar sus tenazas monstruosas que quisieran separarme de mí mismo. Tengo que dominarte lentamente (y eso, lo sabes, lo he hecho siempre con una gracia ceremonial, sin hacerte daño voy doblando los juncos de tus brazos, me ciño a tu placer de manos crispadas, de ojos enormemente abiertos, ahora tu ritmo al fin se ahonda en movimientos lentos de muaré, de profundas burbujas ascendiendo hasta mi cara, vagamente acaricio tu pelo derramado en la almohada, en la penumbra verde miro con sorpresa mi mano que chorrea, y antes de resbalar a tu lado sé que acaban de sacarte del agua, demasiado tarde, naturalmente, y que yaces sobre las piedras del muelle, rodeada de zapatos y de voces, desnuda boca arriba con tu pelo empapado y tus ojos abiertos.

INTERPRETACIÓN

El cuento se inicia: «Y sí, parece que es así, que te has ido diciendo no sé qué cosa, que te ibas a tirar al Sena, algo por el estilo...»; un narrador [3] que en forma dubitativa se refiere al pasado de un hecho que vuelve a ocurrir en este presente. El instante escogido por él para deslizarnos en el pasado de ese ambiguo hecho es el de la duermevela:

> ... una de esas frases de plena noche, mezcladas de sábana y boca pastosa, casi siempre en la oscuridad o con algo de mano o de pie rozando el cuerpo del que apenas escucha, porque hace tanto que apenas te escucho cuando dices cosas así, eso viene del otro lado de mis ojos cerrados, del sueño que otra vez me tira hacia abajo.

La causa de la elección es que así se eliminan «esos rotundos *soñar* y *despertar* que no querían decir nada, situarse más bien en esa zona donde otra vez se proponía la casa de la infancia» [4]. Otra causa que condiciona esta perspectiva incide en la técnica narrativa escogida: monólogo interior [5].

Sabemos que su mayor inconveniente reside en que nos encierra en una subjetividad individual y pasa por alto el comercio con los otros. La observación es viable a nuestro narrador sólo en principio, a saber:

a) Este monólogo se desarrolla mediante la participación de otra conciencia (mujer imaginaria), que está interiorizada por el hablante dentro de la propia. No se trata aquí de monólogo interior directo o indirecto, sino de un soliloquio que crece como un eco desde una conciencia reflexivo-refleja [6]. Luego, la objeción anterior no alcanza a este soliloquio, porque éste reproduce experiencias donde intervino otra conciencia que también se manifiesta reviviendo ambos el pasado

---

[3] Entendemos por narrador al sujeto o elemento que opera como intermediario entre el acontecimiento que se narra y el público a quien se narra. Úsase en el mismo sentido la acepción hablante.

[4] Julio Cortázar, *Rayuela*, Buenos Aires, Sudamericana, 5.ª ed. 1967, p. 555.

[5] Robert Humphrey, *Stream of consciousness in the modern novel*, Berkeley and Los Angeles, University of California Press, 1954, p. 127.

[6] O sea desde una conciencia que pone como su objeto propio a la conciencia refleja. Esta conciencia que se constituye espontáneamente como reflexivo y a la vez refleja; que no implica *conocimiento de sí* porque es conciencia no-posicional de sí misma, pero sí conciencia posicional de objeto, en cuanto toda conciencia siempre es conciencia de algo. Para una comprensión más detallada véase J. P. Sartre, *El ser y la nada*, Buenos Aires, Losada, 1966, pp. 18 y ss.

en estrecha *colaboración conversacional*. Se trata de una dualidad en una unidad.

b) Debemos considerar el instante escogido por el narrador: la duermevela; paréntesis entre la vigilia y el sueño. La conciencia reflexivo-refleja del hablante narra desde los continuos desplazamientos a que está supeditada en este estado: a la vez segregadora de imágenes y cautiva de ellas mismas. El movimiento reflexivo-reflejo a través del cual la conciencia creerá asomarse al universo intersubjetivo está facultado en su ilusión por la credibilidad de certeza que ofrecen las imágenes. (Todos hemos padecido esos estados de ilusión respecto de nuestras propias imágenes, revivamos esos fugaces momentos del alba en que desde el naufragio del sueño ascendemos a superficie de la vigilia.)

Por esos dos motivos dicha objeción no es pertinente para este narrador. Por las mismas causas nos parece acertado el término propuesto por Humphrey en la nota citada, soliloquio. Efectivamente, el soliloquio es la técnica que más se adecúa al procedimiento narrativo del hablante:

    i   Interiorización de otra conciencia,
    ii   corroboración de lo anterior por el continuo uso que hace de la segunda persona,
   iii con este «tuteo coloquial» hace gala de una libertad que nos da y que nos toma, que nos compromete afectivamente con lo narrado además de reflejar sobre su propio discurso al situarse en un nivel ligeramente desplazado de lo que sería una primera persona. Se convierte en espectador de su propia vida al desdoblarse como conciencia. Después de todo es una de las maneras que tenemos para hablarnos a nosotros mismos.
  iiii El relato está actualizado en un presente grávido de pasado, en un presente que se vuelca hacia el pasado por el esfuerzo continuo que le exige la conciencia reflexivo-refleja del hablante.

> Me das risa, pobre. Tus determinaciones trágicas, esa manera de andar golpeando las puertas como una actriz de *tournées* de provincias, uno se pregunta si realmente crees en tus amenazas, tus chantajes repugnantes, tus inagotables escenas patéticas untadas de lágrimas y adjetivos y recuentos. (Frag. 2.)

Así, estamos en presencia de un pasado re-actualizándose. El soliloquio se realiza en vistas a un pasado, es un *raconto* desde un presente —duermevela— que no nos prepara para la acción (a la manera del conocido monólogo hamletiano), sino que se torna acción en cuanto retrocede al pasado. Esta propiedad del soliloquio (retornar sobre) acusa un predominio del *éxtasis* temporal pasado: dicho con el término que lo pensó el maestro de Friburgo, y que posee la incuestionable ventaja de concebir los tres momentos del tiempo (pasado, presente, futuro) como duraciones temporales en que nuestro propio ser se concreta, donde nuestra conciencia se hace tiempo en el movimiento mismo que la hace conciencia; de modo que el tiempo no se desarrolla por anexiones de partes sucesivas o yuxtapuestas ni tampoco en exterior a las cosas mismas.

El orden cronológico del tiempo se trastrueca por el orden de una temporalidad subjetiva, que proyecta su pasado, que lo hace existir en esa duermevela donde el hablante plasma sus imágenes como *inmediatamente constituidas, pero no percibidas:*

> Entonces está bien, qué me importa si te has ido, si te has ahogado o si todavía andas por los muelles mirando el agua, *y además no es cierto porque estás aquí dormida y respirando entrecortadamente, pero entonces no te has ido cuando te fuiste en algún momento de la noche...* [7].

MODO Y ACTITUD [8]

Decimos *inmediatamente constituidas* porque el hablante plasma su pasado en común con la mujer por medio del recuento de todos los actos desagradables que ella le manifiesta:

—«... esa manera de andar golpeando las puertas...»

—«... tus amenazas...»

—«... tus chantajes repugnantes...»

—«... tus inagotables escenas patéticas untadas de lágrimas y adjetivos y recuentos...»

Y agregamos *pero no percibidas,* puesto que el recuento no le solicita una atención perceptiva inmediata. El narrador nunca percibe, sólo imagina, y nos relata sus objetividades bajo este modo: el imaginado [9]. Todo transcurre en su interioridad. Este modo está

---

[7] El subrayado es nuestro.

[8] Modo es la especial relación que guardan o mantienen los elementos de la obra entre sí. Narrador, mundo narrado y público. Actitud viene a significar, en cuanto a su contenido, la postura síquica (en el más amplio sentido de la palabra) desde la que se habla; formalmente significa la unidad de esa postura, y funcionalmente, la propiedad y, si no nos repugna la palabra, el artificio propio de tal postura. Así, pues, todo análisis descubre una actitud. Wolfgang Kayser, *Interpretación y análisis de la obra literaria,* Madrid, Gredos, 3.ª ed., 1961, p. 388.

[9] Este modo imaginado coincide plenamente, en el estrato mimético, con ese discurso del narrador que la obra de Martínez Bonati (*La estructura de la obra literaria,* Santiago de Chile, Edit. Universitaria, 1960, pp. 57 a 60) denomina *enajenado en su objeto.*

El discurso de nuestro narrador es tan íntegramente imaginativo que no

fijado a través de un muy particular tipo de conciencia imaginaria: la hipnagógica [10]. Vemos, por consiguiente, que el instante escogido por el narrador, la duermevela, está ínsito dentro del modo imaginante y de una actitud hipnagógica. Actitud que consiste en ese proceso en que las imágenes se alternan con los recuerdos y producen percepciones engañosas, en que los acontecimientos son revividos como nuestros y no nuestros, como constituyéndose en este mismo momento y disgregándose más tarde como ficticios. Recordemos nuestros propios estados de duermevela, suspendidos entre lo creíble y lo increíble, en que los acontecimientos están proyectados dentro de una bóveda de silencio que se vuelca sobre ellos mismos y los hace aparecer absurdos a la conciencia reflexiva. La conciencia se encuentra desvinculada de la trama de sucesos cotidianos y dentro de su cámara de vacío se propone objetividades recurrentes que, en el caso de nuestro narrador, aparecen subjetivadas y *bajo el imperativo de la mujer-mental* (imaginaria), cuya imagen está escorzada por los actos negativos y desagradables que la forman.

Así, el modo imaginativo y la actitud hipnagógica a través de la atmósfera ambigua que segregan, permiten la manifestación de esa afectividad difuminada con que *sentimos* a los objetos, aparte del espesor concreto con que se presentan. Diremos que facultan y propician una aprehensión analógica del mundo (aprehensión que se rige más por la semejanza que por la lógica, más por la *simpathia* que por la razón), al difuminar contornos y tamizar percepciones advertimos una voluntad de desintegración que ansía explicarse un acontecimiento desde *el descoyuntamiento de su continuum*. Las

---

encontraremos en él estratos propiamente lingüísticos, sino discursos que se mimetizan inmediatamente en mundo, sea en mundo de narrador (cuando el narrador habla sobre sí mismo) o en mundo objetivado (todo lo que el narrador nos dice del mundo; en nuestro narrador, todo lo que se refiera a la mujer imaginaria).

[10] La mejor descripción sicológica y fenomenológica la encontramos en un texto de Sartre (*Lo imaginario,* sicología fenomenológica de la imaginación. Buenos Aires, Losada, 1964, pp. 54 y ss.). «El estado hipnagógico es una forma temporal que desarrolla sus estructuras durante el período que L'Hermitte llama 'el adormecimiento'». El estado hipnagógico está precedido por notables alteraciones de la sensibilidad y la motricidad. Es evidente que las visiones hipnagógicas son imágenes..., pero en general esta imagen no se hace entre los demás objetos, su fondo es vago. Además se le conceden características de objetividad, de claridad, de independencia, de riqueza, de exterioridad, que nunca posee la imagen y que ordinariamente son lo propio de la percepción. La imagen hipnagógica se mantiene en el terreno de la cuasi-observación.

Los fenómenos hipnagógicos no son contemplados por la conciencia: *son de la conciencia.*

El estado hipnagógico es artificial. «Es el sueño que no se puede formar».

Las imágenes hipnagógicas aparecen con cierta nerviosidad, con cierta resistencia al adormecimiento, como otros tantos detenidos deslizamientos hacia el sueño.

imágenes con que el hablante nos revive su experiencia están transidas de honda afectividad: «Esa manera de andar; las escenas patéticas *untadas* —el subrayado es nuestro— de lágrimas; los adjetivos y los recuentos.» Ese mismo «untamiento» nos entrega la escena patética con una densa viscosidad que enmarca muy bien dentro de la ambigüedad misma de la actitud.

La conciencia actúa libremente respecto a la intención con que animará ese corro de sombras; pero una vez que las haya plasmado se enajenará en ellas y su primitiva libertad devendrá en fascinación. De este modo su elección, originariamente libre, quedará enmarcada en las características propias de la hipnagogia. Su conciencia —la del narrador— se creerá libre dentro de su prisión de modorra y somnolencia, no asomará a la cotidianidad de la vigilia a menos que un estímulo proveniente de ella la obligue a actuar. La ruptura del encanto consentido sobrevendrá más adelante..., cuando el hablante esté obligado a plantearse *en el tiempo*. Atendamos a las indecisiones que acumula el narrador sumido en esta particular ambigüedad:

> ... porque te habías ido diciendo alguna cosa, que te ibas a ahogar en el Sena, o sea que has tenido miedo, has renunciado y de golpe estás ahí casi tocándome, y te mueves ondulando como si algo trabajara suavemente en tu sueño, como si de verdad soñaras que has salido y que después de todo llegaste a los muelles y te tiraste al agua. (Frag. 4).

El hablante acumula oposiciones en forma indiferenciada:

«porque te habías ido diciendo / 'has tenido miedo'
alguna cosa   / 'has renunciado'
y mediando entre ambas proposiciones el nexo «o sea...»

Para él la ausencia de la mujer («te habías ido...») se conjuga con su inmediata presencia («y de golpe estás ahí...»), oposiciones unidas con un nexo conjuntivo con valor de correspondencia. El nexo pone en subordinación de continuidad a dos oraciones que expresan ideas opuestas: la primera «que te ibas a ahogar en el Sena» (ausencia), más las subordinadas «has tenido miedo, has renunciado» (presencia); luego, el nexo conjuntivo establece sintácticamente una consecuención de la acción, que está negada semánticamente —imposibilidad de que la mujer se encuentre físicamente en dos lugares a la vez—. Efectivamente, si la mujer salió de la pieza para ir a ahogarse al Sena es imposible que esté a su lado, niega la sintaxis desde la significación, no se explica la presencia de este nexo con valor de correspondencia, necesitamos de un nexo con valor adversativo o negativo. Lo que sucede es que el hablante prescinde de establecer una concordancia sintáctico-semántica porque él narra desde una concepción mágico-simpática del mundo.

Además, el nexo con valor de correspondencia desborda con su significación consecutiva a todos los sintagmas que le siguen: «has tenido miedo» / «has renunciado» / «y de golpe estás ahí» / «te mueves ondulando». Todos ellos corroboran lo dicho antes: el hablante narra desde una visión simpática que religa los opuestos y los aglutina en una misma unidad afectiva, *el miedo de que su mujer-mental se hubiese ahogado*. Por consiguiente, mediante el nexo consecutivo «o sea» se elimina la disyuntiva lógica (y sintáctica) de tener que escoger por la ausencia o la presencia, y todo lo resuelve el narrador en una unidad expresiva que afirma una sola posibilidad: miedo de que su mujer se hubiese ahogado. Todos los discursos racionales con que pretende objetivarse lo sucedido se invalidan frente a su miedo. Es éste el que perdura como motivo único.

Veamos cómo esta unidad medrosa del nexo consecutivo aparece en la oración compuesta que sigue:

> ... y te mueves ondulando como si algo trabajara suavemente en tu sueño... (Frag. 5).

La significación del nexo alcanza a esta oración coordinada; «y te mueves ondulando» lo interpretaremos con el sentido que se nos ha insinuado desde las primeras líneas: muerte («ondula en el río»). Pero acto seguido denegamos esta conclusión cuando adviene la segunda parte de la oración subordinada «como si algo trabajara suavemente en tu sueño», que nos sorprende con su contenido onírico. Nuevamente el narrador aprehendió las oposiciones como religadas y aglutinadas desde su centro. La mujer-mental se nos entrega desde el río y desde el interior de la pieza. La sucesividad narrativa obedece al ser interno de la mujer que se nos entrega, ella vacila desde *un sueño en que es soñada* a la forma en que es actualizada: ni percepción ni imagen. Al ser tanto una como otra anula presencia y queda suspendida en esos niveles de creencia preoníricos..., donde todo puede suceder. La mujer como secreción mental del hablante y éste como falderillo de su miedo configuran el modo imaginario cerrado de este relato. Añádase a esto como consecuencia normal el ámbito de la actitud: duermevela.

El narrador es víctima y victimario de una imagen recurrente que sufre como *analogon* de algo que desea y que también teme. Su mujer, ansiada y temida, está ausente como imagen, pero álgidamente presente en la inexplicabilidad de su temor.

TEMOR Y TEMPORALIDAD

El hablante nos narra desde un proceso en que se enlazan coherentemente las discrepancias lógicas advertidas en la sintaxis. Este proceso es el de una imagen recurrente posibilitada por ese movimiento propio de la conciencia reflexivo-refleja. Descubrimos que su imagen era la de una ausencia en el centro mismo de su presencia, que la ausencia tenía la singularidad de ser ansiada y temida.

Al preguntarnos por la esencia de la ausencia advertimos una bipolaridad, el temor tanto lo atrae como lo rechaza, atracción y repulsión se enlazan dentro de un movimiento oscilatorio que tanto avanza como retrocede. Nosotros sólo podemos avanzar o retroceder en dos dimensiones, espacial y temporalmente. Sabemos que el movimiento espacial está anulado por la propiedad misma del ámbito: imaginario. Nos queda la otra posibilidad. El temor a avanzar o a retroceder se da en el tiempo. Avanzar en el tiempo es un modo figurado que tenemos para expresar otra cosa que, en sentido propio, se traduce como ir hacia el futuro, proyectarnos como existentes en otro lugar. Así entendemos que se pueda decir del tiempo o de la temporalidad («modo de vivir o sufrir el tiempo») que son existenciales. Existenciales porque nuestra propia vida se desplegará y consumará en ese tiempo. Afecta a la totalidad de nuestra propia existencia, el tiempo se hallaba entretejido en una red mayor o, mejor, en el interior de un nudo gordiano que lo anulaba; la religación y la visión mágico analógica.

El presente hasta ahora conocido, en sentido estricto, no podíamos denominarlo así. ¿Acaso el hablante estaba o estuvo alguna vez presente a algo?, o ¿no se mantuvo separado de toda determinación que lo pudiese «fijar» en el tiempo?, acaso, ¿no suspendió toda posibilidad de ser y de revelarse a sí mismo como hombre que quiere y que teme? Podría contestarse que el hablante no está en la realidad, sino *en lo imaginario*. Pero ¿es que lo imaginario no está sostenido en el tiempo, al igual que lo real? Por supuesto que en un tiempo diferente, en un tiempo que podemos *suspender* y abstraer por conductas mágicas; pero —y el pero subsiste— por tiempo entendemos *un modo de relacionar con los objetos y con los seres de nuestro contorno,* una relación a la que no puedo escapar ni por lo onírico ni aún por la modorra más soñolienta. Escapar a la temporalidad sería pretender no tener conciencia, una imposibilidad que Sartre, incluso —aunque suene a broma— extiende a los esquizofrénicos. Nuestro narrador, creemos, se escabulle del tiempo y... lo logra *mientras permanece en movimiento.* Un movimiento paranoide por huir, huir; opacar a la conciencia, a una conciencia que ansía cosificarse por un movimiento que quiere conquistar el instante, *ser el instante,* un remolino que en su espiral trata de anular al tiempo y olvidar, olvidar, olvidar. Pero como el tiempo no nos baña, sino que rebosa nuestra piel y se revela por la configuración de nuestros deseos, aún el movimiento más loco y discontinuo lo expresará, aunque sea antitéticamente.

Sabemos que el temor existencial del narrador crece desde un presente grávido de pasado y que él tanto quiere revelárselo como ocultárselo por la magia hipnótica de esa imagen que destellea presencia y ausencia. Revelarse el pasado es imponerse concomitantemente el salto mortal hacia el mañana, «donde el hombre es hombre y tiene que poner el pellejo hasta el último peligro». Cara a esto el hablante tiene la disyuntiva que ya le sabemos: *deseo de revelación y cambio,* o *deseo de ocultamiento y permanencia.*

Ese corro de grises cualidades que rodeaban a la imagen central (los atributos de cacerolas y arañas de cansados) aparecían y desaparecían eternamente oscilatorias, supeditadas a la tónica total de la ambigüedad. Comprobemos lo dicho; en el fragmento 4, ya citado, lo primero que se nos destaca es la profusión de formas verbales: simples, compuestas y perifrásticas que se desempeñan como estrato sustancial de las frases:

«habías ido diciendo» —«ibas a ahogarte»— «estás ahí casi tocándome».

Sólo los dos primeros sintagmas arrojan la cantidad de seis palabras en función temporal de las quince que las forman. Esto nos indica ya el predominio de un acontecer instransitivo, hasta que nos encontremos, más adelante, con una forma verbal y una vivenciación del mundo que hagan posibles la apertura hacia la temporalidad. El tiempo como modo de relación siempre está presente, lo que ha sucedido hasta ahora es que se ha mantenido oculto. El fluido desplazamiento ondulante del narrador, por su materia, reposa en la hermandad y semejanza de opuestos que introduce la visión analógica-simpática. Los opuestos permanecen como tales dentro de una ambigüedad donde es difícil realizar el deslinde. Ya vimos cómo la alteridad lógico-sintáctica se resolvía en la identidad amorosa de un hablante atemorizado.

Veamos si las seis formas verbales corroboran esta amalgamada visión [11].

a)   «te habías ido diciendo»,
b)   «te ibas a ahogar»,
c)   «has tenido»,
d)   «estás ahí»,

---

[11] Para un análisis sintáctico, gramatical y estilístico más detallado, véase *Notas sobre la estructura, en dos cuentos de Julio Cortázar.* Tesis de Grado, Concepción, 1968, pp. 12 a 22, de Roberto Hozven.

e)   «te mueves ondulando»,
f)   «como si algo trabajara».

a)   La forma verbal «habías ido», tiempo pluscuamperfecto, denota anterioridad respecto a un hecho pasado, la acción se realiza antes que la segunda parte de la perífrasis se consume. Con esta forma el hablante se distancia de una acción con la que no quiere tener ingerencia.

b)   En esta forma verbal «ibas», reduce la distancia temporal que va del hecho, de lo sucedido, al sujeto hablante. El aspecto durativo desdibuja en su onda morosa lo que pueda ocurrirle a la imagen. La fluidez de su *continuum* tamiza las disonancias.

c)   «Has tenido», «has renunciado». Esta serie de formas verbales van encabezadas por el nexo conjuntivo de doble valor («o sea»), cuya función es abrir la conciencia del lector a un acto de dos caras *en el seno de una religación de opuestos.* La puntualidad del indefinido se disuelve bajo el efecto delicuescente del nexo.

d)   «Estás ahí». La forma presente irrumpe más directa que un objeto, pero dentro del contexto difuminado termina por desvanecerse y perderse en el juego de oposiciones.

e)   «Te mueves ondulando». La comprensión de esta forma está saturada de realidad y de sueño. El tiempo es presente; pero su aspecto imperfectivo y la duración del gerundio lo desplazan afectivamente a una rememoración, diríamos que el tiempo presente está «llamado» desde el pasado por una fuerza que lo doblega.

f)   «Trabajara». Esta forma verbal es parte de una oración subordinada que cambia de modo, de indicativo a subjuntivo. Ahora entramos abiertamente a lo hipotético con un desplazamiento de la segunda persona a la primera, mayor interiorización aún. La ambigüedad del hablante nos está entregada por el adverbio «suavemente», que nos escorza a la mujer con una densidad leve y un movimiento imperceptible homólogo a la irrealidad propia del subjuntivo.

El hablante está proyectado en los tiempos verbales como un péndulo que oscila, oscila y vacila en su ser. Nunca se identifica y concreta en el curso temporal que describe. Constantemente los transciende.

La renuncia y renuencia a reconocerse en el tiempo radica en que no quiere *reconocer* a la mujer mental.

Es un hablante que está puesto como obligado testigo de algo que él mismo no quiere ver…, se pone como testigo de sí no siendo su ser. La misma dialéctica interna y las oposiciones ya examinadas (presencia-ausencia;   revelación-ocultamiento;   cambio-permanencia) rigen para el proceso sicológico en que se manifiesta la imagen (aniquilar su entorno para ir a recapturar la experiencia en el pasado).

Esta destructividad sobre la marcha opera corrosivamente sobre el acontecimiento que le preocupa, obstruye las vías de acceso al pasado y le impide la proyección de su ser al futuro, el salto mortal al mañana. Recordemos que la probable muerte de la mujer-mental implica el aniquilamiento de la parte de mi ser que estaba en contacto con ella, así entendemos al poeta cuando nos dice que todos los días muere un poco.

Hasta ahora un pasado aparente ha crecido en un presente difuminado, donde la ley que hemos observado es la desaparición y escamoteo de un tiempo existencial. Estamos en todas partes y en ninguna, si pudiéramos caracterizar a este presente lo llamaríamos la *instantaneidad en la continuidad*. Trasladémonos al pasado y veamos si en él podemos encontrar una existencia sólida que aprehender, observemos el modo de temporalizarse del narrador en el pasado.

PASADO Y SUS MODOS DE TEMPORALIZACIÓN

¿Por qué la intención del hablante es situarse en un *antes* que hasta ahora nunca penetra de modo efectivo?

Lo primero que nos responderíamos es: el acontecimiento que le preocupa sucedió en el pasado y teme retroceder porque teme encontrar; pero es una respuesta que no satisface porque estamos en presencia de un mundo con espesor fantasma. De un mundo que, en sentido propio, parece carecer de pasado. Pero esto es equívoco. La verdadera aceptación del pasado exige que se lo reviva y descifre para encontrar nuestros propios indescifrados signos; el hablante lo hace mediante una serie de imágenes que tejen lo posible y lo imposible, la vigilia y el sueño en una urdimbre que zurce recuerdo con objeto. El hablante hace hablar las cosas y éstas están hermanadas. De esta honda afectividad religativa, de hermandad íntima con las cosas, más la dialéctica que hemos venido observando, desprenderemos dos vivencias del narrador respecto de su pasado:

1. Desaparición del tiempo, escamoteo, ocultamiento.
2. Presentación del tiempo, develación.

Ocultamiento

Empecemos antitéticamente el examen del pasado.

El narrador rehúye enfrentar el objeto de sus preocupaciones y tormentos, ha anulado para ello la presencia y traza del pasado, o sea ese pasado que vivió existencialmente y no el meramente recordado. Ha asumido en la inanidad su vida en común con la mujer, pero recuerda con cariño la atmósfera que rodeaba sus actos, hay

una ansiedad por encontrar en esos actos la densidad cálida y tórrida
que parecía emanar de la atmósfera conyugal de otro tiempo. Ante
la imposibilidad de encontrar el encanto de otra época sume su
imagen en el anonimato. El resultado es de sobra conocido, un
presente que se desmigaja y un futuro espectral. Todo el mundo
narrativo parece reposar en el estricto instante de la lectura. Por su
atmósfera no pasarán los años y sus personajes no adquirirán canas
ni morirán de vejez como los de *La comedia humana,* tampoco les
atribuiremos significados sociales, son exactamente unos espectros
que existen al instante de su proyección; *el instante en la continuidad*
parece perdurar de motivo esencial.

> ... en la penumbra verde del amanecer es casi dulce pasar una mano
> por ese hombro que se estremece y me rechaza. La sábana te cubre a me-
> dias, mis dedos empiezan a bajar por el terso dibujo de tu garganta,
> inclinándome respiro tu aliento que huele a noche y a jarabe, no sé cómo
> mis brazos te han enlazado, oigo una queja mientras arqueas la cintura
> negándote, pero los dos conocemos demasiado ese juego para creer en él,
> es preciso que me abandones la boca que jadea palabras sueltas, de nada
> sirve que tu cuerpo amodorrado y vencido luche por evadirse, somos a
> tal punto una misma cosa en ese enredo de ovillo donde la lana blanca
> y la lana negra luchan como arañas en un bocal. (Frag 6.)

La imagen de la mujer (y la mujer misma) nos es entregada como
presencia grata, plasmada por una relación erótica que se cumple con
la precisión de un ritual, ambos conocen sus orígenes y su desenlace,
la relación amorosa también está sujeta a las oscilaciones del deseo
contradictorio y a la misma lógica interna de autodenegación:

> es casi dulce pasar una mano por ese hombro que se estremece y me
> rechaza...
> ... oigo una queja mientras arqueas la cintura negándote, pero los dos
> conocemos demasiado ese juego para creer en él...
> ... somos a tal punto una misma cosa en ese enredo de ovillo donde
> la lana blanca y la lana negra luchan como arañas en un bocal. (Frag. 7.)

La mujer accede negándose y negándose se entrega, ambos saben
que se trata de un juego odioso, pero al que se han habituado. La
negación de la mujer como acto parcial dentro de un todo que es
la entrega final. La lucha posee la certeza de una entrega.

El hábito ha amortiguado hasta la violencia de sus rechazos, la
relación se sostiene sobre el consenso de la uniformidad de sus
peleas, de la uniformidad de sus coitos, para ir a desembocar, mansa-
mente, en la tranquila ribera de una vida monótona y gris.

El amor no los salva ni los hunde, ellos lo convierten en un
ejercicio diario amenizado con luchas que *se saben* entregas y que
les justifican sus mutuas presencias. La docilidad de esta vida se

transmite a los objetos que ambos usan: cigarrillos, cacerolas, arañas de luces, camisón ridículo, desfilan concretando con su inalterabilidad la isocronía de sus vidas. Objetivan la desesperación gradual de la vida que están viviendo en común..., su vida se les empieza a tornar otro objeto entre los objetos. Así como los actos de lucha de la mujer están enajenados en un obligado coito final, así sus vidas están enajenadas y son tan grises como los objetos que los rodean. Sus relaciones amenazan en convertirse, finalmente, en la opacidad de un objeto. De ahí esa sensación pantanosa de irse diluyendo en la penumbra verde y reduciendo la dialéctica de la conciencia a los límites de un instante que amenaza ser *cada vez más instantáneo.* La amenaza es tremenda porque la desaparición del tiempo está dada como desaparición de la conciencia.

¿A qué se debe esta ansiedad de «cosismo» (convertirse en cosa) que sentimos en el narrador? Retrocedemos al párrafo anterior del fragmento 6:

> ... y creo que si no estuviera tan exasperado por tus falsas amenazas admitiría que eres otra vez hermosa, como si el sueño te devolviera un poco de mi lado donde el deseo es posible y hasta reconciliación o nuevo plazo, *algo menos turbio que este amanecer donde empiezan a rodar los primeros carros y los gallos abominablemente desnudan su horrenda servidumbre.* (Frag. 8.)

Creemos que la ansiedad del hablante por convertirse en cosa proviene del deterioro que ha sufrido la relación conyugal, deterioro que se ha espacializado hasta ese «turbio amanecer», al cual lo llaman el «rodar de los primeros carros» y esos gallos que «abominablemente desnudan su horrenda servidumbre». Algo tan concreto y sonoro como el rodar y el cacarear arrebatan virtualmente al hablante de su modorra y somnolencia, le hacen entrar a esa servidumbre *viva* que antes había advertido y ridiculizado en los útiles *inmóviles* de su contorno. La cotidianidad se hace viva para arrojarlo en una servidumbre muerta. La amenaza de alienación adquiere definitivamente un espesor permanente, el espesor de lo ya consumado, el espesor yacente de lo mortuorio.

Esto es lo que se oculta al narrador, la espacialización de su servidumbre, la erosión de su matrimonio que ha ido a reposar a la socavada ribera de un «terreno baldío» y de un «fondo de cacerola». La inhospitalidad de su vida le es tan evidente que al cambiarla por esas imágenes recurrentes de la hipnagogia puede mantenerse vivo y esperanzado. De ahí que la dialéctica de la negación y la negación misma con que opera la imagen le sean tan caras. Su negación es la respuesta sigilosa con que anula su contorno, por eso para él el amanecer es amanecer a una horrenda servidumbre.

El abrazo con la mujer-mental el hablante lo prolonga y lo sostiene contra ese turbio amanecer:

> De la sábana que apenas te cubría alcanzo a entrever la ráfaga instan-
> tánea que surca el aire para perderse en la sombra, y ahora estamos
> desnudos, el amanecer nos envuelve y reconcilia en una sola *materia tem-*
> *blorosa*... (Frag. 9.)

El amanecer es ahora un elemento re-ligante que envuelve amo-
rosamente a la pareja; pero unificante en el centro de un instante
donde «ráfaga» es sístole de aire y de luz que por su violencia
hiere [12]. El hablante logra por momentos que el amanecer turbio
participe de su lujuria separatista. El juego de luces, que también
se conjuga dentro de ráfaga, contribuye a configurar el momento y
la anticipada desaparición de lo conmensurable. Y «materia temblorosa» nos insinúa la interna y eterna vacilación entre ese temor
larvado a la revelación, como el temblor inminente del amor grandioso. Los calificantes adquieren una bi-alusividad, pasemos a la
descripción que el hablante nos hace del modo cómo efectúan su
imaginaria relación:

> encogiéndote, lanzando los brazos por sobre mi cabeza, abriendo como
> en un relámpago los muslos para volver a cerrar sus tenazas monstruosas
> que quisieran separarme de mí mismo. (Frag. 10.)

De nuevo tenemos la fusión de rapidez con instantaneidad, todo
ocurre «como si en un relámpago las tenazas quisieran separarlo de
sí mismo». Tenaza y relámpago titilan una significación coactiva,
la coacción se ejerce sobre el mismo hablante, es contra él que van
dirigidas la rapidez del relámpago y la torsión de la tenaza..., pareciera poder dominarlas:

> Tengo que dominarte lentamente (y eso, lo sabes...).

El erotismo abandonado de la mujer es una escisión en el interior mismo del hablante, escisión que también es puente entre vigilia y sueño: la mujer-imagen lo divide y le empieza a socavar esa
duermevela que había operado como velo separador de sus actos
pasados con el *raconto* presente. El presente imaginario entre los
dos abismos (pasado-futuro) se derrumba para dejarle caer como
piedra en el presente verdadero que existencialmente vive, hasta
ahora, sin vivir. El tiempo, celosamente alejado, amenaza arran-

---

[12] Abro el diccionario: «*Ráfaga, f.* Movimiento violento del aire, que hiere
repentinamente y que por lo común tiene poca duración. 3. Golpe de luz vivo e
instantáneo». Lo cierro. Estamos al borde del recuerdo, en la arista de la
revelación.

carle la venda. Observamos cómo ello ocurrirá desde una mostración de los objetos mismos. Pero ahora los objetos no alienarán, sino que revelarán. Creemos que el cambio ontológico de la operatividad que los objetos ejercen sobre el hablante, proviene de que ellos ahora no son los útiles a la mano que antes habíamos conocido. Es otra clase de objetos. Son objetos naturales:

> ... lo he hecho siempre con una gracia ceremonial), sin hacerte daño voy doblando los juncos de tus brazos, me ciño a tu placer de manos crispadas, de ojos enormemente abiertos, ahora tu ritmo al fin se ahonda en movimientos lentos de muaré, de profundas burbujas ascendiendo hasta mi cara, vagamente acaricio tu pelo derramado en la almohada, en la penumbra verde miro con sorpresa mi mano que chorrea, y antes de resbalar a tu lado sé que acaban de sacarte del agua, demasiado tarde, naturalmente, y que yaces sobre las piedras del muelle rodeada de zapatos y de voces, desnuda boca arriba con tu pelo empapado y tus ojos abiertos. (Frag. 12.)

La mujer-mental es propuesta en otro ambiente; la corrosiva atmósfera utilitaria que insidiosamente iba convirtiendo vida en muerte, movimiento en repetida habitualidad, objetos que emanaban inmovilidad mortuoria y amenazaban objetivar lo subjetivo, *han desaparecido*. La vivencia del entorno funde imágenes contrapuestas y animiza lo natural: «*los juncos* de tus *brazos*». Sentimos que el amor, no el de la habitualidad que le despertaba a ese amanecer abominable, preside este desencadenamiento unitivo. Comprobemos cómo la unión final se alcanza a través de una pertinaz bialusividad:

«los juncos de tus brazos»,
«manos crispadas»,
«ojos enormemente abiertos»,
«tu ritmo al fin se ahonda en movimientos lentos de muaré»,
«de profundas burbujas ascendiendo hasta mi cara»,
«tu pelo derramado en la almohada»,
«en la penumbra verde»,
«mi mano que chorrea»,
«desnuda boca arriba con tu pelo empapado y tus ojos abiertos».

Los juncos son esas plantas de largos tallos que crecen a la orilla de los ríos y que se inclinan leves y gráciles sobre el lecho huyente, su flexibilidad y curvatura son los brazos de una mujer que se pliegan sobre las espaldas del varón, y así entendemos que el hablante doble los brazos-juncos sobre el subsuelo de una comprensión que nuestra anticipada lectura intuye así: lecho y río, amor de muerte. «Las manos crispadas» son el clímax de ese abrazo amoroso y también el último gesto que la desesperación dejó en ellas. La crispa-

ción nos oculta, tanto amor orgiástico como postrer desesperación.
La crispación, que dura lo que las aguas lentas del río demoraron en
engullir un cuerpo, va a morir en los ojos enormemente abiertos de
un orgasmo o de un cadáver. Cuando su ritmo se ahonda «en movimientos lentos de muaré», ni él ni nosotros sabemos si se trata de
el progresivo y cadencioso ritmo del goce que se acerca al filo de
su fin, o el hundirse silencioso de un cuerpo ya vencido por los
remolinos aspirantes del agua. Ese ritmo y esas burbujas pueden ser
el resultado del dulce abandono a la inmediación gozadora del
placer como las últimas burbujas dadoras de la vida que una ahogada
no podrá ya respirar. La burbuja estalla al llegar a la superficie
del río y a la superficie de la vigilia. El estallido de la burbuja le
arroja definitivamente a ese pobre visible de su cotidianidad y le
anticipa esa sorpresa que culmina en certeza, «antes de resbalar a
tu lado...»

                ... SÉ que acaban de sacarte del agua... (Frag. 13.)

Revelación

La certeza de la muerte de su mujer culmina la amorosa fusión de
río con hembra. El río es el río que ahogó, y la mujer es la que reposa sobre las piedras del muelle, inmóvil y desnuda. Su cuerpo perdió el encanto que la comunión amorosa con el río le confería, la
mujer tenía una magia fluvial y onírica mientras se encontraba en
unas ondas que al tiempo que le daban muerte le daban movimiento
y la apartaban de ese carácter directo, inmóvil y estéril que es el de
estar sobre las piedras del muelle rodeada de voces y de zapatos.
La mujer volvió al ámbito del fondo de cacerola y de terreno baldío
que mantuvieran de vivos. La muerte no la coronó de inmortalidad,
sino que de cotidianidad, la muerte no es lo grandioso ni lo incomprensible, sino lo burdo, cotidiano («cuando traigan el diario con
las noticias de...») y servil. Ella va a morir a los pies de unos zapatos y de unas voces. La muerte tiene el insulto de lo público, ya ni
el «morir tenemos» del poeta conserva su legitimidad frente a la
prostitución de ese amanecer abominable.

La fusión con los elementos del río: juncos, el movimiento lento
y rítmico de las ondas, las burbujas profundas, esa penumbra verde,
cogen a la mujer y la transustancian en otro elemento natural más,
en otro elemento que se acerca más al puro *the rose is a rose, is a
rose, is a rose* que a la instrumentalidad del objeto. Vemos en este
pequeño grandioso cuento una crítica exacerbada a lo que Cortázar
más tarde, y también mucho más explícitamente, desarrolla en la
filosofía de sus cuentos (*Rayuela* y *La vuelta al día en ochenta mundos*); la intuición de la desintegración aniquiladora que nuestras

sociedades productivas ejercen sobre el pobre humano. Hay en *El río* un atisbo *del otro camino* que *Rayuela* recorre discursiva-irracionalmente. Ya se dan en él esta pretenciosa y maravillosa aspiración a otros contactos que no sean los de la estricta razón. Hemos visto que la dialéctica en este pequeño cuentecito funciona intuitivamente y no negativamente, vimos cómo nuestros criterios lógicos se desbarataban si querían penetrar y seguir el movimiento y onda de este río.

El ritmo unitivo en la disolvencia, que amarra las disonancias más insólitas en la identidad de un alambre sigiloso que nos hace palpar redes significantes e invisibles..., es tanto el río como lo huidizo del amor: se trata de un tiempo analógico que discurre por la unidad de todos los éxtasis. No tiene sentido que problematicemos sobre la existencia o inexistencia de esa mujer que, por respeto al intercambio de signos, hemos denominado «mental», «imaginaria».

Si no creyésemos que lo imaginario es tan *real* como la experiencia cotidiana y que la imagen, si bien fenomenológicamente nunca coincide con la percepción, es tan reveladora de esencias como la percepción y la reflexión, *nunca* le hubiéramos dedicado todas estas páginas a este breve relato. El propósito esencial de esta interpertación fue la de aunar *en el desarrollo de un esfuerzo* lo que en otros había sido dado a escorzos. Mucho se habla de la rosa, pero no se la hace crecer. Mucho se había destacado la realidad y la irrealidad, lo real y lo imaginario, la objetividad y la subjetividad, el hecho y la ficción; pero nunca, creemos, se había mostrado paso a paso el crecimiento e inervaciones de estos fenómenos en la multifacética prosa de Julio Cortázar.

*Conocimiento poético y aprehensión racional
de la realidad. Un estudio de «El perseguidor»,
de Julio Cortázar*

Saúl Sosnowski
(A Hernán Vidal)

El primer encuentro con la narrativa de Julio Cortázar enfrenta al lector a un vaivén entre lo que aparentemente son estratos existenciales. Una subsiguiente lectura crítica ya posibilita la formulación de ciertas teorías conducentes a la aprehensión de su narrativa en torno a determinados motivos básicos. Uno de éstos aflora al examinar el cuento-*nouvelle* «El perseguidor». En él se revela la contraposición de dos visiones de la realidad: la poética de Johnny Carter y la científico-burguesa del narrador Bruno.

Bruno, crítico musical y amigo de Johnny, pertenece al núcleo humano que, adhiriéndose a una visión positivista de la realidad, ha reducido el conocimiento del hombre a lo estrictamente empírico, quitándole valor positivo a lo que transciende tal nivel. Esta plataforma puede hallar sus raíces dogmáticas en la concepción cartesiana del universo, aunque sus orígenes se remontan al estadio inicial en que el instrumento racional superó al sensorial-instintivo. En el campo literario, los románticos confirman su toma de conciencia de este mecanismo al reaccionar contra la violación de la unidad básica integrada por el yo y el universo. Esta reacción se debía en parte a un renovado antropocentrismo que luchaba por recobrar sentido en un mundo que excluía al hombre. Se combatía asimismo a la imposición normativa que enajenó al hombre reduciéndolo a un cúmulo de fórmulas previsibles y quitándole el instrumento filosófico-poético, el único que posibilitaba su búsqueda ontológica, aquella que podía otorgarle su verdadera razón de ser. Y es precisamente alguien como Johnny Carter el que apunta a calidades ontológicas que tratan de recuperar la unicidad del hombre (hombre-universo) destruida por la falsa dicotomía creada entre lo comprobable y lo no-comprobable empíricamente.

Con una meta análoga, los románticos habían propuesto una visión trascendental de la realidad, según la cual los objetos que se dan en el estrato empírico también son manifestaciones de *otra* realidad, de un nivel supra-real, maravilloso. Los surrealistas se harían eco de estas consideraciones, utilizando conceptos freudianos a los que volveremos más adelante, que con algunas variantes prevalecen en los «movimientos de vanguardia»[1]. Pero junto con esta apertura a un mundo maravilloso, se limitó la entrada a aquellos que poseían una excepcional visión estética sólo comunicable mediante el conocimiento poético, el único capaz de comprender y traducir el deseo de *ser cada vez más*. «Sediento de ser —dice Cortázar— el poeta no cesa de tenderse hacia la realidad, buscando con el arpón infatigable del poema una realidad cada vez mejor ahondada, más *real*. Su poder es instrumento de posesión; como una red que pescara para sí misma, un anzuelo que fuera a la vez ansia de pesca. Ser poeta es ansiar, pero sobre todo obtener en la exacta medida en que ansía»[2]. El poeta no puede aceptar lo que el intelecto ofrece como realidad, porque posee una visión de algo que está más allá de sí mismo y que trata de poseer con la incantación mágica del poema. «Negar la supuesta unidad y finitud de los hechos, ahí está la cosa»[3]. Se trata de negar la ley causal, la que rige a los Brunos, porque se posee la intuición de otro estrato de realidad diferente al limitado por esa unidad y esa finitud.

Según Cortázar, la intuición del hombre es la manifestación de ese estrato «más *real*» que trata de poseer. Se establece así una dialéctica poemática entre el poeta y la realidad trans-racional que llamaremos «supra-realidad». El poeta busca ser, «quiere poseer la realidad al nivel ontológico, al nivel del ser»[4], y esta supra-realidad trata de manifestarse por medio de la sensibilidad del ser del poeta. Es un acto de posesión mutua que culmina en el poema, en la palabra mágica. Éste manifiesta la supra-realidad y, al mismo tiempo,

---

[1] Este deseo llevó, naturalmente, a un mayor «experimentalismo». Según Renato Poggioli: «One of the most important aspects of avant-garde poetics is what is referred to as experimentalism; for this, one easily recognizes an immediate precedent in romantic aesthetic experimentation, the anxious search for new and virgin forms, with the aim not only of destroying the barbed wire of rules, the gilded cage of classical poetics, but also for creating a new morphology of art, a new spiritual language.» *The Theory of the Avant-Garde*, traducido del original italiano *Teoria dell'arte d'avanguardia*, por Gerald Fitzgerald (Cambridge, Mass.: The Belknap Press of Harvard University Press, 1968), p. 57.

[2] *La vuelta al día en ochenta mundos* (Buenos Aires: Siglo XXI, 1968), página 212.

[3] *Ibid.*, p. 64.

[4] Julio Cortázar, «Para una poética», *La Torre. Revista General de la Universidad de Puerto Rico*, II (1954), p. 133.

permite la penetración del poeta a un nivel vedado al intelecto. En sentido inverso, esta supra-realidad penetra al artista con la intuición de una visión pura, con un «contacto inmediato y nunca analítico» [5]. La intuición deja entrever la existencia de un modo de ser que desafía a la visión causal de la realidad. Con este reto rechaza la posibilidad de captar su significado con el lenguaje mediatizador. Entonces, los artistas «sustituyen la fórmula por el ensalmo, la descripción por la visión, la ciencia por la magia» [6]. La intuición de otra realidad lleva a una nueva actitud: la actitud poética que conduce a la búsqueda del ser en lugar de la descripción de lo que se manifiesta a través de los sentidos. Ante una realidad que exige el abandono de actitudes empírico-racionales sólo cabe la actitud poética. Con esta postura el hombre podrá expresar la existencia, el ser de la supra-realidad. Sólo prescindiendo del intelecto éste podrá ser utilizado como médium capaz de manifestar la suprarrealidad. La manifestación es el poema, que para Cortázar es «tierra de nadie donde las categorías ceden y son reemplazadas por otras dimensiones» [7].

Pero una vez que la supra realidad se ha manifestado al poeta, éste buscará su posesión, que sólo podrá ser lograda por medio del poema. La magia del verbo dará la pauta de la posesión, porque «todo verso es *incantación,* por más libre e inocente que se ofrezca, es creación de un *tiempo* y un *estar* fuera de lo ordinario, una *imposición* de elementos» [8]. Una vez dejado de lado el falso predominio de la razón, es la forma primordial, primitiva, la que será utilizada para poseer la supra-realidad intuida y ser poseído por ésta. El poeta sospecha que la palabra posee un valor sagrado, capaz de abrirle las puertas a la realidad que ya necesita para ser. Con la metáfora trata de lograr su fin, ya que anula así el principio de identidad sobre el que se basa el pensamiento lógico. Al usar la analogía se implica la participación entre objetos, expresando así «el sentimiento de un salto en el ser, una irrupción en otro ser, en otra forma del ser» [9] y la certeza de que «ciertas cosas *son* a veces lo que son otras cosas» [10]. En esa otra forma de ser, en esa supra-realidad, la lógica y la pre-lógica coexisten, permitiendo, asimismo, la participación de todo objeto que posea existencia, de todo lo que *es*.

La intuición inicial llevó al poeta a sentir un mundo que no es el hombre, pero del cual participaba. En esa supra-realidad que lo

---

[5] Julio Cortázar, «Situación de la novela», *Cuadernos Americanos,* IX (1950), p. 231.
[6] *Ibid.,* p. 232.
[7] «La urna griega en la poesía de John Keats», *Revista de Estudios Clásicos,* II (1946), p. 75.
[8] «Para una poética», p. 130.
[9] *Ibid.,* p. 131.
[10] *Ibid.,* pp. 123-124.

usó como médium, «ser» es el principio unificador de todo. Al conocer el principio, al adivinar por analogías tal estrato existencial, al determinarlo verbalmente, el poeta posee esa realidad. Pero ese proceso no es finito: es un proceso de ansia, de posesión, que se renueva con cada poema que busca la fusión del poeta con el objeto cantado [11]. Con cada poema, el poeta «es cada vez más» [12]. Una vez iniciada la posesión del ser, el aumento ontológico pierde su finitud, la supra-realidad posee al hombre infinitamente mientras que aumenta en éste el constante deseo de posesión de la realidad.

El lenguaje poético es la clave que permite el paso a «la zona donde las cosas renuncian a su soledad y se dejan habitar» [13]. En ese estrato supra-real que penetra el poeta para ser permeado minuciosamente, el hombre deja de ser hombre, es todo lo que puede captar, poseer con la fórmula mágica de su verbo. Pero este lenguaje no se limita al verbo lingüístico, como tan bien lo había demostrado el cuerdo Wölfli [14]. La incantación mágica puede ser y es el sonido de cualquiera de los dos «Ornithology» o «Ko Ko» de Charlie Parker, o el «Amorous» de Johnny Carter. En esos momentos, instantes únicos, el poeta, al «cantar la cosa», se une «en el acto poético a *calidades* ontológicas *que no son las del hombre* y a las cuales, descubridor maravillado, el hombre ansía acceder y ser en la fusión de su poema que lo amalgama al objeto cantado, le cede su entidad y lo enriquece. Porque 'lo otro' es en verdad aquello que puede darle grados del ser ajenos a la específica condición humana. Ser algo, o —para no extremar un logro que sólo altos poetas alcanzan enteramente— cantar el ser de algo, supone *conocimiento,* y en el orden ontológico en que nos movemos, *posesión*» [15]. El conocimiento poético permite al hombre penetrar los secretos del universo vedados al conocimiento científico o desplazados fuera del dominio de lo cognoscible [16]. Al reconciliar al hombre con el universo, al ponerlo en contacto con *lo otro,* se le otorga nuevamente la posibilidad de desplazarse a través de todos los estratos que lo integran, tanto el empírico como el supra-real. En estas condiciones, el hombre sensible, el poeta, tratará de poseer la realidad en su mayor amplitud, de volver al mundo donde está lo que desea. El poeta anhela llegar a un estrato ajeno a la rutina física, al nivel en el cual «hay fenómenos e incluso cosas que son lo que son y como

---

[11] «Para una poética», pp. 134-135.
[12] *Ibid.*
[13] *Ibid.,* p. 138.
[14] *La vuelta al día en ochenta mundos,* pp. 50-51.
[15] «Para una poética», pp. 134-135.
[16] Ferdinand Alquié, *The Philosophy of Surrealism,* traducido del original francés, *Philosophie du Surrealisme,* por Bernard Waldrop (Ann Arbor: University of Michigan Press, 1965), p. 120.

son, porque, de alguna manera, también son o pueden ser otro fenómeno u otra cosa» [17], quiere ser dentro de la dinámica que reniega de los hechos aislados, del tiempo irreversible, que contempla una figura más amplia donde no existe la secuencia ayer-hoy-mañana. Según lo expresa Cortázar, «si conocer alguna cosa supone siempre participar en ella en alguna forma, aprehenderla, el conocimiento poético se desinteresa considerablemente de los aspectos conceptuales y quitinizables de la cosa, y procede por irrupción, por asalto e ingreso afectivo a la cosa, lo que Keats llama sencillamente tomar parte en la existencia del gorrión y que después los alemanes llamarán Einfühlung, que suena tan bonito en los tratados» [18]. Tal es el caso de Johnny Carter, ese «pobre mono» que intuía un nivel existencial que lo trascendía y al que sólo podía acceder mediante el saxo y esa música que Bruno reducía a términos críticos caducos. Y es precisamente en esta doble visión de un mismo hecho que la conjunción de ambas posturas resultará en un choque, en un mecanismo de *challenge and response,* que precluye toda posibilidad de síntesis, porque ambos se desplazan por dos niveles que se excluyen mutuamente.

«El perseguidor» enfrenta la visión de Johnny Carter —que por ser un hombre instintivo se reduce a intuiciones, a sentimientos ocultos e irreducibles a formulaciones lógicas— y la de Bruno, que se aferra a su fe en la verdad absoluta de un orden establecido por una perspectiva científico-burguesa. El saxofonista Johnny es el ser básico, primario, cuyos deseos no están restringidos a ley alguna; el crítico analizador Bruno es el hombre que vive según un orden prefijado por la sociedad que él acepta como marco de operaciones. El encuentro de estas perspectivas vitales arroja una serie de acusaciones. Mientras Johnny vive liberado de toda imposición, Bruno —siguiendo la terminología freudiana— adolece de una «frustración cultural» causada por la supresión de sus instintos [19]. Cuando Bruno ya ha aceptado criterios básicos burgueses —la dignidad de la casa-mujer-oficio—, Johnny sigue en la etapa inicial de la búsqueda de un sentido ontológico que pueda responder al porqué de su circunstancia.

Johnny Carter no comprende racionalmente la realidad que lo rodea. Aunque es consciente de sus percepciones, sus sentidos sólo

---

[17] *La vuelta al día en ochenta mundos,* p. 49. Julio Cortázar refiriéndose a las teorías de Lucies Lévy-Bruhl sobre la mentalidad primitiva.
[18] *Ibid.,* p. 211. Para la alusión a Keats, véase «La urna griega en la poesía de John Keats», p. 67.
[19] Sigmund Freud, *Civilization and its Discontents* (New York: W. W. Norton & Co., 1961), p. 45. Véase también su «'Civilized' Sexual Morality and Modern Nervousness», en *Collected Papers* (London: The Hogarth Press, 1954), II, p. 82.

pueden denotar lo empírico, limitándose a una observación superficial de los objetos que perciben [20]. Pero siendo artista, él alcanza a distinguir «la zona intersticial por donde cabe acceder» [21]. A través de la música intuye que lo apariencial, lo empírico, el tiempo de relojería, ocultan algo esencial que quizá encierre el sentido de su ser. Esta intuición causa un extrañamiento ante el plano llamado realidad. Con ese sentimiento, Johnny partirá en busca de ese otro estrato que vislumbra a través de las notas del saxófono. Sus improvisaciones musicales son el verbo con el que intenta penetrar la supra-realidad. Él es incapaz de apresar intelectualmente, mediante un conocimiento reducible a ecuaciones lingüísticas, esa otra realidad, ese nivel mítico. Intuye, siente, pero la expresión verbal le es vedada. Cada toma del saxo sería un nuevo intento de hallar la palabra, la clave que lo adelanta en el intento de penetrar el nivel mítico de la realidad.

Las anotaciones de Bruno permiten vislumbrar la búsqueda de Johnny. El saxofonista intenta escapar de sus determinaciones humanas para penetrar una zona regida por principios a-racionales, un estrato donde contar el tiempo carece de todo sentido. Bruno recuerda que desde que conoció a Johnny, la mayor preocupación de éste, fue el tiempo. «Es una manía, la peor de sus manías, que son tantas» [22]. Su «concepto» de tiempo no podía ser determinado, nombrado ni contado por el hombre; era un flujo que existía en un estrato supra-real, ajeno a las coordenadas fijadas por el conocimiento racional. Johnny intuía, además, que mediante la música podría captar ese flujo, penetrarlo: «Bruno, cada vez me doy mejor cuenta de que el tiempo... Yo creo que la música ayuda a comprender un poco este asunto. Bueno no a comprender porque la verdad es que no comprendo nada. Lo único que hago es darme cuenta de que hay algo» [23]. Pero sentir el tiempo le da una pauta de su propia finitud. Ante la angustia que ello le causa, ansiará olvidar el tiempo para así neutralizar el dolor que causa el conocimiento de que todo tiene fin.

Toda intuición del tiempo causa el abandono de los compromisos artísticos de Johnny. Él carece de toda noción de contratos y

---

[20] «Consciousness appears to us as a sensory organ which perceives a content proceeding from another source». Sigmund Freud, *The Interpretation of Dreams,* en *The Basic Writings of Sigmund Freud,* traducido y editado por A. A. Brill (New York: The Modern Library, 1938), p. 224.

[21] *La vuelta al día en ochenta mundos,* p. 24.

[22] «El perseguidor», *Las armas secretas* (Buenos Aires: Sudamericana, 1966), página 103. Todas las referencias subsiguientes al cuento seguirán a las citas en el texto.

[23] «Esto [dice Johnny, golpeándose la cabeza] no piensa ni entiende nada. Nunca me ha hecho falta para decirte la verdad. Yo empiezo a entender de los ojos para abajo, y cuanto más abajo mejor entiendo» (p. 106).

obligaciones. Toca cuando ansía y necesita hacerlo. Su música es un corredor entre el nivel empírico humano, que percibe físicamente, y el suprahumano, que siente estéticamente. «Yo creo que la música me metía en el tiempo. Pero entonces hay que creer que este tiempo no tiene nada que ver con... bueno, con nosotros, por decirlo así» (p. 107). «Yo no me abstraigo cuando toco. Solamente que cambio de lugar» (p. 109). Esa música es el verbo que lo posee y lo transporta a otra dimensión, a un «ascensor de tiempo» (p. 109), en que todo lo mundano, todo lo empírico, desaparece para dejarlo a Johnny desnudo, solo con el saxófono [24] y el ansiado ascenso hacia otro estrato. Al intuir la supra-realidad, Johnny cree que caducan sus determinaciones empíricas como ser humano. Al sentir el tiempo mítico abandona la realidad física que lo circunda y las responsabilidades que ésta impone.

Su viaje en subte es un *happennig,* porque «es por lo menos un agujero en el presente; [y en el caso de Johnny] bastaría mirar por esos huecos para entrever algo menos insoportable que todo lo que cotidianamente soportamos» [25]. A través de esa apertura él toma noción de la elasticidad del tiempo, de que el reloj no determina el tiempo, de que no *es* el tiempo. En el *metro,* que es como viajar en un reloj, concreta su sensación de que hay otro estrato: «Las estaciones son los minutos, comprendes, es ese tiempo de ustedes, de ahora; pero yo sé que hay otro, y he estado pensando, pensando...» (p. 115). Pensando concluye que ese otro tiempo otorgaría a los hombres la eternidad mediante la anulación del reloj Bruno-Dédée-*metro.*

Johnny rechaza el tiempo medido, dividido y fijado que, como dice André Breton, es una «vieja farsa siniestra, tren en perpetuo descarrilamiento, pulso loco, inextricable amontonamiento de bestias que revientan o ya reventaron» [26]. El rechazo del tiempo-reloj representa la negación de los valores asignados por la visión científica a la realidad que le exige al hombre renunciar a lo que su yo necesita para ser. Johnny se niega a renunciar a sus deseos. Él ha permanecido en un estado de *pure pleasure-ego* [27], en el estado primario del yo: «Originally the ego includes everything, later it separates of an external world from itself. Our present ego-feeling is, therefore, only a shrunken residue of a much more inclusive —indeed, an all-embracing— feeling which corresponded to a more

[24] Johnny a Bruno: «Muy ingenioso lo que has escrito sobre el saxo y el sexo, muy bonito el juego de palabras. *Six months ago. Six, sax, sex*» (p. 166).
[25] *La vuelta al día en ochenta mundos,* p. 119.
traducido por Aldo Pellegrini (Buenos Aires: Nueva Visión, 1965), p. 79.
[26] *Segundo manifiesto del surrealismo,* en *Los manifiestos del surrealismo,*
[27] Sigmund Freud, *Civilization and its Discontents,* p. 14.

intimate bond between the ego and the world about it» [28]. Este sentimiento de unión entre el «yo y el «universo» equivale a la solidaridad vital, al sentido de participación del hombre en el mundo, correspondiente a la visión mítica de la realidad. Esta visión de la realidad niega el postulado que requiere la sumisión de los instintos humanos a la razón, postulado transformado en axioma por toda sociedad burguesa. La razón científica separó al hombre del universo, pero al rechazar la supremacía de esta visión se restituyó al hombre a su yo inicial. De este modo, el hombre es reintegrado a una aproximación mágica, por contraposición a la científica, a la realidad con la que posee una afinidad que se manifiesta a través del deseo del hombre [29].

El deseo, la expresión de los instintos, restringido por la burguesía, emergió a la conciencia del hombre mediante los descubrimientos de Freud, considerados por los surrealistas como solución inicial al problema de la restricción de los poderes del hombre. Según Alquié: «The surrealists always evoke with regret the primal fusion that is taken from us by our objective vision of the world. The are not satisfied with alienation, with the mutilation assumed by technological science» [30] Por eso intentaron recobrar los poderes del hombre, liberándolo del dominio de la razón. La restitución al hombre de todas las posibilidades de acción, de todos sus poderes, al reconciliarlo con el universo, lo devuelve al estado primario del *pure pleasure-ego*. Esto crea un estrato de existencia único, mítico, donde el tiempo irreversible carece de todo sentido, donde la razón sólo puede ser utilizada en la resolución de problemas al nivel empírico —secundarios a la búsqueda ontológica—, pero que caduca en el ámbito supra-real, trans-empírico.

Bruno, al igual que las mujeres y los instrumentalistas que rotan en torno a Johnny, se desplaza en el nivel empírico. La vida de Bruno está circunscrita a las imposiciones de su intelecto, a la crítica, a las ediciones de sus libros, a su mujer. Sabe que Johnny ofrece una nueva alternativa para explicar la realidad, para desmembrar los cimientos de las interpretaciones racionales. Pero esto lo sabe y lo acepta mientras está junto a Johnny. Sus reiterados alejamientos de esa órbita, su rechazo de las intuiciones de Johnny, son el escape de una interpretación existencial ajena a la suya que, de ser aceptada, requeriría cambios en su comodidad burguesa. Bruno sabe que es imposible funcionar dentro de un marco civilizado según el criterio instintivo de Johnny. En su medio coexisten sólo los que llevan la máscara y no los que son fieles a su sentir hasta la muer-

---

[28] *Ibid.*, p. 15. Véase también su *The Ego and the Id* (New York: W. W. Norton & Co., Inc., 1962), pp. 28-9.

[29] Alquié, *op. cit.*, pp. 32-35.

[30] *Ibid.*, p. 139.

te [31]. El narrador reconoce que Johnny posee ciertas claves para vivir según otras leyes vitales, pero las desecha con sólo salir a la calle y ponerse el traje de la sociedad. «Cuando no se está demasiado seguro de nada, lo mejor es crearse deberes a manera de flotadores» (p. 121).

La búsqueda de Johnny anula su posible coexistencia con un sistema social. Toda sociedad requiere una sublimación de los instintos y una división laboral a cambio del sentimiento de seguridad que otorga el conglomerado humano. Sin embargo, tal sociedad puede llegar a anular toda manifestación interior del hombre, forzándolo a someterse a patrones prefijados. El resultado es el choque entre el deseo del hombre de procurarse el placer inmediato que satisfaga sus instintos y la exigencia de la sociedad de reducirlos a un tiempo determinado.

Según Herbert Marcuse, en el orden burgués «men do not live their own lives but perform pre-established functions. While they work, they do not fulfill their own needs and faculties but work in *alienation*. Work has now become *general*, and so have the restrictions placed upon the libido» [32]. Así se estructura una sociedad que funciona por obligaciones, por contratos que compelen a negar el placer [33]. Por eso los músicos, los técnicos y Bruno, aunque reconocen su genio, consideran a Johnny como un elemento social negativo. A él no le interesan las horas ni los papeles firmados, sino tocar cuando quiere. Lo único que los otros lamentan es la pérdida en la producción, el número de discos que no se graban a causa de las alucinaciones del creador, de sus viajes en el *metro* (página 108). Pero Bruno, cuando en el territorio-Johnny, exclama lúcidamente: «Johnny tiene razón, la realidad no puede ser esto, no es posible que ser crítico de *jazz* sea la realidad, porque entonces hay alguien que nos está tomando el pelo. Pero al mismo tiempo a Johnny no se le puede seguir así la corriente, porque vamos a acabar todos locos» (pp. 144-145). A pesar de este mecanismo de defensa racional, Bruno se siente «tan poca cosa con mi buena salud, mi casa, mi mujer, mi prestigio. Mi prestigio sobre todo. Sobre todo mi prestigio» (pp. 146-147). Sin embargo, él sabe que la razón siquiera le ofrece un orden precario a su existencia, que la razón es su única tabla de salvación, y a ella se ase cada vez que Johnny postula sus límites. Bruno adopta la razón como criterio

---

[31] Epígrafes a «El perseguidor»: «Sé fiel hasta la muerte», *Apocalipsis, 2,* 10, y «*O make me a mask*» (p. 99).

[32] Herbert Marcuse, *Eros and Civilization: A Philosophical Inquiry into Freud* (New York: Vintage Books, 1962), p. 41.

[33] «The irreconcilable conflict is not between work (reality principle) and Eros (pleasure principle), but between *alienated* labor (performance principle) and Eros.» *Ibid.,* p. 43n.

básico porque ésta es la base de su civilización: «The logos shows forth as the logic of domination. When logic then reduces the units of thought to signs and symbols, the laws of thought have finally become techniques of calculation and manipulation» [34]. Este sistema sirve como mecanismo de defensa contra los deseos conscientes del hombre: «The defense consists chiefly in a strengthening of controls not so much over the instincts as over consciousness, which if left free, might recognize the work of repression in the bigger and better satisfaction of needs» [35].

Bruno y Johnny representan la dicotomía en la visión de la realidad entre la perspectiva racional y la intuitivo-sensual. «In line with the repressive concept of reason, cognition became the ultimate concern of the 'higher', non-sensuous faculties of the mind; aesthetics were absorbed by logic and metaphysics. Sensuousness, as the 'lower' and even 'lowest' faculty, furnished at best the mere stuff, the raw material, for cognition, to be organized by the higher faculties of the intellect» [36]. Los que rodean a Bruno aceptan la supremacía de la lógica organizadora y del orden prefijado; mientras que Johnny rechaza toda convención en aras de su gratificación sensual. Se enfrentan dos actitudes: la profesional de los sujetos sometidos al orden burgués, a la jerarquía establecida; y la estética del artista, del creador que opone a la lógica racional la lógica del placer. A causa de lo irreconciliable de estas posiciones, Johnny no pudo ser integrado al marco de la civilización, ya que ésta exige, *ab initio,* la renuncia a la satisfacción inmediata y directa de los deseos instintivos [37]. Bruno, miembro de una estructura civilizada, restringió o sublimó sus instintos a cambio del sentido de productividad y seguridad que le garantizaban las leyes que rigen la sociedad. Johnny, por el contrario, continuó sujeto al principio del placer buscando la satisfacción inmediata de sus deseos, el juego y la anulación de todo sentimiento represivo [38]. En términos freudianos podríamos decir que mientras Johnny, el creador, existía según el principio del placer, Bruno había sido integrado al principio de la realidad [39]. «Lo único que Johnny puede temer es no encontrarse una chuleta al alcance del cuchillo cuando se le dé la gana de comerla, o una cama cuando tiene sueño, o cien dólares en la cartera

---

[34] *Ibid.,* p. 101.
[35] *Ibid.,* p. 85.
[36] *Ibid.,* pp. 164-165.
[37] Al participar ,en el orden social se niega el principio básico de la vida: la búsqueda del placer. Véase Freud, *Civilization and its Discontents,* páginas 23, 44; Marcuse, *op. cit.,* p. 11.
[38] Su uso constante de la droga y la bebida eran medios para neutralizar el sufrimiento físico. Véase Freud, *op. cit.,* p. 25.
[39] *Ibid.,* p. 14; Marcuse, *op. cit.,* p. 12.

cuando le parece normal ser dueño de cien dólares» (pp. 133-134) [40].
Lo que quiere es «freedom from want» [41]. Esto le permitiría liberar
su mente de toda excitación instintiva, ya que lo primario, el deseo,
estaría en un estado de satisfacción constante [42]. La búsqueda de
Johnny es la del individuo que no participa del conglomerado ético-
social. Su búsqueda es ontológica, no social. Johnny se niega a aceptar la visión científica de la realidad, la transformación de todo
ente en objeto. Siente, al ver un pan, que «el pan está fuera de mí,
pero lo toco con los dedos, lo siento, siento que eso es el mundo,
pero si yo puedo tocarlo y sentirlo, entonces no se puede decir
realmente que sea otra cosa» (p. 144). Johnny intuye una trascendencia, un estrato mítico en que todo parte de una sola unidad.
Por tanto, cada alteración dentro del universo acarrea consecuencias para todos sus componentes. Pero éstas, por ser inaprehen-
sibles por medios científicos, son rechazadas por los Brunos.

La percepción de Johnny estaba limitada a «darse cuenta» (página 105), a una comprensión sensual corpórea del mundo (p. 106).
Como ya lo hemos establecido, sus fuerzas aprehensivas no son
intelectuales, sino intuitivas. Éstas le permiten entrever una supra-
realidad donde el tiempo no se rige por un sistema de secuencias.
Johnny busca la respuesta al «qué soy», al «qué es». Él sabe que
la vía de Bruno, la exclusivamente racional, es incorrecta. Siente
que las máscaras que llevan Bruno, su amante Dédée y los mucha-
chos de la orquesta están bien para la sociedad, pero no para el
que busca llegar al principio ontológico. Es por eso que se muestra desnudo ante Bruno. «Lo que estaba haciendo Johnny me cho-
caba. Y él lo sabía y se ha reído con toda su bocaza, obscenamente
manteniendo las piernas levantadas, el sexo colgándole al borde del
sillón como un mono en el zoo, y la piel de los muslos con unas
raras manchas que me han dado un asco infinito. Entonces Dédée
ha agarrado la frazada y lo ha envuelto presurosa, mientras Johnny
se reía y parecía muy feliz» (p. 118). Así se mostraba Johnny tal
cual era, sin los tapujos puritanos del crítico y los lectores del
Jazz Hot. Johnny no esconde nada, carece de toda máscara. Tampoco posee la «estúpida dialéctica» (p. 131) con la que Bruno trans-
cribe lo que escapa a toda fórmula lingüística para darle al público
la imagen de un Johnny que no importa. «Quizá Johnny quería
decirme eso cuando se arrancó la frazada y se mostró desnudo como
un gusano, Johnny sin saxo, Johnny sin dinero y sin ropa, Johnny

---

[40] Esto equivaldría al deseo del niño de poseer inmediatamente todo lo
que anhela tener. Véase Ernest Jones, *The Life and Work of Sigmund Freud*
(New York: Basic Books, 1953), I, p. 330.

[41] Marcuse, *op. cit.,* p. 247.

[42] Sigmund Freud, *Beyond the Pleasure Principle* (New York: Liveright
Publishing Corp., 1950), p. 86.

obsesionado por algo que su pobre inteligencia no alcanza a entender, pero que flota lentamente en su música, acaricia su piel, lo prepara quizá para un salto imprevisible que nosotros no comprenderemos nunca» (p. 130).

Toda la música de Johnny era una preparación para el salto que debería romper la puerta que daba a esa otra realidad que anhelaba. Para ello necesitaba sentir la piel en contacto con la tierra, saberse unido a ella para partir, para perseguir. Ya había transgredido todos los límites conocidos —el *jazz* erótico, la droga, aun su propio estilo—, porque para Johnny estar fijo era ser poseído. «En su caso el deseo se antepone al placer y lo frustra, porque el deseo le exige avanzar, buscar, negando por adelantado los encuentros fáciles del *jazz* tradicional» (p. 132). Con el saxo no busca escapar, sino perseguir, penetrar, poseer. La pulcritud de su estilo no le satisface, sino que «vale como un acicate continuo, una construcción infinita cuyo placer no está en el remate, sino en la reiteración exploradora, en el empleo de facultades que dejan atrás lo prontamente humano sin perder humanidad» (p. 133). Para él como para el poeta, el enriquecimiento ontológico carece de todo límite; su persecución debe ser continua para agregarse más ser, porque desde que establece contacto con la supra-realidad ansiará ser cada vez más. Cada poema, cada improvisación musical, es un nuevo encuentro, un nuevo choque contra la realidad que se quiere poseer y, a la vez, el comienzo del siguiente paso en la persecución. Guiado por pulsaciones sensuales, Johnny reinicia su búsqueda cada vez que vuela con su saxo. Tocando, Johnny ve el otro nivel, el tiempo mítico del cuarto de hora en el minuto y medio (p. 115). Pero esa supra-realidad que él quiere poseer obstaculiza su paso con la visión de las urnas. Él no comprende lo que son, es poseído y de pronto toca *Amorous,* «una cosa distinta que no te puedo explicar» (p. 136). «Se larga a tocar de una manera que te juro [le dice su amigo Art a Bruno] no había oído jamás. Esto durante tres minutos, hasta que de golpe suelta un soplido capaz de arruinar la misma armonía celestial y se va a un rincón, dejándonos en plena marcha que acabáramos lo mejor que nos fuera posible» (p. 136).

La droga siguió a la posesión que fue *Amorous.* El poder de su visión, el ser penetrado por una fuerza que lo condujo a las urnas, el explosivo *Amorous,* el decoroso *Streptomicyne,* lo llevaron a la marihuana, a buscar la anulación del dolor. Tenía en sí bastante para morir, lo suficiente para prescindir de todo sufrimiento y así embarcarse en un Nirvana que lo alejara para siempre de las urnas, de los obstáculos, del dolor. Drogándose excesivamente, luego de haber tocado *Amorous,* Johnny rechazó todas las obligaciones que le imponía la realidad empírica: las grabaciones, los conciertos, los contratos [43]. Su búsqueda se concretaba ahora a un arribo al estado de Nirvana, donde imperan la quietud, la belleza, la sensualidad; el centro donde convergen todas las fuerzas que se disputan el predominio sobre el hombre. Estar en Nirvana era permanecer suspendido en un estado de placer absoluto [44]. Si bien esta última dosis de marihuana casi acabó con la vida de Johnny, su búsqueda consciente no estaba dirigida hacia la muerte: «The death instinct [Thanatos] is destructiveness not for its own sake, but for the relief of tension. The descent toward death is an unconscious flight from pain and want. It is an expression of the eternal struggle against suffering and repression» [45].

Johnny era un mono, «una de las formas más empequeñecidas de un hombre; como quien dice, un hombre reducido a su íntima, elemental basura, que frenéticamente embiste desde su basura contra la costra gomosa que lo separa de lo que persigue» [46]. Lo que él perseguía, desnudo de toda coraza intelectual, era penetrar la supra-realidad cuya visión está vedada a los hombres. Las imágenes de las urnas se sumaron como otro obstáculo para impedirle llegar, pero Johnny persistió hasta que fue poseído por *Amorous*. Tocando sentía alejarse de las determinaciones causales, de las dimensiones tempo-espaciales:

Eso del tiempo... Bruno, toda mi vida he buscado en mi música que esa puerta se abriera al fin. Una nada, una rajita... Me acuerdo en Nueva York, una noche... Un vestido rojo. Sí, rojo, y le quedaba precioso. Bueno una noche estábamos con Miles y Hal..., llevábamos yo creo que una hora dándole a lo mismo, solos, tan felices... Miles tocó algo tan hermoso que casi me tira de la silla, y entonces me largué, cerré los ojos, volaba. Bruno, te juro que volaba... Me oía como si desde un sitio lejanísimo, pero dentro de mí mismo, al lado de mí mismo, alguien estuviera de pie... No exactamente alguien... Mira la botella, es increíble cómo cabecea... No era alguien, uno busca comparaciones... Era la seguridad, el encuentro, como en algunos sueños, ¿no te parece?, cuando todo está resuelto, Lan y las chicas te esperan con un pavo

---

[43] Al hablar con Bruno, luego de haberse recuperado en el hospital, Johnny se preocupa cándidamente por las consecuencias que sus excesos pudieron acarrear a los demás, cuando, según Bruno, «en el fondo de todo eso está su soberana indiferencia; a Johnny le importa un bledo que todo se haya ido al diablo» (p. 139). Según Freud, «the sense of guilt is an expression of the conflict due to ambivalence, of the external struggle between Eros and the instinct of destruction or death». *Civilization and its Discontents*, p. 79. Sobre las relaciones entre *Eros y Thanatos*, véase también su *The Ego and the Id*, pp. 30-37. En Johnny no se refleja un complejo de culpa porque quizá en él no se manifiesta conscientemente la lucha entre estas fuerzas.

[44] Marcuse, *op. cit.*, pp. 24-25. Véase Freud, *Beyond the Pleasure Principle*, página 76.

[45] Marcuse, *op. cit.*, p. 27.

[46] Elvira Orphée, «Julio Cortázar: *Las armas secretas*», *Sur*, núm. 265 (julio-agosto 1960), p. 53.

al horno, en el auto no atrapas ninguna luz roja, todo va dulce como una bola de billar. Y lo que había a mi lado era como yo mismo, sin ocupar ningún sitio, sin estar en Nueva York, y sobre todo sin tiempo, sin que después..., sin que hubiera después... Por un rato no hubo más que siempre. Y yo no sabía que era mentira, que eso ocurría porque estaba perdido en la música, y que apenas dejara de tocar, porque al fin y al cabo alguna vez tenía que dejar que el pobre Hal se quitara las ganas en el piano, en ese mismo instante me caería de cabeza en mí mismo... (pp. 175-176).

Johnny sentía que saliendo del ascensor temporal por el que subía mediante el sexo, caería en la realidad que confía en la ciencia, en la certidumbre de que todo es como parece ser. Johnny se indigna ante la seguridad de los hombres que aseveran saber lo que son y lo que hacen —como los doctores del Camarillo donde había estado internado (p. 141)—; se rebela contra los científicos que creen comprender todo cuando él, apenas hombre, percibe los agujeros que impregnan lo denominado re-a-li-dad. Johnny no captó que esa seguridad era un mecanismo de defensa contra la desintegración de la sociedad y el retorno del individuo al estado primario de la gratificación inmediata de los instintos.

Johnny tampoco apresó el sentido del poder comunicativo de la palabra. El verbo expresa el proceso cognitivo intelectual que se adopta como regulador y árbitro supremo en la determinación de la realidad. El hombre no conoce los objetos; sólo su nomenclatura, su representación simbólica. Johnny se subleva contra la supremacía lingüística, porque, al igual que Wölfli, es incapaz de hablar sobre lo que siente, adhiriéndose así al pesimismo de Lichtenberg: «tan imposible es hablar de eso como de tocar en el violín, como si fueran notas, las manchas de tinta que hay sobre mi mesa...» [47]. Por eso, Johnny jamás se atuvo a un estilo fijo, a una corriente determinada. Por eso improvisaba y mostraba en *Amorous* su búsqueda «de huidas en todas direcciones, de interrogación, de manoteo desesperado» (página 148). Su modo de perseguir se muestra en esa música, «en la marihuana, en sus absurdos discursos sobre tanta cosa, en las recaídas, en el librito de Dylan Thomas, en todo lo pobre diablo que es Johnny y que lo agranda y lo convierte en un absurdo viviente, en un cazador sin brazos y sin piernas, en una liebre que corre tras de un tigre que duerme» (p. 149).

La búsqueda de Johnny se debe a la intuición de que hay algo más de lo que se puede percibir superficialmente. Él es fiel a su intuición, pero no es más que un «chimpancé que quiere aprender a leer, un pobre tipo que se da la cara contra las paredes, y no se convence y vuelve a empezar» (p. 154). No quiere aceptar los límites que el ser

---

[47] *La vuelta al día en ochenta mundos*, p. 51.

hombre le impone. Su deseo era precisamente transgredir la realidad humana y los límites que le fueron impuestos. Su pecado, el intento de abandonar su ser hombre, fue castigado con la muerte de su hija Bee. Mientras él quería abandonar el tiempo para ser en una dimensión atemporal, la muerte le recuerda que está circunscrito a lo humano, al dolor y a la finitud de todos los actos. «The brute fact of death denies once and for all the reality of a non-repressive existence. For death is the final negativity of time, but 'joy wants eternity.' Timelessness is the ideal of pleasure» [48]. La muerte de Bee fue para Johnny su mayor acusación contra el mundo civilizado y sus representantes, Bruno, Art, Tica, et al. La muerte a destiempo de Bee «arouses the painful awareness that it was unnecessary, that it could be otherwise» [49]. Este hecho le mostró a Johnny su impotencia, la certidumbre de que jamás alcanzaría la libertad que su intuición le dejaba entrever, porque jamás lograría conquistar el tiempo. La muerte le confirmó la finitud de los hombres, la existencia de un tiempo que fluye sólo en una dirección; le confirmó, por ende, que los que lo rodeaban poseían la verdad sobre la realidad empírica. Sin embargo, aún se rebelaba contra ello. Por eso su oración fúnebre por la pequeña Bee fue el insulto a todos los representantes de esa verdad, de la civilización que acataba el tiempo de relojería.

A través de la narración se nota la actitud ambivalente de Bruno ante su propia vida. Al estar cerca de Johnny se siente imbuido de una fuerza que lo empequeñece. Comprende que es un parásito al lado del creador (p. 130), pero ante la creación instintiva de Johnny opondrá su propia capacidad analítica: «Los creadores, desde el inventor de la música hasta Johnny, pasando por toda la condenada serie, son incapaces de extraer las consecuencias dialécticas de su obra, postular los fundamentos y la trascendencia de lo que están escribiendo o improvisando (p. 167). Pero esa misma posibilidad de intelectualizar proviene de la imaginación creadora del artista, de aquel que es capaz de integrar todos los tiempos en un flujo único, atemporal y a-racional. Esa intuición es la que se manifiesta en la música de Johnny. La visión científica de la realidad sólo alcanza a cubrir la superficie, a analizar la música, a considerar que no todo anda mal mientras haya una lata de Nescafé (p. 100) y a describir el pan por su forma. Johnny no cabe dentro de ese marco. Su obra precisamente trasciende las determinaciones lógicas; ha ido por un camino que no es el «razonable». Lo que Johnny quiere es subir por su ascensor-saxo. Si no lo logra es por sus limitaciones humanas y porque a éstas se suman las supra-raciales, las urnas, que le vedan el paso. Entonces concede sobre las imperfecciones del libro de Bruno: «Y si yo mismo

---

[48] Marcuse, op. cit., p. 211.
[49] Ibid., p. 215.

no he sabido tocar como debía, tocar lo que soy de veras..., ya ves que no se te puede pedir milagros, Bruno» (p. 171) [50]. Lo que Johnny desea es llegar al misterio de su ser por vías no-intelectuales, sabiendo, además, que el intelecto carece de los instrumentos necesarios para descubrir la respuesta al problema. Johnny no quiere usar el «sucio idioma» (p. 173) —desea llegar con su verbo, con su saxo, dejando de lado todo lo consagrado por la sociedad, la familia y el Dios establecido. Johnny explora por el sendero estético: «Behind the aesthetic form lies the repressed harmony of sensuousness and reason— the eternal protest against the organization of life by the logic of domination, the critique of the performance principle» [51]. Él confiaba en que por la vía estética llegaría a reconciliarse con el Todo, a reintegrar su *yo* al universo en un estado de placidez, en un Nirvana. Por ese camino Johnny alcanzó a entreabrir la puerta del tiempo, pero, siendo sólo un hombre, tuvo que detenerse. Y cada respiro fue una derrota y simultáneamente el indicio de un nuevo comienzo, porque a Johnny Carter no le estaba permitido cesar en su ansia, porque ya no podía detenerse ante las trampas que le oponía el Dios omnipotente, «ese portero de librea, ese abridor de puertas a cambio de una rutina, ese...» (p. 178). Johnny era un perseguidor y sentía que «no puede ser que no haya otra cosa, no puede ser que estemos tan cerca, tan del otro lado de la puerta...» (p. 177). Sólo le quedaba desfondarla con su saxo, tratar de hallar la clave musical que abriera la puerta hacia un tiempo sin secuencia.

Johnny fracasó. Jamás logró entrar, porque olvidó que su ser era «hombre», que no podía ser fiel hasta la muerte, que no sobreviría sin una máscara. El perseguido intentó salir fuera del tiempo para conocer el sentido de su ser, para integrarse con el *yo* primario, el Todo, en el estrato mítico de la realidad. Pero esa búsqueda implica la salida de las coordenadas tempo-espaciales humanas hacia un encuentro con la muerte. Éste es el estado del placer absoluto, la convergencia de las dos fuerzas que se disputan el *yo, eros* y *thanatos,* en el estado sublime del Nirvana, allí donde el hombre deja de serlo. En los momentos finales de su vida, Johnny posiblemente comprendió ese estrato no-humano y, tratando de reconciliarse con el hombre, quiso morir como tal. «Las últimas palabras de Johnny habían sido algo así como: 'Oh, hazme una máscara.'» (p. 182). No llegó *and yet, and yet...*

University of Maryland
College Park, Md.

---

[50] «¿Qué le importaba a Van Gogh tu admiración? Lo que él quería era tu complicidad, que trataras de mirar como él estaba mirando con los ojos desollados por un fuego heracliteano.» *La vuelta al día en ochenta mundos,* p. 208.
[51] Marcuse, *op. cit.*, p. 130.

«Los reyes» o la irrespetuosidad ante lo real de Cortázar

Luis Bocaz Q.

I. CORTÁZAR Y SUS CONTRADICCIONES

A nuestro entender, la obra de Cortázar se erige sobre una contradicción. Aquella que sus compañeros más jóvenes le reprochan: ser un novelista argentino que escribe en París, es sólo la más visible. Muchas otras se agazapan en sus poemas, cuentos y novelas. Su esfuerzo íntegro aparece dirigido al hallazgo de un equilibrio entre momentos antitéticos. Dos gruesas porciones dividen *Rayuela:* «Del lado de allá» y «Del lado de acá»; en la segunda, un epígrafe de Apollinaire guiña conciliadoramente ambiguo: «hay que viajar lejos amando su casa». Ya se trate de Cortázar, cuentista fantástico que apoya a Cuba, o del intelectual que en Montmartre cree recorrer Villa del Parque, en la raíz constitutiva reencontramos la vieja oposición entre el rastacueros y el nacionalista que tironea el ánimo del intelectual latinoamericano en la búsqueda de nuestra expresión. Argentina parece haber sido un campo singularmente escogido para el ejercicio de esta tensión. En lo corrido del siglo su literatura la revive bajo diversos rostros [1].

Si en *Rayuela* no es demasiado difícil respaldar nuestras afirmaciones, todo haría desaconsejable una interpretación de esta índole en cuanto a *Los reyes.* En efecto, ¿qué relación guardaría con los problemas argentinos y latinoamericanos una obra cuyo tema es el mito

---

[1] No otra cosa parece desprenderse de la amplia muestra de ensayística que nos presenta al país como una realidad escindida. Cf.: Mallea y su distinción entre una Argentina visible y una Argentina invisible. También los arquetipos reseñados por Murena en *El pecado original de América.*
Sería interesante, tal vez, examinar desde este punto de vista el debate Florida-Boedo.

de Teseo vencedor del Minotauro? Creo que si invertimos la pregunta nos aproximamos a un planteamiento más adecuado. ¿Qué significación tiene *Los reyes* con su tema mitológico griego en un conjunto de libros que ha venido asentando la nostalgiosa presencia de lo argentino?

Intentando otra formulación, estimamos recomendable examinar este poema dramático en aquellos aspectos que prefiguran formas de un ulterior desarrollo artístico, en relación con el ambiente histórico y cultural de la época de su publicación. Por otra parte, Cortázar respalda implícitamente este criterio metodológico: leamos, por ejemplo, lo que declaraba en 1967 a una revista bonaerense: «Conocíamos y amábamos a Lynch, a Güiraldes, a Borges, a Arlt, al primer Mallea, a Marechal, e incluso a misteriosos seres llamados Macedonio Fernández y Juan Filloy. Esto probaría que los mejores encontraban ya lectores dignos de ellos, pero lamentablemente había una relación numérica entre unos y otros. La culpa de mi generación fue no romper más lanzas por ellos, no insultar a los editores que se negaban a publicarlos, no escupir en las librerías donde los ignoraban: fuimos estetas, los guardamos en nuestras bibliotecas, vivimos esa delicia idiota de sentirnos cofradía, hermandad, de ser tan pocos los que se sabían de memoria una réplica de *Don Segundo* o un pasaje de las ruinas circulares.

Por razones bastante análogas estuvimos ciegos a lo que verdaderamente justificaba la explosión del peronismo y que los peronistas fueron los primeros en desconocer e infamar; procedimos como sus cómplices sin saberlo» [2].

Es preciso recordar que las postulaciones teóricas de Cortázar han seguido un destino análogo al de sus libros; casi inadvertidas en sus primeros diez años viven hoy la etapa de la prosperidad.

La extensa cita copiada diseña a un Cortázar esteticista, admirador de una corriente literaria con antecedentes en el grupo Florida. La mención de Borges y Fernández insinúa su proclividad a la literatura fantástica paralela a su explícito antiperonismo en política. Nos llama la atención que no aluda en aquella época a su vinculación con la revista *Sur*. Con frecuencia lo hemos visto obviarla evocando el aliento recibido de Borges en los momentos de la publicación de sus primeras obras. No está de más insistir en que *Sur,* fundada en 1931 por Victoria Ocampo, con el incentivo constante de Waldo Frank, Ortega y Gasset, Guillermo de Torre y otros, representó desde sus inicios una expresión de lo argentino en Latinoamérica, desde una posición política conservadora y, simultáneamente, una ventana abierta a las más importantes corrientes de la vanguardia artística europea.

La repercusión del fenómeno peronista, con su insurgencia de ma-

[2] *Imagen del país,* año 2, núm. 8, 26 de enero de 1967.

sas, y la exaltación de un nacionalismo de circunstancias en pugna con su sensibilidad, son epigramáticamente sintetizados por Cortázar: ... *algunos de nosotros empezábamos en esa época nuestra propia obra, que no hubiera sido lo que fue si no hubiéramos tenido tanta impertinente exigencia literaria para lo nacional* [3].

II. BAUDELAIRE Y «LOS REYES»

Una colaboración de Cortázar, en un ejemplar de *Sur* de 1949 [4], nos permite aprisionar algunas de sus ideas literarias en el lapso de gestación de *Los reyes*. Es una reseña del libro de François Porché *Baudelaire. Historia de un alma*. La utilizaremos en deducir algunos de los valores estéticos de mayor resonancia para su espíritu. Nos auxilia la organización natural del artículo en que formula juicios generales aplicados al caso de Baudelaire.

Comienza por establecer que todo gran poeta se adelanta a su tiempo, pero negándose a renunciar a él, apoyándose con firmeza en su suelo para dar el salto. La capacidad de Baudelaire transformaría el salto desde su época «en un movimiento de puro curso aéreo». Condena con fervor el criterio pedestre que en 1857 denunció impurezas en *Las flores del mal*, es decir, juicios sustentados en una ética convencional y que hoy —según Cortázar— disfrazados de motivos estéticos continúan impugnando la aventura baudelaireana. «Pero —agrega— estar inmerso en esa circunstancia y cometer otro tipo de faltas que las sancionadas por el gusto del tiempo, muestra ya en Baudelaire un lúcido rechazo de autoridades y su aceptación valerosa de una manera personal de ser.»

Termina resumiendo los logros de la obra baudelaireana que proyectan su vigencia en la poesía actual. Primero: ruptura con la posición del poeta olímpico, heredada del romanticismo, e instalación de la obra al nivel del suelo en cuanto a tema y lenguaje. «Baudelaire —apunta en su comentario— no estaba dispuesto a producir una poesía que planeara en las nubes para terminar gimiendo por una tragedia más o menos doméstica» (Lamartine, Vigny).

Esta postura deberá encarnarse en obras donde lo gratuito «fuera sustituido por productos del arte, por un artificio bien entendido: el hombre en su reino —aunque fuese un pobre reino».

Insiste Cortázar en que el platonismo no obliga al poeta francés a naufragar en un mundo de ideas, no lo aleja un solo instante del laboratorio central. Por el contrario, su inteligencia decepcionada adelanta «lo que hoy es razón de ser del surrealismo» ... «el deseo

---

[3] *Ibid.* (estas frases están subrayadas en el texto de la entrevista).
[4] *Sur*, núm. 176, junio de 1949, pp. 70-74.

de apoderarse, *sur cette terre même* de un paraíso revelado». En suma, para Cortázar, Baudelaire es el primer poeta moderno que busca el máximo de poesía con los medios más próximos, más adheridos a su humanidad, «sin treparse a los tejados en procura de un falso horizonte». Por esto, la poesía contemporánea lo lleva en su centro «como el motor inmóvil de su rueda».

El tono de esta primera parte de la reseña, diferenciada del resto por la disposición tipográfica, indica una voluntad postulativa que exime de todo comentario. Bástenos agregar que los puntos de la herencia baudeleireana examinados por Cortázar se insertan en un decurso biográfico del que nos quedan como hitos salientes: la reminiscencia de un grado de maestro primario en una escuela donde él y un grupo de amigos estrechan filas contra la mediocridad de profesores y discípulos; luego, un empleo de profesor secundario en algún lugar de provincia; la renuncia a una cátedra en la Universidad de Cuyo y su regreso a una labor burocrática en un Buenos Aires que vive la euforia peronista.

Desde esta perspectiva consideramos las observaciones de Cortázar como hipótesis generales legítimas para explicar en buena parte su actividad estética en la época de gestación y publicación de *Los reyes*.

III. EL MITO COMO POSIBILIDAD DE EVASIÓN

En entrevistas, Cortázar ha reconocido implícitamente que su elección de un mito del mundo griego obedecía a una actitud evasiva. Sin embargo, valdría la pena inclinarse sobre la palabra *evasión* para diferenciarla del movimiento de rechazo totalmente consciente y lúcido que se transparenta en su obra. Rechazo, desde luego, de un contorno impropicio para su sensibilidad estetizante, y más impropicio aún para su no condescendencia con la política contingente en uso; rechazo, por tanto, de una literatura sumisa a los requerimientos de una argentinidad localista y marginada de un alemán estético renovador. Cercano a Borges en sus nociones sobre lo argentino, Cortázar se alimentaba en una tradición intelectual de élites que «del lado de acá» miran nostálgicamente hacia lo europeo. Excluidas de su ámbito, viven con agudo dolor la posición alienada del artista contemporáneo, agravada por su existencia en un continente cuyos valores sólo comprenden como degradación de lo europeo. Manuel Gálvez había denunciado la virulencia de este sentimiento en la Argentina: «No pensamos sino en la evasión. Y la evasión, sobre todo para los espíritus cultos, es la soñada Europa.» «Vivimos protestando contra la vida que aquí llevamos. Y vivimos pensando en la evasión.» Y añadía redondeando su pensamiento: «Tal vez las cosas hayan empezado a cambiar. No me atrevería a sostener que las gentes menores de veinte años sigan el mismo camino que nosotros» [5]. En 1935, cuando Gálvez estampaba estas palabras, Cortázar tenía veintiún años.

A Carlos Fuentes debemos una excelente descripción de este complejo bajo la categoría de la modernidad enajenada [6]. La respuesta de la nueva literatura latinoamericana sería, según él, la fusión en un arte crítico de una problemática moral, no moralizante, y una problemática estética, no estetizante.

¿Se da en *Los reyes* la presencia de estos ingredientes?

Pensamos que sí, pero bajo un ropaje estetizante. Sostenemos que en el impulso de rechazo de la realidad se hallan reprimidas las premisas para una aceptación de esa realidad con el ánimo de superarla. Pero, insistimos, en forma abstracta.

El empleo del mito del Minotauro plantea, con su inversión irónica, un problema moral. La categoría de lo fantástico, apropiándose del elemento monstruoso del mito, de modo similar al manierismo del siglo XVI, permite una exploración de estratos éticos.

Ante lo insólito y monstruoso del Minotauro los personajes humanos del drama extreman su subjetividad, desnudan su inhumanidad y la inhumanidad de sus relaciones. Cada uno tiene una visión individual del Minotauro, casi incomunicable; cada uno siente que el Minotauro es una parte de sí mismo: el lado de nuestro ser que intuimos y que, en vano, intentamos reprimir.

La caracterización fluye hacia la definición de una ética estrictamente personal en un mundo vaciado de dioses. Ya en los primeros parlamentos Minos exclama:

> ¡Reinar en mí oh última tarea de rey,
> oh imposible! (p. 12) [7].

Él ha ordenado a Dédalo construir el laberinto para encerrar al Minotauro y colocarlo del otro lado. Pero los cuernos del monstruo se enseñorean de sus sueños de rey, se siente solo y desceñido con un cetro que se desliza de su puño. El Minotauro —dice— es un artificio hermano del laberinto. Ya se ha verificado que para Cortázar artificio entraña lo no gratuito, la realidad superior que crea el arte.

---

[5] Gálvez, Manuel: *La Argentina en nuestros libros,* Ediciones Ercilla, Santiago de Chile, 1935, p. 164.

[6] Fuentes, Carlos: «La nueva novela latinoamericana», suplemento de *Siempre,* núm. 128, julio de 1964.

[7] El azar, tan capital para una comprensión de la obra de Cortázar, puso en nuestras manos un ejemplar de una edición pirata de *Los reyes;* para no desmentir su adhesión a lo insólito nuestras citas las remitiremos a dicha edición patafísica.

Amarrado por las convenciones de la monarquía, Minos nunca podrá saltar por encima de su sombra, reconquistar su libertad interior; aterrado, prefiere la muerte del Minotauro a cualquier otra conquista que amplíe su poder sobre las islas. Atormentado por el recuerdo de la traición de Pasifae, rememora con precisión de enamorado el monstruoso origen del Minotauro en un sistema de correspondencias baudelaireanas que subrayan su enajenación:

> El toro vino a ella como una llama que prende en los trigos. Todo el oro fúlgido se oscureció de pronto y Axto, desde lejos, oyó el alto alarido de Pasifae. Desgarrada, dichosa, gritaba nombres y cosas, insensatas nomenclaturas y jerarquías. Al grito sucedió el gemir del goce, su lasciva melopea que en mi recuerdo se mezcla todavía con azafrán y laureles (p. 16).

Estragado por las ligaduras del poder real, vive una fría soledad. Entre él y su hija no hay comunicación. «Eres como una lámina de bronce, me oigo mejor si te hablo», dice Ariana, cuyo rescate de la afectividad depende de su voluntad para liberarse de su condición de hija de rey. Un momento de iluminación reside en la aceptación de su femineidad cuando descubre el amor incestuoso que la arrastra al Minotauro. Será tarde para ambos. La ambigüedad de su esencia principesca, su admiración por Teseo, el encantamiento en que la sumerge su ausencia de enigmas, sus decisiones simples y fáciles de héroe convencional, convertirán el hilo que entrega al héroe en un instrumento de muerte para el Minotauro.

Teseo se ordena en torno a su voluntad y a su fuerza. Cargado de laureles teme, sin embargo, al pensamiento, a las palabras y a la astucia del Minotauro.

> Yo iba al gimnasio y dejaba que mis maestros pensaran por mí. No creas que te sigo en tus rápidos juegos. Me obedezco sin preguntar mucho. De pronto sé que debo sacar la espada. Vieras a Egeo cuando me agregué a los condenados. Quería razones, razones. Yo soy un héroe, creo que basta.

Su problema es la acción útil, destruir al Minotauro y salir del laberinto. Al recibir el hilo de manos de Ariana lo entenderá como un lógico tributo de admiración amorosa hacia sí mismo y no en cuanto mensaje de amor al monstruo.

Con Minos se vinculan mediante un lenguaje administrativo de monarcas en que las personas y los sentimientos son objetos de trueque. «Mátalo y guarda su muerte como una piedra en la mano. Entonces te daré a Ariana», sugiere Minos. Las razones de Estado ofician de puente, ambos quieren eliminar al monstruoso, pues socava la estabilidad de su dominación y les impide «quedarse con los hombres en cuanto sostén de los tronos».

El Minotauro, como un espejo convexo, abulta las deformaciones del mundo real, irrumpe en el orbe inhumano de los reyes, siembra el espanto y su irregularidad exige un nuevo concepto de lo humano. Minos reacciona monstruosamente ante la traición de Pasifae, el Minotauro, sentimentalmente humano, se dejará ultimar al saber que Ariana ha entregado el hilo a Teseo. Se rendirá al adversario para acceder al sueño de los hombres, para transformarse en la sustancia innominada de la poesía.

Su accionar corroe la cáscara superficial de lo real. Es la irrealidad que aclara lo real o el comienzo de la irrespetuosidad ante lo real. Cortázar enriquece su ficción con el legado de Baudelaire: la ironía desaloja a reyes y héroes de su sitial marmóreo, instalándolo de nuevo en el pobre reino de los hombres.

En la escena final las víctimas del Minotauro, en un coro de doncellas y mancebos entre los que se individualizan el citarista y Nydia, la bailarina, lo aclaman «señor de los juegos», «amo del rito». Ha aceptado su sacrificio para quedar en el cielo secreto y en las estrellas remotas de los hombres, «esas que se invocan cuando el alba y el destino están en juego».

Mirado desde este ángulo, el poema presenta un problema ético de solución estrictamente individual, sin pacto admisible con normas externas. El espacio poético está vacío de divinidades, incluso en aquellos casos en que el correlato mítico lo exige. La obra, por ejemplo, nos informa que «el toro era del norte, rojo y henchido, se le veía subir por la pradera como las barcas egipcias que traen a los emisarios y las vendas perfumadas».

El problema moral se ha trasvasijado a un símbolo rastreable hasta la época del manierismo y de pertinaz ocurrencia en la obra de Cortázar: El laberinto [8]. En dicho laberinto aguarda un monstruo como la parte oscura de nuestro ser. Se trata de llegar a su centro, que es el centro de nosotros mismos, porque laberinto y Minotauro están también en nuestro interior.

En la expresión de este problema moral Cortázar elige una actitud estetizante, no estética, como en las observaciones de Fuentes.

Inclinado hacia la herencia de Baudelaire a través de Gide y Valéry, mira hacia Europa en un intento de asimilación a su tradición literaria. Comparte con el Valéry de los diálogos líricos el me-

---

[8] Particularmente interesante nos parecen las investigaciones de Gustav Rene Hocke, quien habla de afinidades electivas entre el arte del siglo xx y el manierismo en su obra *El mundo como laberinto*, Ediciones Guadarrama, Madrid, 1961, p. 20.

nosprecio de la novela como vehículo de aprehensión estética [9], y con Borges, la inversión irónica del mito [10].

El poema dramático se estructura en cinco escenas que hacen converger nuestras miradas sobre la figura de Ariana. En la escena tercera, desgarrada por la contradicción entre un orden visible, convencional, aparentemente real, y un orden invisible, humano, aparentemente irreal, luchará por conquistar su afectividad plena. La perspectiva del cuadro, siguiendo las indicaciones del propio Cortázar, resbala sobre su mano hacia los dedos curvados, donde juega el ovillo de brillante hilo. La curvatura de sus dedos, hermanada al ovillo y a las curvas paredes del laberinto, introduce la quiebra de la continuidad rectilínea que ama Teseo.

> ¡Ve cómo coincide su túnica con la lejana réplica de aquellas columnas!... Oh armonía presente, instauración feliz de lo continuo. Lazos aéreos ciñen su doble fuga y de su relación sutil adviene mi alegría (p. 29).

Los dedos de Ariana y las paredes del laberinto rompen la serenidad del paisaje clásico, los personajes se perfilan crudamente en un espacio irreal, mágico. Sometidos desde la primera escena a la luz implacable de un *sol alto y duro,* pierden los matices en un cromatismo violento: azul del cielo, rojo de la sangre, oro de los trigales, y en un permanente vaivén de oposiciones, negro-blanco, oscuro-claro, sol-sombra. Polaridades grávidas de la contradicción entre los dos órdenes, el visible y el invisible.

Si bien el centro espacial del poema lo ocupa Ariana, el centro ético se alcanza en la apoteosis del Minotauro, en los instantes en que moribundo lo rodean quienes lo aclaman como amo del rito. La estaticidad del poema, los desplazamientos anulados, los gestos humanos congelados, están regidos por la permanente presencia del laberinto: El artificio se impone a lo real.

Empezamos utilizando las apuntaciones de Cortázar sobre Baudelaire como posible vía en la comprensión de su obra en la Argentina de 1949. En el trayecto develamos el problema moral que plantea: la búsqueda de la verdad de cada personaje en ausencia de reglas suprapersonales. El correlato mítico le ha permitido eludir un asfixiante contorno y abstenerse de encarnar *hic et nunc* el drama moral de sus monarcas. Por el contrario, asilándose en una posición inserta en la tradición europea, se ha negado a los requerimientos de una ar-

---

[9] La primera frase de *Los premios* reproduce la célebre humorada antinovelesca de Valéry: «La marquesa salió a las cinco.»

[10] Borges en su cuento «La casa de Asterión» da su propia versión del mito del Minotauro. Además es útil recordar la profusión del símbolo del laberinto que ha puesto de relieve en su producción Ana María Barrenechea.

gentinidad que no acepta. Su transformación irónica del mito y la categoría de lo fantástico le permiten explorar la deformidad de una realidad aparente. Los reyes y los héroes han sido degradados y puestos al nivel del suelo, todavía un suelo demasiado abstracto. Cuando ese suelo se convierta en el de Buenos Aires y la mitología griega en sus turbias mitologías urbanas, la ironía y lo fantástico irán resolviendo la contradicción entre el rastacueros y el nacionalista.

Perspectivas de «Axolotl», cuento de Julio Cortázar

Antonio Pagés Larraya

El cuento «Axolotl» forma parte del libro *Final del juego* (1956)[1], de Julio Cortázar. En él aparecen algunos motivos y rasgos estilísticos comunes a toda la obra de este autor. El texto de «Axolotl» es muy breve, pero su estructura es compleja; su desarrollo, tenso; su sentido, extraño y removedor. Me propongo, pues, situar mi análisis en esos tres niveles: ver los elementos que sucesivamente va presentado el relato, examinar su organización y, finalmente, observar cómo a través de los axolotl y de su contemplador surge un significado inquietante que altera la visión habitual del mundo.

No hay gradación ninguna al comienzo de «Axolotl». El primer párrafo expone ya la situación básica del cuento. Contiene sólo tres oraciones. La primera dice: «Hubo un tiempo en que yo pensaba mucho en los axolotl»[2]. Nada se insinúa y nada se vela en esta declaración que posee cierta ambigüedad proveniente del uso de los tiempos verbales: dos pretéritos, uno indefinido («hubo») y otro imperfecto («pensaba»).

La segunda oración, más extensa y matizada, balancea el rápido corte de la primera y de la última y centra la simetría de todo el párrafo. He aquí su texto: «Iba a verlos al acuario del Jardin des Plantes y me quedaba horas mirándolos, observando su inmovilidad, sus oscuros movimientos.» Esta oración completa el sentido de la primera. Continúa el uso del tiempo pasado («iba», «quedaba») y aparece ya la actitud fundamental del narrador frente a los axolotl:

[1] México: Los Presentes, 1956, pp. 121-130.
[2] Cito por la quinta edición (Buenos Aires: Sudamericana, 1966, páginas 161-168). La extrema brevedad del texto hace innecesario que indique la página de cada cita.

el mirarlos. La contemplación visual demorada importa voluntad de conocimiento, percepción del objeto como distinto de todo lo que no es él. Conocer es una forma de mirar con la inteligencia. Con el término conocer no aludo a una investigación científica de los axolotl, sino a la búsqueda de una identidad profunda. A través de todo el cuento Cortázar profundiza sutilmente, dramáticamente a veces, la naturaleza de esa ascesis.

Una tercera declaración precisa y tajante concluye el primer párrafo y cierra la exposición del conflicto: «Ahora soy un axolotl.» Nótese el salto temporal al presente («soy») reforzado por el adverbio «ahora». En las tres oraciones del primer párrafo hay una variación intencionada del uso de los tiempos verbales como medio eficaz para llegar a la síntesis expresiva. Todo lo que leeremos después no es sino un ahondamiento minucioso de la transfiguración tan ceñidamente expuesta.

Desde ahora, hasta el final del cuento, comprobaremos una constante mutación de los tiempos verbales que coincide con el cambio de los códigos de expresión propios del narrador-protagonista y de los axolotl. En algunos momentos esos planos se interfieren o se alienan. No cabe concebir una estructura verbal inmanente y común al hombre y a los axolotl; aun en el caso de concebirla, resultaría inabarcable por nosotros.

El concepto lingüístico de *shifters* o «cambiadores», acuñado por Roman Jakobson [3] y utilizado con un sentido más general por Roland Barthes en *Système de la mode* [4], ayuda a entender estos constantes virajes de personas y de tiempos verbales que se suceden incesantemente en el relato. Tiempos y personas verbales son los elementos intermediarios entre códigos y mensajes que se alternan o se alteran según la situación. Hay una esencial violencia en la necesidad de expresar verbalmente una vida que no conoce la conformación lingüística. Por eso el destino del escritor es quedar fuera del acuario tratando de abarcar tanto a los axolotl como al contemplador.

Después de la desconcertante conclusión del primer párrafo la ficción se sitúa dentro de la perspectiva del protagonista-narrador y queda muy explícitamente ubicada. El marco espacial es preciso: París, el Jardin des Plantes. Un itinerario recorrido en bicicleta aparece señalado con detalle. La estación del año está anotada poéticamente: «... una mañana de primavera en que París abría su cola de pavo real después de la lenta invernada».

El protagonista no busca a los axolotl. El «azar» lo lleva hasta ellos. Después que soslaya otros peces vulgares da «inesperadamente

3 *Essais de linguistique générale* (París: Ed. de Minuit, 1963), cap. 9.
4 *Système de la mode* (París: Ed. du Seuil, 1967), pp. 15-17.

con los axolotl». Hay ya un misterio en el acto mismo de ese descubrimiento, lo vemos rodeado de la intensa proyección metafísica que posee el acto del encuentro cuyo sentido, para Gabriel Marcel, siempre es racionalmente inescrutable.

El hombre que se enfrentará a los axolotl nunca había entrado al edificio de los acuarios. Deja ahora los leones y «su» pantera («mi pantera dormía») y llega, finalmente, al lugar de los extraños animales. Cortázar marca el contraste entre el verde del parque y el edificio de los acuarios «húmedo y oscuro». Ante los peces se reitera la frase del comienzo, aunque ya no son «horas», sino «una hora»: «Me quedé una hora mirándolos y salí, incapaz de otra cosa.» El gerundio «mirando» prolonga lentamente la acción y describe bien el estado absorto del contemplador.

El cuento continúa en un marco realista. El narrador sabe que los peces son de origen mexicano, pero acude a la biblioteca de Sainte-Geneviève para recoger datos en un diccionario. Esa información aparece transcrita en el relato. Ningún elemento es escamoteado al lector, que así se incorpora a la experiencia total del relator.

Después del misterioso sacudimiento surge el anhelo de buscar una explicación lógica a lo acontecido. El carácter realista del cuento, hasta la lectura del diccionario, cambia en el movimiento posterior: «No quise consultar obras especializadas, pero volví al día siguiente al Jardin des Plantes.» El protagonista rechaza la racionalización, el conocimiento científico. Decide investigar por su cuenta en otro plano de saber, y para eso visita reiteradamente el acuario. «Empecé a ir todas las mañanas, a veces de mañana y de tarde.» La presencia del guardián que sonríe perplejo al recibir la propina del visitante agrega otro detalle normal a estas escenas.

Nuevamente está el narrador apoyado en la barra metálica que bordea a los acuarios mirando a los axolotl. Los ojos van centrando magnéticamente la comunicación. Y aquí, después de las notas precisas a que he aludido, surge la rareza de la situación paradojalmente subrayada al aclararse que no existe «nada de extraño en esto». El protagonista revela el sentido de un lazo que se creó desde el primer momento: «... comprendí que estábamos vinculados, que algo infinitamente perdido y distante seguía, sin embargo, uniéndonos.» Sólo un cristal, frágil y transparente límite, separa al hombre de los axolotl.

Un paréntesis insinúa con bastante claridad el primer movimiento de enajenación del contemplador: «Los axolotl se amontonaban en el mezquino y angosto (sólo yo puedo saber cuán angosto y mezquino) piso de piedra y musgo del acuario.» Mas inmediatamente, dentro del juego de sutiles zig-zags que singulariza al cuento, leemos un extenso pasaje descriptivo en el que claramente se deslindan el plano del observador y el de los animales observados. Destaca aquí Cortázar un elemento muy reiterado: los «ojos de oro» de los axolotl que sirven a su descripción, pero que pueden asumir también un sentido simbólico. Al mirar esas figuras mudas y quietas del acuario el protagonista se siente «turbado, casi avergonzado», como si su acto fuese una «impudicia». Después de esta revelación de inestabilidad emotiva frente a lo que se presenta como extraordinario, Cortázar describe al axolotl por medio de datos muy precisos y de comparaciones: su color traslúcido y rodado le hace pensar en «estatuillas chinas de cristal lechoso»; el cuerpo le resulta semejante a «un pequeño lagarto de quince centímetros». El matiz exótico (Jardin des Plantes en lugar de Jardín Botánico, pez mexicano, estatuillas chinas) se combina con la precisión detallista («quince centímetros»).

Cada vez va concretándose más la imagen de los axolotl, que se centra en dos detalles: los ojos y la solidez. La sugestión de los ojos aparece muy subrayada («dos orificios como cabeza de alfileres, enteramente de un oro transparente»). Son ojos sin vida. La mirada del absorto contemplador penetra y parece pasar «a través del punto áureo y perderse en un diáfano misterio interior». Cortázar destaca también reiteradamente el aspecto duro de los axolotl («estatuillas chinas de cristal», «piedra rosa de la cabeza», «piedra sin vida»). Los axolotl llegan a adquirir un parecido casi total con «una estatuilla corroída por el tiempo». Estos pormenores contribuyen a mostrar el carácter casi arqueológico de los animales, con un rasgo que aparece como humano: «... pero lo que me obsesionó fueron las patas, de una finura sutilísima, acabadas en menudos dedos, en uñas minuciosamente humanas.»

Durante un largo desarrollo leemos las anotaciones de un contemplador sensible y minucioso; pero, de pronto, sin hiato alguno, en punto seguido, nos sorprende este párrafo: «Es que nos gusta movernos mucho, y el acuario es tan mezquino; apenas avanzamos un poco nos damos con la cola o la cabeza de otro de nosotros; surgen dificultades, peleas, fatiga. El tiempo se siente menos si nos estamos quietos.» Un nuevo salto del proceso de alienación del protagonista, un nuevo avance hacia la metamorfosis profunda y un *shifter* estilístico, pues los axolotl indicados claramente por el plural adoptan el código verbal del narrador para un mensaje que necesariamente no corresponde por su índole «ajolótica» (discúlpeseme el neologismo) a los contenidos ónticos y, por tanto, al sentido esencial del mensaje de los peces. El movimiento es, pues, recíproco: el hombre deviene axolotl y los axolotl devienen hombres.

De golpe, con un pase mágico, Cortázar salta de la perspectiva real del protagonista a la dimensión alógica de los axolotl que lamentan la estrechez angustiante del acuario. Recordemos dos momentos anteriores: la frase desconcertante del comienzo («Ahora soy un axolotl») y luego el paréntesis sobre el piso del acuario («sólo yo puedo saber cuán angosto y mezquino»). Ha ido Cortázar de una afirmación categórica a una alusión más lateral, y ahora, en un movimiento ampliatorio, anticipa el futuro. Como en el párrafo del principio usa el presente, contribuyendo así a una alteración temporal sobre la que cimenta el relato y que está subrayada. La inmovilidad reduce en los axolotl el peso del devenir. Parece una antítesis de la actitud del hombre contemporáneo que enfrenta dinámicamente al tiempo. Y es que el mundo de los axolotl favorece la exposición de lo que desde la perspectiva humana puede resultar absurdo o contradictorio. Para penetrar en esa dialéctica de lo que ocurre de uno y otro lado del cristal, Cortázar da otra vuelta de tuerca. Ahora, desde la visión del relator, penetra en el sentido de esa quietud pétrea de los peces: «Oscuramente me pareció comprender su voluntad secreta, abolir el espacio y el tiempo con una inmovilidad indiferente.» Se evidencia así el aspecto mineral de los axolotl, a pesar de sus pausados movimientos.

Las diferencias entre la noción espacio-temporal del hombre y la del axolotl es profundizada por el narrador, en este punto omnisciente. No abandona Cortázar durante un largo desarrollo una actitud morosamente explicativa, casi pedagógica, que forma parte del juego sutil del relato. La resistencia racional a aceptarse como descifrador de un extraño mensaje está perfectamente marcada por Cortázar: «Inútilmente quería probarme que mi propia sensibilidad proyectaba en los axolotl una consciencia inexistente.»

Este momento que he llamado pedagógico es el más extenso dentro de la brevedad del cuento. Nuevamente nos enfrenta el autor a los ojos de los axolotl, en los que se centra su interés: «Sus ojos, sobre todo, me obsesionaban.» Esos ojos de oro arden con una «dulce, terrible luz» y lo miran desde «una profundidad insondable» que le produce vértigo. Mientras, en otros acuarios, otros peces le mostraban «la simple estupidez de sus hermosos ojos semejantes a los nuestros», los de los axolotl le hablan «de la presencia de una vida diferente, de otra manera de mirar». Ese plural («los nuestros»), el detalle del guardián que tose, inquieto al verlo con la cara pegada frente al cristal del acuario, señalan claramente que el punto de vista es el del narrador. Pero ahora, en un cuarto paseo hacia dentro del acuario, al hablar de la cercanía de la mirada de los peces, leemos: «Lo supe antes de esto, antes de ser un axolotl.» Primero se describe una sensación de temor y vértigo frente a lo insondable, se revela luego que es un axolotl el que habla e inmediatamente sigue un análisis sobre parecidos y diferencias entre hombre y axolotl que debe ubicarse en el plano del autor omnisciente. La desemejanza, la ausencia de fáciles analogías, dan al protagonista la certeza de su filiación. Sus observaciones se cierran así: «Eso miraba y sabía. Eso reclamaba. No eran *animales*.» La vaguedad del «eso» destaca la imposibilidad de situar categóricamente a los axolotl. Cortázar subraya la palabra «animales» con intención significativa. Si bien no definidos como seres humanos, los axolotl tampoco quedan ubicados entre los animales.

Nuevamente la perspectiva del relato volverá a ser, sin ambigüedad alguna, la del narrador. Queda descartada una apertura hacia lo mitológico. El visitante del Jardin des Plantes mira a los ojos de los axolotl, se siente penetrado como por un reclamo de salvación y se sorprende en una actitud consoladora. Ve en los axolotl «una misteriosa humanidad». Aunque no se trate de seres semejantes a él, establece con ellos un vínculo tan raro como esencial: «No eran seres humanos, pero en ningún animal había encontrado una relación tan profunda conmigo.» El enigma de los axolotl es enfrentado en todos estos momentos con un criterio racional. El autor se pregunta en qué mundo están situados, cuál es su mensaje. Oscila entre la piedad y el miedo: «Les temía. Creo que de no haber sentido la proximidad de otros visitantes y del guardián no me hubiese atrevido a quedarme solo con ellos.» Un nuevo contraste surge ahora. Primero vacila al ver en los axolotl rasgos de piedra y de humanidad; después hay un rechazo («no eran seres humanos»). A la identificación le sucede el temor. Movimientos éstos que describen el esfuerzo, por penetrar en lo impenetrable de sus vidas». La posibilidad de la locura queda insinuada: «'Usted se los devora con los ojos', me decía riendo el guardián, que debía suponerme un poco desequilibrado.»

El protagonista ya va todos los días a contemplar a los axolotl, se sume en sus ojos, practica «un canibalismo de oro»; lejos del acuario sólo piensa en ellos; los axolotl se le presentan como testigos y jueces, expresan un inalcanzable reclamo que lo obsesiona; se siente innoble frente a ellos, luego confiesa su temor. El círculo se va cerrando lentamente. De la actitud de simpatía y contemplación pasa a la opuesta de miedo. Hay, pues, una búsqueda cognoscitiva tanto desde el narrador al axolotl como a la inversa, y esa inquisición escapa al orden racional. Trátase de una vía nueva. Ya el protagonista y los axolotl no pueden desprenderse y hay un momento en que el salto hombre-axolotl es definitivo.

No pretendo, desde luego, agotar todas las ambigüedades que constantemente asaltan al lector. Acaba el narrador de penetrar en los movimientos y en la extraña mirada de los axolotl y cierra así el párrafo: «Los ojos de los axolotl no tienen párpados.» Esta declaración sorprende dentro del contexto. Parece no guardar relación con las frases anteriores y obedecer a asociaciones libres del autor. El cambio de tiempo verbal subraya la sensación de extrañeza. Hasta entonces había narrado en pretérito; ahora usa el presente («no tienen»). Hay un doble propósito en la frase: señalar la diferencia entre los ojos del hombre y los ojos sin párpados de los axolotl y facilitar la transición a una nueva parte del relato que se desarrolla en presente.

El ritmo se vuelve más dinámico, no con movimiento de acciones externas, sino desde la perspectiva mental en que se sitúa el cuento. Lo explicativo queda borrado del todo. Pasan cosas, hasta las más extrañas. Los sitios se invierten. El narrador está ahora en el acuario. Necesariamente debo citar todo este pasaje clave de un quinto momento, en el que ya el protagonista es definitivamente un axolotl: «Mi cara estaba pegada al vidrio del acuario, mis ojos trataban una vez más de penetrar el misterio de esos ojos de oro sin iris y sin pupila. Veía muy cerca la cara de un axolotl inmóvil junto al vidrio. Sin transición, sin sorpresa, vi mi cara contra el vidrio, la vi fuera del acuario, la vi del otro lado del vidrio. Entonces mi cara se apartó y yo comprendí.» La insistencia en el uso de la palabra «vidrio» subraya a la vez la transferencia de planos y la transparencia que separa realidad e irrealidad.

El salto mágico está objetivamente referido desde una perspectiva omnisciente. Pese al uso del pronombre personal, nos parece leer el informe objetivo del suceso extraordinario. Todo lo demás deriva de ese cambio de sitios. El observador es ahora el observado. Y cuando el hombre es axolotl, una cosa le parece extraña: «seguir pensando como antes, saber». El protagonista deviene un axolotl, no un transmigrado ni un enterrado vivo en un cuerpo de axolotl, como horrorosamente lo había sentido antes. Llega así a saber que la comprensión no está al alcance de quien ha quedado fuera del acuario... No hay *shifter* posible entre dos códigos totalmente separados uno del otro. El desdoblamiento es total. Antes habla de «mi cara», y ahora el axolotl utiliza también la primera persona. El hombre es ya «él», tercera persona, y en cambio el axolotl es el «yo» que narra. Hay una conformación que se borra en quien ha quedado dentro del acuario. El juego de las personas verbales señala expresivamente la transformación.

Por movimientos corporales y con signos distintos a los humanos el protagonista se entiende ahora con los otros axolotl. Quedan todavía algunos vínculos que finalmente se desvanecen.

Allí están frente al vidrio una boca apretada, unos ojos desesperados por comprender a los ojos de oro de los axolotl. Están afuera, separados: «Conociéndolo, siendo él mismo, yo era un axolotl y estaba en mi mundo.»

En los primeros días, hombre y axolotl indiferenciados, subsiste la comunicación, pero hay un instante en que el punto de vista es totalmente mágico: el que narra es el axolotl, y «él» es ese hombre que antes había estado contando. Los puentes quedan cortados. «Él» deja poco a poco de ir al acuario, y al axolotl le parece que algo de todo eso logró decirle en los primeros días, cuando aún tenía vestigios humanos. Las últimas palabras del axolotl subrayan la perspectiva irreal y, también, un humano afán de explicación y perduración al que el axolotl no parece ser ajeno: «Y en esta soledad final, a la que él ya no vuelve, me consuela pensar que acaso va a escribir sobre nosotros, creyendo escribir un cuento va a escribir todo esto sobre los axolotl.» Aquí el hombre es sólo una hipótesis. Sólo quedan los axolotl, los nueve que eran contemplados y el contemplador, que está ya definitivamente del otro lado del vidrio.

Sabrá el lector disculpar el exceso de minucia con que hemos examinado los elementos del relato. La complejidad del texto exigía usar la lupa. Será ahora más sencillo penetrar en su estructura.

La narración es circular. Desde el principio hay un centro fundamental de gravitación: «Ahora soy un axolotl.» De manera sintética o amplia vuelve sucesivamente a girar el texto en torno a ese eje hasta la definitiva transformación del narrador en axolotl. Cortázar renuncia en el primer párrafo al elemento de sorpresa. Esa declaración —«Ahora soy un axolotl»— pudo ser un final clásico de cuento fantástico. Su utilización al comienzo no es de orden puramente estilístico, pues el autor quiere penetrar en los límites difusos de lo que, equívocamente, llamamos real.

La estructura del cuento no revela un desarrollo. Vuelve siempre al mismo centro. Los saltos temporales y los espaciales, a uno y otro lado del vidrio del acuario, son constantes. Los pronombres personales y los tiempos verbales tienen una importancia básica y destacan la constante oscilación entre lo cotidiano vivido por el hombre que visita el Jardin des Plantes y lo imaginario vivido por el axolotl en el limitado espacio de la pecera. Los pronombres son claves. Siempre debemos preguntarnos qué designa «yo», qué designa «él», quién es «yo», quién es «él». El plano del relator es ambiguo. Podemos suponer que relata el hombre después del desdoblamiento en axolotl, el propio axolotl o el hombre que queda fuera del acuario y cree escribir un cuento... Distintas partes del texto favorecen una interpretación u otra. Hay siempre en el relato una alternancia de los puntos de vista, sin que falte a veces, sobre todo en el extenso pasaje que hemos llamado pedagógico, el del narrador omnisciente. Esa perspectiva es la que surge también de la información del diccionario, oblicuamente introducida en el texto. La omnisciencia de «Axolotl» está siempre velada o contenida: «... consulté un diccionario y supe...»; «Leí que se han encontrado ejemplares en África...» Muchas observaciones niegan totalmente o atenúan el punto de vista omnisciente: «Oscuramente me pareció comprender su voluntad secreta.» Y, más adelante, un desconocimiento subrayado por el adverbio de duda: «Acaso sus ojos veían en plena noche y el día continuaba para ellos indefinidamente.» Sólo algunas veces, y curiosamente cuando el punto de vista es el de los axolotl, la omnisciencia es absoluta: «El tiempo se siente menos si nos estamos quietos.» Desde su perspectiva el axolotl observa y juzga al hombre.

Además de los puntos de vista señalados, hay otro que alterna entre omnisciente y limitado. En muchos momentos el relato adquiere una gran objetividad que no es ni la del axolotl ni la del hombre: «Los ojos de los axolotl no tienen párpados»; «Los axolotl eran como testigos de algo y a veces como horribles jueces». Hay muchas afirmaciones de este tipo anotadas totalmente por el autor. Son bastante extensas en el contexto total del relato. La más larga es la que expone la tesis de que cuanto mayor es la falta de semejanza entre las larvas y el hombre, mayor es también la posibilidad de filiación, anti-darwinismo puro reforzado por una referencia «pedagógica», acaso innecesaria, a rasgos antromórficos del mono que «revelan, al revés de lo que cree la mayoría, la distancia que va de ellos a nosotros».

Los tiempos verbales corresponden a los matizados puntos de vista. La acción comienza en el pasado y concluye en un presente que comunica sugestión de eternidad. El primer párrafo es un círculo cerrado, centro del círculo mayor de todo el cuento, y sintetiza una experiencia de transmigración narrada por la consciencia transmigrante que no manifiesta ruptura alguna en la identidad del *yo*. A partir del momento en que esa consciencia, instalada en su nueva conformación, comienza a recordar un pasado en el que le correspondían características humanas, pueden distinguirse tres partes bien delimitadas en la estructura cíclica del relato.

La primera de ellas arranca con una afirmación («El azar me llevó hasta ellos...») y concluye también con otra afirmación («Veía muy claramente la cara de un axolotl detenido junto al vidrio»). En esa parte se presenta el movimiento de aproximación de un hombre a un mundo fascinante, misterioso, pero que, al menos en apariencia, le es completamente extraño.

El acercamiento se inicia casualmente por obra del azar; se intensifica de un modo rápido ya en la primera visita y es presentado en su desarrollo a través del ojo humano. Abundan las inflexiones de los verbos «ver» y «mirar» [5]. La perspectiva humana no es estricta, pues surgen experiencias que, con mayor o menor claridad,

---

[5] Algunos ejemplos sólo de las primeras páginas: «me quedaba horas mirándolos...»; «vi los verdes...»; «y fui a ver los tulipanes»; «me quedé una hora mirándolos...»; «y me ponía a mirarlos...»; «Vi un cuerpecito rosado...»; «pero mirando, dejándose penetrar por mi mirada...»

nos llevan al acuario y simultáneamente califican indirectamente el mundo del hombre. Las características de la experiencia del protagonista frente a los axolotl se presentan por una descripción de perspectiva unilateral. Ya he señalado que esa relación se suscita por obra de la casualidad y se entabla con fuerza desde el principio. Al llegar el visitante al acuario y descubrir esa rara especie de batracio queda fascinado. Comienza allí el movimiento del hombre hacia los axolotl. Va hacia ellos esforzándose por «penetrar lo impenetrable de sus vidas».

La aproximación es asumida sin mediaciones. Los datos que le pueden ofrecer los libros acerca de ese mundo subyugante son empleados en un nivel muy superficial y pronto esa vía de conocimiento queda desechada. El visitante comienza a ir al Jardin des Plantes «todas las mañanas, a veces de mañana y de tarde». La progresión de ese acercamiento es muy rápida y se subraya la voluntad del observador por trascender los datos puramente fenoménicos: los ojos del axolotl se dejan «penetrar» [6] por la mirada del visitante «que parecía pasar a través del punto áureo y perderse en un diáfano misterio interior». Comienza el hombre a introducirse en un mundo oscuro cuya esencia se le escapa, y en esa ascesis, como se puede advertir en el fragmento antes transcrito, hay cierta similitud con la elevación mística.

Ya al principio advierte el hombre que la atracción que lo mueve hacia el axolotl no es incidental, como la que pudiera ejercer un objeto curioso y fascinante. El lazo es más profundo: «Desde un primer momento comprendí que estábamos vinculados, que algo infinitamente perdido y distante seguía, sin embargo, uniéndonos.» Ese «sin embargo» tiene un sentido esencial precisamente porque ni en la oración donde aparece ni en las inmediatamente anteriores están expresados los lados negativos, los obstáculos, a pesar de los cuales se produce la identificación con los raros animales. Todo el ser de los axolotl se expresa de una manera incomprensible para el hombre, y aunque la comunicación más cálida sea la de los ojos, los axolotl tienen también «otra manera de mirar».

A pesar de diversidades aparenciales el hombre descubre una misteriosa esencia común entre el axolotl y él. Hay tres oraciones yuxtapuestas muy significativas: «Eso miraba y sabía. Eso reclamaba. No eran *animales*.» Las tres alcanzan más hondo poder significativo si se las relaciona con un fragmento posterior. «No eran seres humanos, pero en ningún animal había encontrado una relación tan

---

6 Obsérvese la significativa insistencia en el uso del verbo «penetrar». Más adelante leemos: «me penetraba como un mensaje» y «captaba mi esfuerzo por penetrar en lo impenetrable de sus vidas». Queda así señalada la voluntad de llegar a lo más profundo de la búsqueda óntica.

profunda conmigo.» Encontramos por un lado la certeza de caracteres comunes relacionantes y, por otro, la vacilación sobre la índole de ese vínculo que lo lleva hasta imaginarlos condenados a un silencio abisal, porque no resultaba verosímil que una expresión tan terrible no obedeciese a una eterna condena. ¿Pero hasta qué punto puede ser válido, desde la visión de los axolotl, un criterio de posibilidad e imposibilidad inevitablemente humano?

La imaginación del hombre no puede abandonar su afanoso sondeo de los axolotl y hasta llega a forjar una identificación con sus supuestos dolores [7]. En esta primera parte del cuento no sólo se investigan los matices de la relación hombre-axolotl. También se detallan minuciosamente las características del axolotl tal como las ve el obsedido contemplador. Las descripciones son minuciosas, se demoran en detalles pequeños, pero entre ellos se destacan tres elementos: los ojos, la inmovilidad y el enigma.

A través de los ojos se patentiza el doble movimiento del hombre, intentando invadir un mundo que le es ajeno [8], y, como contraparte, ese mundo absorbiéndolo y devorándolo [9]. Golpeando con sus dedos en el cristal frente a los axolotl el protagonista nunca obtuvo de ellos la menor reacción. Pero a través de los dorados discos diminutos surgirá para el alucinado visitante una especie de entendimiento con ese mundo extraño, y al mensaje de «sálvanos, sálvanos» procurará responder esperanzadamente.

Hay una insistencia marcada en el color dorado de los ojos, así como en el tinte rosado y traslúcido del cuerpo del animal, coloraciones que simbolizan el mundo de la irrealidad y del ensueño.

La primera vez que el hombre vio a los axolotl, su reposo fue el motivo fundamental de fascinación. La quietud aparece ligada a la sensación de atemporalidad, al carácter pétreo de los axolotl. A través de esa quietud indiferente el sujeto interpreta una voluntad de abolir espacio y tiempo. Desde el ángulo del observador humano el tiempo de los axolotl se muestra infinitamente lento e infinitamente remoto. Hay una constante alusión al mundo mineral,

---

[7] «En ese instante yo sentía como un dolor sordo... Cada mañana el reconocimiento era mayor. Sufrían, cada fibra de mi cuerpo alcanzaba ese sufrimiento amordazado, esa tortura rígida en el fondo del agua.»

[8] «Y entonces descubrí sus ojos, su cara. Un rostro inexpresivo, sin otro rasgo que los ojos, dos orificios como cabeza de alfiler, enteramente de un oro transparente, carentes de toda vida, pero mirando, dejándose penetrar por mi mirada, que parecía pasar a través del punto áureo.» Y en otro momento: «Usted se los come con los ojos, me decía riendo el guardián.»

[9] «Los ojos de oro seguían ardiendo con su dulce, terrible luz; seguían mirándome desde una profundidad insondable que me daba vértigo.» Y en el mismo sentido: «Su mirada ciega, el diminuto disco de oro inexpresivo y, sin embargo, terriblemente lúcido, me penetraba como un mensaje.» Y: «... eran ellos los que me devoraban lentamente por los ojos, en un canibalismo de oro.»

como si el axolotl estuviese más resguardado que otros animales de
la acción corrosiva del tiempo. Su cabeza se parece a una piedra
rosa, a un alabastro; su cuerpo sugiere «estatuillas chinas de cristal
lechoso»; su rostro tiene la inexpresividad de la piedra. Hay muchas
alusiones más de este tipo, y todas parecen apuntar al carácter arquetípico del axolotl, a sus vínculos ancestrales.

El tercer rasgo con que se nos presentan los axolotl es su enigma. Los movimientos de los axolotl son «oscuros»; hay en ellos un
«misterio interior», una «voluntad secreta». El relator afirma que los
ojos de los animalitos le «decían de la presencia de una vida diferente»; es un mundo «infinitamente lento y remoto» el de esas criaturas
rosadas que lo miran «desde una profundidad insondable». Alude
el narrador al «misterio que lo obsesionaba», al «misterio de esos
ojos sin iris y sin pupila», y descubre su patético afán «por penetrar
en lo impenetrable de sus vidas». La conversión a axolotl es la única posibilidad total que se le presenta al protagonista para llegar al
enigma ontológico de esos seres. Y es esa posibilidad la que finalmente asume.

Quedan así trazadas en esta primera parte del relato las características de los axolotl desde el punto de vista del observador humano,
y quedan también establecidas las complejas relaciones entre el mundo del acuario y el mundo del contemplador. En este punto se anuncia ya la segunda parte del cuento: «Ahora sé que no hubo nada
extraño, que eso tenía que ocurrir.» Y más adelante: «Por eso no
hubo nada extraño en lo que ocurrió.» Al anticipar el acontecimiento
se denota el propósito de situar dentro de lo normal la transmuta-
ción del mundo humano en el mundo del axolotl. La intención parece
más evidente si recordamos que ya unas páginas antes anota: «No hay
nada de extraño en esto...»

El movimiento del hombre hacia el axolotl concluye con una imagen cargada de significado: dos caras —hombre, axolotl— enfrenta-
das, muy próximas, separadas sólo por la barrera de cristal [10]. En
ninguna otra parte del cuento se destaca tanto la inmediatez física
de los dos rostros, de las dos miradas. Y así, el comienzo de la segunda parte, mucho más breve que la primera y bien delimitada, se
sitúa en un momento de extremo dinamismo: «Sin transición, sin sorpresa, vi mi cara contra el vidrio; en vez del axolotl, vi mi cara
contra el vidrio, la vi fuera del acuario, la vi del otro lado del vidrio.»
Esta parte segunda concluye en el momento del horror del hombre
que se siente transmigrado al axolotl con sus pensamientos humanos:
«enterrado vivo en un axolotl, condenado a moverse lúcidamente
entre criaturas insensibles».

---

[10] «Mi cara estaba pegada al vidrio del acuario... Veía de muy cerca la cara
de un axolotl detenido junto al vidrio.»

La fluctuante organización sintáctica del primer fragmento es simétrica a un movimiento confuso en el ser mismo de la nueva realidad. Y es en la presentación de esa nueva criatura donde se centra este segundo círculo de «Axolotl». La aparición de ese ser distinto implica una ruptura de toda la estructura lógica bifronte de nuestro pensamiento, pues éste aparece conformado a la vez como naturaleza humana —es una obsesión humana corporizada— y como axolotl. Esta nueva criatura, prolongación del hombre, es a la vez ajena al pensamiento del hombre que continúa fluyendo al otro lado del vidrio: «Conociéndolo, siendo él mismo, yo era un axolotl y estaba en mi mundo.»

Esta consciencia fuera del acuario había creído alcanzar la certeza de que los axolotl eran seres pensantes y sufrían también humanamente, pero de improviso, inmersa en el mundo líquido, comienza a sufrir por la carencia de atributos humanos. En tanto se mantiene el horror del enterrado vivo que despierta a su situación y subsiste el espanto de sospecharse pensamiento humano prisionero en un axolotl, podemos atisbar todavía una separación entre el mundo de la obsesión axolotl y el mundo de los auténticos axolotl. Pero, y aquí se ubica el comienzo del tercer círculo, bastará que lo roce una pata de axolotl para que se sumerja totalmente en ese universo nuevo. Se ha incorporado a otros valores, a otros códigos, a otra vida. Dentro del agua, en un instante, logra penetrar la que no alcanzó en las largas contemplaciones frente al acuario. Al llegar a este punto deja de ser la obsesión de un hombre para ser un axolotl. Por eso la última parte del relato tiene claras diferencias con la anterior.

Afuera está solamente la cara del hombre. Y si leemos «todos nosotros» o «nuestros ojos» será ahora con referencia a un orbe del que el hombre no participa y con relación a unos ojos dorados, sin iris, sin pupilas y sin párpados. Una separación radical se abre entre los dos mundos. Lo conjetural, lo incomprensible, queda totalmente ya dentro del acuario.

Un desarrollo circular articulado en tres momentos precisos que a su vez corresponden a variaciones fundamentales en la relación hombre-axolotl; un juego de transiciones que se crea mediante cambios de personas y de tiempos verbales, y, finalmente, una alternancia sutil de los diferentes puntos de vista (lo que permite plantear desde la explicación directa hasta los extremos de la consciencia alienada), constituyen los rasgos estructurales más importantes de «Axolotl».

Apoyándose casi únicamente en hechos, Cortázar sitúa los sucesos en una dimensión fantástica. El relato oscila entre la directa presentación de situaciones y la irrupción de lo inusual. Hay una evidente preocupación por el detalle, y el paso a lo irreal se produce sin forzarlo. El autor debe asumirlo como verdadero, aunque niegue a la lógica. Según los procedimientos del realismo mágico, la mutación de planos, incluso la conversión del hombre en axolotl, se ubica dentro de lo objetivo. Todo pasa, de una manera u otra, en el cuento. Los elementos de la narración son reales; el carácter del suceso es inabarcable racionalmente. La ambigüedad se acentúa por el desarrollo que oscila entre un tiempo muy remoto, un pasado reciente y un hoy desde el que se vislumbra el futuro.

En «Axolotl» los motivos menores se subordinan al trazo general. El conjunto sugiere una gama de interpretaciones abierta, amplia, contradictoria. Cualquier conclusión transparente y unívoca hubiese restado interés a la relación entre los axolotl y el curioso visitante del Jardin des Plantes.

¿Qué son, qué expresan esos animalitos de ojos dorados? Algunos significados están claramente sugeridos por el texto. Otros son más oscuros.

Desechemos la interpretación simplista de «Axolotl» como el estudio de una deformación patológica de la realidad, según la cual el contemplador padecería alucinaciones propias del *yo* sicótico. En ningún momento el relato se plantea como un caso clínico, aunque los sucesos alteren lo normal. Debemos rechazar asimismo, descartada por el propio Cortázar, una equivalencia mitológica: «Parecía fácil, casi obvio, caer en la mitología.» Cierra el autor también la vía humorística, tan frecuente en su literatura. El paso del hombre a axolotl es dramático y está investido de una profunda seriedad.

Queda abierta la posibilidad de ver a los axolotl (los ajolotes mexicanos) como una supervivencia misteriosa o un resto arquetípico del antiguo poderío anterior a la conquista. Cortázar alude a los «rostros rosados aztecas» de los axolotl, y, en otro momento, la aproximación es más explícita: «Detrás de esas caras aztecas, inexpresivas y, sin embargo, de una crueldad implacable, ¿qué imagen esperaba su hora?» Brilla en los axolotl el resplandor de un pasado heroico: «Expiaban algo, un remoto señorío aniquilado, un tiempo de libertad en que el mundo había sido de los axolotl.» Esos ojos de oro, esos rostros aztecas pétreos y portadores de «un mensaje de dolor» poseen un profundo secreto que no se revela. El contemplador es un elegido que llega a penetrarlo: «Ellos y yo sabíamos.» Pero la identificación ancestral con América no es meramente decorativa. Su confinamiento equivale a una suerte de reintegración étnica, a una comunicación con su ser ancestral. Esta interpretación resulta más clara si se piensa en «La noche boca arriba», cuento que, como «Axolotl», forma parte del libro *Final del juego*. Un accidente de motocicleta lleva al protagonista de «La noche boca arriba» a reencontrarse con su auténtica muerte del molteca sacrificado en el teocalli por los aztecas durante la guerra florida [11]. En el cambio que se produce en el visitante del *Jardin des Plantes* hay algo extraño y a la vez ineluctable («eso tenía que ocurrir»). La ciega fatalidad de la sangre lo hace comprender la tortura, el «sufrimiento amordazado» de esos remotísimos señores. Tanto el personaje de «Axolotl» como el de «La noche boca arriba» parecen volver a remotas centurias. En un sentido más amplio, «Axolotl» insinúa una suerte de regreso antropológico a formas muy pretéritas y larvales de existencia. La sensación de enterrado vivo, de horrible enclaustramiento, cesa en el transmigrado cuando una pata de axolotl le roza la cara: «O yo estaba también en él, o todos nosotros pensábamos como un hombre, incapaces de expresión, limitados al resplandor dorado de nuestros ojos que miraban la cara del hombre pegada al acuario.» La conversación del hombre en axolotl («el axolotl piensa como un hombre dentro de su imagen de piedra rosa») es una manera extrema de asumir la consciencia de nuestro ser más antiguo, de formas de existencia que todavía moran oscuramente en el trasfondo de nuestro *yo*.

Todo lo que las relaciones entre la vida humana y la vida animal tiene de extraño y fascinante atrae a Cortázar y aparece en todos sus libros, principalmente en *Bestiario* (1951) e *Historias de cronopios y de famas* (1962). Se ha señalado que «Axolotl» podría muy bien ubicarse en *Bestiario* [12]. Manuel Durán observa que a Cortázar «más que lo maravilloso metafísico le interesa lo maravilloso biológico» [13]. Aunque la afirmación es excesivamente genérica y concluyente, sirve para señalar lo que, en efecto, es un rasgo de las ficciones de Cortázar: la profundización de la vida animal desde la vivencia humana, como algo nuestro, inseparable y extraño. En el caso de «Axolotl» parece adherir a la idea de Claude Lévi-Strauss de que las criaturas inconscientes, lejos de ser meramente funcionales, están dotadas de algo así como una racionalidad inmanente. Hay un punto de convergencia entre todas las expresiones vivientes, y es en este centro oculto donde acaban por ubicarse el contemplador de los acuarios y los axolotl.

No presenta Cortázar la conversión de un hombre en animal dentro de un ámbito cotidiano como *La metamorfosis,* de Kafka.

---

[11] La alusión de Cortázar a la supervivencia racial mexicana es más elíptica que en otros relatos contemporáneos. Pienso fundamentalmente en «Chaac-Mool», de Carlos Fuentes (incluido en *Los días enmascarados,* México: Los Presentes, 1964). Interesa señalar que Chaac-Mool, dios azteca de la lluvia, logra comunicarse con Filiberto, protagonista del cuento, en un plano metaverbal que de alguna manera equivale al que acaba por surgir entre los axolotl y el hombre que se incorpora al acuario.

[12] Cf. Ana María Barrenechea y Emma Susana Speratti Piñero, *La literatura fantástica argentina* (México: Imprenta Universitaria, 1957), p. 87.

[13] «Julio Cortázar y su pequeño mundo de cronopios y de famas», *Revista Iberoamericana* (59, 1965), p. 34.

El cuento de Cortázar concluye cuando el protagonista se siente ya ineluctablemente dentro del acuario. *La metamorfosis* se basa en el desorden que suscita el cambio de Gregorio Samsa. Es éste, por otra parte, el único hecho fantástico del relato. Samsa se duerme siendo hombre, se despierta convertido en un gusano y luego sigue su vida como tal, pero conservando sentimientos y pensamientos humanos. Kafka profundiza la soledad, el tremendo aislamiento de Samsa, dentro de un tratamiento lineal del tiempo. En «Axolotl» llega un momento en que el cambio es absoluto. El tiempo está dislocado. El hombre transformado en axolotl no ve ya solamente del otro lado del acuario al contorno físico, sino al hombre que dejó de ser. Ahí se opera la ruptura. En cambio en *La metamorfosis* el drama surge de la continuidad de los lazos familiares y humanos.

Aparecen también en «Axolotl» marcados simbolismos de orden religioso. Esos animales poseen algo de dioses. En sus ojos arde una «terrible luz». Pequeños, encerrados, inspiran miedo: «Les temía. Creo que de no haber sentido la proximidad de otros visitantes y del guardián no me hubiese atrevido a quedarme solo con ellos.» Los axolotl son misteriosos, supratemporales, con signos de eternidad; aparecen como «testigos de algo, y a veces como horribles jueces». En otros momentos del relato cambia la relación y es absolutamente la inversa. Los axolotl se sitúan frente al hombre en la misma actitud que éste frente a Dios: obligado al silencio parecen implorar salvación, querer librarse de su «condena eterna, de ese infierno líquido que padecían». La conversión del hombre en axolotl asume así el sentido de un sacrificio, de una suerte de ofrenda a esas criaturas sufrientes o a esos dioses ocultos en su forma animal. El nexo entre hombre y axolotl llega a ser suprasensible. El protagonista se siente innoble frente a la «pureza tan espantosa» que sus ojos irradian; establece una profunda relación que antes no había conocido. La comprensión a que se alude repetidamente en el relato está situada, pues, en el plano de la experiencia mística, para la cual, desde la lógica común, «ninguna comprensión era posible».

El protagonista de «Axolotl» busca rescatar a los pequeños animales de «esa condena eterna, de ese infierno líquido que padecían». Busca, en una palabra, salvarlos, y su extremo recurso de salvación es trocarse en ellos mismos. Asistimos así a un proceso de ruptura, de ascenso y de identificación total con esos seres que claman «sálvanos, sálvanos» y con su «diáfano misterio interior». El protagonista no deviene axolotl en la búsqueda de ciertos valores cualitativos, sino en un acto de entrega, en una búsqueda de unidad absoluta.

En un plano gnoseológico, «Axolotl», como tantas expresiones literarias de raigambre surrealista, niega a la razón como una vía de conocimiento. La conversión del hombre en axolotl borra la opacidad de lo convencional y profundiza una experiencia de orden fantástico. Al comienzo del relato todo parece sencillo, después se plantea el dualismo hombre-axolotl y, finalmente, el salto alucinante. Se cierra así un círculo perfecto que importa una penetración en la índole de lo existente. Los axolotl sufren por superar las limitaciones de espacio y tiempo, el observador quiere llegar a esa duración misteriosa que se confunde con la eternidad, y finalmente, borrados límites que parecen inexorables, queda él también en el acuario. Confinamiento y límites parecen insalvables siempre. La ajenidad, ese sentirse desplazados de los axolotl, define alegóricamente una situación característica de nuestro tiempo. Al ingresar al mundo de los axolotl el hombre parece integrar las piezas rotas de un todo. En la asombrosa anécdota hay, pues, una lúcida imagen del extrañamiento y la descripción de una íntima unidad que se manifiesta de manera tan multiforme. En la actitud del contemplador también puede verse el rechazo del complejo mundo cotidiano y su cambio por el mundo cerrado y líquido del acuario, y, desde luego, una crítica implícita al homocentrismo radical que empobrece nuestra visión de la existencia. El mundo sólido, estable y lineal desaparece y surge éste otro ambiguo y conflictivo.

En esta dirección encontramos bases para una interpretación próxima al sicoanálisis. Recordemos que los axolotl tienen cuerpo rosado, de líneas irregulares, de menudos dedos y uñas humanos; que viven en un medio líquido, oscuro y de quietud; que algo infinitamente distante y perdido une al hombre y a ellos; que el contemplador «turbado, casi avergonzado», siente como «una impudicia asomarse a esas figuras silenciosas e inmóviles». Todo esto representa una oculta aspiración del hombre a regresar al seno materno, a remontar un tiempo pasado, antes del nacimiento (Freud), o, más lejos, a los primeros orígenes de la especie humana (Jung). Claro que ésta es sólo una de las líneas menos nítidas entre las muchas que intrincadamente se entrecruzan en el breve relato.

La transmigración del hombre en axolotl describe de una manera extrema la búsqueda de solidaridad y comprensión. Cuando la pata del axolotl roza la cara del hombre, éste despierta a una solidaridad nueva.

Enfrentados hombre y axolotl se produce, al principio, una situación extraña y fascinante. La visita busca explicaciones y datos en libros y diccionarios, pero rechaza luego todo camino racional y se enfrenta directamente a esos seres con sus sentidos. Desde el primer momento adivina un vínculo profundo («algo infinitamente perdido y distante seguía, sin embargo, uniéndonos»). El protagonista, sin que ello obedezca a un plan, quiere volver a anudar sus lazos con la naturaleza y con la especie. Busca una integración totalizadora. La frontera del cristal, frágil y transparente, es infinitamente sólida porque divide dos mundos, cada uno con su propia coherencia. Por eso el viraje es tan sorprendente. Al comienzo del cambio del observador al acuario, su ahogo se parece a la sensación de amuramiento tan angustiosa y conocida en la tradición del cuento que arranca en Poe. Pero Cortázar no se detiene ahí. El hombre alcanza la unidad y, desde el acuario, llega un momento en que es una criatura nueva que no sufre la angustia de serlo.

Otra transformación se concreta al final del relato. También se dividen el hombre que se ha cambiado en axolotl y el escritor que poco a poco deja de ir al Jardin des Plantes, porque los puentes quedan cortados y «lo que era su obsesión es ahora un axolotl ajeno a su vida de hombre». Y ese que fue el contemplador ahora está definitivamente afuera y tal vez «creyendo escribir un cuento va a escribir todo esto sobre los axolotl». Éstas son las palabras finales del texto de «Axolotl» y plantean la fenomenología de la literatura. Lo que el escritor cuente será necesariamente lo que alcanzará vigencia en el nivel de la fantasía.

Activos y visibles de uno y otro lado del cristal, hombres y axolotl están comprendidos en la misma trama del mundo. La visión totalizadora la ofrece el escritor que abarca los dos códigos y salta sobre sí mismo, aun con el riesgo de una escisión dolorosa. El escritor debe ofrecer una imagen total. Por eso toma distancia, se aleja, mira, no se entrega. Y, sin embargo, ¿no está también dentro del acuario y dentro del axolotl? Porque no se trata de un espectador privilegiado. Por lo menos simbólicamente el mundo del acuario se cierra también sobre él.

El hombre y los axolotl están abarcados en una dimensión imaginaria. El hombre aparece a la vez como objeto y sujeto. La lúcida penetración, a veces sobrecogedora y alucinante, del escritor, abarca el conjunto, siempre con un distanciamiento. Cuando quien al principio estaba cautivo en la fascinación misteriosa de los animales empieza a dejar el Jardin des Plantes, a mirar desde lejos el acuario y finalmente a imaginar el chapuleo de las larvas, está comportándose literariamente. Su comprensión importa un alejamiento, aunque imaginativamente se sienta mucho más inmerso en la realidad que ahora *cuenta*.

Necesariamente, el escritor, aun el que acepta un punto de vista cerradamente mimético, se sitúa en un mundo de fábula unido por hilos semánticos a la entidad que suscita su creación. Toda novela, toda poesía, toda ficción es una realidad nueva que se concreta verbalmente. Quien queda en el acuario entiende bien que deja en libertad al otro. Él seguirá pensando «como un hombre en su imagen de piedra rosa», pero ya no podrá expresarse en el lenguaje de los hombres. El escritor narrará la historia fuera del acuario, la vertirá en sus propios signos. Es el ser racional, pensante, imaginativo, el animal de palabras. Por eso, en definitiva, no da el último salto y, si acaso, convertirá su experiencia en un cuento. La ambigüedad de la literatura queda metafóricamente abarcada. El escritor podrá comprender el juego, llegar al misterio de los axolotl, penetrar secretos para otros inalcanzables, pero no logrará participar totalmente de todo ello. Es su precio como testigo y mitificador del mundo.

Es el escritor quien se esfuerza por entender, por penetrar (según el verbo tan insistentemente usado por Cortázar) ese mundo de los axolotl. En su acercamiento hay muchas alusiones sicológicas metafóricas que cada lector asumirá con una riqueza o inquietud diferentes. Pero un significado resulta fundamental y evidente. Tanto en el hombre como en los axolotl hay un desesperado mensaje de incomunicación y de soledad. Y al hombre convertido en axolotl sólo le queda la esperanza de que alguien, el otro que fue él, cuente su historia. La complejidad de esta situación no admite reducciones simplistas. Se sitúa en una perspectiva imaginaria que favorece la desvalorización de nuestras percepciones habituales. A la vez nos pone cara a cara frente a una nueva idea de la realidad más problemática y nos obliga a considerar todo lo que hay de frágil en la lengua. En algún momento el relato ofrece un apasionante *tour de force* sobre el absurdo de la expresión humana. Creo advertir en Cortázar una evidente influencia del pensamiento lingüístico de Ludwig Wittgenstein [14], y lo cierto es que «Axolotl» ilustra tensamente esa imposibilidad de trascendencia a través de la palabra que el pensador vienés lleva hasta las consecuencia dramática de no admitir la posibilidad de comunicación verbal profunda. Para entender a los axolotl no hay otra alternativa que ser axolotl. O sea, simbólicamente: no podemos entender a otros sin desaparecer, sin incorporarnos a su código. Las realidades del axolotl y del hombre llegan a ser intercomunicables por vías distintas a la lengua. La paradojal situación que con tanto vigor imaginativo plantea Cortázar ilumina todo lo que de incertidumbre y de contradicción hay en la comunicación humana y en los vínculos del hombre y los demás seres creados.

Cortázar incita a reflexionar en las relaciones entre el mundo del habla y la realidad no verbal. El observador del cuento acepta un universo no lingüístico, y curiosamente se siente integrado en él. Profundiza así, en función de una situación límite, la soledad de la lengua, que es nuestro medio más natural de aproximación a los otros. El esfuerzo del hombre al cambiarse en axolotl es un esfuerzo supremo de comprensión. Recordemos que Roman Jakobson llama

---

[14] En *La vuelta al día en ochenta mundos* (México: Siglo XXI, 1967, páginas 14-15) pueden leerse algunas referencias de Cortázar a Wittgenstein.

«trasmutación» a la interpretación de signos lingüísticos por medio de signos no lingüísticos. Como ese salto es humanamente inconcebible, Cortázar ahonda a través de tal imposibilidad en los caracteres trágicos del existir.

El mundo resulta un equivalente del acuario. La soledad, el dolor, la duración, hasta las limitaciones físicas de los axolotl son las de los hombres. En muchos pasajes es bien clara la alusión a un tema muy frecuente en Cortázar: la dificultad del convivir social. En una queja que parece humana, los axolotl dicen: «Es que nos gusta movernos mucho, y el acuario es tan mezquino; apenas avanzamos un poco, nos damos con la cola o la cabeza de otro de nosotros; surgen dificultades, peleas, fatiga.» El cotejo con la vida urbana contemporánea casi deriva a lo obvio.

El clarividente sondeo de «Axolotl» coincide con una visión integradora de la realidad. Animales, hombre y naturaleza llegan a desaparecer como fragmentos dispersos cuando el contemplador se convierte en axolotl. Esa unidad total tiene también algo de entrega y de alienación. Convertirse en axolotl (y en esto sí encontraríamos un parecido con *La metamorfosis*) puede ser una manera de eludir las exigencias de la vida o un recurso para sofocar la consciencia dolorosa de algunas situaciones extremas.

La realidad percibida y la realidad íntima aparecen indelimitadas en las ficciones de Cortázar. El mundo del *yo,* punto central de la equilibrada cosmovisión racionalista, se resquebraja, se abisma y se ensancha con multiplicidad prodigiosa. Y es que al romperse las fronteras precisas entre lo usual y lo fantástico, ese *yo* unido y coherente cae pulverizado. Pero cabe preguntarse hasta qué punto el mundo de la imaginación no es tan concreto como el de la realidad lógica creída inexpugnable, hasta qué punto lo fantástico no constituye un realismo más integrador y lúcido.

La imaginación tiene poder fáctico, es hacedora. Y, por lo menos dentro de sus límites, nada impide que un hombre se transforme en un axolotl. Precisamente por su poder destructor de los cómodos supuestos de la existencia, este cuento, como otros del realismo mágico, nos aboca a verdades profundas cuya toma de consciencia opera desde las agitadas orillas de lo racional.

Aunque los axolotl sean animales, muchas veces el vínculo entre el contemplador y ellos adquiere la peculiaridad de una relación interhumana. Al comienzo los axolotl son únicamente objetos de observación. El visitante no advierte que él está dentro del campo visual de los axolotl. Pero luego los dos personajes se afrontan en una dramática proximidad. Los axolotl miran a quien los mira. Hay una vigilancia recíproca y una particular acuidad en los ojos sin párpados, dorados y eternamente abiertos de los axolotl. La insistencia casi fatigante en los detalles de los ojos y de la mirada procura ahondar en las raíces del ligamen transferencial desde un plano muy amplio. La relación del observador excluye a las cosas y va directamente a los prójimos. Los axolotl resultan «otros» en la medida que no pueden ser controlados instrumentalmente, que llevan un mensaje removedor y oscuro. Los axolotl irrumpen en la consciencia del hombre como el «otro». No son solamente el objeto mirado, sino el ser que mira. Esta situación nueva cristaliza en el fenómeno de la mirada tal cual ocurre entre los hombres. Y desde la mirada ajena, el observador se siente objetivado y sorprende en los axolotl un mensaje y un padecimiento. Los axolotl dejan de ser instrumentos, objetos. Surgen con toda la fuerza y todo el conflicto del «otro». El observador no puede incluirlos sin resistencia en su proyecto. Los axolotl (o todos los otros seres si se los mira simbólicamente) tienen también sus proyectos. En este caso los axolotl resultan vencedores, pues incluyen en su vida al propio observador. El «tú» auténtico llega a sustituir así al «otro» angustiante. Desde esta perspectiva podríamos ver en la situación hombre-axolotl un correlato alegórico de la dialéctica del amo y del esclavo profundizada por Hegel [15].

La transformación del hombre que contempla los axolotl en dos seres (uno que queda en el acuario y otro que contará la historia) es una expresión simbólica que sugiere una gama amplísima de interpretaciones. Sólo he apuntado libremente unas pocas. La fascinación del texto nace precisamente de que sugiere muchas y de que todas ellas son, por algún motivo, vulnerables o fragmentarias.

La estructura circular de «Axolotl»; los extremos del enfoque narrativo (desde el punto de vista omnisciente hasta la desnuda anotación de hechos); las borrosas fronteras entre lo real y lo imaginativo; el carácter biplánico de la situación; las perspectivas sicológicas y metafísicas que va ofreciendo el texto, son rasgos esenciales de este cuento que trae a la razón y a la imaginación tantas inquietudes. Cada uno de sus elementos se arrojan luz entre sí.

El relato de Cortázar problematiza el lugar del hombre en el conjunto de la naturaleza; sondea el dualismo intrínseco de nuestra condición humana; expone nuestro solipsismo agónico y el mundo de relaciones entre lo terrestre y misterios de tipo metafísico o religioso que nos rodean; manifiesta sensiblemente el devenir de lo arcaico en el hombre contemporáneo, y señala la vigencia de lo ancestral mexicano. Conciso, de finos movimientos verbales, arrastra al lector a una suerte de vértigo intelectual. Se sigue con ansiedad la sinuosa relación entre el visitante del Jardin des Plantes y los

[15] Cf. Luis Martín-Santos, *Libertad, temporalidad y transferencia en el psicoanálisis* (Barcelona: Seix Barral, 1964), pp. 15-25.

axolotl. Cortázar acusa hábilmente una concepción de la realidad como un conjunto de signos o estructuras aisladas. Poéticamente no la destruye, pero la vuelve dramática y evidente. Haberlo conseguido en menos de ocho breves páginas, dentro de una subyugante atmósfera mágica, es el mérito mayor de este relato provocativo y fascinante. Su ambigüedad, su hermético simbolismo, al que me he acercado sin pretender agotarlo, son tan desconcertantes como la situación que el cuento plantea. Siempre existirán por eso lectores que quieran mirar también, desde dentro o de afuera, a los absortos axolotl.

Cortázar y Nabokov:
La estética del éxtasis

Mary E. Davis

El argentino Julio Cortázar y Vladimir Nabokov, el novelista ruso-americano, pertenecen a un grupo internacional de nuevos «esperantistas», escritores cuyo material no está limitado por una nacionalidad específica, y quienes están familiarizados con el lenguaje y literatura de diversas culturas. Pueden publicar en un idioma en modelos de prosa que reflejan las estructuras profundas de otro, como lo hacen Borges y Cortázar; pueden ser expertos en más de un idioma —Nabokov fue un polémico novelista ruso antes de que publicara en inglés— o, como Samuel Beckett y Nabokov, pueden traducir sus propias obras. Los múltiples intereses culturales de estos artistas dan una complejidad a sus mundos novelescos que ha provocado críticas hasta la última década, cuando nuevos enfoques estéticos nos han hecho menos temerosos de los laberintos.

Este estudio comparativo de los sistemas estéticos de Cortázar y Nabokov se presenta como una celebración de la creciente sofisticación y universalidad de los artistas latinoamericanos, sirviendo Cortázar como un ejemplo para escritores como Fuentes, Paz y Vargas Llosa. Según la opinión de numerosos críticos, Nabokov es, después de Joyce, el estilista inglés de nuestro siglo. La clara afinidad entre su filosofía estética y la de Cortázar nos debería ayudar a darnos cuenta que los escritores latinoamericanos han entrado efectivamente en la corriente principal de la cultura internacional.

Las similitudes personales entre Nabokov y Cortázar nos dan una introducción a sus mundos estilísticos. Nabokov salió de Rusia en 1919, cuando su familia emigró a San Petersburgo. Cortázar se trasladó a París en 1950. La condición de exiliados de estos dos hombres los condujo a utilizar la alienación como una preocupación central en su prosa. En lo que se refiere a su formación intelectual,

tanto Cortázar como Nabokov muestran las influencias de la literatura francesa de los siglos XIX y XX no sólo en sus estilos, sino
también en sus alusiones y parodias que destacan en sus textos. Es
interesante señalar también que estos ávidos traductores fueron
atraídos por Edgar Allan Poe: Nabokov tradujo al ruso los cuentos cortos de Poe, y Cortázar los tradujo al español. Como Borges,
están igualmente interesados en la literatura inglesa, y han traducido a los románticos Keats, Byron y Coleridge. El empleo de la
coincidencia en sus estilos de prosa refleja una familiaridad con el
novelista inglés del siglo XVIII Lawrence Sterne, como también con
Alicia en el país de las maravillas, de Lewis Carroll, que hace uso
de una imagen central en la prosa de Cortázar y Nabokov: el espejo. A medida que ambos escritores maduraron, se han comprometido
en polémicas literarias cuyo ardor emocionaría incluso a Samuel
Johnson. Sin embargo, a pesar de todas estas similitudes, Cortázar
y Nabokov son individuos diferentes; mientras que Cortázar está
intelectualmente comprometido con la revolución de la realidad política de Latinoamérica, Nabokov permanece apartado y ha convertido a Rusia en una imagen de paraíso perdido.

Nabokov y Cortázar son descendientes literarios de Joyce y uti-
lizan los trucos del viejo maestro para crear una ficción deliberadamente ostentosa, en que los artificios están desplegados ante la
sensibilidad del lector. En vez de contemplar pasivamente la belleza revelada en el texto, el lector debe tomar parte en una lucha
con los novelistas. Éstos exponen sus ficciones a modo de complicadas tablas de juego, y el lector es partícipe en los perfectos juegos
que eventualmente se convierten en ceremonias. El propósito de
este rito es colocar al lector en una condición estática, sacarlo fuera
de sí mismo, y durante el *salto* que requiere esta operación, ampliar
o dilatar su conciencia. Sólo poco a poco llega a comprender el lector
que es el cómplice de un autor cuya seriedad está disimulada en
humor, parodia y auto-parodia.

Conrad Brenner, un importante crítico de Nabokov, dijo que
uno debe acercarse a la literatura novelesca de Nabokov con una
«disposición radical»[1] y debe estar dispuesto a soportar largos pe-
ríodos de desequilibrio durante el proceso. Las novelas incompletas
y aparentemente no terminadas de Nabokov y Cortázar son el resultado de su preferencia por la forma abierta; es decir, una forma
con irresoluciones premeditadas en que la trama (si es que existe)
no tiene «fin». En *Rayuela,* por ejemplo, Cortázar crea una forma
que discurre dentro de sí mismo con cada vez mayor profundidad.
Nabokov, por otra parte, disimula con frecuencia todo el punto de

---

[1] Conrad Brenner, Introducción a Vladimir Nabokov, *The Real Life of
Sebastian Knight* (Nueva York, 1959), p. ix.

vista de una novela al final, dejando confundido al lector respecto a la identidad del narrador. En el uso que tienen de la forma abierta estos novelistas nos presentan con una definición-en-progreso de la transformación de la realidad que motiva su arte.

Cortázar y Nabokov son llamados anti-novelistas, y ellos hacen claras parodias mordaces contra las formas más antiguas de la novela. Los detalles de sus obras novelescas los sitúan en la clase de anatomías literarias, un término que Northrop Frye, en su *Anatomy of Fiction* («Anatomía de la Ficción»), ha utilizado para designar la prosa narrativa dispuesta en torno a las ideas y que trata de temas intelectuales sobre los que han sido estructuradas gran cantidad de erudición, al modo de la sátira menipeana. Considerada en relación al *Don Quijote,* a *Tristram Shandy* o *Moby Dick,* el contenido de tales elementos como autocrítica, capítulos que se asemejan al drama, poesía o cuentos cortos, ensayos sobre la crítica, juegos de palabras, y la incorporación y parodia de los estilos de otros artistas, parecen menos revolucionarios.

Cortázar y Nabokov nos obligan a interpretar la construcción narrativa como lo hacemos con la poesía. Debemos buscar las relaciones, las imágenes claves y los grupos de imágenes que forman un gestaltismo en la mente del lector. Ellos componen sus relatos como lo hacía Joyce —no desde el comienzo al final, sino escribiendo las partes simultáneamente, y así obligando al lector a entrar en un «mundo múltiple» borgeano, muy parecido al de *Funes el Memorioso*—. Aunque la prosa lírica generalmente pasa a la parodia, existen capítulos y episodios en *Rayuela,* en *62. Modelo para armar,* en *Pale Fire, Lolita* y *Ada* que son poemas en prosa. En *Pale Fire,* por ejemplo, Nabokov ha compuesto una novela en cuatro cantos de coplas heroicas y un comentario sobre este poema. Una de las coplas en que hace destacar las delicias del juego (o como él lo llama, el arte *wordsmithy)* nos proporciona con la esencia de su estética:

> ... no texto, sino textura; no el sueño, sino la coincidencia desordenada; no tonterías insustanciales, sino un encadenamiento con sentido. ¡Sí! Era suficiente con que en la vida yo pudiera encontrar algún tipo de «chambergo», algún tipo de modelo para el juego, habilidad artística, y algo en él del agrado que encontraron aquellos que lo usaron [2].

Un efecto similar se logra en *Rayuela,* cuando Cortázar sugiere que el lector comience la novela con el capítulo 73, que es un poema en prosa que utiliza «el fuego sordo» como la imagen clave para la motivación artística. En este capítulo el novelista expone los

---

[2] Vladimir Nabokov, *Pale Fire* (Nueva York, 1962), p. 63.

principales temas de la obra en un procedimiento que él llama un «alto desafío del fénix».

La aparente falta de intriga en las novelas, cuya acción ocurre casi totalmente en la mente del narrador, da la impresión de que Cortázar y Nabokov escriben prosa sin forma. La estructura que da cohesión a sus novelas es el sistema de modelos correlacionados de interacción entre los personajes. Para Nabokov estos modelos se parecen a un baile o al vuelo de la mariposa, que es el símbolo de su firma. Cortázar llama a esta acción copiada *figuras,* que en sus novelas se asemeja a los movimientos inciertos, de una araña, el insecto que aparece a través de su prosa.

Respecto al gran interés que tienen por la libertad de forma, tanto Cortázar como Nabokov insisten en que arte significa control por parte del artista de su material. En su introducción a *Lolita,* Nabokov afirma que la idea de la novela se le ocurrió cuando leía en un periódico parisino un relato del primer dibujo hecho al carbón por un animal: el diseño representaba a un mono y mostraba las rejas de su jaula. En *Lolita,* Nabokov emplea esta imagen como una metáfora para la novela de Humbert Humbert creada en la cárcel, en que el protagonista describe su aventura frustrante con Lolita. Nabokov amplía la imagen a fin de hacer del arte mismo la revelación de los modelos imaginarios del mundo interior del hombre, en que la libertad absoluta es controlada por las rejas o filtros de sus formas perceptivas. En comparación, la segunda página de *Rayuela* contiene una citación de César Bruto que emplea la imagen de «una jaula de vidrio», imagen que persiste a través de la novela.

Contrarrestar la jaula de forma necesaria es la oleada hacia la libertad que motiva a estos dos autores y a sus personajes. En *Invitation to a Beheading,* Cincinatus se niega a vegetar mientras está encarcelado por «torpeza gnóstica». En vez de esto, empieza a escribir sus impresiones en un diario. Los personajes, con la mínima libertad existencial, traman las más complicadas *figuras* en las estructuras de Cortázar y Nabokov. La resistencia de Cortázar al equilibrio y a la simetría está ilustrada en *Rayuela* por las escenas en que Talita se escapa de Oliveira sobre la tabla extendida entre sus apartamentos, y después cuando Oliveira intenta eliminar a su doble, Traveler. Nabokov explica esta resistencia a la simetría en *The Gift,* cuya protagonista exclama: «En nuestro esfuerzo hacia la asimetría y hacia la desigualdad puedo percibir un grito por una libertad auténtica, un impulso para salirse del círculo...» [3].

A pesar de que el individuo nunca escapa a las formas que estructuran la vida, puede transformar los moldes y a sí mismo. Este proceso de transformación y metamorfosis es fundamental para la

---

[3] Vladimir Nabokov, *The Gift* (Nueva York, 1963), p. 355.

prosa de Cortázar y Nabokov. Al igual que Oliveira, sus personajes buscan penetrar el espejo y entrar en otra dimensión. Los mecanismos más evidentes para la transformación son la utilización
del lenguaje y la presentación de personajes fluidos. Ambos novelistas crean nuevos lenguajes en su prosa; Nabokov, mediante la combinación de varios idiomas simultáneamente, y Cortázar, a través
de neologismos que actúan como disparadores para la imaginación
del lector. El lenguaje de Nabokov ha sido llamado «barroco del
uso común» [4], y el término tiene igual validez para Cortázar, quien
escribió en un reciente ensayo que un novelista es

> un hombre cuya obra es fruto de una larga, obstinada confrontación con
> el lenguaje que es su realidad profunda, la realidad verbal que su don
> narrador utilizará para aprehender la realidad total en todos sus múlti-
> ples contextos [5].

La relación que existe entre los personajes y el lenguaje es con
frecuencia presentado en situaciones eróticas, como, por ejemplo, el
«glíglico» que Maga y Oliveira inventan y que se emplea para describir sus encuentros sexuales. Estos escatológicos poemas en prosa
a menudo conducen a los críticos a un desalentado retraimiento,
como vemos en la intensa reacción a *Lolita* que indujo a Nabokov a
explicar que la obra presenta su «aventura amorosa con el idioma
inglés» [6]. Tanto si combinan muchos lenguajes como si inventan el
suyo propio, Cortázar y Nabokov luchan con una desesperada necesidad por expresar lo que sólo puede ser intuido con gran dificultad. Cortázar no está desanimado por el limitado éxito de sus inten-
tos para crear un nuevo modo de expresión:

> Si no se puede decir, hay que tratar de inventarle su palabra, puesto
> que en la insistencia se va cerniendo la forma y desde los agujeros se va
> tejiendo la red... [7].

La red o malla del estilo desplegada por estos novelistas sirve
para enredar a los esquivos personajes, como también al lector. Ni
Cortázar ni Nabokov presentan el romántico *yo* compuesto, sino
más bien un ser que es fluido y sujeto a metamorfosis instantáneas
o prolongadas. Las transformaciones de estos personajes son rara-
mente premeditadas, ya que resultan de los sorprendentes encuen-

---

[4] Alfred Appel, «*Lolita:* The Springboard of Parody», en *Nabokov, The Man and his Work*, ed. L. S. Dembo (Madison, 1967), p. 136.

[5] Julio Cortázar, *Literatura en la revolución y revolución en la literatura* (México, 1970), p. 75.

[6] Vladimir Nabokov. Introducción a *Lolita* (Nueva York, 1959), p. 288.

[7] Julio Cortázar, *La vuelta al día en ochenta mundos* (México, 1967), página 207.

tros con otros seres. Nabokov tiende a utilizar una modificada forma autobiográfica en que un narrador torpe intenta descifrar el misterio de un verdadero artista. Luego Nabokov se deleita en crear confusión respecto a cuál de estos artistas está realmente escribiendo la novela. La imaginaria figura del verdadero artista dentro de estas ficciones tiene a menudo un gran parecido con los novelistas. Al presentar ellos al artista como alguien distinto, Nabokov y Cortázar dislocan temporalmente nuestros juicios preconcebidos y nos obligan a ver al artista como un ajedrecista, un degenerado sexual o un aficionado al cine cuya vida se convierte en una película laberíntica.

Técnicas tales como la presentación anti-sicológica, la ironía que trastorna a los personajes y una constante intrusión del novelista les da a estos seres novelescos vidas de dos dimensiones. Cada uno de los protagonistas se haya encerrado por modelos que él mismo impone a la realidad. Tanto si ven al mundo como un gran tablero de ajedrez, como un prado de ninfas núbiles o como un juego de la pata coja, estos seres fluidos se encuentran enredados por estructuras mentales.

Los dobles de los personajes bifurcan y hacen confusa la imagen cambiante del protagonista, haciéndolo incluso más difícil para el lector interpretar su identidad básica. El límite entre la locura y la sensatez es tan sutil que el lector puede no darse cuenta cuando el narrador pasa de un estado a otro. Nabokov fusiona las personalidades, como lo hace con Sebastián Knight y su hermano, quien nos dice que

> La máscara de Sebastián se adhiere a mi cara, el parecido no se quitará lavándolo. Yo soy Sebastián, o Sebastián es yo, o quizá ambos somos alguien quien ninguno de los dos conocemos [8].

Cortázar usa una «ameba» metafórica para describir los movimientos y cambios del hombre; la condición semi-sólida de esta forma de vida acentúa la variedad de formas que la conciencia humana puede revestir:

> le muestra su parcelado ser, sus seudópodos irregulares, la sospecha de que más allá, donde ahora veo el aire limpio, o en esta indecisión, en la encrucijada de la opción, yo mismo, en el resto de la realidad que ignoro me estoy esperando inútilmente [9].

A través de personajes que se parecen a los del naipe, Cortázar y Nabokov nos mantienen a una distancia de sus creaciones mientras que piden nuestra ayuda en su desarrollo, recordándonos así de la magia de la impenetrabilidad humana.

---

[8] Vladimir Nabokov, *The Real Life of Sebastian Knight,* p. 206.
[9] Julio Cortázar, *Rayuela* (Buenos Aires, 1968), p. 463.

Las metáforas o símbolos que se emplean para designar al artista favorecen nuestra comprensión de la estética de estas obras. Cortázar presenta escritores como «dibujantes de mandalas», como parientes lejanos del dios egipcio Toth (inventor del lenguaje y de la magia) o como reencarnación de Hermes, el intérprete y mediador de los dioses griegos. Nabokov compara al artista a un jugador de naipes, quien arregla sus trucos de antemano; a Dedalus, el creador de laberintos, o más frecuentemente ve al artista como un conjurador, quien transporta a sus lectores en una alfombra mágica de imaginación:

Los trucos y los juegos de estos artistas-magos no deberían ocultarnos la posición moral de Nabokov y Cortázar, quienes pertenecen a esa tradición de la comedia que enfoca la atención sobre la incongruencia de los niveles de la realidad. El novelista de ficción, Nabokov utiliza la «parodia como una especie de trampolín para dar un salto a las regiones más altas de emoción seria» [10]. En *Rayuela,* Oliveira nos cuenta que para Maga las novelas son «trampolines para irse a sus países misteriosos» [11]. La manera premeditada en que estos novelistas insisten sobre la realidad novelesca promueve nuestra percepción de nuevos modelos dentro de situaciones antiguas. Alfred Appel escribe lo siguiente sobre Nabokov:

> Al crear una realidad que es una ficción, pero una ficción que es capaz de engañar al lector, el autor ha demostrado la ficción de la «realidad», y el lector que acepta estos enredos puede incluso haber experimentado un cambio de conciencia [12].

Cortázar y Nabokov crean modelos de mundos nuevos, como el que Oliveira describe cuando dice: «Imaginé (vi) un universo cambiante, lleno de maravilloso azar...» [13]. En su visión de los modelos originales dentro de la realidad, tanto Cortázar como Nabokov nos permiten participar en la creación de lo que Nabokov ha llamado

> deleite estético..., una sensación de estar de alguna manera, en alguna parte, asociado con otros estados de ser en donde el arte (curiosidad, sensibilidad, bondad, éxtasis) es la norma [14].

---

[10] Vladimir Nabokov, *The Real Life of Sebastian Knight,* p. 91.
[11] Julio Cortázar, *Rayuela,* p. 34.
[12] Alfred Appel, p. 120.
[13] Julio Cortázar, *Rayuela,* p. 425.
[14] Vladimir Nabokov. Introducción a *Lolita,* p. 286.